Papsttum als ökumenische Frage

Papsttum
als
ökumenische Frage

Herausgegeben von der
Arbeitsgemeinschaft ökumenischer
Universitätsinstitute

Kaiser · Grünewald

CIP-Kurztitelaufnahme der Deutschen Bibliothek

Papsttum als ökumenische Frage / hrsg. von d. Arbeitsgemeinschaft Ökumen.
Universitätsinst. – München : Kaiser; Mainz : Grünewald, 1979.
   ISBN 3-459-01193-9 (Kaiser)
   ISBN 3-7867-0734-0 (Matthias-Grünewald-Verl.)
NE: Arbeitsgemeinschaft Ökumenischer Universitätsinstitute

© 1979 Chr. Kaiser Verlag, München
Matthias-Grünewald-Verlag, Mainz
Umschlag Kroehl / Offenberg
Gesamtherstellung: Buch- und Offsetdruckerei Georg Wagner, Nördlingen

Korrigenda

Zu dem Band »Papsttum als ökumenische Frage«

S. 136:	23. Zeile:	»England« *statt* »Byzanz«
	6. Zeile v. unten:	»Trullanum« *statt* »Collanum«
S. 140:	8. Zeile v. unten:	»Gratis asseritur, gratis negatur« *statt* »Gratis accepto, gratis legato«
S. 142:	8. Zeile:	»den« *statt* »dem«
	17. Zeile v. unten:	»Ignatius« *statt* »Irenäus«
S. 143:	3. Zeile:	»berufen« *statt* »bestimmt«
	letzte Zeile:	»Caerularius« *statt* »Curtius«
S. 144:	4. Zeile:	»der Kreuzfahrer« *statt* »von Kurasaten«
	18. Zeile:	»das letztere gelang ihm auf die Dauer nicht« *statt* »das letztere gelang ihm«
S. 148:	16. Zeile v. unten:	»Stephan« *statt* »Firmilian«
	17. Zeile v. unten:	»Firmilian« *statt* »Kyrillian«
S. 150:	21. Zeile ff.:	»auch im Osten etwas zu sagen zu haben, der im Schisma des Caerularius zum Bruch führte. Dann wurde das Papsttum durch Gregor VII und Innozenz II übersteigert.«
		statt
		»auch im Osten etwas zu sagen zu haben, der erstmals im Schisma des Cerularius zum Bruch führte. Denn mittlerweile war das Papsttum durch Gregor VIII und Innozenz VIII übersteigert worden.«
S. 151:	8. Zeile v. unten:	»aspectu« *statt* »aspecto«
S. 155:	18. Zeile:	»Buch von Nautin« *statt* »Buch von Bautin«

Weiter bitten wir auf S. 11 bei Prof. Dr. Peter Lengsfeld Münster statt Tübingen einzusetzen.

INHALT

VORWORT

Bis vor wenigen Jahren galt die Frage des Papsttums, seines Universalepiskopats über die ganze Kirche und der von ihm beanspruchten Unfehlbarkeit, als das schwierigste und kaum lösbare Problem im ökumenischen Dialog zwischen katholischen und protestantischen Christen. Konzentrierte sich doch nach den bitteren Worten Luthers über den Papst in den Schmalkaldischen Artikeln von 1537 der ganze Protest der Reformation auf die mit diesem Amt verbundenen Gehorsamsansprüche, die nach Luther nichts weniger als »den ersten Hauptartikel von der Erlösung Jesu Christi« zerstören. Da andererseits die römisch-katholische Kirche durch das Erste Vatikanische Konzil 1870 die Autorität des Papstes in den Rang eines Dogmas erhoben und ihm sogar die Vollmacht unfehlbarer und für die ganze Kirche bindender dogmatischer Lehrentscheidungen zugesprochen hatte, schien der Graben an dieser Stelle so tief geworden, daß jeder Brückenschlag hier als vergeblich gelten konnte. Zudem handelt es sich ja nicht nur um eine Kontroverse zwischen Protestanten und Katholiken. An der Frage des Papsttums war schon im 11. Jahrhundert die Einheit von westlicher und östlicher Christenheit zerbrochen, und die Reformation war sich bei ihrer Kritik am Papsttum dessen wohl bewußt.

So wirkte es als geradezu sensationell, als die theologische Kommission der lutherischen und katholischen Kirchen in den USA sich 1970 der Frage des Papsttums zuwandte, nachdem in den vorangegangenen Dialogen eine weitgehende Verständigung über die Lehre von der Eucharistie und ihre Bedeutung im Leben der Kirche, sowie über das kirchliche Amt im allgemeinen erzielt worden war. Seitdem ist die Frage des Papsttums Gegenstand zahlreicher ökumenischer Studien und Diskussionen geworden. Die lutherische Seite erinnerte sich daran, daß Luther nicht immer so scharf wie 1537 in Schmalkalden über das Papsttum gesprochen hat, und katholische Theologen entwickelten vorwärtsweisende Gedanken über Möglichkeiten einer Entflechtung und stärkeren Differenzierung der verschiedenen Ämter des Bischofs von Rom und über neue Formen eines gesamtkirchlichen Petrusdienstes. Als besonders hilfreich und notwendig erwies sich bei diesem Thema der Beitrag griechisch-orthodoxer Theologen und die ständige Rücksicht auf die Verhältnisse der noch ungeteilten Christenheit des ersten Jahrtausends.

Auch dem Arbeitskreis der deutschen ökumenischen Universitätsinstitute drängte sich die Notwendigkeit auf, sich nach einer weitgehenden Verständigung über das kirchliche Amt im allgemeinen[1] den besonderen Problemen eines universalkirchlichen Amtes, wie es im römischen Papsttum historische Gestalt gewonnen hat, zuzuwenden. Zu diesem Zweck wurde Ende Oktober 1977 in Heidelberg eine Tagung veranstaltet, zu der über den Kreis der Institute hinaus ein weiterer Teilnehmerkreis von in dieser Frage besonders kompetenten Theologen geladen wurde. Die Referate dieser Tagung und Zusammenfassungen der anschließenden Diskussionen werden im vorliegenden Bande der Öffentlichkeit zugänglich gemacht. Mögen sie als ein Beitrag zur Auflockerung der verfestigten konfessionellen Positionen in der Frage eines universalen Lehr- und Hirtenamtes in der Christenheit aufgenommen werden. Ohne eine Verständigung über dieses Thema wird es keine kirchliche Gemeinschaft der heute noch getrennten Christen geben können. Darum ist hier in besonderem Maße Geduld und gegenseitige Aufgeschlossenheit für die sachlichen Anliegen der anderen Seite erforderlich mit der Bereitschaft zur Revision bestehender Vorurteile und zur Suche nach neuen Wegen zu einer für alle Seiten annehmbaren Lösung. Keiner der Teilnehmer an diesem Symposion ist nach Heidelberg gefahren in der Erwartung, daß alle Fragen gelöst werden könnten und keine offenen Probleme zurückblieben. Zu den stärksten Eindrücken des Symposions aber wird für alle, die daran teilnahmen, gehören, in welch hohem Maß die Bereitschaft, aufeinander zu hören und bestehende Vorurteile abzubauen, auf allen Seiten vorhanden war und sich im Verlauf der Gespräche noch weiter vertiefte.

Für das Ökumenische Institut der Universität Bochum:
Prof. Dr. Hans-Heinrich Wolf

Für das Institut für Ökumenische Theologie der Universität München:
Prof. Dr. Heinrich Fries

Für das Ökumenische Institut der Universität Heidelberg:
Prof. Dr. Reinhard Slenczka

Für das Katholisch-Ökumenische Institut der Universität Münster:
Prof. Dr. Peter Lengsfeld

Für das Ökumenische Institut der Universität München:
Prof. Dr. Wolfhart Pannenberg

Für das Institut für ökumenische Forschung der Universität Tübingen:
Prof. Dr. Hans Küng

---

[1] Reform und Anerkennung kirchlicher Ämter. Ein Memorandum der Arbeitsgemeinschaft ökumenischer Universitätsinstitute, München/Mainz 1973 (vergriffen).

TEILNEHMER

Dr. Urs Baumann, Tübingen
Prof. Dr. Josef Blank, Saarbrücken
Prof. Dr. Peter Bläser, Paderborn
Prof. Dr. Johannes Brosseder, Bonn
Prof. Dr. Yves Congar, Paris
Prof. Dr. Hans Geißer, Wettingen/Zürich
Prof. Dr. Erich Gräßer, Bochum
Dr. August B. Hasler, Rom
Hans-Gerd Janßen, Bochum
Prof. Dr. Eberhard Jüngel, Tübingen
Dr. Georg Kraus, Tübingen
Prof. Dr. Hans Küng, Tübingen
Prof. Dr. Peter Lengsfeld, Tübingen
Prof. Dr. Eckhard Lessing, Münster
Dr. Reinhard Leuze, München
Prof. Dr. Magnus Löhrer, Rom
Dr. John May, Münster
Prof. Dr. Jürgen Moltmann, Tübingen
Dr. Peter Neuner, München
Prof. Dr. Nikos A. Nissiotis, Athen
Prof. Dr. Heinrich Ott, Basel
Prof. Dr. Wolfhart Pannenberg, München
Prof. Dr. Otto H. Pesch, Hamburg
Dr. Michael Plathow, Heidelberg
Prof. Dr. Gerhard Sauter, Bonn
Prof. Dr. Edmund Schlink, Heidelberg
Prof. Dr. Eduard Schweizer, Zürich
Prof. Dr. Reinhard Slenczka, Heidelberg
Prof. Dr. Heinrich Stirnimann, Freiburg/Schweiz
Dr. Heinz-Günther Stobbe, Münster
Dr. Lukas Vischer, Genf
Prof. Dr. Wilhelm de Vries, Rom
Prof. Dr. Hans-Heinrich Wolf, Bochum

Edmund Schlink

GRUNDFRAGEN EINES GESPRÄCHS ÜBER DAS AMT DER UNIVERSALEN KIRCHLICHEN EINHEIT

Vortrag zur Eröffnung des Symposions

Das Thema unseres Symposions lautet: Das Papsttum als ökumenische Frage. Das Amt des Papstes ist erst seit wenigen Jahren zum Gegenstand ökumenischer Arbeitsgemeinschaften geworden. Zuvor war es vor allem Thema der Polemik und der Apologetik gewesen, nicht aber des auf die Einigung der Kirchen zielenden ökumenischen Gesprächs. Vor allem seit dem I. Vatikanischen Konzil und wiederum nach der Dogmatisierung der Assumptio Mariae war der dogmatische und kirchenrechtliche Anspruch des päpstlichen Amtes von allen anderen Kirchen in dezidierter Weise abgelehnt worden. Daß dieses Amt in den letzten Jahren zu einem ökumenischen Thema und zwar zum Thema gemeinsamer ökumenischer Gespräche zwischen Gliedern der römisch-katholischen und anderer Kirchen geworden ist, hat vor allem zwei Gründe:
Einmal das II. Vatikanische Konzil. Denn in seinen Beschlüssen ist die Grenze der einen heiligen katholischen Kirche nicht mehr mit derjenigen der römisch-katholischen Kirche gleichgesetzt, sondern es sind außerhalb dieser Grenze nicht nur einzelne, von der heiligmachenden Gnade erneuerte Christen, sondern Kirchen und kirchliche Gemeinschaften als Wirkung und Werkzeuge der göttlichen Gnade anerkannt worden. Damit ist das göttliche Heil auch außerhalb des Bereiches des Gehorsams gegenüber dem Papst anerkannt und das Problem der päpstlichen potestas neu aufgerollt worden. Hinzu kam die konziliare Betonung des Kollegiums der Bischöfe, der Mannigfaltigkeit der Partikularkirchen und der Notwendigkeit einer dezentralisierenden Kurienreform.
Als zweiter Grund ist hervorzuheben, daß im Ökumenischen Rat die Frage nach der Einheit und der Einigung der Mitgliedskirchen über den in seiner Verfassung geordneten losen Zusammenschluß hinaus immer dringlicher geworden ist. Immer deutlicher wird gesehen, daß die jetzige Ordnung, nach der die einzelnen Mitgliedskirchen nicht einmal verpflichtet sind, die Beschlüsse der Vollversammlungen des Ökumenischen Rates in ihrem eigenen Bereich bekanntzugeben, unzureichend ist. So hat das Fragen nach

einer im stärkeren Maße verpflichtenden Konziliarität eingesetzt. Zur Konziliarität gehört aber auch eine Ordnung des Amtes bzw. der Ämter, die die Vollmacht haben, ein Konzil einzuberufen, zu leiten und die Konzilsbeschlüsse zu veröffentlichen und durchzusetzen. Dem entspricht es, daß die Kommission für Glauben und Kirchenverfassung dem Thema der Autorität in der Kirche neuerdings besondere Aufmerksamkeit schenkt.

Beim Thema unseres Symposions geht es somit nicht in erster Linie um den Papst als den obersten Leiter der römisch-katholischen Kirche, sondern um die Frage, welche Bedeutung das päpstliche Amt für die Einigung der getrennten Kirchen und für die Leitung der geeinten Kirche haben könnte – mit anderen Worten um die Frage, ob das Amt des Papstes und das zukünftige Amt der geeinten Christenheit identisch sein könnten.

Dieses Eröffnungsreferat hat nicht die bevorstehenden Gespräche vorwegzunehmen. Wohl aber dürfte es sinnvoll sein, die gegenwärtige ökumenische Gesprächssituation vor Augen zu stellen, innerhalb derer unser Heidelberger Symposion stattfindet. Ich will dies versuchen, indem ich auf die folgenden drei Fragen eingehe:

1. Welches ist der *gegenwärtige Stand* des ökumenischen Gesprächs über das päpstliche Amt als Amt der ökumenischen Einheit? Hierbei soll der Blick – der Zusammensetzung unseres Kreises gemäß – vor allem auf den gegenwärtigen Stand des evangelisch-katholischen Gesprächs gerichtet werden.

2. Welche *methodischen Möglichkeiten* bestehen für die Weiterführung des ökumenischen Gesprächs über das Papstamt als Amt der Einheit der Christenheit?

3. Welcher *Rang* kommt der Thematik des päpstlichen Amtes im Ganzen des ökumenischen Gespräches zu?

1. DER GEGENWÄRTIGE STAND DES ÖKUMENISCHEN GESPRÄCHS

Das ökumenische Gespräch über das päpstliche Amt als Amt der ökumenischen Einheit hat in den letzten Jahren auf verschiedenen Ebenen stattgefunden:

Einmal in beiderseits offiziell ernannten gemischten Kommissionen. Hier ist hinzuweisen auf die Kommission des Einheitssekretariats und des Lutherischen Weltbundes, deren wichtiges erstes Ergebnis in dem sogenannten Malta-Dokument vorliegt, in dem freilich das Papstamt nur am Rande erwähnt ist. Sodann ist besonders hervorzuheben die von der römisch-katholischen Bischofs-Konferenz und der Lutherischen Kirche in den Vereinigten Staaten von Nordamerika eingesetzte gemischte Kommission, die ihre Ergebnisse zu unserem Thema in den beiden Bänden veröffentlicht hat: Peter in the New Testament, 1973 und Papal Primacy and the Universal

Church, 1974. Auch andere offizielle gemischte Kommissionen sind an der Arbeit. Sodann haben Symposien ohne ausdrücklichen Auftrag von Kirchenleitungen stattgefunden und ihre Referate veröffentlicht. Es sei hier besonders hingewiesen auf die Veröffentlichungen von Heinrich Stirnimann und Lukas Vischer (Hg.), Papsttum und Petrusdienst, Frankfurt 1975, und von Hans-Joachim Mund (Hg.), Das Petrusamt in der gegenwärtigen theologischen Diskussion, Paderborn 1976.

Ferner sind Arbeitsgemeinschaften von Gliedern *einer* Kirche unter vereinzelter Heranziehung von Gliedern anderer Kirchen an die Öffentlichkeit getreten, vor allem von katholischer Seite. So z. B. in den Zeitschriften Concilium 1971, H. 4, und 1975, H. 10, sowie Catholica 1976, H. 3/4 (ergänzt: Petrus und Papst, Evangelium, Einheit der Kirche, Papstdienst, Münster 1977).

Im übrigen ist eine Vielzahl von Büchern, Abhandlungen und Voten Einzelner auf beiden Seiten erschienen, die für dieses Symposion von Dr. Kraus dankenswerterweise in einem Literaturverzeichnis zusammengestellt sind.

Die Stellungnahmen zu unserem Problem weichen nicht nur zwischen katholischen und evangelischen Theologen, sondern auch innerhalb der katholischen wie auch innerhalb der evangelischen Theologie z. T. erheblich voneinander ab. Um so bedeutsamer sind die Ergebnisse solcher Gruppen, in denen offiziell beauftragte katholische und evangelische Theologen zusammengearbeitet haben und in denen gemeinsame Ergebnisse formuliert worden sind. Darum sei hier von den Ergebnissen des nordamerikanischen katholisch-lutherischen Gesprächs über unser Thema ausgegangen. Ich zitiere dabei aus der deutschen Ausgabe »Der Petrus der Bibel«, die in Stuttgart 1976 mit empfehlenden Geleitworten der Neutestamentler Ferdinand Hahn und Rudolf Schnackenburg erschienen ist. Dieser Band enthält auch die wichtigsten Folgerungen aus dem obengenannten zweiten amerikanischen Band. Die Ergebnisse und Grenzen dieses Konsensus seien im folgenden unter vier Gesichtspunkten vor Augen gestellt.

1.1 Gemeinsame exegetische Ergebnisse in ihrer systematischen Relevanz

Im Hinblick auf die traditionellen evangelisch-katholischen Kontroversen dürften die wichtigsten gemeinsamen exegetischen Feststellungen die folgenden sein:

a) Die Reformatoren hatten in der Aufnahme altkirchlicher westlicher Auslegungen von Mt 16,18 unter dem Fels, auf dem Jesus seine Kirche bauen wird, Jesus Christus selbst oder in Übereinstimmung mit Auslegungen östlicher Väter den Glauben oder das Christusbekenntnis des Petrus verstanden, nicht aber seine Person. Diese Auslegung ist hier aufgegeben. Die Sonderstellung der Person des Petrus sowohl zu Lebzeiten Jesu wie in der nachösterlichen Kirche ist auch von evangelischer Seite deutlich anerkannt. Dabei ist von beiden Seiten im einzelnen die Frage offen gelassen, wie weit seine auf der Ersterscheinung des Auferstandenen gründende Sonderstellung in der Christusverkündigung und in der Sammlung und Leitung der frühesten Kirche die Überlieferungen seiner vorösterlichen Stellung, auch seiner Namengebung geprägt hat. Deutlich herausgestellt sind auch die vorösterlichen und nachösterlichen Fälle von Petri Versagen.

b) Für das Verhältnis des Petrus zu den anderen Jüngern bzw. zu den Aposteln ist die Feststellung wichtig: »Eine besondere Vollmacht (des Petrus) über die anderen ist nicht klar bezeugt. In der Apostelgeschichte wird vielmehr dargestellt, wie er ›mit den Aposteln‹ beratschlagt und sogar von ihnen gesendet wird (8,14); er und Johannes wirken beinahe wie ein zusammengehörendes Gespann (3,1ff; 4,1ff; 8,14)« (S. 141). Bevorzugt wird die Bezeichnung: Petrus war der »Sprecher« der Jünger bzw. der Apostel. Mit dieser Bezeichnung ist die Behauptung einer Jurisdiktionsgewalt des Petrus über die anderen Apostel vermieden.

c) In der gemeinsamen historischen Rückfrage hat sich als fraglich ergeben, ob Petrus nach dem Weggang von Jerusalem die Leitung der gesamten Kirche inne hatte. »Er hat eine führende Stellung in der Gemeinde in Jerusalem, er ist in vielen Kirchen gut bekannt. Doch ist es nicht immer leicht zu sagen, inwieweit er eine Funktion ausübt, die die Kirche als Ganzes betrifft, und inwieweit sein Einfluß regional bleibt. Galater 2,7 z. B. schreibt Petrus eine besondere Rolle zu bei der Verkündigung des Evangeliums bei den Juden, während Paulus eine ähnliche Funktion bei der Verkündigung des Evangeliums unter den Heiden hat.« »Wir können die Möglichkeit nicht ausschließen, daß andere Gestalten, etwa Paulus oder Jakobus, auch eine einigende Rolle für die ganze Kirche innehatten« (S. 156).

d) Gemeinsam ist sodann die Feststellung: »Es herrscht zunehmend Übereinstimmung, daß Petrus nach Rom ging und dort den Martertod erlitt, aber es gibt kein zuverlässiges Zeugnis dafür, daß Petrus jemals der lokalen Kirche in Rom als Oberhaupt oder Bischof vorstand« (S. 156).

e) Schließlich sei als gemeinsame Erkenntnis der genannten Kommission hervorgehoben, daß in den Beauftragungen des Petrus durch Jesus keine Beauftragung zur weiteren Übertragung seines besonderen Amtes an Nachfolger ausgesprochen ist. Sie ist auch nicht als apostolische Anordnung überliefert.

»Jeder Bibel- oder Geschichtswissenschaftler heute würde die Frage, ob Jesus Petrus als den ersten Papst einsetzte, für anachronistisch halten« (S. 154).

»Es wächst die Übereinstimmung darin, daß die Zentralisierung der Petrusfunktion in einer einzigen Person oder einem einzigen Amt einem langen Entwicklungsprozeß zu verdanken ist« (S. 161).

16

Dieser Konsensus ist sehr vorsichtig formuliert und verhältnismäßig allgemein und blaß. Es gibt zweifellos manche evangelische und katholische Exegeten, die eine präzisere Formulierung der gemeinsamen heutigen exegetischen Erkenntnisse finden würden. Insbesondere bedürfen die Begriffe »Sprecher«, Führer, Leiter, Vorrangstellung, »Schlüsselposition bei Entscheidungen, die den Kurs der Kirche betreffen« (S. 157), sowie die Ablehnung jurisdiktioneller Begriffe, auch des Primatsbegriffs zur Kennzeichnung des Wirkens Petri einer Präzisierung. Aber trotz seines relativ blassen Charakters ist dieser Konsensus von großer grundsätzlicher Bedeutung für die kontroverse Frage, ob das päpstliche Amt göttlichen oder menschlichen Rechts sei. Die evangelischen und die katholischen Mitglieder der Kommission erklären gemeinsam: »Wir haben ... mittels sorgfältiger Untersuchungen festgestellt, daß die traditionelle Unterscheidung zwischen de jure humano und de jure divino keine brauchbaren Kategorien für die Diskussion über das Papsttum hergibt« (S. 176, vgl. 166 und 177).

Versteht man in traditioneller Weise unter ius divinum einen Auftrag Jesu, durch den er die Fortsetzung des Petrusamtes in der Sukzession weiterer Leiter der universalen Kirche geboten hat, so ist das päpstliche Amt nicht jure divino in diesem Sinn. Dementsprechend ist das päpstliche Amt in dem amerikanischen katholisch-lutherischen Konsensus in der Regel nicht als »Petrusamt«, sondern als »Petrusfunktion« bezeichnet worden, die auch von verschiedenen Ämtern wahrgenommen werden kann (S. 152). Demnach wäre der traditionelle Gegensatz zwischen Melanchthon, der sich in einem Zusatz zu den Schmalkaldischen Artikeln bereit erklärt hatte, den Papst unter bestimmten Voraussetzungen jure humano anzuerkennen, und der römisch-katholischen Behauptung des ius divinum dieses Amts, wenn nicht beseitigt, so doch von veränderten exegetischen und historischen Voraussetzungen her neu zu klären. Es ergeben sich hier ähnliche historische und systematische Probleme wie bei der traditionellen katholischen Behauptung, daß Jesus jedes der sieben Sakramente, wie auch die Ordnung der drei Ämter des Bischofs, Presbyters und Diakons, durch ausdrücklichen Auftrag gestiftet habe.

Aber auch der Begriff des ius humanum bedarf meines Erachtens einer Überprüfung. Er ist zumindest mißverständlich. Denn es geht hier nicht um das Recht des Menschen im allgemeinen, sondern um Recht der Kirche und zwar nicht um beliebiges willkürliches Recht der Kirche, sondern um das Recht, das die Kirche im Gehorsam gegen Gottes Anordnung im Wechsel der geschichtlichen Situationen in Kraft setzt. Dafür können wir auch sagen: Es geht hier um das Recht, das die Kirche in der Freiheit des Heiligen Geistes und im Gehorsam gegen den durch den Heiligen Geist leitenden Herrn anordnet und praktiziert. Darum wäre es eine falsche Alternative, wenn gesagt würde: entweder ius divinum, dann verpflichtend – oder ius humanum, dann nicht verpflichtend. Vielmehr verpflichtet auch das im Gehorsam gegen den Herrn in Kraft gesetzte kirchliche ius humanum zum Gehorsam gegen Gott. Allerdings ist immer neu kritisch zu fragen, ob das geschichtlich gewordene geltende ius humanum dem Auftrag Gottes inmitten einer veränderten geschichtlichen Situation der Kirche entspricht. Diese Frage kann nicht einfach pragmatisch-organisatorisch entschieden werden, sondern bedarf eines geistlichen Urteils über die Situation und über die gebotenen Schritte der Kirche in der Welt.

Auch wenn die traditionelle Art der Unterscheidung von ius divinum und ius humanum in der Ämterfrage nicht aufrecht erhalten werden kann, bleibt jedoch bei der Anerkennung des Apostelamtes zu unterscheiden zwischen der *Einmaligkeit* und der *Erstmaligkeit* des apostolischen Dienstes. *Einmalig* sind die Apostel als Augenzeugen Jesu, besonders als Augenzeugen der Erscheinungen des auferstandenen Herrn; einmalig ist ihr Dienst im ersten Gründungsgeschehen der Kirche. *Erstmalig* ist in diesem Gründungsgeschehen ihr Dienst der missionarischen Verkündigung, der Gründung und Leitung der Gemeinden und der Erhaltung ihrer Einheit. Dieser erstmalige Dienst geht weiter bis zur Parusie. Nun ist zwar weder ein Gebot der Fortsetzung des leitenden Amtes des Petrus noch ein Bericht über die faktische Fortsetzung dieses universalen leitenden Amtes über das Gründungsgeschehen hinaus in den neutestamentlichen Schriften überliefert. Wohl aber bleibt der Petrus der neutestamentlichen Überlieferung für die Christenheit aller Zeiten ein immer neu zu bedenkendes *Urbild* für die Auferbauung und die zu wahrende Einheit der Kirche, und zwar in den Grundstrukturen seiner Zuordnung zum Herrn, zu den Aposteln und zur Kirche, wie sie im Neuen Testament überliefert sind.

Die gemeinsame evangelisch-katholische amerikanische Analyse der kirchengeschichtlichen Entwicklung des päpstlichen Amtes liegt im Augenblick noch nicht als Veröffentlichung vor. Wohl aber dürfte von den aufgezeichneten biblisch-theologischen Voraussetzungen und systematischen Folgerungen her der Weg dafür geebnet sein, sich auf beiden Seiten von den bekannten polemischen und apologetischen Zwängen in der Interpretation der Papstgeschichte freizumachen und die erheblichen Unterschiede klar herauszuarbeiten, die durch die Jahrhunderte hindurch in dem Verständnis und in der Wahrung der Kircheneinheit und in der Gestalt der leitenden Ämter aufgetreten sind. Dabei muß z. B. sorgfältig unterschieden werden zwischen dem Vorrang einer örtlichen Kirche und dem eines Amtes, zwischen dem Vorrang der Überlieferung und einer jurisdiktionellen Überordnung, sowie zwischen der gelegentlichen Inanspruchnahme eines Amtes als Appellationsinstanz und dem durchgängigen Anspruch dieses Amtes, Appellationsinstanz zu sein, und somit zwischen dem Anspruch eines Amtes und der Anerkennung dieses Anspruchs durch die Kirchen. Zur gemeinsamen Interpretation der Papstgeschichte würde auch die kritische Rückfrage gehören, ob die jeweilige Ämterordnung in der jeweiligen kirchengeschichtlichen Situation für die Erhaltung der Kircheneinheit förderlich oder nachteilig war. Hierbei sind viele Gesichtspunkte zu berücksichtigen.

1.2 Konvergenzen in der Verhältnisbestimmung von päpstlichem Amt und Amt der ökumenischen Einheit

Aufgrund ihrer exegetischen und kirchengeschichtlichen Überlegungen hat die gemischte nordamerikanische Kommission eine Reihe von beachtlichen konvergenten Thesen und Postulaten formuliert. Zunächst seien die wichtigsten gemeinsamen Schlußfolgerungen zitiert: »Christus will für seine Kirche eine Einheit, die nicht nur im Geiste existiert, sondern in der Welt sichtbar ist; – die Förderung dieser Einheit ist Pflicht aller Gläubigen, besonders derer, die mit dem Dienst an Wort und Sakrament betraut sind; – . . . Eine besondere Verantwortung dafür kann einem einzelnen Amtsträger anvertraut werden und zwar unter dem Evangelium; – eine solche Verantwortung für die Gesamtkirche kann nicht aufgrund biblischer Zeugnisse ausgeschlossen werden; – der Bischof von Rom, von dem die römischen Katholiken glauben, daß er durch Christi Willen mit dieser Verantwortung betraut wurde und der sein Amt ausgeübt hat in Formen, die sich im Verlauf der Jahrhunderte bedeutend verändert haben, kann in der Zukunft in einer Weise wirken, die sowohl den universalen als auch den regionalen Erfordernissen der Kirche in der komplexen Umwelt von heute besser angepaßt ist« (S. 165f).

Demgegenüber ist der wichtige Unterschied hervorzuheben, daß auf katholischer Seite vorausgesetzt wird: Der Papst *hat* durch Christi Willen die Verantwortung für die ökumenische Einheit, während die evangelischen Teilnehmer nur von einer *Möglichkeit* sprechen, daß das päpstliche Amt unter bestimmten Bedingungen als Amt der ökumenischen Einheit anerkannt werden *kann*.

Aber beide Seiten fordern gemeinsam eine Erneuerung des päpstlichen Amtes nach drei Prinzipien (S. 162f): 1. dem Prinzip der legitimen Mannigfaltigkeit (wobei nicht nur an eine Mannigfaltigkeit in Liturgie und Kirchenordnung, sondern auch in dogmatischen Formulierungen gedacht ist); 2. dem Prinzip der Kollegialität; 3. dem Subsidiaritätsprinzip.

Von evangelischer Seite wird als Bedingung für die Anerkennung als unaufgebbar geltend gemacht, »daß der päpstliche Primat so angelegt und interpretiert wird, daß er eindeutig dem Evangelium und der Einheit der Kirche Christi dient, und daß seine Machtausübung die christliche Freiheit nicht untergräbt« (S. 165). »Jede Form des päpstlichen Primats, die die Freiheit des Evangeliums nicht ganz sicherstellt, ist für Lutheraner unannehmbar« (S. 178). Was diese Bedingungen im einzelnen bedeuten, ist nicht genauer präzisiert. Hier bleiben viele Fragen offen. Aber deutlich erkennbar ist auf lutherischer Seite die Richtung auf eine rechtliche Begrenzung der umfassenden päpstlichen Jurisdiktionsgewalt und auf römisch-katholischer Seite die Richtung auf eine freiwillige Selbstbegrenzung des Papstes im Gebrauch seiner Gewalt gegenüber der evangelisch-lutherischen Kirche.

Diese Konvergenzen sind in jener Kommission als so weitgehend empfunden worden, daß von beiden Seiten Sofortentscheidungen als »erste Schritte zur Versöhnung« (S. 166) gefordert werden. So richten die Kommissionsmitglieder an die lutherischen Kirchen die Fragen: »ob sie in der Lage sind, anzuerkennen, daß das päpstliche Amt nicht nur eine Legitimität besitzt im Dienst an der römisch-katholischen Gemeinschaft, sondern daß das päpstliche Amt, nach dem Evangelium erneuert und der christlichen Freiheit verpflichtet, in einer größeren Gemeinschaft, die die Lutheraner einschlösse, möglich und erwünscht wäre; – ob sie bereit sind, die Diskussion zu eröffnen über die konkreten Folgerungen, die sich aus einem solchen Primat für sie ergeben« (S. 166f). In entsprechender Weise fragen die Kommissionsmitglieder die römisch-katholische Kirche: »ob sie bereit ist, Gespräche zu beginnen über mögliche Strukturen für eine Aussöhnung, die die legitimen Traditionen der lutherischen Gemeinden schützen und ihr geistliches Erbe respektieren; – ob sie bereit ist, die Möglichkeit einer Aussöhnung ins Auge zu fassen, bei der sie eine Selbstverwaltung der lutherischen Kirchen innerhalb *einer* Gemeinschaft anerkennen würde«. Darüber hinaus wird sogar die gemeinsame Frage an die römisch-katholische Kirche gestellt: »Ob sie in Erwartung einer Aussöhnung bereit ist, die bei unserem Dialog vertretenen lutherischen Kirchen als Schwesterkirchen anzuerkennen, die bereits bis zu einem gewissen Maß zu kirchlicher Gemeinschaft berechtigt sind« (S. 167).

In diesen Konvergenzen ist die reformatorische Bezeichnung des Papstes als Antichrist verschwunden.

Wie steht es mit dem Widerhall, den diese Kommissionsvorschläge in der evangelischen und in der katholischen Kirche gefunden haben? – Mir sind keine *offiziellen* Stellungnahmen derjenigen Kirchenleitungen bekannt geworden, die die genannte gemischte Kommission ins Leben gerufen hatten und denen diese Kommission ihre Ergebnisse vorgelegt hat, Stellungnahmen also von seiten der katholischen Bischofskonferenz und der Leitung der lutherischen Kirche in den USA, bzw. von seiten des Papstes und des

Lutherischen Weltbundes. Die konvergenten Thesen und Vorschläge haben jedoch großes Aufsehen in der Öffentlichkeit hervorgerufen. Sie sind von manchen sehr freudig begrüßt worden, – aber wie mir scheint vor allem von einer relativ kleinen, ökumenisch engagierten und lebendig vorstoßenden Elite auf beiden Seiten. Weithin sind diese Ergebnisse nur als Sensation zur Kenntnis genommen worden.

Diese Zurückhaltung hat ihren Grund einmal in der Ordnung und Praxis der römischen Kurie. Bereits in dem Kommissionsbericht findet sich der Satz: »Wir haben nicht zufriedenstellend geklärt, inwieweit die bestehenden Formen des päpstlichen Amtes in der Zukunft für eine Wandlung zugänglich sind« (S. 166). In der Tat sind die durch das II. Vatikanische Konzil erweckten Erwartungen vieler Katholiken nicht erfüllt worden. Dies gilt z. B. vom kollegialen Prinzip: Die römische Bischofssynode ist nur ein Beratungsorgan des Papstes und hat eine andere Struktur als die Gemeinschaft, die nach den neutestamentlichen Überlieferungen zwischen Petrus und den anderen Jüngern bzw. Aposteln bestand. Das Prinzip der Mannigfaltigkeit wurde zwar auf die Liturgie, schon weniger auf das Kirchenrecht, aber nicht auf das Dogma angewendet. Die vom Konzil hervorgehobene »Hierarchia veritatum« wurde nicht weiter offiziell interpretiert. Auch die Kurienreform blieb hinter manchen Erwartungen einer Dezentralisierung zurück. Bei den Erwartungen vieler war freilich zu Unrecht übersehen worden, daß das II. Vatikanische Konzil die dogmatische und rechtliche Stellung des Papstes gegenüber dem I. Vaticanum nicht geändert hat (vgl. besonders die nota explicativa praevia zum III. Kapitel der Kirchenkonstitution), und daß die Stellungnahme zu den anderen Kirchen in den Konzilsbeschlüssen nicht einheitlich ist. Es ist in ihnen einerseits von Kirchen außerhalb der römisch-katholischen Kirche und andererseits nur von Elementen der römisch-katholischen Kirche in ihnen die Rede. Es wird die Vereinigung der Kirchen einerseits von ihrer Versöhnung miteinander erwartet, andererseits scheint aber auch die alte Vorstellung von der Rückkehr der anderen Kirchen zur römischen Kirche noch nicht ganz aufgegeben zu sein. Offensichtlich lehnen starke Kräfte in der römisch-katholischen Kirche eine Einschränkung der päpstlichen summa potestas und ein geöffnetes Verständnis der Grenzen der Kirche nach wie vor ab.

Fragt man diejenigen evangelischen Theologen, die gegenüber diesen evangelisch-katholischen Kommissionsergebnissen zurückhaltend sind, genauer nach ihren Gründen, so stößt man etwa auf folgende Kritik: Muß das Amt der geeinten Christenheit notwendig vom Inhaber des päpstlichen Amtes wahrgenommen werden? Kommt – die Einigung der Kirchen vorausgesetzt – dafür nicht ebenso der Inhaber eines Amtes in Betracht, das in der Tradition der Orthodoxen oder einer der Reformationskirchen steht?

– Muß das Amt der Einheit für alle Zeiten mit derselben lokalen Kirche und demselben lokalen kirchenleitenden Amt verbunden sein? Der altkirchliche Übergang der Leitung von Jerusalem nach Rom und das Bleiben in Rom, auch als in Jerusalem wieder eine Kirche mit einem Bischof existierte, ist nicht für immer verpflichtend, zumal Christi Grab für alle Christen unvergleichlich bedeutsamer ist als die Gräber von Petrus und Paulus. – Muß das Amt der Einheit lebenslänglich übertragen werden, zumal doch Petrus nach seinem Weggang von Jerusalem wahrscheinlich nicht als universaler Leiter aller Kirchen tätig geblieben ist? – Muß das Amt der Einheit notwendig von *einer* Person, kann es nicht grundsätzlich auch von der Gemeinschaft mehrerer Personen wahrgenommen werden (vgl. z. B. die ostkirchliche Konzeption der Gemeinschaft und Karl Rahners Vorschlag, daß das Papstamt auch von drei Personen verwaltet werden könnte)? – Diese Fragen müssen immerhin durchgedacht werden. Es genügt nicht, wenn die amerikanischen Theologen – etwas pragmatisch – darauf hinweisen, daß das Amt der Einheit nicht völlig neu zu schaffen, sondern durch Erneuerung des am längsten bereits bestehenden Amtes der Einheit, nämlich des Papstamtes, entwickelt werden müsse (S. 177 u. ö.).

Zugleich darf aber nicht übersehen werden, daß sich sowohl in der evangelischen wie auch in der katholischen Kirche in Europa ganz unabhängig von den amerikanischen Thesen und Postulaten manche Stimmen erhoben haben, die in dieselbe Richtung weisen wie die amerikanische Kommission. So wird die Möglichkeit des päpstlichen Amtes als Amt der ökumenischen Einheit z. B. bejaht von Peter Meinhold, Wolfhart Pannenberg und Roger Schütz. Auch im lutherischen »Erwachsenenkatechismus« findet sich ein Hinweis auf diese Möglichkeit (S. 916). Zahlreicher sind die katholischen Stimmen, die die Erneuerung des päpstlichen Amtes anstreben, vgl. z. B. die verschiedenen Vorschläge, die im päpstlichen Amt vereinigten Ämter des Bischofs von Rom, des Patriarchen des Abendlandes und des Leiters der universalen Kirche voneinander zu lösen, die Kollegialität auf den verschiedenen Ebenen der Kirche stärker zu verwirklichen und die Mannigfaltigkeit freier zu entfalten.

1.3 Die bisherige Umgehung des päpstlichen Unfehlbarkeitsanspruchs

Dieses Thema ist von der amerikanischen Arbeitsgruppe ausdrücklich für spätere Aufarbeitung zurückgestellt worden. Es ist auch im Malta-Papier und z. B. in den anglikanisch-katholischen Berichten nicht erörtert. Aber innerhalb der jüngsten katholischen Theologie ist dieses Problem sehr lebhaft und unter neuen Gesichtspunkten diskutiert worden, besonders in den Büchern von Hans Küng und in zahlreichen, untereinander keineswegs einheitlichen kritischen Stellungnahmen zu ihnen.

Bei evangelischen Theologen findet sich weithin eine Sympathie für Hans Küngs Kritik an dem päpstlichen Unfehlbarkeitsanspruch und an einem ungeschichtlichen Verständnis des römisch-katholischen Dogmengefüges. Aus diesem letzteren Grund haben viele evangelische Theologen auch Karl Rahners Bemühungen um eine Neuinterpretation der Dogmen (Dogma »nicht Ende, sondern Anfang«) mit Sympathie begrüßt und darin Ansätze für neue fruchtbare Gesprächsmöglichkeiten gesehen. Die Härte des Streites zwischen Rahner und Küng war darum auf evangelischer Seite schwer verständlich, da sich zwar die Wege einer spekulativen Umdeutung (Rahner) und einer von der Heiligen Schrift ausgehenden Kritik der Dogmen (Küng) unterschieden, aber die Ergebnisse auf beiden Seiten einander in mancher Hinsicht recht ähnlich waren.

Die evangelische Theologie hat sich an diesen sehr interessanten innerkatholischen Auseinandersetzungen bisher nur wenig beteiligt. Nicht der Glaube an die göttliche Erhaltung der Kirche in der Wahrheit, aber die Vorstellung einer kirchlichen Unfehlbarkeit und noch dazu die Konzentration dieser Unfehlbarkeit auf *eine* Person, den Papst, ist evangelischer Theologie so fremd, daß sie diese Diskussion weithin für eine innerkatholische Angelegenheit hält. Außerdem stehen die älteren evangelischen Theologen noch unter dem Schock, den 1950 die Beanspruchung der Unfehlbarkeit durch Papst Pius XII. bei der Dogmatisierung der Assumptio beatae Mariae virginis bei allen anderen Kirchen ausgelöst hatte. Denn diese Dogmatisierung erfolgte ohne Grundlage in der Heiligen Schrift, ohne Grundlage in der kirchlichen Tradition der ersten Jahrhunderte und ohne einen Konzilsbeschluß, und er bedeutete ein zusätzliches Anathema gegen die Glieder aller anderen Kirchen. Weil das Lehramt Unfehlbarkeit in der Auslegung der Heiligen Schrift beansprucht, ist auch ein Mißtrauen gegenüber der Erklärung der Offenbarungskonstitution des II. Vatikanischen Konzils geblieben, daß das Lehramt nicht über dem Wort Gottes steht, sondern ihm dient und es auslegt (10).

Hinzu kommen freilich auch evangelische Bedenken gegenüber der umstrittenen These von H. Küng: »Jeder Satz kann wahr und falsch sein – je nachdem nämlich, wie er gezielt, gelagert, gemeint ist« (»Strukturen der Kirche«, S. 355, und »Unfehlbar?«, S. 140), – zumal wenn diese These aus dem Zusammenhang herausgerissen wird. Eine grundsätzliche Distanzierung des Wortes von der bezeugten Wahrheit ist vom lutherischen Verständnis des Bekenntnisses her nicht nachzuvollziehen, auch wenn die überlieferten Sätze des Bekenntnisses einer immer neuen geschichtlichen

Interpretation bedürfen. Aber diese Fragen sind heute auch innerhalb der evangelischen Theologie umstritten.

Trotz dieser Bedenken sollte jedoch die evangelische Theologie nicht in ihrer Zurückhaltung gegenüber den Diskussionen über die Unfehlbarkeit beharren. Ich halte einen evangelisch-katholischen Dialog hierüber für notwendig und halte auch in dieser schwierigen Thematik weiterführende Klärungen für möglich. Dabei sind zwei Fragenkomplexe zu unterscheiden: Einmal die fundamentaltheologische Problematik von Glaubensaussagen, die über den Wechsel der Orte und Zeiten hinweg für das Ganze der Kirche verpflichtend sind. Nicht alle Aussagen des Glaubens erheben den Anspruch auf eine bleibend gültige Verbindlichkeit ihrer Formulierung. Im Reden aller Kirchen finden sich Unterschiede zwischen bleibend verpflichtenden und geschichtlich sich wandelnden Worten und Sätzen – Unterschiede, die sich vom Wesen der Kirche her ergeben, nämlich von dem ihr gebotenen Bleiben bei ihrem geschichtlichen Ursprung und von dem ihr aufgetragenen immer neuen Vorstoß hinein in die Welt. So sind im Reden der Kirche von Anfang an gewisse Konstanten, wie z. B. der Name Gottes, die Namen- und Hoheitstitel Jesu, Formeln der Überlieferung (wie z. B. 1 Kor 11,23–25 und 15,3ff), Bekenntnisformeln und Christushymnen hervorgetreten, die in der Geschichte der Liturgie und des Dogmas festgehalten und entfaltet wurden. Diese Konstanten sind notwendig von den in großer Freiheit sich vollziehenden variablen Glaubensaussagen, zumal des Gebetes, der Verkündigung und der theologischen Lehre, umgeben. Nicht jede theologische Aussage ist in gleicher Weise geschichtlich wandelbar. Wohl aber bedürfen die Konstanten einer immer neuen Interpretation, und sie gehören im Ganzen des kirchlichen Lebens mit den Variablen untrennbar zusammen. Solche sprachanalytischen Gesichtspunkte sind bei der Verhältnisbestimmung von Satzformulierung und Wahrheit von erheblicher Bedeutung. Weder die bleibend verpflichtende Identität von Satzformulierung und Wahrheit noch die immer neue geschichtlich zu vollziehende Variabilität im Verhältnis von Satz und Wahrheit kann von *allen* Aussagen des Glaubens behauptet werden. Im Zusammenhang dieser Fragestellungen ist das Verhältnis der Begriffe »unfehlbar« – »irreformabel« – »wahr« – »verpflichtend« sowie die Begriffe »unklar« – »teilwahr« – »irrig« – »unwahr« zu klären. Es müßte auch zwischen der Unfehlbarkeit der Kirche, bestimmter Personen in der Kirche, bestimmter Akte von Personen sowie bestimmter Sätze unterschieden werden. Dies alles sind Fragen, die heute allen Kirchen in neuer Weise gestellt sind. Sie gehen quer durch alle Kirchen hindurch.

Hinzu kommt das spezielle, *zwischen* den Kirchen umstrittene Problem, wie die für die Kirche verpflichtenden Aussagen zustande kommen und von woher sie ihre verpflichtende Autorität haben: durch ein Konzil? – durch ein leitendes Amt oder auch durch eine Gemeinschaft von leitenden Ämtern? – durch die Gesamtkirche? Wie sind diese Größen dogmatisch und kirchenrechtlich zusammenzufügen? Wie erfolgt die Rezeption von wahren Sätzen durch die Gesamtkirche, wenn sie durch ein Konzil oder durch ein leitendes Amt formuliert und proklamiert worden sind? Vor allem diese ekklesiologischen und kirchenrechtlichen Fragen haben sich im Verlauf der Kirche als kirchentrennend ausgewirkt. Sie müssen daher mit besonderer Aufmerksamkeit in die Themen des ökumenischen Dialoges aufgenommen werden.

1.4 Die umgangene Frage nach dem Verhältnis von Jurisdiktionsgewalt und Unfehlbarkeit

Auf diese Frage ist im ökumenischen Dialog bisher nicht eingegangen worden, aber sie bedarf dringend der Klärung. Es ist hier kritisch zu fragen: Kann beides von einander getrennt werden? Kann die Jurisdiktionsgewalt im ökumenischen Dialog vorweggenommen und unabhängig von dem Unfehlbarkeitsanspruch behandelt werden? Wie ist das Verhältnis zwischen diesen beiden vom Papst beanspruchten Vollmachten zu bestimmen? Diese wichtige Frage sei hier durch zwei Hinweise erläutert:

Nach den Forschungen von Brian Tierney (Origins of papal infallibility 1150–1350, Leiden 1972) ist die Lehre von der päpstlichen Unfehlbarkeit »zum ersten Mal in den Jahren um 1300 aufgebracht worden, und zwar von Männern, die verzweifelt bestrebt waren, die Gewalt der zeitgenössischen Päpste einzuschränken. Fast alle ersten Verfechter der Doktrin wurden als Häretiker verurteilt« (B. Tierney, Ursprünge der päpstlichen Unfehlbarkeit, in: H. Küng »Fehlbar?« 1975, S. 121). Infallibilität wurde als Einschränkung der päpstlichen Souveränität, nämlich als Bindung des Papstes an frühere päpstliche Entscheidungen verstanden. Es ging damals speziell um die Frage, ob die Bulle »Exiit«, durch die Papst Nikolaus III. im August 1279 die Armutspraxis der Franziskaner approbiert hatte, auch für die späteren Päpste verpflichtend sei.

Vom I. Vatikanischen Konzil ist die Unfehlbarkeit neben der höchsten Jurisdiktionsgewalt definiert worden. Hierbei scheint der Blick weniger auf die bereits bestehenden, als auf künftige dogmatische und ethische Definitionen gerichtet zu sein. Wie ist hier die Unfehlbarkeit der Jurisdiktionsgewalt systematisch zugeordnet?

Mit diesen beiden Hinweisen soll auf das ökumenisch noch nicht geklärte grundsätzliche Problem der Verhältnisbestimmung von Jurisdiktionsgewalt und Unfehlbarkeit lediglich hingewiesen werden.

Blicken wir auf den Gedankengang dieses I. Teils des Referats zurück, so sehen wir uns durch unser Thema mit einer großen Zahl von Fragen konfrontiert. Es sind viel zuviele für ein Symposion von knapp drei Tagen. Wenn dieses fruchtbar werden soll, ist es wohl unerläßlich, Schwerpunkte für den Dialog zu setzen. Die Zahl der Fragen wäre noch sehr viel größer, wenn wir nicht nur das Amt des Papstes in seiner dogmatischen und kirchenrechtlichen Bestimmtheit, sondern das Papsttum als geschichtliche Größe im umfassenden Sinn erörtern wollten. Denn dazu würde dann auch z. B. der Kirchenstaat (der Papst als weltlicher Souverän), die Kurie, der Zustand des Bistums Rom, der katholischen Kirche in Italien und des westlichen Patriarchates gehören. Meines Erachtens sollten wir uns auf das dogmatische und kirchenrechtliche Problem des päpstlichen Amtes konzentrieren und dabei die zweite Hälfte unseres Themas, nämlich das Problem des Amtes der geeinten Christenheit fest im Auge behalten.

2. METHODISCHE MÖGLICHKEITEN FÜR DIE DURCHFÜHRUNG DES ÖKUMENISCHEN GESPRÄCHS

Welche *methodischen Möglichkeiten* bestehen für die Durchführung des ökumenischen Gesprächs über das Papstamt als Amt der Einheit der Christenheit?

Der verbreitetste methodische Ansatz kann folgendermaßen gekennzeichnet werden: Er erfolgt bei dem bestehenden, dogmatischen und kirchenrechtlich fixierten päpstlichen Amt der römischen Kirche. Dies geschieht allzu oft nicht nur bei den dogmatischen und kirchenrechtlichen Sachverhalten als solchen, sondern bei einer Bejahung oder kritischen Infragestellung dieses Amtes und damit vom Vorverständnis des Gehorsams oder der Unabhängigkeit gegenüber diesem Amt oder gar seiner dezidierten Ablehnung her. – Von diesen Vorverständnissen her erfolgen die Rückfragen nach den neutestamentlichen Voraussetzungen – nach Begründungen und nach fehlenden Begründungen dieses Amtes. – Von hier aus werden die kirchengeschichtlichen Entwicklungen befragt nach der Kontinuität zwischen den urchristlichen Ordnungen und dem späteren päpstlichen Amt, nach dem Novum des heute geltenden Verständnisses des päpstlichen Amtes im Vergleich zum Neuen Testament und der alten Kirche. – Es geht sodann um die Frage, ob und inwieweit die kirchliche Einheit durch das Verhalten der Amtsträger oder gar bereits durch Strukturen dieses Amtes gefördert oder kirchliche Spaltungen ausgelöst worden sind.

Diese Methode bringt, wie mannigfache Erfahrungen zeigen, die Gefahr mit sich, daß die Gesprächspartner sich festbeißen in entgegengesetzten Interpretationen neutestamentlicher und kirchengeschichtlicher Texte und Sachverhalte, daß sie auf der Stelle treten in der Bejahung oder der Ablehnung des päpstlichen Amtes und nicht loskommen von dem alten Gegeneinander einer polemischen und einer apologetischen Erörterung des Problems. Man bleibt dann also in den Bahnen der älteren Kontroverstheologie, aber stößt noch nicht vor zur eigentlich ökumenischen Theologie. So entsteht die Frage, ob nicht ein ganz anderer methodischer Ansatz möglich und der ökumenischen Fragestellung angemessener sein könnte.

Bei dieser Frage kam mir der Gedanke an Anselms Schrift »Cur Deus homo«. Ich möchte vorschlagen, zu überlegen, ob Anselms Methodik nicht analog auf die Frage angewendet werden könnte: Ist das Papstamt das Amt der geeinten Christenheit? – oder vorsichtiger: Entspricht das Papstamt den Aufgaben, die dem Amt der geeinten Christenheit heute gestellt sind?

Anselm ist in seiner Schrift »Cur Deus homo« bekanntlich nicht von dem Dogma der Menschwerdung, auch nicht von dem Bekenntnis, daß Jesus Christus der menschgewordene Gott ist, ausgegangen, sondern er argumentierte »unter Absehung von Christus, als ob er nie gelebt hätte« (»remoto Christo, quasi numquam aliquid fuerit de illo«, Präfatio) und suchte die Notwendigkeit oder doch immerhin die Angemessenheit der Menschwerdung und des Kreuzestodes des Menschgewordenen aus bestimmten Prämissen zu folgern. Seine wichtigsten Prämissen sind bekanntlich: die Verletzung der göttlichen Ehre durch den Menschen – die Unmöglichkeit einer Genugtuung durch den sündigen Menschen – die Unangemessenheit einer Vernichtung der Menschheit durch Gott – die ewige Existenz des göttlichen Logos. Anselms Folgerung aus diesen Prämissen ist genau besehen eine doppelte: 1. Gott mußte Mensch werden, und der Menschgewordene mußte zur Genugtuung der göttlichen Ehre sterben, und 2. Jesus Christus ist der menschgewordene und für uns gestorbene göttliche Logos.

Analog könnte die Frage nach dem päpstlichen Amt methodisch »remoto papa« in Angriff genommen (also die Frage, die in römisch-katholischer Terminologie etwa folgendermaßen formuliert werden könnte: Cur papa vicarius Christi? Cur papa caput ecclesiae? Cur papae est summa potestas et infallibilitas?) und die Antwort ausgehend von den unseren beiden Kirchen gemeinsamen ekklesiologischen Prämissen auf dem Weg des Syllogismus gesucht werden. Dabei bitte ich in dem »remoto papa« ebenso wenig eine Respektlosigkeit zu sehen wie dies bei Anselms »remoto Christo« der Fall war. Das »remoto« bedeutete keine Verleugnung Christi und bedeutet auch keine Beseitigung des Papstes, sondern nur den Versuch einer methodisch vorgehenden besseren Vergewisserung.

Als gemeinsame Prämissen können in der evangelischen und in der römisch-katholischen Kirche vorausgesetzt werden:

a) Petrus war im Kreis der Apostel der Fels im Gründungsgeschehen der Kirche.

b) Die apostolische Aufgabe der Erhaltung und Förderung der Einheit aller lokalen und territorialen Kirchen ist die bleibende Aufgabe aller kirchlichen Ämter inmitten der verschiedenartigen, ständig wechselnden geschichtlichen Bedrohungen dieser Einheit von innen und von außen.

c) Die Wahrung der Kircheneinheit ist in den altkirchlichen Jahrhunderten vor dem großen Schisma in sehr verschiedenen Gestalten rechtlicher Zuordnung der Kirchen und der Ämter erfolgt.

d) Eine weitere Prämisse für die Frage nach dem Amt der Kircheneinheit ist das geschichtlich gewordene Nebeneinander von – aus sehr verschiedenen Gründen – getrennten Kirchen.

e) Die heute in allen Kirchen aufgebrochene, wenn auch im einzelnen verschieden zum Ausdruck gebrachte Erkenntnis, daß die eine heilige katholische apostolische Kirche über die Grenzen der eigenen Kirche hinausreicht und daß auch andere Kirchen Wirkung und Werkzeug der rettenden göttlichen Gnade sind.

f) Alle Kirchen sind heute säkularistischen und antichristlichen Angriffen ausgesetzt, und die Hälfte der Christenheit lebt in einem Zustand der Unterdrückung und Verfolgung, in dem bei nicht wenigen die Frage aufgebrochen ist, ob in dem Geschehen unserer Zeit nicht apokalyptische Vorzeichen des Endes der Welt und der Parusie Jesu Christi sichtbar werden.

Aufgrund dieser wichtigsten Prämissen, die selbstverständlich zu präzisieren wären, müßten dann Folgerungen gezogen werden. Dabei müßten die entscheidenden Konklusionen – ebenfalls in zwei Schritten – die Antwort auf die beiden Fragen ergeben:

1. Wie muß das Amt der universalen kirchlichen Einheit geordnet sein, daß es sowohl dem apostolischen Auftrag als auch dem gegenwärtigen, die Kirchentrennung nicht länger duldenden Auftrag der Einheit entspricht? Dabei braucht »muß« wie auch bei Anselm nicht im Sinne einer zwingenden Notwendigkeit verstanden werden; es kann auch die Kategorie der Angemessenheit genügen.

2. Entspricht das bestehende päpstliche Amt dieser heute erforderlichen Funktion der universalen Kirchenleitung, bzw. unter welchen Modifikationen könnte das bestehende päpstliche Amt in der Lage sein, das heute notwendige Amt der ökumenischen Einheit wahrzunehmen?

Bei diesem methodischen Ansatz bleibt die Frage, wer in unserem Symposion die Rolle Anselms und wer die Rolle des fragenden Boso übernehmen soll. Ich könnte mir denken, daß niemand gerne Boso sein möchte. Denn er erscheint in den Dialogen von »Cur Deus homo« manchmal etwas zu harmlos und für Anselm zu bequem. Ich bin gerne bereit, den römisch-katholischen Teilnehmern die Rolle von Anselm zu überlassen, denn sie haben unvergleichlich intimere Erfahrungen mit dem Papsttum als wir, aber ich könnte mir auch denken, daß sich die Rollen je nach der Fragestellung auch gelegentlich vertauschen. Vielleicht haben manche evangelische Teilnehmer aufgrund einer längeren Erfahrung in der ökumenischen Bewegung tiefere Einblicke in die trotz der Kirchenspaltung bestehende Einheit getan, die durch die Spaltung zwar entstellt und verdeckt, aber nicht einfach beseitigt ist. Bei einem solchen Tausch der Rollen wäre unser Symposion gemäß dem Ökumenismusdekret (9) ein »conventus«, »ubi unusquisque par cum pari agat«.

3. Der Rang der Thematik

Welcher Rang kommt dem päpstlichen Amt bzw. dem Amt der Einheit der Christenheit im Ganzen des ökumenischen Gesprächs und der ökumenischen Bemühungen um die Einigung der Kirchen zu?
In jedem Fall ist das Amt des Papstes über die Grenzen der römisch-katholischen Kirche hinaus von großen ökumenischen Auswirkungen, und zwar gerade wegen der ihm in der römisch-katholischen Kirche zuerkannten summa potestas. So konnte Papst Pius XII. die römisch-katholische Kirche gegen die ökumenische Bewegung abschließen, und wiederum konnte Johannes XXIII. die römisch-katholische Kirche für die ökumenische Bewegung öffnen. Das päpstliche Amt kann in der Christenheit in starkem Maße Hoffnungen und Impulse zurückdrängen oder freisetzen. Dabei schließt der Besitz der summa potestas auch die Möglichkeit nicht aus, daß ein späterer Papst die ökumenische Offenheit seines Vorgängers wieder rückgängig macht.
Von dieser *faktisch* zweifellos sehr großen Bedeutung des päpstlichen Amtes ist die *systematisch-theologische* Frage zu unterscheiden, welchen Rang dieses Amt im Gesamtgefüge der kontroversen Fragen einnimmt, die zur Einigung der Kirchen geklärt werden müssen und in deren Beantwortung ein Konsensus anzustreben ist. In diesem Zusammenhang sind einige katholische Äußerungen zu beachten, die auf den ersten Blick überraschen. Es sei z. B. Heinrich Stirnimann zitiert: »Wie auch immer die vom Vaticanum I gewählten Worte klingen mögen, sie beziehen sich doch auf einen bescheidenen Aspekt, die Kirchenleitung, die Verantwortung für die Ge-

meinde. Und in diesem gibt es, lehrt mit aller Deutlichkeit die Geschichte, Raum für eine nicht geringe Flexibilität, einen breiten Fächer möglicher Ausübung und Verwirklichung kirchlicher Autorität« (H. Stirnimann u. L. Vischer, Papsttum und Petrusdienst, 1974, S. 30, vgl. auch Stirnimanns erste These für dieses Symposion: »Das Papsttum ist nicht ›das größte Hindernis‹ auf dem Wege zur ökumenischen Gemeinschaft der Kirchen«). Sodann sei ein Zitat von Heinrich Fries angeführt, der darauf hinweist, »daß die heute noch strittigen Fragen wie die nach dem Papsttum und dem Amt nicht im Bereich des Zieles, sondern im Bereich der Mittel liegen, wie bereits im Konzil ausgesprochen wurde. Damit haben sie einen abgestuften Rang in der Hierarchie der Glaubenswahrheiten« (Ökumene statt Konfessionen?, 1977, S. 122f). Es könnten auch noch andere Zitate katholischer Autoren angeführt werden, die in dieselbe Richtung weisen.

Ich bin nicht sicher, ob diese Aussagen alle dasselbe meinen, aber ich möchte versuchen, das, was ich darin als richtig erkenne, mit meinen Worten zu sagen. Ich nehme dabei den vom Ökumenismusdekret (11) für den ökumenischen Dialog empfohlenen Begriff der »Hierarchia veritatum« auf und frage nach der systematischen Rangordnung der wichtigsten kontroversen Themen in ihrer Bedeutung für die kirchliche Einigung. Die Themen können im Rahmen dieses Referates nicht im einzelnen erläutert werden. Es kommt hier lediglich auf einen Entwurf der Rangordnung an, die ihnen im Ganzen des Gefüges kirchlicher Lehre und in den ökumenischen Einigungsbemühungen zukommt. Dabei sei zur Erläuterung auf meinen Aufsatz »Die ›Hierarchie der Wahrheiten‹ und die Einigung der Kirchen« (Kerygma und Dogma, 1975, S. 1–12) verwiesen. Im folgenden entspricht die Voranstellung des ersten Themas sowohl den Aussagen des Ökumenismusdekretes (12) als auch der Basis des Ökumenischen Rates der Kirchen:

1. Das trinitarische und christologische Bekenntnis, das heißt sowohl das Bekenntnis der großen einmaligen Heilstaten Gottes als auch das Bekenntnis Gottes selbst als den Dreieinigen und Jesu Christi als wahren Gott und Mensch.

2. Das »für euch«, »für dich«, »für mich« dieser einmaligen Heilstaten im gegenwärtigen Handeln Gottes durch Wort und Sakrament.

3. Die Kirche als Wirkung und Werkzeug von Gottes Heilshandeln: das aus der Welt herausgerufene und in die Welt hineingesandte Gottesvolk, der Christusleib und Tempel des Heiligen Geistes.

4. Die kirchlichen Ämter der Ortskirchen und der Regionalkirchen, insbesondere die Presbyter und die Bischöfe.

5. Das Amt der geeinten universalen Kirche, bzw. das päpstliche Amt. Diese Thematik steht nicht an erster, sondern an relativ später Stelle.

Eine solche systematische Rangordnung der Themen ist nicht ohne weiteres mit der kirchengeschichtlichen Reihenfolge identisch, in der sie hervorgetreten und dogmatisch und kirchenrechtlich entschieden worden sind. Aber sie kann doch von der geschichtlichen Reihenfolge her erläutert werden. In den neutestamentlichen Schriften steht im Mittelpunkt die apostolische Christusbotschaft und die Gemeinschaft der Getauften beim Mahl und im Dienst. In der Ordnung der freien charismatischen Dienste und der durch Handauflegung übertragenen Ämter bestanden in der frühesten Kirche bekanntlich erhebliche Unterschiede. Die Kirche hat während der ersten Jahrhunderte ohne ein universal übergeordnetes Amt mit umfassender jurisdiktioneller Gewalt gelebt und ohne ein solches Amt die Bedrohungen durch Häresien und Verfolgungen überstanden. So haben sich auch bis zur Gegenwart die Kirchen des Ostens ohne ein Amt der universalen jurisdiktionellen Leitung in schwersten Verfolgungen als Zeugen Christi bewährt. Das päpstliche Amt ist mit dem Anspruch auf summa potestas und infallibilitas eine relativ späte kirchengeschichtliche Erscheinung.

Dem systematischen Rang und der Dringlichkeit nach stehen *vor* der Bemühung um ein gemeinsames leitendes Amt der Christenheit die Themen Evangelium–Sakramente (besonders das Herrenmahl) und Ämter (besonders apostolische Sukzession und das Verhältnis von Bischof und Presbyter). Unter Voraussetzung des Konsensus im trinitarischen und christologischen Dogma ist in diesen Themen zuerst ein Konsensus nötig, wobei ein solcher Konsensus nicht notwendig in gleichen Formeln ausgesprochen werden muß, sondern auch in gegenseitiger Anerkennung des gleichen oder sich positiv ergänzenden Inhaltes von unterschiedlichen Formeln erklärt werden kann. Für die angegebene Rangordnung der Themen spricht auch, daß die römische Kirche die Eucharistie und die Ämter der orthodoxen Kirchen anerkennt, wenngleich diese die universale Jurisdiktionsgewalt und die Unfehlbarkeit des Papstes ablehnen.

Wo stehen wir heute im Gespräch zwischen der evangelischen und der römisch-katholischen Kirche? – Bei den Fragen der Eucharistie und der apostolischen Sukzession (sowie des Verhältnisses von Presbyter und Bischof). Meines Erachtens ist in diesen Fragen eine so große Annäherung erfolgt, daß die hier noch gebliebenen Unterschiede eine Kirchentrennung nicht mehr rechtfertigen. Die Anerkennung der Gabe des Leibes und Blutes Christi im Herrenmahl der anderen Kirche und die gegenseitige Anerkennung der Ämter sind systematisch und praktisch vordringlich. Zugleich aber taucht die Sorge auf, daß Glaubensaussagen, die bei der Trennung unserer Kirchen im 16. Jahrhundert nicht strittig waren, wie z. B. die Parusie Jesu Christi und das Jüngste Gericht, heute in beiden Kirchen, ja weithin in der ganzen Christenheit in einer nicht vertretbaren Weise in den

Hintergrund getreten sind, so daß die Botschaft von der Rechtfertigung des Sünders und von der Errettung aus Gottes Zornesgericht nicht mehr verständlich ist.

Man könnte fragen, ob nicht zuerst die unter 1 bis 4 genannten Fragen gründlicher bearbeitet und einem Konsensus näher gebracht werden müßten. Trotzdem dürfte es sinnvoll sein, die spätere Frage nach dem Amt der geeinten Christenheit jetzt schon in einem Symposion abzutasten.

Erich Gräßer

NEUTESTAMENTLICHE GRUNDLAGEN DES PAPSTTUMS?

Ein Diskussionsbeitrag

Die Frage nach den neutestamentlichen Grundlagen des Papsttums ist primär die Frage nach den Petrustraditionen im Neuen Testament. Natürlich ist sie in einem umfassenderen Sinne auch die Frage nach dem apostolischen Amt, überhaupt nach den Ämtern im Neuen Testament und vor allem nach dem Verhältnis von Geist und Recht. Aber Papat und Primat basieren nach römisch-katholischem Verständnis vor allem auf der Identitätsformel: Der Papst ist Petrus. Erweist sich diese Formel als neutestamentlich nicht begründbar, fällt nicht ein Teilaspekt dahin, sondern dann steht das Papsttum überhaupt zur Revision an.

Absicht dieses Diskussionsbeitrages ist es demnach, das neutestamentliche Petrus-Material möglichst vollständig zu bieten. Denn wenn auch nicht alles von gleicher Wichtigkeit für unser Thema ist, so erlaubt doch nur der möglichst lückenlose Befund, den Zusammenhang oder Unzusammenhang von Petrus und Papst klar zu erkennen und zu beurteilen.

1. ZUM METHODISCHEN VORGEHEN

1.1 Ungeachtet der Tatsache, daß die Rekonstruktion des Petrusbildes die *historische* Problematik der Leben-Jesu-Forschung voll teilt, ist das Fehlen einer wirklich griffigen Kriteriologie zur Unterscheidung von »echt« und »unecht« für unsere Thematik nicht von demselben Gewicht wie bei der Jesusfrage. Denn ob Petrus der erste Auferstehungszeuge wurde, weil bereits Jesus ihm eine Vorzugsstellung eingeräumt hatte, oder ob umgekehrt diese durch Retrojizierung der nachösterlichen Autorität auf die vorösterliche Ebene zustande gekommen ist, macht keinen fundamentalen Unterschied. Mit Ostern jedenfalls fällt Petrus die *entscheidende*, von ihm erkannte und wahrgenommene Funktion zu, für die in keinem Falle der vorösterliche Simon *Kriterium* sein kann. Es ist darum relativ unwichtig, a) ob die Belehnung mit dem Beinamen Kefas (»Fels«) auf Jesus selbst zurückgeht (Cullmann) oder auf die Gemeinde (Dinkler), zumal unbestritten ist, daß sich der Ehrenname erst nach Ostern *durchsetzte*[1];

---

[1] Für R. Pesch, Das Markusevangelium (HThK II/1), Freiburg/Basel/Wien 1976,

b) ob Petrus bei der Jüngerberufung (Mk 1,16f parr) und entsprechend in den Jüngerlisten (Mk 3,16; Mt 10,2; Lk 6,14; Apg 1,13) wirklich »erster« war oder nicht;

c) ob der Zwölferkreis ein vor- oder nachösterlich gebildetes Gremium darstellt[2];

d) ob das Menschenfischer-Wort (Mk 1,17; Mt 4,19; Lk 5,1–11), das Messiasbekenntnis (Mk 8,27ff parr) und das Primatwort (Mt 16,18f) tatsächliche oder ins Leben Jesu zurückprojizierte österliche Begebenheiten sind;

e) ob sich die Stilisierung des Petrusbildes überhaupt *ganz* oder nur *teilweise* der nachösterlichen Perspektive verdankt.

Die drei Stellen, an denen Petrus *von Jesus selbst* eine besondere Verpflichtung gegenüber den Brüdern und der Gemeinde auferlegt wird (Mt 16,16ff; Lk 22,31f und Joh 21,15ff), beziehen sich ohnehin allesamt auf die Zeit nach Jesu Tod. Das heißt: Der Petrus der ältesten Urgemeinde ist der *maßgebliche* und für unsere Fragestellung eigentlich wichtige »Petrus der Bibel«. Wie viel oder wie wenig dem auf der vorösterlichen Seite *historisch* entspricht, ist eine Frage von untergeordneter Bedeutung.

1.2 Noch eine methodische Vorbemerkung scheint mir angebracht. Die ökumenische Untersuchung »Der Petrus der Bibel« (Stuttgart 1976) sieht die Forschungssituation seit Oscar Cullmanns Standardwerk aus dem Jahre 1952 (²1960) dadurch überholt, daß die traditionsgeschichtlichen Arbeiten es nicht länger zuließen, nach *der* evangelischen Ansicht über Petrus zu fragen. Den differierenden theologischen Auffassungen der Evangelisten entsprächen vielmehr sehr verschiedene Petrusbilder[3].

206, ist Πέτρος »der urkirchliche Amtsname des Simon, der den Leiter der Urgemeinde als das Felsenfundament der eschatologischen Heilsgemeinde (Mt 16,18f) vorstellt«. Er »dürfte ihm in seiner ekstatischen Christusvision (1 Kor 15,5) verliehen worden sein; dafür spricht der Charakter der mt Sonderüberlieferung Mt 16,16–19 als einer Ostererzählung ebenso wie der gattungsgeschichtliche Zusammenhang von Vision und ›ekklesiologischer‹ Namenverleihung (vgl. Gen 17: Abram – Abraham; Gen 32: Jakob – Israel; JosAs 19: Aseneth – Stadt der Zuflucht). Falls Lk 24,34 nicht als lk-redaktionelle Bildung verstanden werden muß, haben wir hier den wichtigsten Beleg dafür, daß Kefas erst nachösterlich als Beiname Simons eingeführt wird und den alten Namen ablöst.« Anders dagegen E. Schweizer, Matthäus und seine Gemeinde (SBS 71), Stuttgart 1974, 154 (s. u. Anm. 11).

[2] G. Klein, Die zwölf Apostel. Ursprung und Gehalt einer Idee (FRLANT 77), Göttingen 1961, vertritt die Auffassung, daß der Zwölferapostolat eine literarische Erfindung des Lukas sei. Diese Auffassung hat sich jedoch mit Recht nicht durchgesetzt. Vgl. E. Gräßer, Acta-Forschung seit 1960, in: ThR 41 (1976) 141–194, 259–290; 42 (1977) 1–68, bes. 41 (1976) 276ff.

[3] Der Petrus der Bibel, 21.26; vgl. auch G. Schneider, Du aber stärke Deine Brüder, 36f; F. Mußner, Petrus und Paulus, passim.

Tatsächlich hat – was für unsere Fragestellung von Bedeutung ist – die neuere Forschung erkannt, daß die einzelnen Evangelisten ihr Petrusbild sehr unterschiedlich akzentuieren und daß die Führerrolle des Petrus nicht auf *alle* Teile der Urkirche (oder des NT) zutrifft. Andere Gemeinden verehrten andere Jünger bzw. Apostel als besondere Autoritäten, Paulus weiß Petrus ins Unrecht zu setzen (Gal. 2,11), und der 4. Evangelist baut mit dem Lieblingsjünger eine Gegenautorität auf. Noch in später Zeit geht beispielsweise das Hebräerevangelium in der Bestreitung der Ausnahmestellung des Petrus sehr viel weiter als das Johannesevangelium. Trotzdem behält Cullmann recht: Was die *Sonderstellung* des Petrus anbetrifft, so besteht zwischen den Synoptikern kein Unterschied[4]. Jeder stilisiert, nuanciert und akzentuiert sie zwar auf seine Weise, tradiert ihre Gegebenheit jedoch mit größter Selbstverständlichkeit und ohne wirklich *nachweisbare* pro- oder antipetrinische Tendenzen[5]. Selbst das andere Bild, das wir aus dem *Johannesevangelium* gewinnen, bestätigt indirekt, »gerade weil es im Unterschied zu den Synoptikern die Tendenz hat, den Lieblingsjünger auszuzeichnen, den Tatbestand, daß Petrus im Jüngerkreis eine repräsentative Figur war« (Cullmann).

Methodisch bedeutet das: Wir können das gesamte Material über Petrus tatsächlich nach den einst von Cullmann gewählten Stichworten gruppieren:

1. Petrus der Jünger (auf der Ebene der Evangelien)
2. Petrus der Apostel (auf der Ebene des Apostolos)
3. Petrus der Märtyrer (auf der Ebene der neutestamentlichen Apokryphen).

2. DIE SONDERSTELLUNG IM KREIS DER JÜNGER

Folgende Indizien sprechen dafür:

2.1 Zusammen mit seinem Bruder Andreas ist Petrus der *erste,* den Jesus zum Menschenfischer beruft (Mk 1,16–18; Mt 4,18–20). Lukas hat dieses Motiv zur Geschichte vom wunderbaren Fischfang ausgestaltet und dabei Petrus deutlich als *Hauptperson* hervorgekehrt (Lk 5,1–11): Ihm gehört das

---

[4] O. Cullmann, Petrus, 28. – Diese Formulierung Cullmanns ist der mißverständlichen in seinem Wörterbuch-Artikel vorzuziehen: »Ein Unterschied in der Behandlung der Person des Petrus durch die einzelnen synoptischen Evangelien besteht nicht« (ThWNT VI,101,37f). Er besteht, tangiert aber nirgends die *Sonderstellung* empfindlich. Eindringlich zeigt das die neueste Aufarbeitung der Diskussion von F. Mußner, Petrus und Paulus, bes. 69ff.

[5] O. Cullmann, Petrus, 28.

Boot, an ihn ergeht der Befehl zum Fischfang, er spricht das Sündenbekenntnis, und ihm allein gilt das Menschenfischer-Wort.

Beim 4. Evangelisten ist Andreas, »des Bruder der Simon Petrus«, zusammen mit einem namentlich nicht genannten Johannes-Jünger der erste, der vom Täufer zu Jesus überwechselt (1,35ff). In der dadurch ausgelösten Kettenreaktion aber steht wiederum Petrus vorne an. Andreas berichtet ihm zuerst, daß er den Messias gefunden habe (1,40ff). Das Schwanken der Handschriften in V. 41 (πρῶτος = als erster oder πρῶτον = zuerst) beweist, daß der 4. Evangelist sich für die Vorrangstellung des Petrus zumindest interessiert hat[6].

2.2 Daß Petrus πρῶτος ist (Mt 10,2), beweisen die *Jüngerlisten*. Sie weichen zwar untereinander ab, stimmen aber darin überein, daß sie den Namen des Petrus mit Beinamen Simon *an die erste* Stelle rücken (Mk 3,16; Mt 10,2; Lk 6,14; Apg 1,13). Ob diese Placierung eine historische Fixierung vornehmen will, kann man fragen[7]; daß sie ein *sachliches prius* ausdrückt, ist unstrittig und wird durch die Dreierlisten (Mk 5,37; 9,2; 14,33: Petrus, Jakobus, Johannes), die redaktionelle Viererliste Mk 13,3 (Petrus, Jakobus, Johannes, Andreas), durch die Notiz Mk 16,7 (»geht und sagt seinen Jüngern *und Petrus*«) sowie durch Joh 21,1f (Jesus »offenbarte sich in dieser Weise: Simon Petrus, Tomas, der Zwilling genannt wurde, Natanael . . ., die Söhne des Zebedäus und zwei andere von seinen Jüngern waren zusammen«) bestätigt. Dabei ist von besonderem Gewicht, daß in den Dreierlisten, also im engsten Kreis Jesu, Petrus vorne an steht. Das unterstreicht seine Vorrangstellung in besonderer Weise.

2.3 Der Ausdruck *»Petrus und die Seinen«* (Mk 1,36; Lk 9,32) bringt die repräsentative Stellung des Petrus im Jüngerkreis auf den Begriff. Petrus ist der *Sprecher der Gruppe* (Mk 8,27ff; 9,5; 10,28; 11,21; Mt 15,15; 17,25f; 18,21). Auch Außenstehende wie der Steuereintreiber wenden sich an ihn (Mt 17,24). Jesus macht ihn zum Empfänger besonderer Fürsorge (Mk 1,29–31 Heilung der Schwiegermutter), besonderer Beauftragung (Lk 22,8 Paschavorbereitung; Mt 17,27 Angeln der Viererdrachme), aber auch zum Adressaten harter Worte, die eigentlich auf alle Jünger zielen (Mk 8,33 Satanswort; Mk 14,37: »Simon, schläfst Du?«; vgl. Mt 26,40). Dem besonderen Glaubenseifer (Mt 14,28 Petri Meerwandel; Mk 14,29ff der Schwur, Jesus niemals zu verleugnen) korrespondiert das besondere Versagen (Mk 14,66ff Verleugnung).

2.4 Im *Johannesevangelium* ist Petrus der am häufigsten genannte Jünger,

---

[6] O. Cullmann, ThWNT VI,102,28ff.

[7] R. Schnackenburg, Das Johannesevangelium (HThK IV/1), Freiburg/Basel/Wien ³1972, 311.

häufiger noch als der Lieblingsjünger. Die sechs Stellen, an denen Petrus *ohne* diesen auftritt, bestätigen die von den Synoptikern eingeräumte Vorrangstellung des Petrus (1,40–42; 6,67ff; 13,6–11 Fußwaschung; 13,36ff; 18,10f Petrus schlägt dem Diener das Ohr ab; 18,17ff). Das Auftreten *zusammen* mit dem Lieblingsjünger (beim Abendmahl 13,23–26; im Hof des Hohenpriesters 18,15–16; am leeren Grab 20,2–10 und im Nachtragskapitel 21) zeigt dagegen die Tendenz des Johannes. Der *ideale* Jünger ist nicht Petrus, sondern »der Jünger, den Jesus liebte«. Er ist *das* Beispiel tiefer Glaubenseinsicht (20,8 kommt er als erster zum Glauben an den Auferstandenen; vgl. 21,7). Entweder spielt bei diesem Verfahren das Konkurrenzmotiv eine Rolle (so die meisten Exegeten). Oder die Absicht des 4. Evangelisten war, dem anonymen Jünger durch die Autorität des Petrus ein höheres Ansehen zu verschaffen[8]. So oder so: Indirekt bestätigt das Johannesevangelium die nicht zu bestreitende synoptische Auszeichnung des Petrus: »Du wirst Kefas genannt werden« (Joh 1,42).

Dieser Befund ergibt: Ungeachtet der redaktionell verschieden ausgefeilten Petrusbilder bestätigt jedes der vier Evangelien die herausgehobene Stellung des Petrus. Aber es ist ganz deutlich die herausgehobene Stellung eines *Sprechers,* eines *Repräsentanten* der Jüngerschar, nicht die des Vor- oder Übergeordneten. Petri Sonderstellung bleibt beschränkt auf sein Verhältnis zu Jesus. Den Mitjüngern gegenüber hat er keinerlei besondere Kompetenzen. Erst die spätere apokryphe Literatur sollte Petrus eine führende Rolle auch außerhalb seiner Beziehung zu Christus einräumen. Auf der Ebene der Evangelien aber ist von einer solchen exzeptionellen Stellung im Kreise der Jünger keine Spur zu finden.

3. DIE BESONDERE VERPFLICHTUNG DES PETRUS GEGENÜBER DER GEMEINDE

In der Evangelientradition finden sich lediglich die drei oben schon genannten Stellen, die Jesus eine besondere Verpflichtung des Petrus für die Zeit nach Ostern ins Auge fassen lassen. Es handelt sich um Lk 22,31f (»Simon, Simon, der Satan hat verlangt, daß er euch wie Weizen sieben darf. Ich aber habe für dich gebetet, damit dein Glaube nicht erlischt. Und wenn du wieder zurückgefunden hast, dann stärke deine Brüder.«). Ferner um Joh 21,15ff die Einweisung in das Hirtenamt mit dem dreimaligen »Liebst du mich?« und der angeschlossenen Aufforderung »weide meine Schafe!« Schließlich die berühmte »Primatstelle« Mt 16,18f: »Ich aber sage dir: Du

---

[8] Vgl. R. Schnackenburg, Der Jünger, den Jesus liebte, in: EKK Vorarbeiten Heft 2, Neukirchen und Zürich 1970, 97–117, bes. 106f.

bist Petrus, und auf diesen Felsen werde ich meine Kirche bauen, und die Pforten der Unterwelt werden sie nicht überwältigen. Ich werde dir die Schlüssel des Himmelreichs geben; was du auf Erden binden wirst, das wird auch im Himmel gebunden sein, und was du auf Erden lösen wirst, das wird auch im Himmel gelöst sein.« Wir wenden uns zunächst den zwei erstgenannten Worten zu, da das dritte gesondert behandelt wird.

3.1 Die Bildworte Lk 22,31f und Joh 21,15ff

Der Sinn der beiden Bildworte (also die Glaubensstärkung der Brüder und das Leitungsamt) ist gewiß nicht der, daß Petrus hier die *absolute* Leitungsgewalt über die Mit-Apostel oder gar über die Gesamtkirche übertragen würde. Beide Worte reflektieren vielmehr in ihrer Weise das Auf und Ab des Petrusweges: Nach der Verleugnung »bekehrt« er sich, d. h. er wird zum ersten Auferstehungszeugen, dem von daher bestimmte Leitungsfunktionen zufallen. Wie wenig ihm damit eine absolut übergeordnete Stellung im Kreise der Apostel eingeräumt wird, zeigt die Tatsache, daß auch andere die Brüder »stärken« (z. B. Paulus und Barnabas Apg 14,21f; Judas und Silas Apg 15,32; vgl. 15,41) und die Herde weiden (z. B. die Ältesten von Ephesus Apg 20,28 bzw. die Presbyter überhaupt 1 Petr 5,2). Petrus *initiiert* also, was andere nach ihm missionarisch, seelsorgerlich und gemeindeleitend durch die Zeiten der Kirche fortführen sollen (vgl. die Abschiedsrede des Paulus in Milet, Apg 20,18ff) – fortführen sollen *nicht* in Petri Namen, Auftrag oder gar Nachfolge, sondern in der Beauftragung durch den Heiligen Geist (Apg 20,28) als Gesandte an Christi Statt (2 Kor 5,20). So wahr der Zwölfapostel-Kreis eine heilsgeschichtlich *einmalige* Institution ist, die nur einmal, und zwar auf Initiative des Petrus, rekonstituiert wurde (Apg 1,15–26)[8a], so wahr ist es auch das Petrusamt im Neuen Testament. Es kann von niemandem beerbt werden. Der Primatsanspruch muß erst erfunden sein, ehe die beiden Stellen Lk 22,31f und Joh 21,15ff überhaupt (und dann nur gewaltsam) damit in Verbindung gebracht werden können. Von sich aus legen sie eine ähnliche Denkfigur nicht im mindesten nahe.

Das scheint anders zu sein bei der dritten Stelle, dem Primatswort. Wenn es überhaupt so etwas wie neutestamentliche Grundlagen des Papsttums gibt, dann liegen sie hier. Die Stelle bedarf darum einer näheren Betrachtung.

[8a] Beim Tod des Jakobus Apg 12,1–2 fand eine Nachwahl selbstverständlich nicht statt. Denn das Amt der Zwölf (ursprünglich wohl zu unterscheiden vom Amt der Apostel!) ist am Endgericht orientiert. Judas mußte also ersetzt werden. Nachwahlen in Folge von Todesfällen sind dagegen sachlich gar nicht möglich.

3.2 Die sogenannte Primatstelle Mt 16,18f

Seit dem 4. Jahrhundert (nicht früher!) ist Mt 16,18f Kardinalbeleg für den päpstlichen Primat. Die Auslegungen davor schwanken, stimmen aber darin überein, daß sie keine »römische Exegese« liefern. Hauptdifferenzpunkt ist die Frage, ob der »Fels« auf Christus (Eusebius; Augustin) oder auf den Glauben des Petrus zu beziehen sei (so die Antiochener, später die Ostkirche. Luther knüpfte an diese Tradition an)[9]. Heute laufen die seit der Reformation üblichen kontrovers-theologischen Interpretationen aus. Katholische und evangelische Exegeten besinnen sich gleichermaßen auf die *ursprüngliche* Bedeutung des Textes und stellen dabei übereinstimmend fest:

1. Traditionsgeschichtlich ist Mt 16,18 eine selbständige Überlieferungseinheit. Für die Exegese ist der Kontext (Mt 16,13–20) unerheblich.

2. Es ist nicht möglich, den Text in der überlieferten Form unmittelbar auf Jesus zurückzuführen. Das gilt unbeschadet der Tatsache, daß einige Grundvorstellungen des Verheißungswortes (vielleicht die Namensverleihung, sicher die Vorstellung der Heilsgemeinschaft und die Zusage an die Jünger, daß ihnen trotz Scheiterns das Heil zufällt) in Jesu Verkündigung verankert sind (F. Hahn). Die folgenden Beobachtungen verweisen den Text dennoch zwingend in die nachösterliche Situation:

a) Zu Einzelelementen des Überlieferungsstückes liegen Parallelen vor (zur Namensgebung in Mk 3,16/Lk 6,14 und Joh 1,42; zur Vollmachtsaussage in Mt 18,18 und Joh 20,23), nicht aber zum Gesamtkomplex. Dieser ist aus sehr verschiedenartigen Motiven zu einem Textabschnitt zusammengeschweißt und trägt von daher deutlich den Charakter eines späteren Überlieferungsstückes.

b) Die christologische Komponente in V. 18b.19a (»*meine* Kirche«) ist mit den Jesu eigene Botschaft kennzeichnenden Anschauungen inkommensurabel, setzt vielmehr den Glauben an den Auferstandenen voraus und kann also nur Gemeindebildung sein.

c) Der christologischen Modifikation entspricht eine eschatologische: Das Heil in der gegenwärtigen Ekklesia wird unterschieden von der zukünftigen Vollendung im Himmelreich. Diese erstmalige Ausbildung einer selbständigen »Ekklesiologie« läßt sich nur auf das Konto der Urgemeinde verrechnen.

d) »Binden« und »Lösen« sind rabbinische termini technici für Lehrautorität und Disziplinargewalt. Die Sprechweise paßt nur zu einer wenigstens

---

[9] Zur Auslegungsgeschichte vgl. O. Cullmann, Petrus, 183ff; bes. J. Ludwig, Die Primatworte, passim.

in Ansätzen organisierten Gemeinschaft (die Kirche des Mattäus), nicht zu Jesus.

e) Damit liegt der traditionsgeschichtliche Ursprung der Stelle fest: Sie stammt aus der aus Juden- und Heidenchristen gemischten universal denkenden Gemeinde des Mattäus[10]. In ihr spielte Petrus fraglos eine Sonderrolle. »Anders wäre nicht zu erklären, daß das Wort, das ihn seligpreist, nicht nur aufgenommen, sondern sogar in die Mitte des Evangeliums gestellt ist.«[11]

f) Der »Fels« bezieht sich weder auf Christus noch auf den beispielhaften Glauben des Petrus, sondern auf dessen *Person*. Zwei Ursachen bieten sich als Erklärung an: *Entweder* ist Petrus Fundament der Kirche, weil er der erste Auferstehungszeuge ist, um den die nachösterliche Jüngergemeinschaft sich schart, von dem die »Erbauung der Gemeinde ausgeht und an den sie gebunden bleibt«[12]. *Oder* seine Sonderstellung gründet auf der Tatsache, »daß Petrus Zeuge des irdischen Wirkens Jesu war, und zwar im besonderen der ethischen Weisungen Jesu«[13].

g) Das Felsenwort legt Petrus eine *einmalige* Funktion bei (die der apostolischen Verkündigung als der *Grundlage* alles kirchlichen Lebens, E. Schweizer), das Schlüsselwort eine *erstmalige* (die Vollmacht des Zeugen, der im Namen seines Herrn Sündenvergebung zusprechen darf, Joh 20,23). Petri Funktion steht damit in bewußtem Gegensatz zu der der Pharisäer, die nach Mt 23,13 »die Tür zum Himmelreich zuschließen«.

---

[10] Ob es eine *Urform* unseres Textabschnittes gab, die in die *aramäisch* sprechende Urgemeinde zurückverweist, kann man wegen des im Griechischen nicht nachahmbaren Wortspiels mit dem zweimaligen »Kefas« und mit Rücksicht auf die rabbinischen termini technici (»binden« und »lösen«) fragen (vgl. F. Hahn, Die Petrusverheißung, 548). Trotzdem ist das – wie vor allem G. Bornkamm gezeigt hat (Binde- und Lösegewalt, 47–49) – außerordentlich unwahrscheinlich. Mt 16,17–19 gehört sachlich und theologiegeschichtlich in den spannungsvollen Prozeß der Begegnung des jüdischen mit dem hellenistischen Christentum im syrischen Raum, also in der Heimat des Mattäus.

[11] E. Schweizer, Matthäus und seine Gemeinde, 151. Schweizer fährt fort: »Die Verheißung, daß die ganze Kirche auf diesem Fundament gebaut werden soll, ist so ausgesprochen theologisch relevant, daß man fragen kann, ob nicht der Paulussatz, es gebe nur ein einziges Fundament, auf dem gebaut werden kann, nämlich Christus (1 Kor 3,11), gegen diese Behauptung polemisiert.«

[12] Vgl. F. Hahn, Die Petrusverheißung, 557; ferner O. Cullmann, ThWNT VI, 108f: »Denn das Fundament der Kirche ist ja nichts anderes als die Bezeugung von Tod und Auferstehung und von der Identität des verheißenden und erhöhten Christus. Die Apostel sind das einmalige Fundament, auf dem die Gemeinde gebaut ist (Eph 2,20; Apk 21,14). Unter ihnen ist Petrus der erste und vornehmste als Augenzeuge des Lebens und Sterbens und der Auferstehung Jesu.«

[13] E. Schweizer, Matthäus und seine Gemeinde, 154.

Dennoch übt er keine Sondervollmacht aus, sondern die der Kirche insgesamt verliehene Vollmacht (Mt 18,18). Sie ist in dieser frühen Zeit noch nicht die amtlich gefaßte, auf eine institutionelle Ordnung bezogene Gnade, sondern geistliche Vollmacht mit eschatologischer Rechtskraft: Was sie auf Erden entscheidet, gilt im Himmel.

h) Ekklesia ist das durch den Ruf in die Nachfolge und in die Glaubensgemeinschaft bestimmte eschatologische Gottesvolk. Ein von den späteren, institutionell ausgeformten Kirchentümern ausgehendes Ekklesiaverständnis ist von dieser Stelle fernzuhalten.

3.3 Die von Petrus verbürgte *Lehre* Jesu ist gültig, weil er »der exemplarische Jünger« ist (G. Bornkamm). Die ihm hier zugesprochene Lehrautorität ist zu unterscheiden von der Disziplinargewalt der Gemeinde in 18,18.

3.4 Nach allem, was wir aus den Quellen wissen, hat Petrus die ihm Mt 16,17–19 zugesprochene Rolle historisch niemals innegehabt, weder in der Jerusalemer Gemeinde noch in den paulinischen Kirchengebieten. »Seine Bevollmächtigung Mt 16 ist darum als eine ›ideale‹ Szene zu bezeichnen, in der sich die Begründung der Kirche auf Petrus als Garanten und autorisierten Interpreten der Lehre Jesu und damit die Anfänge einer eigenen, sich auf Petrus berufenden christlichen Halacha abzeichnen.«[13a]

Demgegenüber sind die in der Exegese noch offenen Fragen von keinem großen Gewicht:

a) Meint »Hades« das Todesreich (R. Schnackenburg; auch die Einheitsübersetzung) oder den Herrschaftsbereich widergöttlicher Mächte (F. Hahn)?

b) Ist die allein auf Petrus bezogene Fassung des Vollmachtswortes in Mt 16,19 (R. Bultmann; E. Schweizer) oder die auf den ganzen Jüngerkreis bezogene Fassung Mt 18,19 (Joh 20,23) traditionsgeschichtlich älter (A. Vögtle; W. Pesch; F. Hahn)[13b]?

Die Unsicherheit bei der Beantwortung dieser Fragen kommt jedoch gegen den exegetischen Grundkonsens nicht auf: Das Wort reflektiert die in der

---

[13a] G. Bornkamm, Binde- und Lösegewalt, 49.
[13b] Für E. Käsemann trägt Mt 16,19 alle Merkmale des prophetisch proklamierten eschatologischen Ius talionis. Er vermutet, hier habe eine »Petrus-Partei die in Mt 18,18 noch der ganzen Gemeinde zugesprochene Vollmacht auf ihr Parteihaupt als den ersten Auferstehungszeugen beschränkt und sich selbst damit zur Sekte erklärt«: Die Anfänge christlicher Theologie, in: ZThK 57 (1960) 162–185, hier 184. Anders bestimmt G. Bornkamm das Verhältnis beider Texte zueinander: »Die in Mt 18,15–18 in Aktion tretende Gemeinde weiß sich auf die durch Petrus verbürgte Lehre Jesu begründet und durch den in ihr gegenwärtigen Kyrios, ohne daß es eines besonderen ›Sukzessions‹-Gedankens bedürfte, auch zur Zucht in ihrer Mitte bevollmächtigt und verpflichtet« (Binde- und Lösegewalt, 49; vgl. auch 45, Anm. 23).

41

historisch gesicherten Tatsache der Erstlingschaft des Petrus als Auferstehungszeuge (1 Kor 15,5; Lk 24,34) gegründete Vorrangstellung des prominenten Jüngers. So sicher das eine zeitlich befristete, für die Zeit der entstehenden Urgemeinde geltende Leitungsfunktion ist, die auf die Person des Petrus beschränkt bleibt, so sicher ist die ihm verliehene Vollmacht kein Sonderprivileg, das nur ihn und seine »Amts«nachfolger auszeichnete[14]. Die für den späteren römischen Bischofsstuhl konstitutiven Vorstellungen eines Amtes, einer Sukzession, eines Bußinstitutes und einer institutionell verfaßten und geordneten Kirche sind unserem Text noch absolut fremd. Das wird durch die Tatsache bestätigt, daß es aus frühchristlicher Zeit keine Zeugnisse dafür gibt, daß Mt 16,18f als Amtsübertragung verstanden worden wäre.

Wir halten als Ergebnis fest: Für die geschichtliche Bibelwissenschaft der Gegenwart ist der römische Primat in Mt 16,18f nicht grundgelegt. Ja, sie muß selbst das vorsichtige Urteil, er sei hier *intendiert* (O. Kuss)[15], zurückweisen. Es war nicht die Absicht des Mattäus, mit diesem Wort das Grundgerüst einer Rechtsfigur aufzuführen, das dann für die Kirche aller Zeiten maßgebend sein sollte. Sondern Mattäus will die Kirche, in der er lebt, daran erinnern, wem sie ihr Wissen um das, was Jesus geboten hat, vor allem, wem sie die neue Gesetzesinterpretation, die der veränderten Situation nach Ostern angepaßt ist, verdankt: Petrus. Das aus einer geschichtlichen Situation heraus entstandene und in sie hinein gesprochene Wort öffnet keinen Weg nach Rom. Dort hat sich vielmehr der Primat unter sehr viel anderen als den in unserem Wort genannten Bedingungen entwickelt,

---

[14] Vgl. O. Cullmann, ThWNT VI,108,18ff: Jesus »bestimmt Petrus, den im Charakter so impulsiven, enthusiastischen und doch nicht durchhaltenden Mann seines Kreises, zum Fundament seiner Ekklesia. Insoweit hat die katholische Exegese recht, alle protestantischen Fortdeutungsversuche dieser Tatsache abzulehnen. Sie macht es aber keinesfalls besser, wenn sie hier einen Hinweis auf ›Nachfolge‹ findet. Von Nachfolgern steht kein Wort im Text, vielmehr beruht die Bedeutung des Logions auf dem Wortpaar Petrus – Ekklesia, und es besagt, daß die in Zukunft zu bauende Kirche sich auf den einmaligen Felsen, der die durch eine bestimmte Lebenszeit beschränkte Person des Petrus ist, gründet. Das heißt, daß die Aufgabe, die Petrus zu erfüllen beauftragt ist, einmalig bleibt, und so den Kirchenbau ermöglicht. Das Werk des Bauens gehört einer durch Mt 16,17f nicht begrenzten Zukunft an, während die Fundamentlegung dieses Baues an die Person des Petrus gebunden wird, die in ihrer Wirkungsmöglichkeit notwendig auf die Dauer ihrer Lebenszeit beschränkt ist (Joh 21,18!). Wenn dem Petrus die ›Binde- und Lösegewalt‹ gegeben ist, so bezieht sich diese Gewalt nicht auf eine unbegrenzte Zukunft, sondern auf das auf den Tod Jesu folgende Leben des Petrus.«
[15] O. Kuss, Jesus und die Kirche (1955), in: Auslegung und Verkündigung I, 1963, 25–77, hier 43ff.

um dann in unseren Text hineingelesen zu werden. Den Theologen vom 4. Jahrhundert an mag dabei zustatten gekommen sein, daß die absichtslos dichtende Sage (D. F. Strauß) der frühchristlichen Gemeinden nicht auf Jesus beschränkt blieb, sondern auch den »Apostelfürsten« mit umfaßte und ihn auf ein immer höheres Denkmal stellte. Aber diese frühchristliche Verehrung der ersten drei Jahrhunderte ließ sich noch immer keinen Papst dabei einfallen. Sondern es war schließlich umgekehrt: Der Papst ließ sich Petrus einfallen, um sich *theologisch* zu rechtfertigen.

4. Petrus als Apostel (Apostelgeschichte und Briefe)

Die weitere Durchmusterung des Materials kann das bisherige Ergebnis nur bestätigen; verändern kann sie es nicht.

4.1 Petrus in der Apostelgeschichte

In der ersten Hälfte der Apostelgeschichte steht Petrus als überragende Figur im Vordergrund. Nach c. 15 wird er nicht mehr erwähnt. Indizien für seine Vorrangstellung sind die folgenden:

a) In der nachösterlichen Liste der Elf wird Petrus als erster genannt (Apg 1,13; vgl. Lk 24,34).

b) Bei der Nachwahl des Mattias, der die ἀποστολή einnehmen soll, spielt Petrus eine bedeutende Rolle. Mehr noch, er hat die Initiative dazu gegeben (Apg 1,15–26).

c) Petrus ist *Prediger* in Jerusalem, *Missionar* außerhalb Jerusalems und *Sprecher* der christlichen Gemeinde (Apg 2,14–36; 3,12–26; 4,8–12; 5,29–32; 10,34–43; 15,7–11).

d) Petrus ist *Wundertäter* (3,1–10; 5,1–11; 5,15; 9,32–35; 9,36–42). Die Parallelität mit den Wundern Jesu (vgl. Apg 9,40 mit Mk 5,41/Lk 8,54) qualifiziert ihn jedoch keinesfalls zum »vicarius Christi«. Denn dann müßte man auch Paulus so bezeichnen, weil auch seine Wunder denen Jesu ähnlich sind (vgl. Lk 8,54 bzw. Apg 28,7–10 mit Mk 1,30f/Lk 4,38f). Solche Parallelberichte sind vielmehr ein stilistisches Merkmal des Lukas, mit dem er die Heilszeit Jesu theologisch mit der Heilszeit der Kirche verknüpft[15a].

e) Petrus wird wunderbar gerettet (5,17–21; 12,6–11) und von Gott angelei-

---

[15a] Vgl. W. Radl, Paulus und Jesus im lukanischen Doppelwerk. Untersuchungen zu Parallelmotiven im Lukasevangelium und in der Apostelgeschichte (EHS. T 49), Bern/Frankfurt 1975.

tet (10,8). Auch darin ist er von Paulus nicht unterschieden (9,3–19; 16,10; 18,9; 20,22–23; 21,10–11; 26,19; 27,23–24).

f) Zusammen mit den andern Aposteln in Jerusalem wird Petrus erwähnt, wenn es um wichtige Missionsentscheidungen geht (8,14; 9,32; 15,6–7). Der Apostelkreis ist also ein Kollegialorgan mit gleich verteilten Kompetenzen. Das besagt: Petrus hat eine Vorrangstellung, »die ihn jedoch nicht aus der Bindung an das Apostelkollegium und die Gemeinschaft der Brüder löst«[16]. Im Gegenteil! 2,14 heißt es, daß er »zusammen mit den Elf« zu Pfingsten seine Stimme erhob, 8,14 schicken ihn die »Apostel in Jerusalem« zusammen mit Johannes nach Samaria. Gelegentlich muß Petrus sein Tun sogar vor dem Apostelkreis rechtfertigen (Apg 11,1–18). Beschlußfähiges Gremium sind überhaupt »die Apostel und Presbyter zusammen mit der ganzen Gemeinde« (15,22f). Zweimal werden zwar Disziplinarfälle in der Kraft des Heiligen Geistes von Petrus entschieden (5,1–11 Hananias und Saphira; 8,18–23 Simon Magus darf die Kraft des Heiligen Geistes nicht käuflich erwerben). Insgesamt jedoch bestätigt die Apostelgeschichte den Befund der Evangelien: Petrus hat eine Vorrangstellung als primus inter pares.

Was den Primat des Petrus anbetrifft, so wirkt sie jedenfalls eher als *Gegeninstanz*. Dafür sprechen die beiden folgenden Tatbestände:

Einmal das ungeklärte Verhältnis zu Jakobus. Apg 12,17 verläßt Petrus Jerusalem und geht auf Missionsreise. Jakobus übernimmt die Leitung der Gemeinde (Apg 15; vgl. Gal 2,1–10. Unter den »Säulen« nennt Paulus nicht Kefas, sondern Jakobus an erster Stelle, Gal 2,9). Die Gründe für diesen Wechsel liegen im Dunkeln. Jedenfalls bleibt Petrus bei seiner Mission unter den Beschnittenen von Jakobus *abhängig*, ist also unfreier als Paulus in der Heidenmission, den nur die Kollekte an Jerusalem bindet. Daß Petrus zudem die Jakobusleute »fürchten« muß (Gal 2,11f), zeigt deutlicher als alles andere, daß selbst noch der »Fels« wankte und von einem Primat des Petrus in der Urgemeinde gar keine Rede war[17].

Der andere in dieser Hinsicht sehr sprechende Tatbestand ist der auffallende Schluß der Apostelgeschichte. Und zwar läßt Lukas den Ausgang sowohl des Petrus als auch des Paulus im Dunkeln. Aber am Ende verkündet *Paulus* das Evangelium in Rom, und zwar »ungehindert«. Das will andeuten, daß dem weiterhin ungehinderten Siegeszug des Evangeliums durch die Welt nichts im Wege steht.

Was das Interesse des Lukas an der prominenten Stellung des Petrus

---

[16] R. Schnackenburg, Die Stellung des Petrus zu den anderen Aposteln, 30.
[17] Vgl. O. Cullmann, ThWNT VI, 110.

anbetrifft, so ist das *Gefälle* seiner Darstellung aufschlußreich. Der Idealisierung in c. 2–5 folgt ein bloß noch episodenhaftes Auftreten in c. 6–15, bis Petrus dann »ohne viel Aufhebens aus dem Blickfeld genommen wird«[18]. Wie immer man diese lukanische Verfahrensweise beurteilen mag[19]: Daß Petrus Brückenschläger hinüber zur sedes apostolica nach Rom gewesen ist, hat der Historiker Lukas nicht verschwiegen oder übersehen. Es hat diesen Petrus nie gegeben!

4.2 Petrus in den paulinischen Briefen

Paulus ist der einzige Schriftsteller im Neuen Testament, von dem wir mit Sicherheit wissen, daß er Petrus persönlich gekannt hat. Sein Schrifttum, das älteste christliche überhaupt, das wir kennen, hat zudem den Rang wirklicher Zeitdokumentation. Er blickt nicht auf den Apostelfürsten zurück (so mit Sicherheit alles andere Material im Neuen Testament); er schreibt als Zeitgenosse. Das Petrusbild, das er als solcher zeichnet, besonders im Galater- und 1. Korintherbrief (Gal 1,18; 2,9.11.14; 1 Kor 1,22; 3,22; 9,5; 15,5)[20], verdient historisches Zutrauen. Um so bedeutungsvoller ist es, daß Paulus unsere bisherigen Ergebnisse vollauf bestätigt.

a) In der Liste der Auferstehungszeugen wird Petrus an erster Stelle genannt (1 Kor 15,5). Das ist das Urdatum dafür, daß

b) Petrus eine führende Persönlichkeit in Jerusalem war, als Paulus zum ersten Mal als Christ die Stadt und Petrus besuchte (Gal 1,18). Beim zweiten Besuch Gal 2,1ff scheint Petrus hinter Jakobus zurückgefallen zu sein. Die Reihenfolge der »Säulen« ist Jakobus – Kefas – Johannes (Gal 2,9).

---

[18] W. Dietrich, Das Petrusbild der lukanischen Schriften (BWANT 94), Stuttgart 1972, 327.

[19] Vgl. W. Dietrich, Das Petrusbild der lukanischen Schriften, 332: »Die Vorzugsstellung impliziert für Lukas indes gerade nicht eine Idealisierung des Petrus, sondern dient der Entfaltung eines Sachaspekts, der mit den Stationen seines Lebens zusammenhängt. Zu ihnen gehören im wesentlichen seine Funktion und Aufgabe gegenüber den Jüngern Jesu, speziell den Aposteln, und sein missionarisches Wirken unter den Juden mit dem Übergang zu den Samaritanern und zu den Heiden, das vornehmlich von dem Aspekt eines dreifachen Pfingstfestes geprägt ist. Der Zentralpunkt im lukanischen Petrusbild kann somit wie folgt zusammengefaßt werden: Für Lukas repräsentiert Petrus, der Apostel im exemplarischen Sinne, den Durchbruch des Evangeliums von der Keimzelle der Gefolgschaft Jesu bis hin zum Universalismus.«

[20] Mögliche Hinweise auf Petrus im 2 Kor sind nur indirekt gegeben (10,7; 11,4–5) und können für unsere Fragestellung außer Betracht bleiben. Zum Petrusbild des 1 Kor vgl. Ph. Vielhauer, Paulus und die Kephaspartei in Korinth, in: NTS 21 (1974/75) 341–352.

c) Diesem Kollegium (nicht Petrus allein!) legt Paulus sein gesetzesfreies Evangelium vor. Er will sicher sein, daß er nicht vergeblich arbeitet oder gearbeitet hat (Gal 2,2). Das wäre der Fall, wenn nicht *ein* Evangelium die *Einheit* der Kirche und des Apostolates ausmachte. Das zu beurteilen ist Sache der »Nobilitäten« in Jerusalem[21].

d) Im *Aposteldienst* gibt es keine hierarchische Abstufung: Petrus besorgt die ἀποστολή an den »Beschnittenen«, Paulus an den »Unbeschnittenen« (Gal 2,8).

Im übrigen ist – wie wir schon bei der Apostelgeschichte gesehen haben – der Galaterbrief ein Beweis dafür, daß Petrus keineswegs von Amts wegen eine unanfechtbare Vorrangstellung daheim, in Jerusalem, oder im Missionsgebiet innegehabt hätte. Auf dem Apostelkonzil scheint er durch nicht näher bekannte Umstände ins zweite Glied gedrängt. Und auf Missionsreisen, die er übrigens mit seiner Frau zusammen unternahm (1 Kor 9,5; auch die Geschichte von der Heilung seiner Schwiegermutter bestätigt sein Verheiratetsein), kann es ihm passieren, daß Paulus ihn ins Unrecht setzt und seine klägliche Abhängigkeit von den Jakobusleuten aufdeckt (Gal 2,11ff).

Zusammengefaßt: Der Petrus, den Paulus kennenlernte, hatte zu allem das Zeug, nur nicht zu einem Primat im rechtlich umschreibbaren Sinne. Er war eine Autorität, mal mehr, mal weniger anerkannt. Er war πρῶτος unter anderen, er war es nie in prinzipieller Überordnung oder Vorgeordnetheit, auch dann nicht, wenn es zutreffen sollte, daß Paulus in ihm den primären Informanten über Jesus gesehen hat (ἱστορῆσαι Gal 1,18; das m. E. diesen Sinn jedoch nicht hergibt)[22].

4.3 Petrus in den Apostolischen Pseudepigraphen

4.3.1 Der 1. Petrusbrief

Der 1. Petrusbrief, ein Zirkularschreiben aus Kleinasien vom Ende des 1. oder Anfang des 2. Jahrhunderts, dessen Pseudonymität auch von katholischer Seite immer mehr anerkannt wird, ist ein Dokument der bleibenden Autorität des Petrus[22a]. Aber selbst in dieser Form ist sie nicht konkurrenz-

---

[21] Vgl. H. Schlier, Der Brief an die Galater (KEK 7), Göttingen [11]1951, 34ff.

[22] Gegen Der Petrus der Bibel, 29.34f.

[22a] Vgl. H. von Campenhausen, Kirchliches Amt und geistliche Vollmacht in den ersten drei Jahrhunderten (BHTh 14), Tübingen 1953, 81: Petrus ist hier die »erste juden- und heidenchristliche Autorität für die von Jerusalem ausgehende und von Paulus unabhängige Mission«. Vgl. auch K. Kertelge, Gemeinde und Amt, 138.

los. Die Pastoralbriefe beispielsweise suchen Anerkennung als fingierte *Paulus*briefe.

Darüber hinaus ist die Ausbeute für unser Thema mager. Im Präskript nennt sich Petrus »Apostel Jesu Christi« (1,1), 5,1 »Zeuge der Leiden Christi« und »Mitpresbyter«, was Schnackenburg auf eine presbyteriale Verfassung der Gemeinde schließen läßt[23]. Ein Primatsanspruch liegt dem pastoralen Mahnwort an die örtlichen Gemeindepresbyter auf jeden Fall fern. Denn *alle* sind dem Erz- und Oberhirten Christus verantwortlich (5,2–4).

Spekulationen knüpfen sich an 5,13, wo Petrus Grüße an die angesprochenen Kirchen in Kleinasien übermittelt von »der Frau, die in Babylon« wohnt. Da Babylon sinnbildlicher Name für Rom ist, wird die Stelle immer wieder benutzt als Indiz dafür, daß Petrus tatsächlich nach Rom gelangt ist. Die Fragen sind folgende:

»Wie weit ist also im 1. Petrusbrief die Autorität des Petrus mit der Autorität der römischen Kirche verbunden? Nehmen die Empfänger des Briefes die Autorität des Petrus (oder Roms) bereits an? Oder ist der Brief ein Versuch, im Namen des Petrus zu Christen zu sprechen, die zu Lebzeiten des Petrus außerhalb seines Einflußbereiches gestanden haben, um so den Einfluß des Petrus und sogar Roms bei ihnen geltend zu machen?«[24]

Nur das letztere kann überhaupt erwogen werden, aber modifiziert: Nicht dem Decknamen, also »Petrus«, und schon gar nicht Rom will das Pseudepigraphon Einfluß verschaffen, sondern der in Petri Namen ausgesprochenen *Paraklese*. Petrus muß als Autorität bei den Angeredeten schon feststehen, sonst kann der Brief nicht als autoritatives Schreiben wirken.

4.3.2 Der 2. Petrusbrief

Dieses jüngste Schreiben des Neuen Testamentes aus dem 2. Jahrhundert bekämpft kraft der Autorität des Petrus Irrlehrer – das klassische Motiv der Pseudepigraphie! Der Verfasser setzt dazu gleich mehrere literarische Mittel ein. Petrinische Verfasserschaft suggeriert er nicht nur durch Nennung des Namens in der Superscriptio (1,1: »Symeon [!] Petrus, Knecht und Apostel Jesu Christi«). Er bezieht sich 3,1 auf den 1. Petrusbrief, indem er sein Schreiben als »Zweiten Brief« bezeichnet. »So flicht er, wie von einem persönlichen Jünger Jesu erwartet, auch persönliche Erinnerungen an den

---

Warum sich der pseudepigraphische Verfasser von 1 Petr gerade zum *paulinischen* Erbe bekennt, untersucht F. Mußner, Petrus und Paulus, bes. 54ff.
[23] R. Schnackenburg, Die Stellung des Petrus zu den anderen Aposteln, 33.
[24] Der Petrus der Bibel, 132.

Meister ein, indem er sich 1,16–18 als Augenzeugen der Verklärung ausgibt (Mk 9,2ff) und 1,14 behauptet, Jesus habe ihm den Märtyrertod geweissagt (Joh 21,18f). Schließlich gibt er sich mit der Wendung »unser geliebter Bruder Paulus« als Zeit- und Amtsgenossen des Völkerapostels kund, nicht ohne durch den etwas gönnerhaften Ton die eigene Überlegenheit hervorzuheben (3,15f).«[25]

Der 2. Petrusbrief gehört in die Reihe der Testamentsliteratur. Petrus sagt in feierlichen Worten, er schreibe den Brief kurz vor seinem Tode als Vermächtnis für die rechtgläubigen Christen (1,12ff), damit die »vorhandene Wahrheit« im Gedächtnis bleibe. Man kann das »ein gewisses Modell für das ›Petrusamt‹« nennen[26]. Dennoch läßt sich die Vorstellung einer persönlichen Nachfolge des Petrus, etwa des Bischofs von Rom, wie im ganzen Neuen Testament so auch hier nicht durch das Ausziehen der Linien erreichen, sondern nur durch einen qualitativen Sprung.

4.3.3 Petrus der Märtyrer (Apostolische Väter, Neutestamentliche Apokryphen und Nag Hammadi-Texte)

Jenseits des Neuen Testamentes findet sich ein reiches Schrifttum, das mit dem Namen des Petrus verknüpft ist[27]:

1. Das Kerygma Petrou
2. Die Kerygmata Petrou
3. Die Petrusakten
4. Die Offenbarung des Petrus
5. Das Petrusevangelium
6. Die Pseudo-Klementinen
7. Aus den Nag Hammadi-Funden die Akten des Petrus und der zwölf Apostel (Kodex VI, Traktat 1); Die Offenbarung des Petrus (Kodex VII, Traktat 3); Der Brief des Petrus an Philippus (Kodex VIII, Traktat 2).

Bei dem allem handelt es sich um weitläufige Berichte über die Missionstätigkeit des Petrus, seine Visionen und seinen Märtyrertod. Sie bestätigen das wachsende Interesse an der Gestalt des Petrus.

Auf dieses Schrifttum ist darum hinzuweisen, weil es sich einmal in dem

---

[25] Ph. Vielhauer, Geschichte der urchristlichen Literatur. Einleitung in das Neue Testament, die Apokryphen und die Apostolischen Väter (de Gruyter-Lehrbuch), Berlin 1975, 595.

[26] R. Schnackenburg, Die Stellung des Petrus zu den anderen Aposteln, 33; vgl. auch K. H. Schelkle, Die Petrusbriefe. Der Judasbrief, in: HThK 13,2, Freiburg ²1964, 237: »2 Petr 3,15 beginnt die römisch-katholische Kirche im NT, deren Säulen und Lehrer Petrus und Paulus als römische Apostelfürsten sind.«

[27] Die Apostolischen Väter kennen Petrus als »Hauptapostel« und Märtyrer. In Rom tritt Paulus an seine Seite (1 Clem 5,4f; IgnRöm 4,3; IgnSm 3,2; 2 Clem 5,3f).

Interesse, Petrus als Gewährsmann der apostolischen Predigt erscheinen zu lassen, mit dem Mattäus-Evangelium und den Petrusbriefen im Neuen Testament deckt, und weil es andererseits die zunehmend sich steigernde Verherrlichung des Apostelfürsten dokumentiert (die Petrusakten z. B. charakterisieren ihn als ϑεῖος ἀνήρ, der mächtig ist im Wort, aber noch mächtiger in der Tat). Dazu gehört auch die Parallelisierung seines Märtyrertums mit der passio Christi (z. B. in den Petrusakten mit der bekannten Quo-vadis-Geschichte). Über die Motive dieser Literatur gibt Ph. Vielhauer Auskunft: »Die Gemeinden hatten . . . das Bedürfnis, mehr und Genaueres, und zwar über alle Apostel zu erfahren. Dieses Interesse war verschieden orientiert. Einerseits richtete es sich im Kampf gegen Irrlehren auf die Apostel als die Garanten der reinen Lehre und entwickelte die Prinzipien der apostolischen Tradition und Sukzession, die sich in späteren Schriften des NT, bei Irenäus und in den lokalen Bischofslisten ebenso verschiedenartig wie eindeutig dokumentieren. Andererseits richtete es sich auf die Apostel als ϑεῖοι ἄνδρες – dies ist der Fall bei den apokryphen Apostelakten. Dieses Interesse wurde stimuliert durch die Masse solcher Gestalten, die die damalige Welt durchzogen. Es galt, diese Konkurrenz zu überbieten. Die Apostel nahmen immer stärker die typischen Züge dieser Konkurrenten an, zunächst in der Vorstellung und in der mündlichen Verherrlichung, dann aber in der literarischen Darstellung. Denn das Bedürfnis nach einer *spezifisch christlichen Unterhaltungsliteratur,* die mit der nichtchristlichen konkurrieren konnte, war ebenso stark wie das religiös-erbauliche. Der Ursprung der apokryphen Apostelakten ist keineswegs ›häretisch‹, sondern liegt in den unterschwelligen paganen Elementen des Vulgärchristentums.«[28]

Was nun speziell die Entwicklung der *petrinischen* Pseudepigraphie als häufige (nicht einzige!) epigone Literaturerzeugnisse anbetrifft, so hat sie einen durchsichtigen Grund. Mit ihm, dem einstigen Führer der Jerusalemer Gemeinde (Gal 1,18; vgl. Mt 16,18), konnte man Kundgebungen decken, die auf Allgemeingültigkeit Anspruch erhoben (z. B. 2. Petrusbrief). »Man fühlte sich dazu innerlich berechtigt, weil dieser hervorragende Apostel und Jünger Jesu ja auch derjenige gewesen war, der das Evangelium zugleich Heiden zu übermitteln berufen wurde (Apg 10), also als angesehene Mittelsperson dastand, während der Kreis des Herrenbruders Jakobus sich dagegen abgeschlossener verhielt (vgl. Gal 2)«.[29]

---

[28] Ph. Vielhauer, Geschichte der urchristlichen Literatur, 695.
[29] E. Hennecke, Apostolische Pseudepigraphen (1924), in: N. Brox (Hg.), Pseudepigraphie in der heidnischen und jüdisch-christlichen Antike (WdF CDLXXXIV), Darmstadt 1977, 82–89, hier 87.

Es ist also ein nur zu verständlicher Vorgang, daß sich die Legende in dieser außer- und nachkanonischen altchristlichen Literatur der Gestalt des Apostelfürsten Petrus bemächtigte. Dabei wurde dann auch jenes Thema aufgeworfen, das nun wirklich eng mit dem römischen Primatsanspruch zusammenhängt: Aufenthalt und Martyrium des Petrus in *Rom*. Haben wir bis in die 2. Hälfte des 2. Jahrhunderts kein Dokument, das dies ausdrücklich behauptet, wohl aber das vielsagende *Schweigen* des Römerbriefes in dieser Hinsicht[30], so beginnt von jetzt an die diesbezügliche Tradition präzise Gestalt anzunehmen. Irenäus, Tertullian, Origenes, Clemens v. Alexandrien und der römische Presbyter Gajus wissen von ihr. Trotzdem dauerte es noch geraume Weile, bis schließlich im 4. Jahrhundert von einem Bischofsamt die Rede ist. Zu ihm als zu einer Rechtsfigur schlagen zwar auch die neutestamentlichen Apokryphen noch immer keine Brücke, wohl aber legen sie einen kräftigen Stein in das Fundament der später aufzuführenden Konstruktion und ebnen damit der späteren Exegese den Weg, auch andere petrinische Elemente des Neuen Testamentes im Sinne des Primatsanspruches an sich zu ziehen.

Geschichtliche Interpretation wird dennoch diesen ganzen Vorgang nicht losgelöst von Wesen und Funktion der *Pseudepigraphie* überhaupt sehen und werten können. Das heißt: »Pseudepigraphie hat die sehr deutliche Tendenz, das in einer Schrift Mitgeteilte, hier also die Überlieferung, zu personalisieren. Sie ist individuelle Lehre (Offenbarung) bestimmter prominenter Gestalten, so soll es scheinen. De facto geschieht aber das Gegenteil: Es geht der Sache nach um ›transsubjektive Tradition‹ (M. Hengel), um Schul-, Lehr- und Überlieferungszusammenhänge. Man kommt von der

---

[30] Petri Anwesenheit in Rom zur Zeit der Abfassung des Römerbriefes ist dadurch ausgeschlossen. O. Cullmann sieht in Röm 15,20f allerdings ein indirektes Zeugnis für den Petrusaufenthalt in Rom: Die Gemeindegründung dort gehe auf Judenchristen zurück (vgl. auch Apg 2,10). Für judenchristliche Mission aber sei Petrus der verantwortliche Leiter gewesen. Als solcher *könnte* er sich bei den auftretenden Schwierigkeiten zwischen dem juden- und dem heidenchristlichen Teil der römischen Gemeinde einmal dorthin begeben haben (ThWNT VI, 112). – Die Argumentation bewegt sich jedoch auf der Ebene reiner Vermutungen. Eher ist 1 Petr 5,13 (die grüßende Gemeinde läßt der Verfasser in »Babylon« = Rom lokalisiert sein) Zeugnis für einen Romaufenthalt Petri. J. Michel nennt es »das einzige neutestamentliche Zeugnis dafür« (Die Katholischen Briefe [RNT 8,2], Regensburg 1968, 152). Sicher ist jedoch auch das nicht. Denn es ist kaum wahrscheinlich, daß die Anschauung, daß Rom die gottfeindliche Weltmacht verkörpere, unter den Christen noch vor der Neronischen Verfolgung, der Petrus wahrscheinlich zum Opfer gefallen ist, aufgekommen war. Dann liegt eine rein symbolische Bedeutung der Stelle näher: »Petrus«, der Apostel-Märtyrer, schreibt aus »Babylon« an die verfolgten Christen in Kleinasien (vgl. H. Windisch, Die Katholischen Briefe [HNT 15], Tübingen ³1951, 82).

Überzeugung her, daß die vorhandene, vertretene Lehre ›wahr‹, ursprünglich ist. Darum legt man sie vorbehaltlos so, wie sie ist, nämlich als ›transsubjektive‹, durchaus nicht individualisierte oder personalisierte, den individuellen Gestalten in den Mund. Man ist völlig sicher, so scheint es, daß Autorität, Geist und Weisheit bestimmter Personen in Tradition und Lehrkontinuität der eigenen Gruppe fortwirkt. Das bringt es also mit sich, daß die in der Pseudepigraphie reklamierte Gestalt der Frühzeit um ihre Individualität gebracht wird und sie der ihr zugeschriebenen Schrift meistens auch keinen individuellen Charakter mitgeben kann . . . ›*Die* Apostel‹ sind bereits ganz früh entindividualisiert in das Fortwirken der universal verstandenen und nicht vereinzelten apostolischen Verkündigung und Autorität hinein. Abgesehen von Paulus sind sie für uns schon durch die früheste Geschichte fast restlos ›anonym‹ geblieben, obwohl ihre Namen bekannt sind. Über ihre Profile ist nur verschwindend wenig, bei den meisten nichts auszumachen, obwohl sie eine eminente Wichtigkeit hatten. Schon früh im 2. Jh. sind sie ›*die* Apostel‹, die alle dasselbe verkünden; jeder einzelne kann so gut wie der andere einen beliebigen orthodoxen Text gesprochen, verfaßt haben.«[31]

Von sich aus bereitet also auch diese Literatur die Vorstellung von einer *persönlichen* Nachfolge des Apostels Petrus *nicht* vor. Das um so weniger, als alles Material, das Petrus in Rom anwesend bezeugt, »ohne kirchenpolitische Pointe« ist (E. Dinkler) und überhaupt die Losung der »rechtgläubigen« Kreise für die Einheit und die Reinheit der Lehre ab der Mitte des zweiten Jahrhunderts hieß: Petrus *und* Paulus[31a].

5. SCHLUSSBEMERKUNGEN

Daß Papat und Primat, wie sie im Vaticanum I und II definiert sind, *direkt* im Neuen Testament grundgelegt seien, ist heute keines Exegeten Meinung mehr. Aus zwei Gründen:

5.1 Die Art der biblischen Dokumente macht der geschichtlichen Bibelwissenschaft die unmittelbare Herleitung des Papsttums aus dem Neuen Testament unmöglich. Keine der hier gesammelten 27 Schriften stellt unser Problem oder rückt es auch nur einigermaßen deutlich in unseren Blick. Ihrem Charakter entsprechend handeln die ältesten Schriften, die Paulus-

---

[31] N. Brox, Zum Problemstand in der Forschung der altchristlichen Pseudepigraphie (1973), in: ders., Pseudepigraphie in der heidnischen und jüdisch-christlichen Antike (s. Anm. 29) 311–334, hier 331ff.

[31a] Vgl. Ph. Vielhauer, Paulus und die Kephaspartei (s. Anm. 20), 352.

briefe, nur gelegentlich und aus aktuellem Anlaß von Petrus. Die Evangelien bringen wie sonst so auch in den Petruspartien geschichtliche Erinnerung, Kerygma und aktuelle Gemeindeinteressen miteinander vermischt und in die Sicht des Evangelisten gerückt zur Darstellung. Die Apostelgeschichte berichtet lückenhaft und tendenziös und erweitert unser Wissen über Petrus kaum. Für die späteren Schriften des Neuen Testamentes gilt ähnliches. Im Kampf zwischen Rechtgläubigkeit und Ketzerei bedienen sich die Kombattanten wechselseitig der apostolischen Autoritäten, um ihre Position zu rechtfertigen. Ja, im Neuen Testament selbst kommt Paulus in dieser Hinsicht sogar ein Übergewicht zu (vgl. Kolosserbrief, Epheserbrief, Pastoralbriefe, Hebräerbrief).

5.2 Die geschichtliche Bibelwissenschaft weiß, daß sich die Entwicklung des Papsttums nicht im luftleeren Raum vollzogen hat, sondern in ganz bestimmten geschichtlichen Zusammenhängen (politischer Raum; römisches Rechtsdenken) und als Wirkungsgeschichte bestimmter neutestamentlicher und nachneutestamentlicher Traditionen. Diesen geschichtlichen Bedingungen versucht sie selbstverständlich Rechnung zu tragen, d. h. sie vermeidet den Kurzschluß, der das historische Ergebnis (den neutestamentlichen Befund) ungebrochen in die Dogmatik (die Ausformung des unfehlbaren Lehramtes) überträgt. Die Frage unseres Themas zielt für sie also nicht auf die (gar nicht vorhandenen) unmittelbaren neutestamentlichen Grundlagen des Papsttums, sondern auf die *theologisch relevanten Sachverhalte* des Neuen Testamentes, auf die sich das Papsttum tatsächlich oder angeblich stützt. Und in diesem Punkte herrscht zwischen evangelischen und katholischen Exegeten noch kein völliger Konsens.

Die benennbaren theologisch relevanten Sachverhalte sind die folgenden:

1. Das Amt der Apostel (Botschafter an Christi Statt)
2. Petri mehrfach unterstrichene Vorrangstellung
   a) er ist *der* Zeuge der Auferstehung (1 Kor 15,5; Lk 24,34)
   b) er ist *der* Sprecher der Jünger
   c) er ist (zeitweilig) *der* Führer der Urgemeinde in Jerusalem
   d) er ist *die* maßgebende Lehrautorität (Mt 16,18f)
   e) er hat Schlüsselgewalt
   f) sein pastorales Amt wird besonders herausgestellt (Lk 22,31f; Joh 21,15ff)
3. Der spät- und nachapostolischen Zeit dient Petrus als Garant der Rechtgläubigkeit im Kampf wider die Ketzerei
4. Petrus kam als *der* Apostel nach Rom und starb hier als Blutzeuge Christi (sicher bezeugt erst jenseits des Neuen Testamentes).

Selbstverständlich weiß die katholische Exegese, daß die Addition aller dieser Elemente noch keinen Papst macht. Aber sie meint das Papsttum dennoch in der *Konsequenz* dieser biblischen Elemente sehen zu dürfen, während m. E. ihre Anwendung auf Papat und Primat sie um ihre Identität bringt. Dies möchte ich abschließend begründen.

Zunächst zwei charakteristische katholische Argumentationsweisen.

E. Ruckstuhl schreibt: »Man wird . . . anerkennen dürfen, daß das monarchische Bischofsamt an das neutestamentliche Apostelamt anschließt und der Sache nach seine Nachfolge angetreten hat, wenn auch mit erheblicher zeitlicher Verspätung. Vielleicht dürfen wir das Bischofsamt eine pneumatische Analogieschöpfung zum Apostelamt nennen . . .«[32] Und vor dasselbe Problem der Einmaligkeit und der Nachfolge der Apostel gestellt, fragt Karl Kertelge: »Schließt die Tatsache, daß im Matthäusevangelium und auch im sonstigen NT ein persönlicher Nachfolger des Petrus im Sinne einer monarchischen Kirchenleitung nicht in den Blick kommt, eine solche Regelung [gemeint ist: Sukzessionsgedanken im Sinne der späteren kirchlichen Tradition] als Möglichkeit von vornherein aus?«[33] Seine Antwort lautet: Nein, denn die der Kirche insgesamt zugetraute Vollmacht bedürfe immer auch der einzelnen Ämter und Amtsträger (ebd.).

Das ist natürlich richtig. Daß es kirchliche Ämter gegeben hat und um der Ordnung willen immer auch geben muß, ist völlig unstrittig. Strittig ist jedoch, ob es zum *Wesen* der Kirche gehört, daß sie neben dem *Christenamt* (jeder Getaufte ist und soll sein ein Zeuge seines Herrn) noch ein »Amt« hat. Genauer: Ob wir in der Lage sind, *theologisch* die Notwendigkeit zu begründen, Funktionen an eine Person zu binden[34]. Dies aber ist nicht der Fall.

Wohlgemerkt, es geht nicht um die kirchlichen Ämter als solche, wohl aber um deren richtige Begründung. Bei der Einrichtung von kirchlichen Ämtern kann es sich immer nur um »*regulative Akte*« (Willi Marxsen) handeln, nicht aber um *theologische* Notwendigkeiten. Die um der öffentlichen Verkündigung willen und aus Ordnungsgründen nötige Einrichtung kirchlicher Ämter wird man tunlichst nach Zweckmäßigkeitsgesichtspunkten vornehmen; man braucht sie nicht theologisch zu begründen. Willi Marxsen ist beizupflichten: »Gegen diese Feststellung spricht nun keineswegs, daß zu fast allen Zeiten (und auch schon im Neuen Testament) solche Ämter in der Kirche bestanden. Es gilt nur zu sehen, daß sie nicht mit der

---

[32] E. Ruckstuhl, Einmaligkeit und Nachfolge der Apostel, in: Erbe und Auftrag 47 (1971) 240–253, hier 247.
[33] K. Kertelge, Gemeinde und Amt, 137.
[34] W. Marxsen, Die Nachfolge der Apostel. Methodische Überlegungen zur neutestamentlichen Begründung des kirchlichen Amtes, in: Der Exeget als Theologe. Vorträge zum Neuen Testament, Gütersloh ²1969, 75–90, hier 88.

Kirche gesetzt sind; sie gehören darum auch nicht zum Evangelium, sind erst recht nicht ›heilsnotwendig‹. Gesetzt ist aber das Apostelamt und von dorther das Christenamt.«[35] Von daher ist nun nicht die Kirche ohne Amt gefordert. Sie ist undenkbar. Gefordert ist vielmehr die richtige *Begründung* des Amtes. »Die aber ist ... nur von der Gemeinde her möglich, genauer: vom Christenamt her. Denn das, was wir unter Amt verstehen, ist aus dem Christenamt abzuleiten. Es ist eine *Begrenzung des Christenamtes durch einen regulativen Akt*.«[36]

Fragen wir jetzt noch einmal, auf welche theologisch relevanten Sachverhalte des Neuen Testamentes sich das Papsttum stützt, so kann die Antwort nur lauten: In seiner derzeitigen Amtsstruktur (der Papst ist Petrus) und als die derzeitige Rechtsfigur (caput ecclesiae) auf *keine*. Vom Petrus der Bibel zum Papst der Ewigen Stadt führt kein Weg, sondern nur ein qualitativer Sprung. Aus dem fehlbaren Zeugen Jesu wird dabei der Vicarius Christi. Die zwei entscheidenden Weichenstellungen, die diese Entwicklung eingeleitet haben, lassen sich noch aufzeigen:

a) Die faktische Sukzession, in der die spätere Gemeinde zu den christlichen Anfängen steht, hat sich im Blick auf die (teils aus der Umwelt übernommenen) Ordnungen und damit auf die Struktur des Amtes ganz unterschiedlich ausgeprägt. Daran ist solange nichts Verwerfliches, als sich solche Ausprägungen ihrer Geschichtlichkeit und also auch Veränderbarkeit bewußt bleiben. Verhängnisvoll wird die Sache dann und dort, wo das auf der einen oder anderen Seite Gewordene als *normativ* angesehen wird. Das ist beim römischen Bischofsamt von einem bestimmten Augenblick der Geschichte an der Fall gewesen. *Damit hat es sich jeder neutestamentlichen Begründbarkeit begeben.* Das Petrusamt ist in *diesem* Sinne nie normativ gewesen.

b) Die andere entscheidende Weichenstellung ist der Umschlag des Amtsbegriffes in ein essentiell anderes Strukturgefüge. Einzusetzen ist bei der apostolischen Existenz. Ihr Ursprung liegt beim Kyrios. Die Apostel sind Auferstehungszeugen und als solche Botschafter an Christi Statt (apostolische Vollmacht). Sie verkündigen den Herrn. Diese ihre Verkündigung wird zur »Tradition«, die in den Gemeinden bewahrt wird. Dieses Bewahren der apostolischen Tradition macht die Kirche zur apostolischen Kirche[37]. Die Apostel geben ihr Evangelium weiter, ihre »Tradition«. Sie können nicht ihr Amt weitergeben, in das sie gekommen sind dadurch, daß sie den Auferstandenen gesehen haben und mit der Diakonia betraut

---

[35] W. Marxsen, Die Nachfolge der Apostel, 88.
[36] Ebd.
[37] A.a.O., 86.

wurden oder – wie Petrus – mit der Funktion des »Fundamentes« (was im Grunde nichts anderes besagt). *Diese* persongebundene Funktion des Zeugen Christi ist grundlegend, aber unwiederholbar. *Der Papst kann darum in gar keinem Sinne Petrus sein.* Jedenfalls ist diese Identität biblisch nicht begründbar. Es gibt »apostolische Nachfolge«, aber – wie der Kolosserbrief, der Epheserbrief, die Pastoralbriefe, die Petrusbriefe usw. und besonders deutlich Hebr 2,1–4 zeigen – als Wahrung der apostolischen Tradition, nicht als personale Nachfolge. *Dieser* Anspruch ist nirgendwo im Neuen Testament erhoben[38].

Zum Schluß erhebt sich die Frage, wie die Kirche nach dem Tod der Apostel apostolische Kirche bleibt. Ich stimme der treffenden Antwort von Willi Marxsen zu: »Die Kirche ist nur dann apostolische Kirche, wenn sie in der Kontinuität mit den Aposteln, oder genauer: wenn sie mit den Aposteln zusammen in der Kontinuität mit Christus steht. D. h. aber, auch heute noch ist allein das apostolische Zeugnis kirchengründend und kirchenerhaltend. Die Nachfolge der Apostel ist also nicht von einem Amt angetreten worden, sondern die Nachfolge ist das apostolische Zeugnis des Neuen Testaments. Das ist der Gemeinde gegeben. Sie hat es auszurichten, hat dafür zu sorgen, daß es ausgerichtet werden kann, hat sich darum zu mühen, daß es so gut wie möglich ausgerichtet wird. Nach Lage der Dinge wird sie diese Aufgabe durch einen regulativen Akt einem Amt übertragen, was grundsätzlich freilich den Christen nicht von seinem Amt dispensiert. Man kann nicht nur historisch feststellen, daß die Kirche vor dem konkreten Amt da war, sie ist auch sachlich früher. Apostolische Kirche ist also nur die Kirche des Wortes (auch wenn sie ein Amt oder Ämter hat), nicht aber die Kirche des Amtes. Die Kirche des Wortes bindet die aus ihr herausgesetzten Ämter an das ihr gegebene Wort; und eben darin ist sie an der Kontinuität orientiert. Die Kirche des Amtes dagegen hat das Wort an das Amt gebunden. Sie muß also interessiert sein an der Sukzession, die zu einer eigenständigen, normativen Größe wird. Dabei ist aber gerade die Apostolizität preisgegeben. Kirche Jesu Christi gibt es nur als apostolische Kirche.«[39]

Als einzige Möglichkeit eines biblisch verstandenen Petrus*dienstes* (nicht Petrus*amtes*) bleibt also in der Tat nur der »*Pastoralprimat*« (Hans Küng). Ungeachtet aller Sukzessionsfragen bleibt *er* nämlich vom Neuen Testament sachlich gedeckt[40].

---

[38] K. Kertelge, Gemeinde und Amt, 135.
[39] W. Marxsen, Die Nachfolge der Apostel, 89f.
[40] H. Küng, Unfehlbar? Eine Anfrage, Zürich 1970, 201.

C. *Andresen,* Die Legitimierung des römischen Primatanspruchs in der Alten Kirche, in: G. Denzler (Hg.), Das Papsttum in der Diskussion, Regensburg 1974, 36–52.

H. *Biedermann,* Das Primatwort Mt 16,18 in römischem, orthodoxem und protestantischem Verständnis, in: Bibel und Kirche 23 (1968) 55–58.

J. *Blank,* Neutestamentliche Petrus-Typologie und Petrusamt, in: Concilium 9 (1973) 173–179.

G. *Bornkamm,* Die Binde- und Lösegewalt in der Kirche des Matthäus (1970), in: ders., Geschichte und Glaube II (Ges. Aufs. IV) München 1971, 37–50.

A. *Brandenburg u. H. J. Urban* (Hg.), Petrus und Papst. Evangelium, Einheit der Kirche, Papstdienst. Beiträge und Notizen, Münster 1976.

F. M. *Braun,* Neues Licht auf die Kirche, 1946, 57ff, 76ff.

R. E. *Brown* (Hg.), Peter in the New Testament. A Collaborative Assessment by Protestant and Roman Catholic Scholars, Minneapolis/New York 1973. – Deutsche Übersetzung: Der Petrus der Bibel. Eine ökumenische Untersuchung, eingeleitet von F. Hahn und R. Schnackenburg, Stuttgart 1976.

N. *Brox* (Hg.), Pseudepigraphie in der heidnischen und jüdisch-christlichen Antike (WdF CDLXXXIV), Darmstadt 1977.

R. *Bultmann,* Die Frage nach der Echtheit von Mt 16,17–19 (1941), in: Exegetica, Tübingen 1967, 255–277.

J. A. *Burgess,* A History of the Exegesis of Mt 16,17–19 from 1781–1965, Diss. Basel 1966.

O. *Cullmann,* Petrus. Jünger-Apostel-Märtyrer, Zürich ²1960.

ders., Art. Πέτρος, Κηφᾶς, ThWNT VI, 99–112.

G. *Denzler* u. a., Zum Thema Petrusamt und Papsttum, Stuttgart 1970.

ders. (Hg.), Papsttum heute und morgen. 57 Antworten auf eine Umfrage, Regensburg 1975.

ders. (Hg.), Das Papsttum in der Diskussion, Regensburg 1974.

ders. (Hg.), Kirchliche Erneuerung und Petrusamt am Ende des 20. Jahrhunderts, in: Themenheft Concilium 11 (1975) Heft 10.

ders., Der Petrusdienst in der Kirche, in: Concilium 7 (1971) Heft 4.

ders., Verbindliches Lehren. Beiträge zum Petrusamt und Papsttum, in: Una Sancta 31 (1976) Heft 4.

W. *Dietrich,* Das Petrusbild der lukanischen Schriften, Stuttgart/Berlin/Köln/Mainz 1972.

E. *Dinkler,* Die Petrus-Rom-Frage. Ein Forschungsbericht, in: ThR 25 (1959) 189–230. 289–335; 27 (1961) Heft 1.

ders., Art. »Petrus« und »Petrustradition«, in: RGG³ V (1961), Sp. 247–249. 261–263.

J. *Ernst,* Noch einmal: Die Verleugnung Jesu durch Petrus (Mk 14,53f. 66–72), in: A. Brandenburg/H. J. Urban (Hg.), Petrus und Papst. Evangelium, Einheit der Kirche, Papstdienst. Beiträge und Notizen, Münster 1976, 43–62.

H. *Feld,* Papst und Apostel in der Auseinandersetzung um die rechte Lehre. Die theologische Bedeutung von Gal 2,11–14 für das Petrusamt in moderner und alter Auffassung, in: Grund und Grenzen des Dogmas, Freiburg/Basel/Wien 1972, 9–26.

J. *Flamand,* Saint Pierre interroge le Pape, Paris 1970.

C. *Gander,* La notion primitive de l'Église d'après l'Évangile selon Matthieu, chapître 16, versets 18 et 19: Études Évangeliques 26, Aix en Provence 1966, 1–143.

D. Gewalt, Das »Petrusbild« der lukanischen Schriften als Problem einer ganzheitlichen Exegese, in: Linguistica biblica 34 (1975) 1–22.

P. Gibert, Les premiers chrétiens découvrent Pierre. Comment ils inventent l'Église. Une lecture du Nouveau Testament. La vie, l'esprit, le texte, Paris 1976.

E. Gräßer, Acta-Forschung seit 1960, ThR 41 (1976) 141–194. 259–290; 42 (1977) 1–68.

F. Hahn, Die Petrusverheißung Mt 16,18f, in: Materialdienst des Konfessionskundlichen Instituts Bensheim 21 (1970) S. 8–13 (= Das kirchliche Amt im NT [WdF CDXXXIX], hg. v. K. Kertelge, Darmstadt 1977, 543–563.

ders., Neutestamentliche Grundlagen für eine Lehre vom kirchlichen Amt, in: F. Hahn/W. Joest/B. Kötting/H. Mühlen, Dienst und Amt, 1973, 7–40, dort 36 ff.

P. Hoffmann, Der Petrus-Primat im Matthäusevangelium, in: Neues Testament und Kirche. Für Rudolf Schnackenburg, hg. v. J. Gnilka, Freiburg 1974, 94–114.

J. Kahmann, Die Verheißung an Petrus Mt 16,18–19 im Zusammenhang des Matthäusevangeliums, in: L'Évangile selon Matthieu – Redaction et théologie (ed. M. Didier, BEThLov 29), Gembloux 1972, 261–280.

O. Karrer, Um die Einheit der Christen – Die Petrusfrage, Frankfurt 1953.

K. Kertelge, Gemeinde und Amt im Neuen Testament, München 1972.

G. Klein, Die zwölf Apostel. Ursprung und Gehalt einer Idee (FRLANT 77), Göttingen 1961.

ders., Galater 2,6–9 und die Geschichte der Jerusalemer Urgemeinde (1960), in: Rekonstruktion und Interpretation. Ges. Aufs. z. NT, München 1969, 99–128.

O. Knoch, Die Deutung der Primatstelle Mt 16,18 im Lichte der neueren Diskussion, in: Bibel und Kirche 23 (1968) 44–46.

W. G. Kümmel, Kirchenbegriff und Geschichtsbewußtsein in der Urgemeinde und bei Jesus (SyBU 1) 1943 (= Göttingen ²1968), 19ff.

ders., Jesus und die Anfänge der Kirche (1953), in: Heilsgeschehen und Geschichte (Ges. Aufs.), Marburg 1965, 289–309.

O. Kuss, Jesus und die Kirche im Neuen Testament (1955), in: Auslegung und Verkündigung, Bd. I, Regensburg 1963, 25–77.

O. Linton, Das Problem der Urkirche in der neueren Forschung, Uppsala 1932, 157ff (Nachdruck: Frankfurt a. M. [o.J.]).

J. Ludwig, Die Primatworte Mt 16,18.19 in der altkirchlichen Exegese (NTA XIX/4), Münster 1952.

W. Marxsen, Die Nachfolge der Apostel. Methodische Überlegungen zur ntl. Begründung des kirchlichen Amtes, in: Der Exeget als Theologe. Vorträge zum NT, Gütersloh 1968, 75–90.

F. Mußner, Petrus und Paulus – Pole der Einheit. Eine Hilfe für die Kirchen, Freiburg 1976.

F. Obrist, Echtheitsfragen und Deutung der Primatstelle Mt 16,18f in der deutschen protestantischen Theologie der letzten dreißig Jahre (NTA 21,3–4), München 1961.

D. W. O'Connor, Peter in Rome. A review and position, in: Christianity, Judaism and other Greco-Roman cults. Part II, Leiden 1975, 146–160.

A. Oepke, Der Herrnspruch über die Kirche Mt 16,17–19: Studia Theologica 2 (1948) 110–165.

R. Panikkar, »Super hanc petram«. Due principi ecclesiologici: la roccia e le chiavi, in: Legge e Vangelo. Discussione su une Legge fondamentale per la Chiesa. Scritti di G. Alberigo (e. a.), Brescia 1972, 135–145.

R. *Pesch,* Die Stellung und Bedeutung Petri in der Kirche des Neuen Testaments. Zur Situation der Forschung, in: Concilium 7 (1971) 240–245.

B. *Rigaux,* Der Apostel Petrus in der heutigen Exegese, in: Concilium 3 (1967) 585–600.

J. *Rilliet,* Tu es Pierre, Genf 1974.

A. *Rincon,* Tú eres Pedro. Interpretación de ›piedra‹ en Mat.16,18 y sus relaciones con el tema biblico de la edificación, Pamplona 1972.

A. M. *Ritter,* Amt und Gemeinde im Neuen Testament und in der Kirchengeschichte, in: A. M. Ritter/G. Leich, Wer ist die Kirche?, 1968, 42–52.

E. *Ruckstuhl,* Einmaligkeit und Nachfolge der Apostel, in: Erbe und Auftrag 47 (1971) 240–253.

K. *Schatz,* Petrus als Sprecher, Mund und Repräsentant der Jünger, in: Petrus und Papst. Evangelium, Einheit der Kirche, Papstdienst, hg. v. A. Brandenburg/H. J. Urban, Münster 1976, 63–83.

J. *Schmid,* Das Evangelium nach Matthäus (Regensburger NT 1), ⁵1965, 245ff.

R. *Schnackenburg,* Die Stellung des Petrus zu den anderen Aposteln, in: Petrus und Papst. Evangelium, Einheit der Kirche, Papstdienst. Beiträge und Notizen, hg. v. A. Brandenburg/H. J. Urban, Münster 1976, 20–25.

G. *Schneider,* Du aber stärke Deine Brüder, in: Petrus und Papst. Evangelium, Einheit der Kirche, Papstdienst. Beiträge und Notizen, hg. v. A. Brandenburg/H. J. Urban, Münster 1976, 36–42.

W. *Schrage,* »Ekklesia« und »Synagoge« – zum Ursprung des urchristlichen Kirchenbegriffs, in: ZThK 60 (1963) 178–202.

E. *Schweizer,* Matthäus und seine Gemeinde (SBS 71), Stuttgart 1974.

ders., Das Evangelium nach Matthäus (NTD 2), 1973, 218–224.

A. *Stirnimann,* Apostel-Amt und apostolische Überlieferung. Theologische Bemerkungen zur Diskussion mit O. Cullmann, in: FZThPh 4 (1957) 129–147.

H. *Strathmann,* Die Stellung des Petrus in der Urkirche: ZSyTh 20 (1943) 223–282.

W. *Trilling,* Zum Petrusamt im Neuen Testament. Traditionsgeschichtliche Überlegungen anhand von Matthäus, 1 Petrus und Johannes, in: ThQ 151 (1971) 110–133.

ders., Amt und Amtsverständnis bei Matthäus, in: Mélanges Bibliques (Festschrift B. Rigaux), Gembloux 1970, 29–44; wiederabgedruckt in: Theol. Jahrbuch (hg. v. H. Dänhardt), Leipzig 1972, 160–173.

A. *Vögtle,* Zum Problem der Herkunft von Mt 16,17–19, in: Orientierung an Jesus. Zur Theologie der Synoptiker. Für Josef Schmid, hg. v. P. Hoffmann in Zusammenarbeit mit N. Brox und W. Pesch, Freiburg/Basel/Wien 1973, 372–393.

ders., Messiasbekenntnis und Petrusverheißung, in: BZ NF 1 (1957) 252–272; 2 (1958) 85–102 [jetzt in: ders., Das Evangelium und die Evangelien, Düsseldorf 1971, 137–170].

ders., Art. Petrus, Apostel: LThK² VIII, 1963, Sp. 334–340.

ders., Jesus und die Kirche, in: Begegnung der Christen (Festschrift O. Karrer), Stuttgart/Frankfurt a. M. 1959, 54–81.

M. *Wilcox,* Peter and the Rock. A Fresh Look at Matthew xvi. 17–19, NTS 22 (1975/76) 73–88.

H. *Zimmermann,* Die innere Struktur der Kirche und das Petrusamt nach Mt, in: Petrus und Papst. Evangelium, Einheit der Kirche, Papstdienst. Beiträge und Notizen, hg. v. A. Brandenburg/H. J. Urban, Münster 1976, 4–19.

Josef Blank

PETRUS UND PETRUS-AMT IM NEUEN TESTAMENT

Der vorliegende Text ist in erster Linie als Diskussions-Beitrag gedacht; deshalb wird die einschlägige Literatur nur soweit zitiert, wie dies zum Verständnis unerläßlich ist[1]. Ich gehe bei den folgenden Darlegungen aus von meinem Artikel »Neutestamentliche Petrus-Typologie und Petrusamt« (Concilium 9 [1973] 173–179), wo die vorausliegende Literatur weitgehend berücksichtigt wurde. Inzwischen sind einige neuere Arbeiten zum Thema hinzugekommen, die an ihrem Ort soweit nötig Berücksichtigung finden[2].

1. Wissenschaftstheoretische und methodologische Vorüberlegungen

Bevor ich zu den exegetischen Ausführungen komme, möchte ich einige wissenschaftstheoretische und methodologische Überlegungen voranstellen, deren Reflexion mir gerade bei der Diskussion um das Thema »Petrusamt« besonders wichtig erscheint. Man kann nämlich, wenn man die heutige Literatur durchmustert, feststellen, daß zwar massive apologetische und/oder polemische Ausführungen früherer Zeiten pro und contra Papsttum in aller Regel im ökumenischen Gespräch nicht mehr anzutreffen sind, daß sie aber gleichwohl in einer methodisch verfeinerten Form noch immer eine gewisse Rolle spielen. Das muß nicht unbedingt von Übel sein, Apologetik, die sich redlicher Mittel bedient und fair diskutiert, ist keineswegs verwerflich. Aber wichtig ist, daß man die unausdrücklichen Implikationen bewußt macht, die Prämissen und Bedingungen der eigenen Auffas-

---

[1] Vgl. dazu das Literaturverzeichnis: »Das Papsttum als ökumenische Frage«, Bibliographie, zusammengestellt von Dr. G. Kraus. – Als Ergänzungen seien noch hinzugefügt: N. Brox, Probleme einer Frühdatierung des römischen Primats, Kairos 18 (1976) 81–99; – ders., Situation und Sprache der Minderheit im ersten Petrusbrief, Kairos 19 (1977) 1–13.
[2] Es sind dies vor allem die Sammelbände »Der Petrus der Bibel, Eine ökumenische Untersuchung«, Stuttgart 1976; – »Petrus und Papst«, Evangelium – Einheit der Kirche – Papstdienst«, München 1977; – F. Mußner, Petrus und Paulus – Pole der Einheit, QD 76, Freiburg/Basel/Wien 1976; dazu: Besprechung von J. Blank, Petrus und Paulus im Neuen Testament, in: Anzeiger für die katholische Geistlichkeit, 86 (1977) 292–294; – A. B. Hasler, Pius IX., Päpstliche Unfehlbarkeit und 1. Vatikanum, Päpste und Papsttum 12, 1.2 Stuttgart 1977.

sung artikuliert, auch die sozialpsychologischen, soziologischen und ideologischen Bedingungen, die zur Thematik »Papsttum« gehören. Das unschuldige Selbstverständnis, als käme es nur auf die »Reinheit der Methoden« an, ist in der Gegenwart nicht mehr vertretbar. Die theologische Wahrheitsfrage schließt darüber hinaus ihrer Herkunft nach immer historische und gesellschaftliche Momente ein. Das »reine Wort« begegnet uns immer im Gewand einer geschichtlichen Umwelt und im Kontext geschichtlicher Verhältnisse, so daß es einer Abstraktion gleichkäme, wollte man die Wahrheitsfrage isoliert von diesen Bedingungen und Zusammenhängen erörtern. Historische, soziologische und ideologische Bedingungen müssen daher im theologischen Argumentationsgang namhaft gemacht werden.

Das bedeutet konkret: Mit der Feststellung, daß sich im NT ein »Petrusamt« finden läßt, oder daß dem »Petrus« bestimmte Privilegien zugesprochen werden, ist über das Papsttum direkt noch gar nichts gesagt, sondern nur über die Auffassung der verschiedenen neutestamentlichen Autoren und ihrer Gemeinde-Traditionen. Das Neue Testament ist, gerade auch in diesem Fall, keine Dogmatik, so daß mit der Exegese als solcher, auch wenn sich dabei ein sehr weitgehender Konsens unter den Exegeten ergeben sollte, die theologische Wahrheitsfrage bereits entschieden wäre. Die Frage nach der Bedeutung des Schrift-Arguments, welches Gewicht ihm zukommt und welche Konsequenzen daraus zu ziehen sind, ist eine Frage, die in diesem Rahmen eigens diskutiert werden muß. Darüber hinaus, *Exegese ist manipulierbar,* und sie kann dem nur dadurch entgehen, daß sie sich möglichst genau historisch verortet.

Ferner, in der Frage nach der Rolle des Papsttums sind, durch die Verbindung von Unfehlbarkeitsdogma und Jurisdiktionsprimat zwei Elemente sehr deutlich und fest miteinander verkoppelt, deren Verkoppelung man in der Gegenwart mit Recht ziemlich kritisch gegenübersteht: nämlich ein *Wahrheits-Privileg* und ein *Herrschafts-Privileg.* Solche Verbindung von Wahrheit und Herrschaft erscheint uns heute selbst in der Gestalt des Papsttums nicht mehr so ganz unschuldig und legitim.

Außerdem muß man methodisch differenzieren:

a) Die Frage nach der besonderen Rolle des »Petrus« innerhalb der verschiedenen neutestamentlichen Schriften.

b) Hier muß man dann zunächst einmal unterscheiden zwischen dem »historischen Petrus« und einem »mythischen«, »symbolischen« oder »typologischen Petrus«. Diese Unterscheidung lehnt sich an an die geläufige Unterscheidung zwischen dem »historischen Jesus« und dem »Christus des Glaubens«. »Historischer Petrus« und das Petrus-Bild der neutestamentlichen Texte sind nicht einfach identisch, sondern stehen in einer gewissen

Spannung zueinander, die als solche wahrgenommen und analysiert werden muß.

c) Wenn es im Neuen Testament eine Tendenz gibt in Richtung auf ein »Petrus-Amt«, dann liegt sie vorwiegend auf der Ebene der »Petrus-Typologie« und der damit in den frühchristlichen Vorstellungen verbundenen *»Rolle«* des Petrus, also im Petrus-Bild der nachpetrinischen Tradition.

d) Auch wenn dieses Petrus-Bild gewisse Aussagen über ein Petrus-Amt erlauben würde, so ist mit dieser Feststellung eines neutestamentlichen Petrus-Amtes noch lange nichts über den römischen Primat entschieden; dieser ist damit noch keineswegs »biblisch begründet«. Es ist vielmehr nach der neutestamentlichen Eigenart und Funktion dieses »Amtes« zu fragen: Was ist die *spezifische Funktion* dieses Bildes innerhalb der neutestamentlichen Tradition?

e) Es könnte durchaus sein, daß man sich über ein »Neutestamentliches Petrus-Amt« aufgrund eines exegetischen Konsensus relativ schnell einigen könnte und daß das eigentliche Problem bei ganz anderen Fragen liegt: *Ist »der Papst« die neutestamentliche legitime Verkörperung dieses Amtes?* Oder: ist er die einzige Form einer legitimen Verkörperung dieses Amtes, oder lassen sich geschichtlich noch ganz andere Möglichkeiten einer Ausprägung dieses Amtes denken? Schließlich, was ist biblisch-theologisch zu sagen zur eigenartigen Verbindung von oberster Wahrheits- und Herrschafts-Vollmacht? Ist dies nicht ein antiquiertes »Herrschafts-Modell«, von sehr zeitbedingter Art, das durch andere Modelle korrigiert werden müßte?

Es geht mir also darum, die Problematik möglichst breit aufzufächern, um von vornherein größere Durchsichtigkeit in die Diskussion hineinzubringen. Es ist klar, daß man die Problematik historisch und theologisch/wissenschaftstheoretisch noch weiter differenzieren muß. Geht es doch in diesem Zusammenhang nicht nur um eine »historische Entwicklung«, die unter sehr heterogenen Bedingungen und Einflüssen erfolgte, sondern auch um die besondere Eigenart der theologischen Wahrheitsfrage. Letztere ist auch systemtheoretischer Art: Welchen Stellenwert hat »der Papst« innerhalb des theologischen »Wahrheits-Systems«? Läßt sich dieser Stellenwert auf andere Systeme übertragen?

2. DER NEUTESTAMENTLICHE BEFUND

2.0 Man kann von einem *methodischen Konsens* innerhalb der Exegeten ausgehen, der sich negativ so ausdrücken läßt:
»Was immer man über die Rechtfertigung, die das Neue Testament für die

Entstehung des Papsttums liefert, denken mag, dieses Papsttum kann in seiner entfalteten Gestalt nicht in das Neue Testament *zurückprojiziert werden;* und es wird weder den Gegnern noch den Verteidigern des Papsttums etwas nützen, wenn sie bei der Diskussion über die Rolle des Petrus das Modell des späteren Papsttums vor Augen haben.«[3] Oder positiv ausgedrückt: Man muß mit der historisch-kritischen Methode arbeiten, also mit Literar-, Form- und Traditionskritik, mit Redaktionsgeschichte etc. Das bedeutet in historischer Hinsicht: Es empfiehlt sich, von den echten Paulus-Briefen auszugehen, in welchen Kefas/Petrus vorkommt (Gal, 1 Kor), und erst danach zu den Evangelien überzugehen. Die Apg wird man am zweckmäßigsten zusammen mit dem Lukasevangelium behandeln. Jedenfalls wird man das besondere »lukanische« Geschichtsbild der Apg berücksichtigen müssen, wenn dort die Rolle des Petrus zur Darstellung kommt.

Das Petrusbild des Lukas verweist schon ziemlich deutlich in die »nachapostolische« Zeit und bildet den Übergang zum frühkatholischen Apostelverständnis. Bei der Behandlung der synoptischen Tradition ist die Unterscheidung von Redaktion und Tradition zu beachten. Dies führt zur Erkenntnis, daß die drei Synoptiker, aber auch Johannes ein besonderes Petrusbild liefern, möglicherweise aber auch über eigene Petrustraditionen verfügen. Der 1. und 2. Petrusbrief verweisen freilich schon ziemlich stark in die Übergangszeit, die in die frühkatholisch-großkirchliche Petrusauffassung einmündet, wie sie etwa durch Irenäus von Lyon verkörpert wird[4].

2.1 *Paulus: Die Autorität des Petrus und der unbedingte Vorrang des Evangeliums*

Von Paulus auszugehen empfiehlt sich deshalb, weil wir es hier mit Zeugnissen erster Hand zu tun haben, die noch in unmittelbarer Nähe zu den berichteten Gegebenheiten stehen.

Paulus ist der wichtigste Zeuge für die aramäische Fassung des Symbolnamens Kefas/Fels (1 Kor 1,12; 3,22; 9,5; Gal 1,18; 2,9.11.14). Nur zweimal gebraucht er Pétros (Gal 2,7.8), wo es sich wahrscheinlich um ein Zitat aus der griechischen Fassung des Jerusalemer Einigungsdekrets handelt. Paulus nennt den »Simon Petrus« immer nur mit seinem Symbolnamen Kefas, niemals mit seinem ursprünglichen Namen »Simon«. Im NT erscheint die

---

[3] Der Petrus der Bibel, 18.
[4] »Der Petrus der Bibel« gliedert folgendermaßen: Petrus in den Paulusbriefen; Petrus in der Apostelgeschichte; Petrus im Markusevangelium, Mattäusevangelium, Lukasevangelium, Johannesevangelium, in den petrinischen Briefen.

aramäische Namensform Kefas nur noch Joh 1,42 zusammen mit der gräzisierten Fassung, während die berühmte Stelle Mt 16,18 das Wortspiel, das eigentlich nur auf aramäischem Hintergrund verständlich ist, auf Griechisch durch die Verbindung Pétros/pétra nachahmt. Ebenso enthält die Glaubensformel 1 Kor 15,3–5 die aramäische Namensform Kefas. Unbestritten ist, daß es sich bei diesem Namen um einen *Symbolnamen* handelt, der dem aus Betsaida stammenden Fischer Simon beigelegt wurde, ein Vorgang, der sich am ehesten von den *prophetischen Symbolnamen* her begreifen läßt (vgl. Hos 1,4.6.9; Jes 7,3; 8,1–4)[5]. Die aramäische Namensform zeigt weiter, daß dieser Symbolname dem Simon im palästinensisch-jüdischen Milieu beigelegt wurde. Auf wen geht die Bezeichnung zurück? Die neutestamentlichen Zeugnisse stimmen durchweg darin überein, daß Simon diesen Namen Kefas von Jesus selbst erhielt (Joh 1,43; Mk 3,26; auch Mt 16,18; interessant ist die Korrektur der Markusvorlage in Mt 10,2, die wohl von Mattäus deshalb vorgenommen wurde, weil für ihn die Namengebung mit dem Petrus-Bekenntnis verknüpft wurde; Lk 6,14). Auch 1 Kor 15,5 setzt die Namengebung Kefas offenbar schon voraus, ebenso *das Bestehen des Zwölferkreises.* Wahrscheinlich behält die Überlieferung, die den Kefas-Namen direkt auf Jesus zurückführt, gegenüber den kritischen Einwänden recht; sie ist noch immer die beste Erklärung. Aus dem Charakter des Simon-Petrus ist sie jedenfalls nicht abzuleiten. Wollte man den Namen auf die Urgemeinde zurückführen, dann ergäben sich eine Reihe von Schwierigkeiten, zumal da in der Urgemeinde die Verleugnung des Petrus offenbar schon ziemlich früh bekannt war, wahrscheinlich hat Petrus sie selber erzählt. Wenn die Urgemeinde den Namen aufgebracht haben sollte, dann kommt als Kontext nur der Umstand in Betracht, daß dem Simon als Erstem eine Erscheinung des Auferstandenen zuteil wurde, dann allerdings so, daß der Name auf ein Sonderwort des Auferstandenen zurückgeführt wurde[6]. Es erscheint somit als vertretbar, daß Simon den Symbolnamen Kefas/Petrus vom irdischen Jesus erhielt, und zwar im Zusammenhang mit der Konstituierung des Zwölferkreises. Dann sollte der Name wohl den Petrus in irgendeiner Form als den »Ersten« dieses Kreises bezeichnen, als seinen »Sprecher«. Das Argument, Petrus hätte den Namen deshalb erhalten, weil er der erste Jünger überhaupt gewesen sei[7], läßt sich

---

[5] Vgl. dazu G. Fohrer, Die symbolischen Handlungen der Propheten, Abhandlungen zur Theologie des Alten und Neuen Testaments 54, Zürich/Stuttgart ²1968, 25ff, 29ff.

[6] Mit dieser Möglichkeit rechnete schon A. Vögtle, Messiasbekenntnis und Petrus-Verheißung, Biblische Zeitschrift (= BZ) 1 (1957) 252–272 (I); 2 (1958) 84–103 (II); II 103.

[7] Anders P. Hoffmann, Der Petrus-Primat im Matthäusevangelium, in: Neues

kaum halten; nach Joh 1,40ff ist dies direkt ausgeschlossen, und Mk 1,16–20 wird eine ganze Gruppe von Jesus berufen. Aber auch angenommen, Petrus hätte den Symbolnamen von der Urgemeinde bekommen, dann bliebe noch immer der Umstand von Bedeutung, daß in der Tradition die Namengebung auf Jesus selbst zurückgeführt wurde, so daß die *Initiative Jesu* deutlich gewahrt bleibt: nicht die Gemeinde, sondern Jesus hat dem Simon den Symbolnamen beigelegt. Demnach kommt Mt 16,18 für die Namengebung selbstverständlich nicht in Betracht; dieser Text ist vielmehr eine weiterführende Interpretation des überlieferten Symbolnamens, also sekundär.

Nach Ostern – und dies ist die Situation des Paulus, von der er im Galaterbrief[8] berichtet, wurde Simon Petrus, und zwar höchstwahrscheinlich aufgrund seiner Ostererscheinung oder doch im engsten Zusammenhang damit, zu einer führenden Autorität der Jerusalemer Urgemeinde. Auch wenn man keine Rivalitäten und Führungskämpfe in der entstehenden Urgemeinde annimmt – es scheint mir nicht möglich zu sein, 1 Kor 15,5 und 15,7 als Konkurrenzformel zweier Gruppen und ihrer Häupter, des Petrus und des Jakobus, anzusehen –, wird man doch Petrus nicht als »den« führenden Mann schlechthin bezeichnen können, auch wenn seine Stellung mit Autorität verbunden ist. Eine autoritative Stellung des Petrus wird von Paulus im Gal allerdings vorausgesetzt. Er erscheint als führende Größe im Kreis der Apostel.

Wenn Paulus im 1. und 2. Kapitel des Gal auch einen apologetischen Zweck verfolgt, nämlich die Verteidigung seines gesetzesfreien Evangeliums und im engsten Zusammenhang damit seines von menschlichen Instanzen, vor allem auch von Jerusalem unabhängigen Heidenapostolats (vgl. Gal 1,1ff), so hat er doch keineswegs die Absicht, die Stellung der Jerusalemer Altapostel herabzusetzen, sondern im Gegenteil, zu zeigen, daß sein Evan-

---

Testament und Kirche (FS Schnackenburg) Freiburg/Basel/Wien 1974, 94–114, 109: »Dieser redaktionelle Zusammenhang erhellt die Intention des Zusatzes πρῶτος in 10,2: Er weist auf die Berufung des Petrus als *Ersten* der Jünger zurück; aufgrund dieses *historischen* Vorgangs begreift Mattäus Simon offenbar als den *natürlichen* Sprecher des Jüngerkreises und stellt an seiner Gestalt das Wesen der Jüngerschaft beispielhaft dar.« Freilich, das πρῶτος in Mt 10,2 muß nicht unbedingt Simon als »Erstberufenen« meinen; es kann auch lediglich seine Stellung als den Ersten im Zwölferkreis bezeichnen. Darüber hinaus lassen sich aus der Mt-Redaktion keine historischen Erkenntnisse gewinnen, sondern nur solche über das Geschichtsbild des Mattäus, wie Hoffmann übrigens auch sieht, a.a.O.

[8] Zum Folgenden vgl. vor allem F. Mußner, Der Galaterbrief, Herders Theologischer Kommentar zum Neuen Testament (= HThK) IX, Freiburg/Basel/Wien 1974; – ders., Petrus und Paulus.

gelium schließlich deren Anerkennung gefunden hat. Obwohl Paulus seinen eigenen Apostolat nicht auf menschliche Vermittlungen zurückführt und seine Eigenständigkeit wahrt, geht er drei Jahre nach seiner Bekehrung doch nach Jerusalem, um durch seinen Besuch persönlichen Kontakt mit Kefas aufzunehmen; er blieb damals vierzehn Tage bei ihm. Man darf vermuten, daß es dem Paulus schon bei diesem Besuch um das Evangelium ging, und daß ihm an einer Übereinstimmung mit Kefas gelegen war[9]. Eine »hierarchische« Vorrangstellung des Petrus darf man aber daraus ganz gewiß nicht ableiten, schon gar nicht eine solche juridischer Art. Wichtig ist nämlich, daß Paulus daraus gerade nicht den Schluß gezogen hat, dem Petrus qua Person oder Amtsträger eine prinzipiell übergeordnete Stellung zuzuerkennen.

Der zweite Jerusalembesuch erfolgte »nach *vierzehn Jahren*« (Gal 2,1–10)[10], anläßlich des Apostelkonvents. Hier sagt Paulus ausdrücklich: »Und ich legte ihnen das Evangelium, das ich unter den Heidenvölkern verkündige, vor, in erster Linie den Angesehenen, (um zu sehen), ob ich nicht etwa umsonst laufe oder gelaufen wäre« (Gal 2,2). Was also Paulus damals suchte und anstrebte, *war der Konsens mit den Altaposteln im Hinblick auf das Evangelium.* Dies ist sein Anliegen gewesen, und was diesen Punkt angeht, erkannte er auch die Autorität der »Angesehenen« an. Paulus hat damals auch die angestrebte Anerkennung gefunden (Gal 2,6–10). In der gemeinsamen Absprache erkannten die Jerusalemer Größen, die »anerkannten Säulen«, wie Paulus sie nennt, den paulinischen Sonderapostolat für die Heidenvölker an, wohingegen Petrus als der Hauptverantwortliche für den Judenapostolat erscheint (Gal 2,7f). Jakobus, Kefas und Johannes für Jerusalem und die Judenchristen einerseits, und Paulus und Barnabas für Antiochien und die Heidenchristen andererseits bekräftigten diese Abmachungen durch gegenseitigen Handschlag (Gal 2,9). »Die durch Handschlag besiegelte Übereinkunft zwischen den Heidenmissionaren und den Jerusalemern, vor allem an der Judenmission interessierten Autoritäten diente also letzten Endes dem innerkirchlichen Frieden, ohne daß es deshalb zu einem faulen Kompromiß über das Evangelium selbst gekommen wäre«[11].

---

[9] F. Mußner, Gal 95, »Daß der Hauptzweck dieses kurzen Aufenthaltes in Jerusalem nur ein ›Höflichkeitsbesuch‹ bei Petrus war«, usw., scheint mir etwas zu wenig.
[10] Das chronologische Problem von Gal 2,1 bietet einige Schwierigkeiten. Mußner, Gal 101, versteht: 12 bis 13 Jahre »gerechnet sehr wahrscheinlich vom ersten Jerusalemer Besuch ab«. Mir scheint es aus chronologischen Erwägungen besser, von der Berufung des Paulus an zu rechnen; vgl. dazu meine kritische Auseinandersetzung mit Mußner, in: BZ 20 (1976) 295.
[11] Mußner, Gal 123; – Petrus und Paulus, 78 ff.

Daß Petrus nach seinem Weggang von Jerusalem einer Jurisdiktion des Jakobus unterstanden hätte, wie O. *Cullmann* meint[12], läßt sich jedoch nicht behaupten. Sowohl nach Gal 2,9 wie nach Apg 15,13–21, wo Lukas wohl Antiochener Traditionen verarbeitet, erscheint Jakobus als eine Größe, die den Abmachungen zugestimmt hat. Eher möchte man annehmen, daß der hinter Jakobus stehende Flügel, die »*Jakobusleute*« von Gal 2,12, konservativer und radikaler waren als ihr Exponent. Wahrscheinlich sind diese Jakobusleute identisch mit den »Falschbrüdern« von Gal 2,4. Ein Vorrang der Jerusalemer Urgemeinde wurde von Paulus vor allem durch die Übernahme der Kollekte anerkannt (Gal 2,10), eine Verpflichtung, an die er sich auch gewissenhaft hielt (vgl. 2 Kor, 8 und 9). Daß freilich die Anerkennung des Petrus durch Paulus keine unbegrenzte war, zeigt der berühmte »antiochenische Zwischenfall« (Gal 2,11–14)[13]. Hier wäre es, mitveranlaßt durch das Verhalten des Petrus, beinahe zu einem Bruch zwischen dem judenchristlichen und dem heidenchristlichen Teil der Gemeinde gekommen, und zwar, wie H. *Schlier* sicher mit Recht hervorhebt, zu einem *Bruch in der Herrenmahl-Gemeinschaft*[14]. Die scharfe Reaktion des Paulus setzt die autoritative Stellung des Petrus in dieser Sache gerade voraus. Wäre es nicht Petrus gewesen, der nach dem Eintreffen der Jakobusleute, die wahrscheinlich einen moralischen Druck ausübten, umfiel und die Tischgemeinschaft mit den Heidenchristen abbrach, sondern irgendein unbedeutendes Gemeindeglied, dann hätte Paulus kaum so scharf reagiert. So allerdings mußte er entschieden reagieren. Der Vorwurf, den Paulus gegen Petrus und die mit ihm ausziehenden Judenchristen erhebt, geht darauf hinaus, daß sie »nicht geradeaus wandeln der Wahrheit des Evangeliums gemäß« (Gal 2,14). Darin bestand ihre Schuld und ihre »Heuchelei«. In diesem Text zeigt sich mit aller nur wünschenswerten Klarheit, daß für Paulus *»das Evangelium« eine übergeordnete Größe* darstellt, an der auch das Verhalten des Petrus kritisch gemessen werden konnte. Mit anderen Worten, die Autorität des Petrus war nach Paulus keine absolute, uneingeschränkte Autorität. Dies um so weniger, als Petrus sich selbst bei den Jerusalemer Abmachungen auf die Autorität des Evangeliums festgelegt

---

[12] Vgl. O. Cullmann, Petrus, Jünger – Apostel – Märtyrer, Zürich/Stuttgart ²1960, 44ff, bes. 47f. – Zur Kritik vgl. Mußner, Gal 118ff, bes. 119.

[13] Zur Interpretation des »antiochenischen Zwischenfalls« in der alten Kirche vgl. F. Overbeck, Über die Auffassung des Streites des Paulus mit Petrus in Antiochien (Gal 2,11ff) bei den Kirchenvätern (1877), Sonderausgabe Darmstadt 1968; – Mußner, Gal 2,11–14 in der Auslegungsgeschichte (Exkurs 3), Gal 146–167; – ferner a.a.O., 132ff; – Petrus und Paulus, 80ff. – H. Schlier, Der Brief an die Galater, Meyers Kritisch-Exegetischer Kommentar 13, Göttingen ¹⁴1965, 81ff.

[14] So wohl mit Recht Schlier, Galaterbrief, 83, anders Mußner, 138.

hatte und jetzt in Antiochien diesen Beschlüssen entgegen handelte, zumindest gegen ihren Geist. So gesehen, war Petrus in doppelter Hinsicht im Unrecht, er stand im Gegensatz zur »Wahrheit des Evangeliums«, und er handelte gegen den vereinbarten Konsens. Die Versuche, wie sie seit den Kirchenvätern[15] bis zu manchen heutigen Interpreten immer wieder unternommen wurden, das Verhalten des Petrus mit »pastoralen Gründen«, oder wie die Alten sagten, mit der »Ökonomie« zu entschuldigen, werden diesem Vorgang in keiner Weise gerecht. Sie kehren sich übrigens gegen diese Autoren selbst; denn was ist das für eine Pastoral, die um eines bestimmten, untergeordneten Gruppen-Interesses willen die Einheit der Gemeinde und die Wahrheit des Evangeliums aufs Spiel setzt?

Die wenigen Petrus-Notizen aus 1 Kor liegen ganz auf dieser Linie. Bei den korinthischen Gruppenbildungen gab es auch eine »Kefas-Partei« (1 Kor 1,12). Ob Petrus einmal in Korinth war, ist umstritten, wahrscheinlich ist es nicht, da weder Paulus noch die Apg von einem solchen Aufenthalt wissen. Vermutlich handelt es sich bei dieser Gruppe um Judenchristen, die sich für ihre Einstellung auf Petrus beriefen. Aber deshalb können sie keine höhere Autorität beanspruchen. Auch für sie ist Christus die übergeordnete Autorität: »Ist denn der Christus geteilt?« fragt Paulus deshalb (1 Kor 1,13). Und 1 Kor 3,21ff heißt es, man solle sich überhaupt keiner menschlichen Größe rühmen. Mag es sich um Paulus selber, der als Gemeindegründer zu seiner Gemeinde im Verhältnis einer geistlichen Vaterschaft steht, handeln, oder um Apollos oder Kefas, ja um die ganze Welt, um Tod oder Leben, Gegenwart oder Zukunft: »Alles gehört euch, ihr aber gehört Christus und Christus gehört Gott.« – 1 Kor 9, wo Paulus seinen Verzicht auf die Apostelrechte begründet, wird 9,5 Kefas noch einmal erwähnt. Es heißt da, daß Paulus an sich auch das Recht hätte, »eine Schwester als (Ehe-)Frau« auf den Missionsreisen mitzunehmen, »wie alle andern Apostel, die Herrenbrüder und Kefas«, und daß er einen entsprechenden Unterhaltsanspruch gegenüber den Gemeinden geltend machen könnte. Daß Petrus verheiratet war, ergibt sich auch aus Mk 1,29–31. Vielleicht hatte er während der Jesus-Zeit seine Ehe vernachlässigt, was aber nicht sicher ist, da das Haus der Schwiegereltern des Petrus in Kapharnaum Jesus öfter als Standquartier gedient haben wird. Nach dem Tod Jesu hatte er die Ehe wieder aufgenommen.

Zusammenfassend läßt sich sagen: Nach den paulinischen Petrus-Notizen besaß für Paulus Petrus ohne Zweifel eine autoritative Stellung, aber hauptsächlich im Sinne einer *auctoritas* und nicht im Sinne einer *potestas*.

---

[15] Vgl. dazu Overbeck sowie den Anm. 13 angegebenen Exkurs bei Mußner.

Diese auctoritas hat Petrus jedoch nicht für sich allein, sondern er wird darin unterstützt durch die Jerusalemer »Säulen«, namentlich von Jakobus und Johannes, unter diesen erscheint er als der »primus inter pares«. In seinem eigenen Missionsgebiet unter den Heidenvölkern betrachtet freilich Paulus sich selbst als Autorität. Interessant ist, daß in der korinthischen Gemeinde Paulus der Kefas-Gruppe keine Extra-Bedeutung zuerkennt, was noch mehr ins Gewicht fallen würde, wenn Kefas wirklich in Korinth gewesen wäre; dann hätte seine Anwesenheit dort keineswegs eine übergeordnete Autorität gegenüber Paulus begründet. Freilich, Paulus sucht den Konsens mit Petrus und den Altaposteln um des Evangeliums willen. Das Evangelium, oder auch konkret der Kyrios Jesus Christus steht über Petrus. Diese Autoritäten können von Paulus als letzte, auch kritische Instanzen und als verbindliche »Norm« angerufen werden. Davon macht im Konfliktfall auch Petrus selbst keine Ausnahme. »*Das Evangelium hat für Paulus den Vorrang vor der Institution:* das geht sowohl aus dem Galaterbrief wie aus dem 1. Korintherbrief hervor. Dies gilt es ständig zur Kenntnis zu nehmen.«[16]

2.2 Petrus-Traditionen bei den Synoptikern (Überblick)

Die auf den ersten Blick reichhaltigste Petrustradition findet sich im Markusevangelium. Sie wurde von den beiden Seitenreferenten Mattäus und Lukas weithin übernommen und durch geringe, aber sehr wichtige Sondertraditionen ergänzt. Diese Sondertraditionen lassen sich jedoch nicht auf die Logien-Quelle zurückführen, so daß die Logien-Quelle für die Petrus-Tradition völlig ausfällt. Hatte Petrus für diesen Überlieferungsstrang und seine Träger keine besondere Bedeutung? – Bei Markus kann man unterscheiden: a) eine Petrus-Tradition im eigentlichen Sinn; hier handelt es sich um Perikopen, die in besonderer Weise von Petrus handeln, wo also die Gestalt des Petrus mehr oder weniger deutlich im Zentrum der jeweiligen Überlieferung steht; b) knappe, redaktionelle Bemerkungen, in denen Petrus als Sprecher des Jüngerkreises erscheint; c) Petrus erscheint zusammen mit Jakobus und Johannes, einmal auch noch mit Andreas, als Zeuge bei besonderen Anlässen.

a) Zur eigentlichen Petrus-Tradition wäre demnach zu rechnen:

1. Mk 1, 16–20 (Mt 4,18–22): Die Berufung der ersten Jünger.
2. Mk 1,29–31 (Mt 8,14–15; Lk 4,38–39): Die Heilung der Schwiegermutter des Petrus in Kafarnaum.

---

[16] Mußner, Petrus und Paulus, 85.

3. Mk 3,13–19 (Mt 10,1–4; Lk 6,12–16): Die Auswahl der Zwölf.

4. Mk 8,27–30 (Mt 16,13–20; Lk 9,18–21; vgl. auch Joh 6,67–71): Das Petrus-Bekenntnis.

5. Mk 8,31–33 (Mt 16,21–23; Lk 9,22): Erste Leidensankündigung und Widerstand des Petrus.

6. Mk 14,29–31 (Mt 26,33–35; Lk 22,33–34; vgl. Joh 13,36–38): Ankündigung der Verleugnung des Petrus.

7. Mk 14,53–54.66–72 (Mt 26,57–58.67–75; Lk 22,54–62; Joh 18,15–18.25–27): Verleugnung des Petrus.

8. Mk 16,7 (Mk 16,1–8) mit besonderem Auftrag an Petrus.

b) Petrus als Sprecher (oder Initiator) des Jüngerkreises:

Mk 1,36 (fehlt Lk 4,42); Mk 10,28 (Mt 19,27; Lk 18,28); Mk 11,21. Man wird alle diese Stellen als *redaktionell* ansehen müssen, wobei die Einfügung des Petrus in die Sprecher-Rolle schon im Stadium der mündlichen Tradition, rein konventionell, erfolgt sein kann. Von daher läßt sich fragen, ob Petrus nicht auch in den wichtigen Perikopen Mk 8,27–30 par. und 8,31–33 par. als Sprecher und Prototyp des Jüngerkreises oder der Zwölf gedacht ist. Das Problem einer frühen Entwicklung des historischen Petrus zum typischen Modell des Jüngers ist im Blick zu behalten.

c) Die Dreiergruppe »Petrus, Jakobus und Johannes«

Die Dreiergruppe »Petrus, Jakobus und Johannes« erscheint in den folgenden Perikopen:

1. Mk 5,21–43 (Mt 9,18–26; Lk 8,40–56): Die Tochter des Jairus und die blutflüssige Frau.

2. Mk 9,2–10 (Mt 17,1–9; Lk 9,28–36): Die Verklärung Jesu. Dabei erscheint Petrus auch in der Rolle des Sprechers.

3. Mk 13,3 (fehlt bei den Seitenreferenten Mt und Lk): Am Beginn der Markus-Apokalypse; hier kommt noch Andreas dazu.

4. Mk 14,32–42 (Mt 26,36–46; anders Lk 22,39–46): Die Getsemani-Perikope.

Wie kam es zu dieser Dreiergruppe »Petrus, Jakobus und Johannes«? Handelt es sich um drei besonders auserwählte Jünger aus dem Zwölferkreis, also um Petrus und die zwei Zebedäus-Söhne Jakobus und Johannes (vgl. Mk 1,18par; 10,35par)? Dies scheint weithin die übliche Auffassung zu sein. Eine andere Möglichkeit wäre, daß man in der Gemeindetradition darunter die »Jerusalemer Säulen« (Gal 2,9) verstand, also Petrus, den Herrenbruder Jakobus und Johannes, und diese als maßgebliche Zeugen in den genannten Geschichten verankerte. Allerdings würde dies in erheblicher Spannung zu den historischen Tatsachen stehen, da der Herrenbruder

Jakobus nicht zum vorösterlichen Jüngerkreis gehörte, sondern erst später zur Gemeinde stieß, dann aber bald in eine führende Position aufrückte. Deutlicher ist die Funktion der Dreiergruppe: Diese Jünger erscheinen als bevorzugte Zeugen bei besonders wichtigen Offenbarungs-Ereignissen, der Totenerweckung der Tochter des Jairus, der Verklärung und der Todesangst Jesu im Garten Getsemani. In dieser Richtung hat übrigens schon 2 Petr die Verklärungsgeschichte verstanden (2 Petr 1,16–18: »da wir Augenzeugen seiner Größe waren«). Die Dreiergruppe gehört also in den Problemkreis der »apostolischen Augenzeugen« hinein, ist insofern sekundär und besagt nichts über Petrus als solchen, abgesehen von der Tatsache, daß von einem bestimmten Zeitpunkt an das Problem eines »apostolischen Zeugnisses« akut wurde.

d) Das Sondergut des Mattäus

Dieses verteilt sich wie folgt: An zwei Stellen erweitert Mattäus die Rolle des Petrus als Sprecher des Jüngerkreises (Mt 15,25; 18,21). Darüber hinaus bringt Mattäus drei wichtige Petrus-Stellen als Sondergut:
1. Mt 14,28–31: Die Geschichte vom sinkenden Petrus als Einschub in die Geschichte vom Seewandel Jesu (Mt 14,22–33; vgl. Mk 6,45–52; Joh 6,16–21).
2. Mt 16,17–20: Die feierliche Antwort Jesu als Einschub beim »Petrus-Bekenntnis« (Mt 16,13–20; vgl. Mk 8,27–30; Lk 9,18–21; Joh 6,67–71).
3. Mt 17,24–27: Das Problem der Tempelsteuer.

e) Das Sondergut des Lukas

Auch Lukas kennt die Rolle des Petrus als Sprecher und erweitert sie (Lk 8,45; 12,41).
Ferner werden die beiden Jünger, die von Jesus den Auftrag bekommen, das Pascha-Mahl zuzubereiten (vgl. Mk 14,13) von Lukas als »Petrus und Johannes« identifiziert (Lk 22,8).
Bedeutsamer sind die folgenden Stellen:
1. Lk 5,1–11: Der reiche Fischfang.
2. Lk 22,31–32: Das Sonderwort Jesu an Petrus.
3. Lk 24,34: Die Erwähnung der Ostererscheinung vor Petrus.
Der Umstand, daß Lukas in seinem Evangelium über Markus hinaus so wenig Sondertradition über Petrus zu bieten hat, fällt um so mehr ins Gewicht, als die Apg ziemlich viel über Petrus zu berichten weiß. Zur Petrus-Tradition der Apg vgl. später.

2.3 Die markinische Petrus-Tradition

2.3.1 Nach Markus gehört Simon Petrus zusammen mit seinem Bruder Andreas und den Zebedäus-Söhnen Jakobus und Johannes zu den ersten Jüngern Jesu (Mk 1,16–20). Er ist verheiratet; seine in Kafarnaum wohnende Schwiegermutter wurde von Jesus geheilt (Mk 1,29–31).

Es fällt auf, daß Markus den Simon Petrus vor dem Bericht über die Berufung des Zwölferkreises, wo nach seiner Darstellung auch die Namensübertragung durch Jesus selbst stattfindet (Mk 3,13–19), nur Simon nennt (Mk 1,16.29.30.36), danach ausschließlich Petrus (Ausnahme Mk 14,37 in der Anrede Jesu, was hier einen besonderen Sinn haben kann, Petrus wird an seine »vorjesuanische« Menschlichkeit erinnert). Markus hat also die Namensveränderung als solche ausdrücklich reflektiert; er macht allerdings nicht den Versuch, den Symbolnamen näher zu erklären[17].

Die beiden wichtigsten markinischen Petrus-Perikopen sind: a) das Petrus-Bekenntnis mit der anschließenden Leidensankündigung und dem Satanswort (Mk 8,27–33); b) die Verleugnung des Petrus (Mk 14,29–31.53–54.66–72).

2.3.2 Das Petrusbekenntnis (Mk 8,27–33). Zweifellos handelt es sich in dem Abschnitt Mk 8,27–9,1 um die entscheidende Peripetie im markinischen Jesusbericht, aber ebenso zweifellos bietet dieser Komplex, zu dem auch das Petrusbekenntnis gehört, der kritischen Analyse und Rekonstruktion die allergrößten Schwierigkeiten[18].

---

[17] Zur Konstitution des Zwölferkreises und zur Namensverleihung an Simon vgl. jetzt auch R. Pesch, Das Markusevangelium, I. Teil, HThK II,1, Freiburg/Basel/Wien 1976, 202–209. Pesch ist der Auffassung, daß der »urkirchliche Amtsname des Simon, der den Leiter der Urgemeinde als das Felsenfundament der eschatologischen Heilsgemeinde (Mt 16,18f) vorstellt, ... ihm in seiner ekstatischen Christusvision (1 Kor 15,5) verliehen worden sein« soll (206). Die traditionsgeschichtlichen und exegetischen Prämissen seiner Ausführung erscheinen mir ziemlich undurchsichtig, zumal in der Kombination mit der Entstehung des »Zwölferkreises«, den Pesch auch auf die nachösterliche Situation zurückführen möchte, wobei allerdings »wertvolle historische Traditionen« aufgenommen werden (208).

[18] Zum Ganzen vgl. Bultmann, Die Frage nach dem messianischen Bewußtsein Jesu und das Petrus-Bekenntnis (1919), in: Exegetica, Tübingen 1967, 1–9; – ders., Die Geschichte der synoptischen Tradition, ³1957, 275–278; – Vögtle, Messiasbekenntnis und Petrusverheißung; – E. Dinkler, Petrusbekenntnis und Satanswort. Das Problem der Messianität Jesu, in: Zeit und Geschichte (FS Bultmann), Tübingen 1964, 127–153; – F. Hahn, Christologische Hoheitstitel, Göttingen 1963, 226–230; – E. Schweizer, Das Evangelium nach Markus, Das Neue Testament Deutsch (= NTD) 1, Göttingen 1967; – K. G. Reploh, Markus – Lehrer der Gemeinde, Stuttgart 1969, 89–104.

Wir gehen davon aus, daß die Markus-Fassung Mk 8,27–33 traditionsgeschichtlich und literarisch älter ist als die Mattäus-Fassung (Mt
16,13–20.21–23), mit dem berühmten Einschub Mt 16,17–19. Ob ein derartiges Messias-Bekenntnis von seiten des Petrus gegenüber dem irdischen
Jesus bei Cäsarea Philippi oder anderswo tatsächlich stattgefunden hat, ist
sehr umstritten. Wenn ja, dann freilich nur nach der kürzeren Markus-Tra-
dition. Ein wichtiges Indiz für eine Sonder-Tradition vom Petrus-Bekenntnis könnte Joh 6,66–71 vorliegen[19].
Mit *F. Hahn* und *E. Dinkler* (vgl. Anm. 18) bin ich der Meinung, daß sich
hinter dem stark von Markus im Sinne der Geheimnistheorie bearbeiteten
Komplex von Mk 8,27–33 noch eine Traditionsschicht erreichen läßt, die
das Messiasbekenntnis und das Satanswort in unmittelbaren Zusammenhang zueinander brachte, in einer Einheit, der historische Wahrscheinlichkeit durchaus zukommen mag. Dann war freilich der Messiasgedanke des
Petrus noch nicht christlich geprägt, sondern »jüdisch, diesseitig, trium-
phierend gemeint«[20], was in der vorliegenden Endredaktion noch durch-
schimmert. Dann erklärt sich daraus auch die scharfe Reaktion Jesu, wie sie
im Satanswort zum Ausdruck kommt: »Zurück, hinter mich, Satan, du
denkst nicht göttliche, sondern menschliche Gedanken« (Mk 8,33). Danach
hat Jesus das Ansinnen des Petrus und den triumphalen, »politischen«
Messiasgedanken scharf zurückgewiesen. Die Analogie zur großen Versu-
chungsgeschichte (Mt 4,1–11; Lk 4,1–13; Q) ist schon oft gesehen worden[21]. Dann war freilich dieses Petrus-Bekenntnis in Wahrheit ein großes
Mißverständnis. Die christliche Interpretation des Messias-Begriffes erfolgt
bei Markus entscheidend durch die Ankündigung vom Leiden des Men-
schensohnes (Mk 8,31–32a). Dieser »positive» Interpretationsansatz des
Markus wird durch Mattäus weitergeführt.
Von einer Petrus-Verherrlichung wird man da sicher nicht sprechen können. Wahrscheinlich will Markus in der Endredaktion noch unterstreichen,
daß man dieses Messias-Bekenntnis des Petrus nur dann richtig versteht,
wenn man sich auf den Weg der Nachfolge des Gekreuzigten einläßt.

---

[19] Dazu R. Schnackenburg, Das Johannesevangelium I, HThK IV, 1, Freiburg i. Br.
1965, 18f; – II, Freiburg 1971, 108–114. C. H. Dodd, Historical Tradition in the
Fourth Gospel, Cambridge 1963, 221, der annimmt, es handle sich um »a pericope
for which there are strong grounds for inferring an independent source in tradition«.
[20] Dinkler, Petrusbekenntnis, 142.
[21] Dinkler, Petrusbekenntnis, 144f. – O. Cullmann, Die Christologie des Neuen
Testaments, Tübingen 1957, 122ff. – R. H. Fuller, The Foundations of New
Testament Christology, New York 1965, 109.

2.3.3 Die Verleugnung des Petrus (Mk 14,29–31.53–54.66–72).

Hier wird es sich trotz gegenteiliger Vermutungen[22] um gute historische Überlieferung handeln. Denn es ist nicht erfindlich, wie in der urchristlichen Gemeinde eine Erzählung konzipiert worden sein sollte, die einen der führenden Männer in so bedenklicher Weise in Mißkredit brachte, zumal von einer grundsätzlichen Petrus-Polemik sonst nichts verlautet. Auch die paulinische Polemik, die zwar prinzipiell motiviert ist, nämlich vom Evangelium her, ist keine Polemik gegen Status und Funktion des Petrus, sondern setzt diese, wie wir sahen, gerade voraus! Erbauliche Ausgestaltung der Tradition im Nachhinein ist damit freilich nicht ausgeschlossen.

Vielleicht ist Mk 14,27–31, *die Vorhersage der Verleugnung*, noch erhellender als die Verleugnungsgeschichte selbst. Die Perikope will ja sagen, daß Petrus nicht unvorbereitet und blind seiner Passion entgegenging. Das Schriftzitat Sach 13,7 verweist seinerseits auf den göttlichen »Plan«. Vermutlich sind tatsächliche Vorgänge, wie die Flucht der Jünger nach Jesu Verhaftung, in dieser Geschichte verpackt. Die Vorhersage hat also in jeder Hinsicht einen deutlich apologetischen Sinn; man will die Verleugnung des Petrus und die Flucht der Jünger dadurch entschuldigen, daß sie gleichsam zu dem von Gott bzw. der Schrift vorgesehenen »Programm« der Passion Jesu gehörten. Damit wird aber der »Schriftbeweis« zum stärksten Indiz für die Tatsächlichkeit jener Vorgänge, die mit seiner Hilfe erklärt und damit auch entschärft werden sollen. Außerdem verweist Mk 14,28 auf den Schluß Mk 16,7, also auf die Ostererscheinung vor Petrus. Daß hier eine anspielungsreiche Beziehung hergestellt werden soll, ist auf den ersten Blick deutlich. Wollte Markus sagen, daß von dieser Oster-Erscheinung her auch ein neues Licht auf Petrus fällt?

2.3.4 Wie sieht nun das Markusevangelium die Petrusgestalt?

Geht man von den Texten aus, die einen »harten historischen Kern« erkennen lassen, dann erscheint Petrus in einem eigentümlichen Zwielicht. Er nimmt als »Erster« des Zwölferkreises eine gewisse Vorzugsstellung ein. Aber zugleich erscheint dieser Petrus auch mehr als die anderen Jünger als gefährdet, ja als Versager. Er fällt, während die andern Jünger nur fliehen.

Nun kommt es aber schon bei Markus zu einer *Typologisierung des Petrus*, er bekommt bei Markus *eine Rolle* – das Wort im soziologischen Sinn verstanden –, wenn er zum repräsentativen Sprecher des Jüngerkreises bei allen möglichen Gelegenheiten, oder zusammen mit Jakobus und Johannes

---

[22] G. Klein, Die Verleugnung des Petrus, Zeitschrift für Theologie und Kirche 58 (1961) 285–328.

zum bevorzugten Offenbarungszeugen hochstilisiert wird. Was ist das Motiv für diesen literarischen oder bereits traditionsgeschichtlichen Prozeß? Das Motiv scheint darin zu liegen, daß Petrus zusammen mit den Zwölfen innerhalb der Jesus-Tradition, die Markus in seiner Evangelienschrift gesammelt und verarbeitet hat, als die entscheidenden »apostolischen« Jesus-Zeugen und Garanten authentischer Jesus-Überlieferung angesehen werden. Wenn nach Mk 3,14 Jesus die Zwölfe kreiert (»macht«), »damit sie mit ihm seien und er sie aussende zum Verkündigen«, dann geht es hier doch in erster Linie um die Legitimation der Verkündigung. Petrus und der Zwölferkreis sind die überlieferten Exponenten der Jesus-Tradition, wobei auch die Petrusgestalt allein für den gesamten Jüngerkreis stehen kann. »Petrus« wird damit zur Chiffre, zum »Symbol« für den Trägerkreis der ältesten Jesus-Tradition. Bei Markus zeigt sich, daß man das Problem der »authentischen und legitimen Jesus-Überlieferung« im Urchristentum zu reflektieren beginnt. Eine Sonderstellung hierarchischer Art hat Petrus aber noch nicht. Von daher wird auch verständlich, warum Petrus oder die Zwölf in der Q-Überlieferung überhaupt keine Rolle spielen. In der Sammlung Q hat sich nämlich das Problem der Traditions-Legitimierung noch nicht reflex gestellt, was möglicherweise mit dem prophetisch-enthusiastischen Charakter der »Gruppe Q« zusammenhängt. Außerdem war man dem frühen Kreis der Jesusjünger noch sehr nahe. Erst mit dem Tod der ersten Jüngergeneration wird diese Legitimationsproblematik akut. Nebenbei ist damit auch etwas über den chronologischen Ansatz des Markus-Evangeliums ausgesagt; es setzt offenkundig den Tod des Petrus voraus, und wahrscheinlich auch die Zerstörung Jerusalems 70 n. Chr. Wir werden sehen, daß die Petrus-Typologie der Evangelien-Tradition genau an dieser Stelle ansetzt und sie weiterführt.

2.4 Mattäus: Petrus als Felsenfundament der Kirche

2.4.1 Die Sonder-Traditionen, die Mattäus über Markus hinaus von Petrus hat, fügen sich zwanglos in die bei Markus angelegte Grundtendenz einer Petrus-Typologisierung ein und zeigen darüber hinaus eine Verstärkung dieser Typologisierungstendenz. Zu beachten ist, daß die Typologisierung nicht bloß die positiven Seiten der vorgegebenen Petrusüberlieferung betrifft, sondern auch die negativen.

2.4.2 Die Erzählung vom sinkenden Petrus (Mt 14,28–31). Sie ist ein paränetischer Einschub, der höchstwahrscheinlich auf den Evangelisten selbst zurückgeht[23]. Naiv ausgedrückt sagt die Erzählung: Solange Petrus

---

[23] Zum Ganzen vgl. A. Schlatter, Der Evangelist Matthäus, Stuttgart ⁶1963, 470ff.

auf Jesus schaut und nicht an den Andrang der Wasserfluten denkt, kann er auch wie Jesus selbst über das Wasser schreiten. Das »Über-das-Wasser-Gehen-Können« ist ein Bild für den echten, starken Glauben, der den Menschen zu »wunderbarem« Handeln befähigt. Sobald jedoch Petrus den Blick von Jesus abwendet und die Fluten sieht, beginnt er zu sinken und kann nur noch rufen: »Herr, rette mich!« Die abschließende Frage: »Warum hast du gezweifelt, du Kleingläubiger?« (Mt 14,31), kennzeichnet den Felsenmann Petrus in diesem Fall als Prototyp des »Kleingläubigen«, das heißt als Typos eines mangelhaften, schwankenden Glaubens. Die Gefahr des »Kleinglaubens« ist ein wichtiges Thema der mattäischen Paränese (vgl. Mt 6,30; 8,26; 14,31; 16,8; 17,20)[24]. »Das Ziel der Erzählung liegt nicht darin, die wunderbare Macht des Apostels zu feiern, sondern darin, seine Unfähigkeit zum Glauben darzutun. Das ist von jeder hierarchischen Tendenz weit entfernt.«[25] Auch der Glaube des Petrus hat nur dann Kraft und Bestand, solange er auf Jesus blickt und an Jesus sich festmacht; andernfalls entartet er zum ängstlichen »Kleinglauben«, der alle Überzeugungskraft verliert; dann »sinkt der Fels«. Die Petrus-Verheißung erscheint demnach bei Mt nicht als magisch-dogmatische Sicherheits-Garantie gemeint zu sein.

2.4.3 Das Problem der Tempelsteuer (Mt 17,24–27).

Die kurze Erzählung kreist um das Problem der »Doppeldrachme«, der jüdischen Tempelsteuer[26]. Sollen die judenchristlichen Mitglieder der christlichen Gemeinde noch weiterhin die Tempelsteuer entrichten, oder sollen sie das nicht mehr tun? Das ist kein Problem der Jesus-Zeit, sondern der Zeit danach. Interessant ist, wie in der kleinen Geschichte die Problemlösung angegangen wird. Die Einnehmer der Doppeldrachme wenden sich an Petrus mit der Frage: »Zahlt euer Meister die Doppeldrachme nicht?« Antwort des Petrus: »Gewiß, doch.« Danach wendet sich Petrus an Jesus und bekommt, in Verbindung mit einer lustigen Wundergeschichte, die Antwort: An sich wären die Christen, als »Söhne Gottes« von der Last der Tempelsteuer frei. Aber um keinen Anstoß zu geben, soll man die Doppeldrachme ruhig weiter zahlen.

Der Text ist ein ausgezeichnetes Modell, wie die judenchristliche Gemeinde

---

– H.-J. Held, Matthäus als Interpret der Wundergeschichten, in: Bornkamm/Barth/Held, Überlieferung und Auslegung im Matthäus-Evangelium, Neukirchen ²1961, 259f; – E. Schweizer, Das Evangelium nach Matthäus, NTD 2, 13 (1) Göttingen 1973.

[24] Vgl. Held, a.a.O., 280f.

[25] Schlatter, a.a.O., 471.

[26] Vgl. Schlatter, a.a.O., 539ff; – Schweizer, a.a.O., 231ff.

– bei Heidenchristen gab es das Problem gar nicht – ein neues Problem angeht und löst, unter Berufung auf Jesus selbst. Bei diesen neuen Problemlösungen werden wohl auch die Autoritäten eine wichtige Rolle gespielt haben. Ihre Weisungen und Entscheidungen wurden dann für die Gemeinde verbindlich, wozu es freilich auch der Zustimmung der Gemeinde bedurfte. »Petrus« steht in dieser Geschichte für die Gemeinde-Autorität. Aber es ist doch interessant, daß die Lösung des Problems nicht dem Petrus zugeschrieben wird, sondern sie wird auf Jesus zurückgeführt. Seine Haltung innerer Unabhängigkeit, Freiheit und äußerer Konzilianz – man muß nicht unbedingt Anstoß geben – wird zum Vorbild für die Gemeinde in dieser Frage.

2.4.4 *Die Petrusverheißung Mt 16,17–19* (Mt 16,13–23). Seit der grundlegenden Untersuchung von *A. Vögtle*, »Messiasbekenntnis und Petrusverheißung« (1957/58; vgl. Anm. 6) ist auch in der katholischen Exegese der Bann gebrochen, der aus dogmatischen Gründen lange Zeit hindurch die kritische Untersuchung von Mt 16,13–20 blockierte. Bei konsequenter Anwendung der Zwei-Quellen-Theorie mit dem Grundsatz der Markus-Priorität kommt man, wie *Vögtle* überzeugend dargetan hat, zu dem Ergebnis, daß Mt 16,17–19 nachträglich in die Mk-Vorlage eingearbeitet wurde und daß man die Spuren dieser Einfügung an der Mt-Redaktion der Mk-Vorlage genau verfolgen kann[27]. »Am ungezwungensten«, sagt *Vögtle*, »läßt sich die Mt-Fassung als sekundäre Bearbeitung des Mk-Berichts erklären«[28]. Damit ist Mt 16,17–19 als ursprüngliche Sonder-Tradition erkannt. *Vögtle* rechnet mit der »Möglichkeit, wenn nicht Wahrscheinlichkeit, daß die Petrusverheißung . . . dem Evangelisten bereits als Überlieferungseinheit vorlag«[29]. Freilich zeigen seine eigenen Überlegungen, daß diese Überlieferung verhältnismäßig stark von Mt bearbeitet wurde[30]. Auch daß es sich möglicherweise um ein Wort des Auferstandenen handeln könnte, wird in einer Schlußbemerkung noch vorsichtig erwogen[31], später anderenorts deutlicher ausgesprochen[32].

---

[27] Vgl. Vögtle, I, 254–265; II, 89–93. – E. Haenchen, Der Weg Jesu, Berlin 1966, 301 stellt fest: »Damit wird aber die beliebte Vermutung (auch Bultmann teilt sie) unhaltbar, daß Mk die uns bei Mt begegnende Petrustradition durch V. 8,30 verdrängt habe.«
[28] Vögtle II, 101.
[29] A.a.O., 102.
[30] A.a.O., 95–101.
[31] A.a.O., 103.
[32] Vögtle, Art. Binden und Lösen, LThK II, 482.

Zum Inhalt der mattäischen Petrusperikope ist zu sagen, daß Mt in die Mk-Vorlage redaktionell eingegriffen hat. So lautet die Frage Jesu: »Was sagen die Leute, daß der Menschensohn sei«, V.13b. Mt hat das με von Mk 8,27 durch ein υἱὸς τοῦ ἀνθρώπου ersetzt. Diese Bezeichnung ist wahrscheinlich Mk 8,31 entnommen und von Mt an diese Stelle vorgezogen worden. In der entsprechenden Mt-Parallele 16,21 fehlt der Menschensohn-Titel und ist durch Ἰησοῦς Χριστός ersetzt worden. Dazu kommt die indirekte Rede in 16,21. V. 14 fügt neben »Elija« noch »Jeremia« ein.

Das Messias-Bekenntnis des Petrus Mt 16,16 wurde gegenüber Mk 8,29 betont feierlich gestaltet, so daß die Bezeichnung »Messias-Bekenntnis« im vollen Sinne eigentlich erst für den Mt-Text zutrifft. Während es bei Mk nur heißt: »Du bist der Messias«, heißt es jetzt bei Mt: »Du bist der Messias, der Sohn des lebendigen Gottes«, was ohne Zweifel im Sinne des Evangelisten die Bedeutung Jesu in vollem Umfange ausdrücken soll[33] (vgl. dazu die entsprechende Verdeutlichung Mt 26,63 gegenüber Mk 14,61 in der Frage des Hohenpriesters an Jesus: »Ich beschwöre dich bei dem lebendigen Gott, daß du uns sagest, ob du der Messias bist, der Sohn Gottes«). Es ist sicher nicht zu bezweifeln, daß Petrus nach dem Verständnis des Mt die volle theologische und offenbarungshafte Bedeutung Jesu erkannte und sie in seinem Bekenntnis im Sinne des urchristlichen Gemeindeglaubens formulierte. Bei Mt bleibt also für ein »Mißverständnis« im Petrus-Bekenntnis keinerlei Spielraum. Das »Du bist Christus, der Sohn des lebendigen Gottes« hat den emphatischen, uneingeschränkt positiven Sinn eines christlichen Glaubensbekenntnisses. So jedenfalls hat Mt es verstanden.

Der Einschub Mt 16,17–19 erscheint demgemäß als *Antwort Jesu, die dem vollen Bedeutungsgehalt des Petrus-Bekenntnisses genau entspricht.* Hatte Petrus in seinem Bekenntnis zum Ausdruck gebracht, wer Jesus wirklich sei, so antwortet Jesus nun damit, daß er dem Petrus sagt, wer oder was er in Wahrheit sei bzw. sein soll, worin seine besondere »heilsgeschichtliche« Rolle und Funktion bestünde.

Die Antwort Jesu ergeht in der Form eines Makarismus, in diesem Falle mit einer ganz persönlichen Zuspitzung. Daß Mt mitunter solche Makarismen auch selber frei formulieren konnte, zeigen die entsprechenden Zusätze in der Makarismen-Reihe am Beginn der Bergpredigt (etwa Mt 5,5.7.8.9). Hier

---

[33] Vögtle I, 96: »Die Verkündigung des Christusglaubens der Urkirche ist dem Evangelisten wichtiger als das längst überholte inadäquate Christusbekenntnis der Situation von Caesaraea Philippi. Deshalb läßt er sich auch die Gelegenheit nicht entgehen, die überlieferte Bekenntnisszene einer vollgültigen Beantwortung der Frage nach der heilsgeschichtlichen Bedeutung Jesu dienstbar zu machen.«

gibt der Makarismus den nachfolgenden Aussagen wohl die Verbindlichkeit einer »Heils-Zusage« oder »Heils-Verheißung«, bezogen auf Person und Stellung (Funktion) des Petrus. Simon wird angesprochen als »Simon Barjona«, »Simon Sohn des Jona«, in ausführlicher Namensnennung[34]. Darauf wird der Grund der Seligpreisung genannt: »Nicht Fleisch und Blut haben dir das geoffenbart, sondern mein Vater im Himmel«, V.17b. Auf den Aramäismus bzw. Semitismus dieser und der folgenden Wendungen wurde schon oft genug hingewiesen, so daß wir dem hier nicht weiter nachzugehen brauchen. Der Satz will sagen, daß Petrus sein Bekenntnis und die damit verbundene Erkenntnis Jesu nicht menschlichen Instanzen verdankt, auch nicht seiner eigenen Erkenntnisfähigkeit, sondern daß ihm diese Einsicht von Gott zuteil geworden ist. Dies entspricht aber genau der apokalyptischen Offenbarungstheologie des Jubelrufs der Logienquelle (Mt 11,25–27; Lk 10,21–22) und fällt in keiner Weise aus dem Rahmen mattäischer Theologie heraus. »Der Vater im Himmel« hat selbst dem Petrus diese Erkenntnis enthüllt, so daß er sie auszusprechen vermochte. Von diesem Bekenntnis her gesehen erscheint Petrus zunächst einmal *als bevorzugter Zeuge der Christus-Offenbarung.*

An den Makarismus wird *ein Verheißungswort* angefügt, V.18f[35]. Das Wortspiel *Pétros/pétra* kann, wie ebenfalls oft gezeigt wurde, in seiner ursprünglichen Fassung nur aramäisch gewesen sein, in dem Sinne: Du bist der Fels, und auf diesen Felsen . . . usw. Mitunter wird angenommen, es würde sich nach Mt an dieser Stelle auch um die erstmalige Übertragung des Symbolnamens Kefas/Fels auf Simon handeln. Dagegen spricht aber, daß es Mt selbst offenbar nicht so aufgefaßt hat. In seinem Evangelium nämlich wird Petrus von Anfang an mit diesem Namen genannt (Mt 4,18; 8,14; 10,2

---

[34] Vgl. W. Bauer, Wörterbuch zum NT, [5]Berlin 1963, 265. Im Johannesevangelium: »Simon Sohn des Johannes«, Joh 1,43; 21,15–17. – Die Verbindung zu den zelotischen »Barjone«, die man gelegentlich hat behaupten wollen, erscheint abwegig; vgl. M. Hengel, Die Zeloten, Leiden 1961, 57.

[35] W. Trilling, Das wahre Israel, München 1964, 156f meint: »In Mt 16,18f stoßen wir auf altes, von Matthäus vorgefundenes Gestein.« Hier sei »die Rede . . . von scharfkantigen äußeren Konturen: Fels, bauen, ›Kirche‹, Hadespforten, überwältigen, Schlüssel, binden und lösen . . . Diese bildgesättigte Sprache, wie sie auch von den Qumranschriften bezeugt wird, ist Matthäus an sich fremd.« Trilling übernimmt die Auffassung von der »sicheren Annahme hohen Alters . . . der Verse 18–19.« – Dagegen betont Vögtle I, 95 sehr mit Recht, »daß man mit der . . . semitischen Stilisierung als Kriterium alter Überlieferung vorsichtig operieren muß«. – Wir werden im folgenden sehen, wie die Heranziehung einer ganzen Reihe sonst völlig außer acht gelassener *mattäischer Parallelen* die Behauptung des angeblich »hohen Alters« stark relativieren dürfte.

und öfter), was um so mehr ins Gewicht fällt, da an den entsprechenden Mk-Parallelen (Mk 1,16.29.30) nur »Simon« steht. Hätte Mt den Text als Namens-Übertragung verstanden, dann wäre er wohl ähnlich wie Mk verfahren. Kommt also die Namensverleihung sicher nicht in Frage, dann kann es sich *nur um eine Interpretation des schon länger bekannten Symbolnamens handeln,* wie es auch der Sondertradition besser entspricht. Es wird gesagt, was dieser überlieferte Symbolname Kefas/Fels sachlich bedeutet[36]. Dann ist allerdings auch klar, daß die Namens-Interpretation ein nachträgliches Gebilde ist und daß sie erst später hinzukam. Erst eine spätere Zeit hat sich über die Bedeutung des Petrus-Namens Gedanken gemacht und eine ätiologische Antwort gegeben, wie dieser Name gemeint sei. Es liegt nahe, für diese Erklärung eine Gemeinde anzunehmen, für die die Bedeutung des Petrus als Gewährsmann der Überlieferung oder vielleicht auch als Missionar von Wichtigkeit war. Ebenso muß die Gemeinde, auf welche die Tradition zurückgeht, im aramäischen (syrisch-aramäischen?) Sprachraum beheimatet gewesen sein; jedenfalls handelt es sich *um judenchristlich geprägte Tradition.* Wir wissen nun freilich aus Gal 2,7ff, daß nach den Jerusalemer Abmachungen Petrus als der Hauptverantwortliche für die Juden-Mission fungierte, so daß seine besondere Bedeutung gerade für den judenchristlichen Bereich außer Frage steht. Es ist also naheliegend, daß ihm in dieser Tradition eine besondere Bedeutung zukam. Diese Überlieferung setzt mithin ein vorgeprägtes Verständnis der Petrus-Gestalt voraus. Daraus kann man jedoch nicht ohne weiteres auf ein »hohes Alter« dieser Überlieferung schließen, wie man dies oft hat lesen können (vgl. Anm. 35).

Die erste Verheißung lautet: »Du bist der Fels, und auf diesen Felsen werde ich meine Kirche erbauen«, V.18.

Der Terminus *ekklesia/Kirche* hat in diesem Kontext durchaus jenen festgeprägten technischen Sinn, wie er auch aus den Paulusbriefen oder aus der Apg bekannt ist. Es ist der Sprachgebrauch der nachösterlichen Urkirche. Sprachlich ist dabei vor allem interessant, daß hier nicht von der ἐϰϰλησία τοῦ θεοῦ die Rede ist, der »Gemeinde Gottes« (vgl. 1 Kor 1,2; 10,32; 15,9), sondern von *meiner ekklesia,* das heißt von der Gemeinde oder Kirche Jesu (auch Paulus kennt bereits den Begriff der *ekklesia Christi,* Röm 16,16), und weiter, daß der Begriff *ekklesia* an dieser Stelle offenkundig den Sinn von *Gesamtkirche* oder *Universalkirche* hat, also offenbar nicht nur eine bestimmte Ortsgemeinde bezeichnen möchte (anders wohl Mt 18,27). Im

---

[36] So auch Haenchen, Der Weg Jesu, 301; – Daß es sich um »Erklärung« des Petrusnamens handelt, sieht auch Cullmann, Petrus 203ff; nur soll sie nach ihm durch Jesus selbst erfolgt sein 210.

übrigen sind Mt 16,18 und 18,17 die einzigen Belegstellen, wo *ekklesia* in den Evangelien vorkommt. Daß schon diese Singularität in Verbindung mit dem universalkirchlichen Klang in V.18 gegen die Herkunft der Petrusverheißung vom »historischen Jesus« spricht, wurde ebenfalls schon oft festgestellt. Das Argument behält auf jeden Fall sein Gewicht und ist nicht leicht zu erschüttern[37]. Das Futur οἰκοδομήσω »ich werde erbauen«, verweist in die Zukunft, näherhin in die nachösterliche Zukunft. Erst nach Ostern kann von einem Erbauen der *ekklesia* die Rede sein. Darin bekundet sich das auch von allen übrigen Evangelien bestätigte Wissen, daß die Kirchengründung nicht in die Jesuszeit gehört, sondern in die Zeit nach Ostern. Daß es auch dann noch heißen kann »ich werde meine Kirche erbauen«, ist nicht weiter verwunderlich. Denn die Urkirche hat den Gedanken einer Primär-Ursächlichkeit Jesu in allem kirchlichen Handeln, vor allem im Zusammenhang mit Verkündigung und Kult, mit einhelliger Konsequenz festgehalten. Es ist dies nichts anderes als die Überzeugung von der bleibenden Christus-Gegenwart, wie sie auch im Schlußkapitel des Mattäusevangeliums zum Ausdruck kommt (Mt 28,20). So besteht theologisch gesehen kein Einwand gegen den nachösterlichen Charakter der Aussage. Der futurische Sinn würde zweifellos auch dann seine Bedeutung behalten, wenn es sich um ein vorösterliches Jesus-Wort handeln würde. Auch dann ließe sich aus der Aussage nichts über die Absicht einer Kirchengründung durch den irdischen Jesus entnehmen. »Ich werde meine *ekklesia* erbauen«, hieße dann: *Ich als der Erhöhte* werde meine Kirche erbauen. Diese Überlegung zeigt übrigens noch einmal, wie schwierig es ist, das Kirchenwort dem irdischen Jesus zuzusprechen. So dürften wohl im Endergebnis diejenigen Autoren recht behalten, die das Kirchenwort im Munde des irdischen Jesus für ausgeschlossen halten. Jesus hat das Reich Gottes für ganz Israel verkündet und keine Separat-Gemeinde errichten wollen. Die Vorstellungen vom »heiligen Rest« oder auch eines »neuen Israel« im Sinne einer Sonder-Gruppe lassen sich für Jesus nicht belegen. Das kommt besonders zum Vorschein, wenn man damit das Selbstverständnis der Qumran-Gemeinde vergleicht[38].

Die Erkenntnis, daß Petrus der Fels sei, auf dem die Kirche Jesu errichtet

---

[37] Dazu vor allem R. Bultmann, Die Frage nach der Echtheit von Mt 16,17–19, Exegetica 255–277, besonders 263f.

[38] J. Maier, Zum Begriff *jachad* in den Texten von Qumran, ZAW 22 (1960) 148–166; – H. Braun, Qumran und das Neue Testament, 2 Bde., Tübingen 1966, vor allem II §§ 5, 7 und 13; zu Mt 16,17–19 speziell die Besprechung I, 30–37; – J. Blank, Der historische Jesus und die Kirche, Wort und Wahrheit 26 (1971) 291–307; zu Qumran 296ff.

werden soll, gehört somit der nachösterlichen Gemeinde an. Es handelt sich um eine sachgemäße Interpretation des Petrus-Symbols, um bildliche, metaphorische Redeweise. Die *ekklesia* wird verstanden als ein Haus – entsprechend der überlieferten Wendung vom »Haus Israel« –, das ein Fundament braucht, und dieses Fundament ist »der Fels«.

Es ist merkwürdig, daß man im allgemeinen zur Interpretation der Petrusverheißung wenig auf jene Stellen reflektiert, die sich im Mattäusevangelium eigentlich ganz von selber als synchrone Hilfen für das richtige Verständnis anbieten. Zeigen doch die Mt-Parallelen am besten, wie Mt die Sache, von der er redet, sich dachte. So ist für das Stichwort »Fels« und seine Bedeutung als gutes Fundament für ein Haus unbedingt das Schlußgleichnis der Bergpredigt vom »rechten Hausbau« heranzuziehen (Mt 7,24–27; Lk 6,47–49; Q). Dort werden das »auf Sand« gebaute Haus und das »auf Felsen« gebaute einander gegenübergestellt. Jenes fällt, wenn der Sturm kommt, wie ein Kartenhaus zusammen, während dieses durch keinen Sturm erschüttert werden kann. Ferner wird das Verhalten eines Menschen gegenüber der Lehre Jesu mit einem Hausbau verglichen: »Jeder nun, der diese meine Worte hört und sie tut, ist mit einem vernünftigen Manne zu vergleichen, der sein Haus auf einem Felsenfundament erbaut« (Mt 7,24). Von daher läßt sich der Sinn der Petrusverheißung leicht erschließen. Die *ekklesia* Jesu ist solch ein Haus, das auf Felsengrund erbaut wird und das nicht erschüttert werden kann, und zwar ist sie es letztlich deshalb, weil sie auf dem Wort und der Lehre Jesu gründet, als deren wichtigster Zeuge Petrus hier erscheint. Gegen dieses festgegründete Haus richten auch die dämonischen Mächte, »die Pforten der Unterwelt«[39], nichts aus. Dabei

---

[39] Zu den »Pforten der Hölle« vgl. J. Jeremias, Art. πύλη, Theol. Wörterbuch zum Neuen Testament VI, besonders »C. Die Hadespforten Mt 16,18«, 923–927. Nach ihm bezeichnet die Wendung πύλαι ᾅδου als pars-pro-toto Ausdruck . . . »die gegen den Felsen anstürmenden gottfeindlichen Mächte der Unterwelt« 926. – Braun, Qumran und das NT I, 35 verweist auf den Ausdruck »Todestore« in 1 QH 6,24. – Die Wendung οὐ κατισχύσουσιν αὐτῆς läßt sich grammatikalisch sowohl auf πέτρα wie auf ἐκκλησία beziehen, Jeremias (a.a.O., 927, Anm. 64) meint: »αὐτῆς . . . Mt 16,18 bezieht sich formal auf Petrus, meint sachlich aber die auf dem Felsen errichtete ἐκκλησία.« Zieht man allerdings Mt 7,24–27 zum Vergleich heran, vor allem V. 25: »Da stürzte der Platzregen herab, die Ströme ergossen sich, die Winde brausten und prallten gegen das Haus – doch es stürzte nicht zusammen; denn es hatte festen Grund auf dem Felsen«, dann liegt es wohl doch näher, αὐτῆς auf ἐκκλησίαν zu beziehen: Der Ansturm der Hadesmächte bringt das auf dem Felsen errichtete Haus der Kirche nicht zum Einsturz. – H. von Campenhausen, Kirchliches Amt und geistliche Vollmacht in den ersten drei Jahrhunderten, Tübingen 1953, 141 denkt an die »dämonischen Höllenpförtner«, die die schon als Anfang oder irdische Vorstufe des Gottesreiches verstandene Kirche nicht überwältigen können.

erlaubt es der Symbolname »Fels« unvermittelt von der Person, die den Namen trägt, auf die entsprechende Funktion überzugehen. Im interpretierenden Bildwort steht die Funktion im Vordergrund. *Petrus hat diese Funktion eines Felsen-Fundaments.* Für diese Funktion lassen sich einige Gründe namhaft machen. Einmal wird dabei die wichtige Tatsache mitspielen, daß Petrus zuerst eine Erscheinung des Auferstandenen hatte (1 Kor 15,5). Dazu kommt zweitens die Rolle, die Petrus als Zeuge des irdischen Jesus in der Urkirche gespielt hat, und daß er wahrscheinlich schon in der Jesus-Zeit eine führende Stellung im Zwölferkreis einnahm. Drittens war Petrus höchstwahrscheinlich maßgeblich mitbeteiligt bei der Sammlung und beim Aufbau der Messias-Jesus-Gemeinde nach Ostern und wohl auch ein entscheidender Initiator der öffentlichen nachösterlichen Verkündigung des Messias Jesus vor Israel; und schließlich viertens ist noch einmal seine Funktion als Haupt der Juden-Mission zu erwähnen. Alle die genannten Momente genügen zusammengenommen vollauf, um die Fundament-Funktion des Petrus in Erscheinung treten zu lassen.

Es ist hier jedoch schon festzuhalten, daß Mt 16,18 über die Frage einer Petrus-Nachfolge und ihre eventuellen Möglichkeiten nichts aussagt. Insofern sind alle Interpretationen, die eine mögliche Nachfolge für Petrus behaupten oder bestreiten, in der Diskussion zunächst einmal zurückzustellen. Das Argument, das viele protestantische Forscher anführen, daß die »Fundamentfunktion« nicht übertragbar sei, sondern etwas Einmaliges, Unwiederholbares und Bleibendes darstelle[40], ist nun allerdings nicht so leicht abzuweisen, wie dies von katholischer Seite her oft geschehen ist. Sie wird, dies ist zunächst einmal zuzugeben, dem unmittelbaren Sinn der Stelle wesentlich besser gerecht als die Auslegung, die hier vorschnell das Petrus-Amt im katholischen Sinne vermutet. Die Bemerkung von *Vögtle:* »Rein

---

[40] Cullmann, Petrus, 238f, betont m. E. mit Recht: »Die Namensgebung ... geht aber auf die Person des Petrus und nicht nur auf seinen Glauben ... Aus diesem Grunde scheinen mir alle protestantischen Erklärungen, die die Beziehung auf Petrus so oder anders wegdeuten wollen, unbefriedigend«; sagt aber zugleich gegen die katholische Exegese: »Wer unvoreingenommen von der Exegese, und nur von der Exegese ausgeht, kann doch im Ernst nicht auf den Gedanken kommen, Jesus habe hier Nachfolger des Petrus im Auge gehabt, wenn er diesem sagt, er sei der Fels, auf dem die Gemeinschaft des Gottesvolkes, das zum Gottesreich führt, aufgebaut werden solle ... Exegetisch ist zu sagen: es steht nun einmal von Nachfolgern des Petrus auch kein Wort da.« – Cullmann hat meines Erachtens das Problem richtig gestellt. – Haenchen, Der Weg Jesu, 303: »Ein einzelner Nachfolger ist für Petrus gar nicht möglich; daß er zuerst den Herrn erkannte, läßt sich ja nicht vererben. Insofern ist und bleibt er der Fels. Aber soweit sich die Gemeinde sein Bekenntnis aneignet, tritt sie insgesamt in seine Nachfolge: jeder wahre Christ in jeder Christengemeinde ist Nachfolger des Petrus.«

exegetisch gesehen, liegt deshalb (im Hinblick auf die *ekklesía* als Gemeinschaft sterblicher Menschen) die Möglichkeit und Notwendigkeit eines 2.
und 3. Trägers der Petrus-Funktion zweifellos in der Konsequenz der
Bilder vom bestandsichernden Fundament«[41], läßt sich bei näherer Betrachtung so kaum halten. Denn, ein Fundament wird gewöhnlich eben doch nur
einmal gelegt und damit fertig (vgl. auch 1 Kor 3,10ff); man kann darauf nur
noch weiterbauen. Die Vorstellung von einem beständig wachsenden Fundament ist, gerade wenn man beim Bild bleiben will, eine innere Unmöglichkeit. Es kommt also darauf an, zuerst einmal den schlichten Bildgehalt
der Aussage auf sich wirken zu lassen und anzuerkennen, daß Mt in der Tat
offenbar sagen möchte, daß dem Petrus und nur ihm diese Fundament-
Funktion zuzuschreiben sei, wir werden später noch sehen, aus welchem
Grund. Außerdem war ja auch Petrus selbst ein sterblicher Mensch. Die
Aussage, daß die Hades-Pforten die *ekklesía* nicht überwältigen würden,
hat nichts mit Überlegungen hinsichtlich der Generationsfolge oder einer
Amts-Nachfolge zu tun, sondern entspricht dem Gedanken, daß es sich bei
der Jesus-Kirche *um eine eschatologische Größe handelt,* gegen die der
Ansturm der dämonischen Mächte machtlos ist. Kurz, als fortgesetztes
»Fundament-Amt« ist das Petrus-Amt kaum zu begründen, und wahr-
scheinlich auch gar nicht zu verstehen. Im übrigen wäre daran zu erinnern,
daß es sich hier um ein Bildwort handelt, das weder eine allzu logistische
Interpretation verträgt, noch eine vorwiegend und einseitig juridische.
Um Amts-Übertragung oder besser um Übertragung von Vollmacht geht es
nun allerdings zweifellos in V.19, was auf evangelischer Seite vor allem
H. von Campenhausen mit Nachdruck betont hat[42]. Petrus erhält die
»Schlüssel des Himmelreiches«, der eschatologischen Gottesherrschaft.
Diese Schlüsselgewalt ist wohl gemeint im Sinne einer »Haushalterschaft«[43].
Der Hausverwalter, der die Schlüssel trägt, verwaltet das ihm von seinem
Herrn anvertraute Hauswesen. So ist die Schlüsselgewalt ein Bild für das
auch sonst im NT begegnende Verständnis des kirchlichen Amtes als
Haushalter-Dienst, als *oikonomía* (vgl. Lk 12,42; 1 Kor 4,1f; Tit 1,7; 1 Petr
4,10). Dabei mag der Gedanke der Zwischenzeit bis zur Wiederkunft
Christi, der Parusie, eine Rolle spielen (vgl. Mt 24,45–51; 25,14–30). Was
nun freilich das mattäische Verständnis der Schlüsselgewalt betrifft, sind

---

[41] Vögtle, Art. Petrus, LThK VIII, 339.
[42] Kirchliches Amt, 141ff. – Schnackenburg, Petrusamt, 210.
[43] Trilling, Das wahre Israel, 159: »bevollmächtigter Hausverwalter (Schlüsselgewalt)«; – G. Bornkamm, Die Binde- und Lösegewalt in der Kirche des Matthäus,
Geschichte und Glaube II (Aufsätze IV), München 1971, 37–50; 47: »Er wird zum
Felsen und Hausverwalter der Kirche.«

wir hier keineswegs auf bloße Vermutungen angewiesen. Denn Mt hat in der großen »Pharisäer-Rede« Mt 23 das Modell falscher Schlüsselgewalt vor Augen gestellt, wenn Jesus dort zu den Pharisäern sagt: »Wehe euch, Schriftgelehrte und Pharisäer, ihr Heuchler, ihr schließt das Himmelreich vor den Menschen zu; denn ihr selber geht nicht hinein, und diejenigen, die hineingehen wollen, die laßt ihr auch nicht hinein« (Mt 23,13). Also, die Pharisäer verschließen das Himmelreich vor den Menschen, meint Mt. Dann kann aber die richtige Ausübung der Schlüsselgewalt doch nur darin bestehen, daß ihr Träger den Zugang zum Himmelreich öffnet, daß er allen, die hineinwollen, den Zugang ermöglicht und erleichtert. Mt hat ganz gewiß die dem Petrus übertragene Schlüsselgewalt als positives Gegenstück zu derjenigen der Pharisäer verstanden, nämlich als Vollmacht, den Zugang zur Gottesherrschaft aufzuschließen. Ein Verständnis der Schlüsselgewalt als amtskirchliche Willkür ist damit ganz gewiß ausgeschlossen. Würde die Schlüsselgewalt so praktiziert, dann müßte dafür das Verdikt von Mt 23,13 gelten. *Dann kann der Sinn der Schlüsselgewalt nur darin liegen, daß es ihrem Träger um die Verkündigung und Praxis Jesu geht.* Durch das Zeugnis von Jesu Lehre, durch die Ermöglichung und Verwirklichung der Jüngerschaft wird die Schlüsselgewalt richtig ausgeübt. Sie ist streng an ihre von Jesus selbst herkommenden Voraussetzungen und »Normen« gebunden, und kann dann sicher auch nie im Sinne einer »plenitudo potestatis« gemeint gewesen sein.

Was nun weiter die Aussage vom *»Binden und Lösen«* angeht, so herrscht heute weitgehende Übereinstimmung darin, daß es sich hier um Begriffe handelt, die aus der jüdisch-rabbinischen Schulterminologie stammen und die sich sowohl auf die Lehre wie auf die Gemeinde-Disziplin beziehen können[44]. Im Blick auf die Lehre wäre der ursprüngliche Sinn »für erlaubt oder unerlaubt, für falsch oder richtig erklären«, im Blick auf die Gemein-de-Disziplin ist die Bedeutung: »Zur Gemeinde zulassen oder ausschließen, über Zulassung und Ausschluß aus der Gemeinde verfügen«. *Von Campen-hausen* sagt wohl mit Recht: »Die völlige Identität des kirchlichen und des göttlichen Urteils wird hier mit unüberbietbarer Wucht zum Ausdruck

---

[44] Dazu vor allem Billerbeck, Kommentar zum NT aus Talmud und Midrasch, München ²1956, I 738ff. – A. Vögtle, Art. Binden und Lösen, LThK II, 480ff. »Die Binde- und Lösegewalt dürfte demnach im Mund Jesu – und zwar wahrscheinlich des Auferstandenen – *die autoritative Verkündigung und Vermittlung des Heils der Gottesherrschaft bezeichnen.* Sie umfaßt proklamierendes und lehrendes, verpflich-tendes und ordnendes, Gnade und Gericht bewirkendes Handeln, prinzipiell also doch sakrale Lehr- und Rechtsvollmacht« (482). – Zu beachten ist, daß Vögtle die Formulierung der Binde- und Lösegewalt dem »Auferstandenen« zuweist.

gebracht.«[45] Nach ihm hängen die beiden Sinnrichtungen von »Lehre« und »Kirchenordnung« miteinander zusammen. »Die Lehre der Kirche ist ja noch kein einseitig dogmatischer Begriff, sondern umfaßt auch die sittliche‹ Unterweisung. ›In Vollmacht‹ ausgeübt, schließt die Lehrgewalt immer auch die disziplinäre Gewalt ein. Der eine Sinn geht unmittelbar aus dem anderen hervor.«[46]

Zur Interpretation von Mt 16,19 wird gewöhnlich auch Mt 18,18 mit herangezogen, wo die Binde- und Lösegewalt, wie der Kontext zeigt, der gesamten *ekklesía*, hier wohl im Sinne einer konkreten Ortsgemeinde, zugesprochen werden kann. Manche Autoren wollen in der Petrus-Stelle Mt 16,19 vorwiegend die Lehrgewalt angesprochen sehen, in Mt 18,18 dagegen vorwiegend die Disziplinargewalt[47]. Vom Text her legt sich eine derartige Differenzierung nicht unbedingt nahe; es wird sich wohl jedesmal um die gleiche Vollmacht handeln. Der Unterschied liegt anderswo.

Welche der beiden Stellen die »ältere« ist, läßt sich auf den ersten Blick nicht leicht entscheiden. Zunächst läßt sich sagen, daß die Terminologie von »Binden und Lösen« wieder auf judenchristliche Überlieferung verweist. Man hat in dieser Gemeinde zum Zwecke der eigenen Gemeindedisziplin Anleihen bei der jüdisch-rabbinischen Praxis und ihrer Terminologie gemacht. Der ganze Abschnitt Mt 18,15–17.18.19–20; handelt von der Gemeindedisziplin und zeigt durchweg in sämtlichen Einzelaussagen jüdischen Einfluß[48]. Das traditionsgeschichtliche Verhältnis zwischen Mt 16,19b und Mt 18,18 scheint mir folgendermaßen zu liegen: Am Anfang steht wohl die Gemeindepraxis, wie sie Mt 18,18 vorausgesetzt wird. Man greift dazu auf jüdische Vorbilder zurück. Traditionsgeschichtlich betrachtet ist demnach Mt 18,18 »früher« als Mt 16,19b. Davon ist die redaktionelle Ebene des Mt zu unterscheiden. Mt legitimiert zunächst diese Praxis als »petrinisch/apostolisch«: Petrus wird diese Vollmacht zuerst zugesprochen

---

[45] von Campenhausen, Kirchliches Amt, 137.

[46] A.a.O., 138.

[47] So Bornkamm, Binde- und Lösegewalt 45–47. Mt 16,17–19 sei primär die Lehrautorität Petri gemeint, Mt 18,18 dagegen sei die Binde- und Lösegewalt derjenigen des Petrus nicht nur nach-, sondern auch zugeordnet. – Ähnlich R. Hummel, Die Auseinandersetzung zwischen Kirche und Judentum im Matthäusevangelium, München 1963, 61ff.

[48] H. Braun, Qumran und NT I, 38f, verweist auf 1 Q 5,25–6,1; und CD 9,2–4 als Parallele zu Mt 18,15–18; – Zu Mt 18,20 wird gewöhnlich auf Abot 3,2 verwiesen, einen Spruch des Rabbi Chananja Ben Teradjon: »Zwei die zusammensitzen und ihre Unterhaltung sind Worte der Tora: Da weilt die Schechina mitten unter ihnen.« – W. Trilling, Das wahre Israel, 113–117.

Mt 16,19; und von daher wird die an sich schon länger bestehende Gemeindepraxis Mt 18,18 als »apostolisch abgedeckte Praxis« gerechtfertigt. Wenn man diese Auffassung als zu kompliziert empfindet, so möge man sich daran erinnern, daß dies der normale Weg ist, eine entstandene Praxis zu legitimieren. Gewöhnlich ist die Praxis zuerst da, die Legitimation kommt danach. Ist aber die Legitimation einmal eingeführt, dann hat sie durchweg den Vorrang vor der Praxis.

Es dürfte freilich im Gefälle des Mattäusevangeliums liegen, die zweite Stelle Mt 18,18 von der ersten Mt 16,19 her zu verstehen. Diese Überlegung wird noch gestützt durch den Umstand, daß Mt 18,21–22 Petrus noch einmal als Sprecher erscheint. Dort geht es um die Frage, wie oft einem Bruder, der sich verfehlt hat, verziehen werden soll und Jesus antwortet darauf sinngemäß, so oft es notwendig ist; die Vergebungsbereitschaft darf überhaupt keine Grenzen haben. Wenn auch hier Petrus als Sprecher auftritt, dann liegt der Schluß nahe, daß er als Vertreter der Jünger bzw. der Gemeinde fragt, so daß bei Mt indirekt die gesamte Gemeindepraxis auf Petrus zurückgeführt wird. Dann läßt sich aber der Schluß nicht vermeiden, daß Mt 18,18 zeigen wollte, daß die dem Petrus übertragene *Binde- und Lösegewalt inzwischen von Petrus auf die ganze Gemeinde übergegangen ist, wobei Mt allerdings einen deutlichen Unterschied macht zwischen der nicht übertragbaren Fundament-Funktion des Petrus und der übertragbaren Binde- und Lösegewalt, die inzwischen selbständig von der Gemeinde in Anspruch genommen wurde.* Dann lautet allerdings der nächste Schluß, daß es sich in Mt 18,18 um die älteste Interpretation von Mt 16,17–19 handelt, und daß diese Stelle schon authentisch durch Mt selbst ausgelegt wurde. *Dann erscheint nach Mt Petrus sowohl als das Fundament wie als Typos der ekklesía.*

Will man die Petrus-Stelle noch weiter im Zusammenhang mit dem gesamten Mattäusevangelium verstehen, dann muß man auch die stark relativierenden Aussagen mit heranziehen, die sich in der mattäischen Pharisäer-Rede finden (Mt 23,5–12):

»Alle ihre Werke tun sie, um den Menschen in die Augen zu fallen;
sie machen sogar ihre Gebetsriemen breiter und die Quasten ihrer Mäntel länger.
Sie lieben die Ehrenplätze bei den Synagogen, auch die Begrüßung auf offenem Markt,
und wollen von den Menschen Rabbi genannt werden.
Ihr aber sollt euch nicht Rabbi nennen lassen,
denn einer ist euer Lehrer, und ihr alle seid Brüder.
Nennt auch niemanden auf Erden euren Vater,
denn einer ist euer Vater, der im Himmel.
Auch nicht Lehrmeister laßt euch nennen,
denn einer ist euer Lehrmeister, der Messias.

Der größte unter euch werde euer Diener.
Wer sich selbst erhöht, wird erniedrigt,
und wer sich selbst erniedrigt, wird erhöht werden.«

Man muß davon ausgehen, daß Mt zwischen dem Petruswort und diesem Text, der eine deutliche »antihierarchische« Spitze hat, keinen Widerspruch gesehen hat, sondern daß beide Texte zusammengehören und sich gegenseitig ergänzen. Dann ist aber die Vollmachtsübertragung an Petrus kaum exklusiv gemeint, im Sinne eines besonderen, autoritativen Leitungs-Amtes, sondern allenfalls relational und funktional, als Typos des der christlichen Gemeinde verliehenen Dienstes ganz allgemein. *»Petrus« ist nach Mt sowohl Fels der Kirche wie zugleich deren prototypisches Modell.* Für einen besonderen Petrus-Primat mit anschließender Nachfolge gibt Mt nicht viel her.

Nun bleibt noch die Frage zu klären, in welchem Kontext die Petrus-Verheißung entstanden ist und welchen Stellenwert sie im Rahmen der Tradition und des Evangelisten einnimmt. *Vögtle* meint dazu: »Eine einsichtige Erklärung der angeblich erst *urkirchlichen Entstehung* des Logions Mt 16,18f . . . wurde bis jetzt nicht vorgetragen . . . Der stark wiederbelebte Trend, die grundlegende Voraussetzung für die nachösterliche Entstehung des Kefas-Vorrangs und -wortes in der Protophanie zu erblicken . . . ermöglicht zwar Palästina als Herkunftsgebiet, aber keine einleuchtende Ätiologie«[49]. *Vögtle* legt hier mit Nachdruck den Finger auf die schwierigste Aufgabe der Interpretation von Mt 16,17–19. In der Tat genügen die vorliegenden Auskünfte nicht, um die Entstehung der Petrusverheißung in der nachösterlichen Urgemeinde überzeugend zu erklären. *Bultmann* sprach von einer »Glaubenslegende«. Deutlich sei, daß Mt 16,17–19 der Auferstandene spricht. So kommt in diesem Text zum Ausdruck, »daß das Ostererlebnis des Petrus die Geburtsstunde des Messiasglaubens der Urgemeinde war« und die ganze Erzählung als »Ostergeschichte« zu verstehen sei[50].

Für den folgenden Lösungsvorschlag sind die Ausführungen von *R. Hummel*, »Die Auseinandersetzung zwischen Kirche und Judentum im Mattäus-

---

[49] LThK VIII, 336.
[50] R. Bultmann, Die Geschichte der synoptischen Tradition, Göttingen ³1957, 277.
– G. Bornkamm, Binde- und Lösegewalt, 49: »Seine Bevollmächtigung Mt 16 ist darum als eine »ideale« Szene zu bezeichnen, in der sich die Begründung der Kirche auf Petrus als Garanten und autorisierten Interpreten der Lehre Jesu und damit die Anfänge einer eigenen, sich auf Petrus berufenden christlichen Halacha abzeichnen.« – Aber, so ist anzufügen, es geht nicht nur um »Halacha«, sondern auch um »Bekenntnis«.

evangelium« von Bedeutung. Dabei gehe ich von der Überlegung aus, daß ein »Wort des Auferstandenen«, wie immer man es versteht, von einem Individuum oder der Gemeinde formuliert sein muß, also auch in deren Sprache und Begrifflichkeit. Man sollte freilich mit diesem Begriff nicht mehr so sorglos wie bisher argumentieren. Theoretisch könnte man damit rechnen, daß es viele Jahre nach Ostern noch neue »Worte des Auferstandenen« geben konnte, und faktisch ja auch gegeben hat (vgl. Joh), womit die Präzision dieses Begriffes hinfällig wird. Gemeindebildung oder Bildung des Evangelisten kommen der Sache schon näher. Die Petrusverheißung enthält nun aber, wie wir gesehen haben, rabbinische Terminologie und daneben Assonanzen an Wendungen, die im Mattäusevangelium selber vorkommen, so daß es sich im Endeffekt *um eine Formulierung des Evangelisten handelt,* der aber schon vorgeprägte Terminologie aufgegriffen hat.

Für diese vorgeprägten Terme und Seme kann man aber nicht nur allgemein »judenchristliche« Herkunft behaupten, sondern eher in der von *Hummel* eingeschlagenen Richtung – und im Vergleich mit Mt 23 – an bewußte Entlehnung rabbinischer Denkmodelle denken, die in antithetischer oder auch konkurrierender Form benützt werden, um gegenüber der jüdischen Gemeinde und ihren Autoritäten *die christliche Lehrautorität zu formulieren.* Dazu kommt jene Gesamtentwicklung vom »historischen Petrus« zur »Petrus-Typologie«, die durch die sich wandelnden Gemeindebedürfnisse wesentlich mitbedingt ist. In unserem Falle geht es um die Garantie der authentischen Jesus-Überlieferung. Bei diesem Prozeß geht die historische Persönlichkeit (Petrus) immer mehr in ihrer Bedeutsamkeit und Rolle auf, in ihrem Nimbus und seiner Ausstrahlung und bleibt relevant durch ihre Bedeutung, die sie für die betreffende Gruppe hat. Sie ist, wo solche Hochstilisierung erfolgt, schon von der geschichtlichen Bühne abgetreten. Dazu kommt noch eine besondere Notwendigkeit für die Gruppe. Diese muß ihre Überlieferungen festhalten und absichern, und dies geschieht am besten unter Berufung auf den Mann, auf den sie ihre Tradition in maßgeblicher Weise zurückführt. Damit ist dann jeweils auch ein Endpunkt erreicht für den Traditionsfluß und zugleich ein Kriterium gesetzt, eine Norm, an der sich fortan authentische oder falsche Tradition (»Orthodoxie« und »Häresie«) kritisch überprüfen lassen. Kurz, es handelt sich um die Zeit des Übergangs von der »apostolischen« zur »nachapostolischen« Epoche der Frühkirche, in der die Autorität des Traditionsgaranten für die nachfolgende Zeit formuliert wurde. Das ist aber keine andere Zeit und Situation, als die des Evangelisten selbst! Genau in diese Situation paßt ein Wort wie Mt 16,17–19 am besten hinein. »Petrus« ist für Mt und seine Gruppe der entscheidende Garant echter Jesus-Tradition, dem genau aus diesem Grund eine einmalige »fundierende« und damit auch zugleich bleibende Autorität zukommt[51].

Dabei ist freilich zu beachten, daß die Lehrautorität des Petrus sich nicht nur, wie *Hummel* richtig herausstellt, auf Fragen der Kirchenzucht und der richtigen Lebensform erstreckt[52], sondern daß sie auch den Gemeinde-Glauben im Sinne des vollen Messias-Jesus-Bekenntnisses mitumfaßt. Darüber hinaus legt Mt anscheinend doch den größten Wert darauf, daß die für die christliche Gemeinde verbindliche Weisung und Lehre in letzter Instanz doch nur die Weisung und Lehre Jesu sein können, und daß »Petrus« als Traditionsgarant dafür einsteht, daß es sich um die authentische Lehre Jesu handelt. Damit tritt die Fundament-Funktion des Petrus in ihrer ganzen Bedeutung hervor, aber ebenso tritt hervor, daß sie nur »Mittel zum Zweck« ist, und nicht »Zweck an sich selbst« sein kann. Die *ekklesía* wird ja, wie Mt 16,17 sagt, von Jesus erbaut. Sie wird und bleibt durch das Petrus-Zeugnis an und auf Jesus verwiesen. Jesus allein war, ist und bleibt ihr einziger Lehrer.

Zusammenfassend läßt sich sagen: Mt hat das Petrusbild des Markusevangeliums in den Grundzügen beibehalten, aber durch Hinzufügen wichtigen Sondergutes nicht unwesentlich ergänzt. Die problematischen Züge der Petrustradition werden nicht ausgemerzt, in einem Punkt sogar eher noch unterstrichen, wenn Petrus bei Mt auch als Typos des »Kleingläubigen« gezeichnet werden kann. Wie unsere Interpretation ergab, kennzeichnet die Petrusverheißung Mt 16,17–19 den Petrus vor allem *als Zeugen der Christus-Offenbarung und als Garanten und Lehrer der authentischen Jesus-Tradition.* Genau in dieser Funktion ist er für Mt der Fels, auf dem die *ekklesía* Jesu erbaut ist. Diese Fundament-Rolle ist von Mt kaum als übertragbar gedacht; von einer Petrus-Nachfolge weiß dieser Evangelist nichts. Übertragbar ist nach Mt freilich die Binde- und Lösegewalt, und zwar nach Mt 18,18 auf die ganze Gemeinde. Die durch Petrus abgesicherte Überlieferung ist deshalb wichtig, weil es sich um die Lehre Jesu handelt. Diesem kommt die eigentliche und letzte Autorität zu, und Petrus ist hauptsächlich um Jesu willen interessant.

2.5 Lukas: Evangelium

2.5.1 Die Grundtendenz, die wir bei Mt herausgearbeitet haben, setzt sich in ähnlicher Weise auch bei Lk fort. Hier darf man von der Vermutung

---

[51] Zu einem ähnlichen Ergebnis kommt auch R. Pesch, Die Stellung und Bedeutung Petri in der Kirche des Neuen Testaments, Zur Situation der Forschung, in: Concilium 7 (1971) 240–245.

[52] Hummel, Kirche und Judentum, 63.

ausgehen, daß die Stellung des Petrus sich in Verbindung mit der lukanischen Auffassung vom exklusiven Zwölfer-Apostolat[53] stärker akzentuiert. Das heißt, daß die Stellung des Petrus in den lukanischen Schriften nicht isoliert gesehen werden kann, sondern in Verbindung mit der lukanischen Theorie der »Zwölf Apostel« betrachtet werden muß. – Die für Lk wichtigen Texte sind: Lk 5,1–11: Der reiche Fischfang; Lk 22,31–32: Das Sonderwort Jesu an Petrus; dazu kommt noch der Hinweis auf die Ostererscheinung des Petrus Lk 24,34.

2.5.2 Der reiche Fischfang (Lk 5,1–11)[54].

Auf die komplizierten traditionsgeschichtlichen Verhältnisse dieses Textes brauche ich hier nicht einzugehen. Es handelt sich, wie *R. Pesch* richtig herausgestellt hat, um eine Kombination von Berufungserzählung, Erscheinungsbericht und Wundergeschichte. Auf der Ebene des Textes ist freilich nach Lk zweifellos der symbolische Sinn der Erzählung auch der Literalsinn der ganzen Geschichte. Petrus wird in der Erzählung vorwiegend »Simon« genannt (5mal), nur einmal »Simon Petrus«, und zwar in dem Augenblick, da er das Wunder erkennt und davon betroffen ist: »Als Simon Petrus (das Wunder) sah, fiel er vor Jesus auf seine Knie nieder und sprach: Gehe weg von mir, Herr, denn ich bin ein Sünder« (V.8). Nach Lk handelt es sich um die erste Begegnung des Simon mit Jesus. Dabei erfolgt der Anschluß des Simon an Jesus dadurch, daß er dem Wort Jesu glaubt und seinem Befehl entsprechend handelt, gegen die eigene menschliche Erfahrung. V.5: »Da antwortete Simon und sprach: Meister, die ganze Nacht haben wir uns abgemüht, *Aber auf dein Wort hin will ich die Netze auswerfen«,* ist ohne Zweifel der innere Kern der Erzählung. Das ist exemplarischer Glaube, der »Petrus« auch zum ersten Jünger Jesu macht. Darauf gründet sich auch die Verheißung: »Fürchte dich nicht, von nun an wirst du Menschen fangen«, V.10, der die Erzählung als eine Illustration des Bildwortes der »Menschenfischer« (Mk 1,17par) ausweist. Lk denkt dabei ganz gewiß schon an den großen Missionserfolg des Petrus, wie ihn die Apg schildern wird. Das heißt, in dieser Symbolgeschichte ist in einer programmatischen Vorankündigung die spätere Tätigkeit des Petrus und der Apostel vorweggenommen. Wichtig ist ferner, daß Lk die spätere Bedeutung des Petrus mit dessen bedingungslosem Glauben verbindet.

---

[53] Zum lukanischen Verständnis des »Zwölfer-Apostolats« vgl. G. Klein, Die zwölf Apostel, Ursprung und Gehalt einer Idee, FRLANT 77, Göttingen 1961.
[54] R. Pesch, Der reiche Fischfang, Lk 5,1–11/Joh 21,1–14. Wundergeschichte – Berufungserzählung – Erscheinungsbericht.

5.5.3 *Das Sonderwort Jesu an Petrus* (Lk 22,31–34). Das Sonderwort Jesu an »Simon« ist, darauf ist zu achten, bei Lk kombiniert mit der Ansage der Verleugnung (vgl. Mk 14,17–21; Mt 26, 20–25; Joh 13,36–38), die Lk im Unterschied zu Mt und Mk nach der Einsetzung des Herrenmahles, im Zusammenhang mit seiner »Abschiedsrede« (Lk 22,21–38)[55] untergebracht hat. Das Wort lautet: »Simon, Simon, siehe der Satan hat verlangt, euch zu sieben wie man den Weizen siebt; ich aber habe für dich gebetet, daß dein Glaube nicht erlösche, du aber, wenn du dich bekehrt haben wirst, stärke deine Brüder« (Lk 22,31–33). Nach *Schürmann* zeigen sich an dieser Texteinheit zwar »starke Spuren luk Überarbeitung in der Formulierung« in Verbindung mit inhaltlichen Aussagen, »die auf sehr hohes Alter des Traditionsstückes schließen lassen. Man wird mit einigem Recht sagen dürfen . . ., daß die Ankündigung einer Prüfung . . . vorluk stehen muß. Ebenso wird die Vorstellung der satanischen Siebung und der im Glauben erschütterten Jüngerschar, die der Glaubensstärkung bedarf, vorluk sein.«[56] Doch ist dies nicht ganz so sicher, wie *Schürmann* annimmt. Die Stelle scheint vielmehr in ihrer vorliegenden Fassung durchweg auf Lk selbst zurückzugehen. Dafür sprechen außer den lukanischen Hapaxlegómena[57] auch das Interesse am Gebet Jesu für den ersten Jünger (vgl. Lk 6,12: das Gebet Jesu vor der Wahl der Zwölf), und das am Glauben und seiner Stärkung[58]. M. a. W., man muß auch bei diesem Sonderwort davon ausgehen, daß Lk den Petrusnamen aus seiner Sicht heraus erklären will. Die lukanische Erklärung des Petrusnamens lautet: Petrus trägt diesen Namen »Fels« deshalb, weil sein Glaube nicht versagte. Der Glaube des Petrus ist niemals erloschen. Aber es ist interessant, daß Lk mit dieser Aussage sich schwertut. Denn hart daneben steht die Vorhersage der Verleugnung des Petrus, ein Tatbestand, der für das Empfinden des Lk offenbar doch in einem krassen Widerspruch zum Anspruch des Symbolnamens »Fels« zu stehen schien. Wie löst nun Lk diesen Widerspruch auf? Er löst ihn so auf, daß er sagt, der Glaube des Petrus ist eben doch nicht völlig erloschen. Die Ausgangsvorstellung ist also gerade nicht ein besonders fester Glaube des Petrus, sondern die eines angefochtenen Glaubens, dem das Lebenslicht zu

---

[55] H. Schürmann, Jesu Abschiedsrede, Lk 22,21–38, Neutestamentliche Abhandlungen XX. 5, München 1957, 99ff. – 24f.
[56] Schürmann, Abschiedsrede, 112.
[57] ἐξαιτέω, sich ausbitten, lukanisches Hapaxlegomenon; vgl. W. Bauer, Griechisch-Deutsches Wörterbuch zu den Schriften des NT, Berlin [5]1963, (= BW) 538; ebenso σινιάζω, sieben sichten, BV 1489.
[58] στηρίζω, stärken, kommt bei den Synoptikern nur bei Lukas vor: Lk 9,51; 16,26; 22,32; Apg 18,23; auch ἐκλείπω, ausgehen, auslöschen, BW 450f, ist nur bei Lukas bezeugt: Lk 16,9; 22,32; 23,45.

erlöschen droht. Beweis dafür ist die Verleugnung des Petrus. Aber daß damals der Glaube des Petrus doch nicht völlig erloschen ist, war überhaupt kein Verdienst des Petrus, sondern das verdankt er einzig und allein der Fürbitte Jesu. Jesus selbst hat, im Hinblick auf die Zukunft, durch seine Fürbitte eine Fürsorge für den Glauben des Petrus getroffen, die allerdings erst wirksam werden wird, nachdem Petrus sich bekehrt hat. Man wird nicht fehlgehen, diese »Bekehrung« des Petrus mit der Ostererscheinung Lk 24,34 in Verbindung zu bringen. Erst nach dieser Bekehrung kann Petrus seine Brüder stärken. Man sieht, der ganze Text Lk 22,31–32 hat den Charakter einer komplizierten Aitiologie, einer Namenserklärung, die das Symbolwort »Fels« mit der widersprechenden Notiz der Verleugnung in Einklang zu bringen sucht. Die Frage, die hier beantwortet werden soll, lautet wohl: Wie kommt dieser Mann, der Jesus verleugnet hat, zu diesem Namen »Fels«? Die lukanische Antwort lautet: Weil damals sein Glaube nicht völlig erloschen ist. Aber das war kein Verdienst des Petrus, sondern Jesus hatte für ihn gebetet. Er hat sich aber bekehren müssen. Erst danach war er in der Lage, auch seine Brüder stärken zu können. Es ist klar, daß auch Lk 22,31–32 als Beweis für ein Petrus-Amt im Sinne eines »Primats« ausfällt.

2.6 Lukas: Die Apostelgeschichte[59]

2.6.1 Wie man sich das »Stärken der Brüder« durch Petrus zu denken hat, zeigt wohl am deutlichsten die Apg. In dieser ist Petrus die beherrschende Figur in Kap. 1–15. Danach verschwindet er völlig aus dem Gesichtskreis. Allerdings zeigt ein genaueres Hinsehen, daß der Vf. der Apg auch nicht über sehr zahlreiche historische Notizen den Petrus betreffend verfügt. Denn ein Großteil der Bedeutung des Petrus liegt auch in der Apg darauf, daß Petrus als »Sprecher des Apostelkreises« fungiert, sowie auf den mit dieser Rolle verbundenen langen Reden, die aber zweifellos nicht petrinisch sind, sondern »lukanisch«. Es wäre völlig verfehlt, aus diesen Reden auf eine besondere »Theologie des Petrus« schließen zu wollen. Dazu kommt die besondere Auffassung des Lk vom »exklusiven Zwölfer-Apostolat«.

---

[59] Zum folgenden vgl. die Kommentare zu Apg von Haenchen ³1959; – Stählin, NTD 5 ¹⁰1962; – Conzelmann, Handbuch zum Neuen Testament 7, 1963; – M. Dibelius, Aufsätze zur Apostelgeschichte, hg. von H. Greeven, Göttingen ⁴1961; – U. Wilckens, Die Missionsreden der Apostelgeschichte, Wissenschaftliche Monographien zum Alten und Neuen Testament 5, Neukirchen ²1963; – H. Conzelmann, Die Mitte der Zeit, Beiträge zur historischen Theologie 27, Tübingen 1954; – Mußner, Petrus und Paulus, 27ff.

Für Lk sind nur die Zwölf Apostel. Die Bedingungen des Apostolats werden 1,21f formuliert: Apostel kann nur sein, wer Augenzeuge der irdischen Wirksamkeit Jesu war, angefangen von Johannes dem Täufer bis zur Himmelfahrt. Damit verstärkt Lk einen Akzent, der uns im Zusammenhang mit Petrus und den Zwölfen auch schon bei Mk und Mt gegeben schien, nämlich das Interesse an »authentischer Jesusüberlieferung«. Lk artikuliert dieses Interesse ausdrücklich, wenn er im Eingang seines Evangeliums für die »Zuverlässigkeit des Wortes« eine »Augenzeugenschaft von Anfang an« postuliert (Lk 1,1–4). Der Lukas-Prolog entwirft einen frühkatholischen Traditions- und Apostel-Begriff, der folgendermaßen aussieht: Ein authentischer Jesus-Bericht beruht auf der Überlieferung derjenigen, »die von Anfang an Augenzeugen und Diener des Wortes waren« (Lk 1,2). Die Zahl dieser Leute war, wie aus Apg 1,21ff hervorgeht, natürlich größer als der Kreis der »Zwölf Apostel«. Aber wenn man zu diesem Kreis gehören soll, dann muß man nach Lk die Bedingung der Augenzeugenschaft erfüllen. Nur einer, der Augenzeuge des irdischen Jesus und Zeuge der Auferstehung war, kann nach Lk Apostel sein. Es ist ganz deutlich, daß in der Sicht des Lk der Apostel-Begriff entschieden enger gefaßt ist und fest mit dem Begriff der Augenzeugenschaft verbunden wird, und zwar um eines gesicherten Traditionsverständnisses willen. Aus diesem Grund kann Paulus bekanntlich für Lk nicht Apostel sein. In diesem Zusammenhang muß nun auch die Rolle des Petrus bei Lk gesehen werden. Petrus fungiert hier als »primus inter pares«. Er steht in der Apg, obgleich er immer wieder als führender Sprecher fungiert, keineswegs über den andern Aposteln, sondern bleibt stets mit diesen verbunden. Bei der Wahl der »Sieben« (Apg 6,1–7) ist es nicht Petrus, der die Initiative ergreift, sondern es sin »die Zwölf« (6,2) bzw. »die Apostel« (6,6). Nach Apg 8,14 erscheinen Petrus und Johannes als »Abgesandte der Apostel«; sie werden von den Aposteln nach Samaria geschickt. Und schließlich muß Petrus Apg 11,1–18 nach der Bekehrung des »Heiden« Kornelius sich vor den Aposteln und Brüdern in Jerusalem verantworten. Das heißt, Petrus ist zwar Exponent, Sprecher und oft auch Initiator der »Zwölf Apostel«, aber er gehört völlig zu diesem Kreis und bleibt in diesen hineingebunden. Eine den Aposteln übergeordnete Stellung nimmt Petrus nicht ein.

2.6.2 Zum einzelnen. Apg 1,13f wird die Zwölferliste noch einmal referiert. – 1,15–21 ist es Petrus (1,15), der die Initiative ergreift zur Nachwahl des Mattias als Nachfolger des Judas. – 2,14–42 bringt die »Pfingstpredigt« des Petrus und deren durchschlagenden Missions-Erfolg, der zur eigentlichen Gründung der Urgemeinde führt. – 3,1–26; 4,1–22: Die Heilung des Gelähmten; Bekehrungspredigt auf dem Tempelplatz; Verhaftung des Petrus und Johannes; Verhör vor dem Hohen Rat und Freilassung bilden einen großen Gesamtkomplex. Petrus und Johannes sind darin die Hauptfiguren, wobei Petrus wieder als Sprecher fungiert. – Auch in der Geschichte von Hananias und Saphira (5,1–11) erscheint Petrus als Sprecher. – 5,15 berichtet von der wunderbaren Heilungskraft sogar des Schattens des Petrus. – 5,17–42 werden »die Apostel« verhaftet und vor den Hohen Rat geführt. Hier heißt es 5,29: »Petrus und die Apostel antworteten . . .«. – 8,14 wird Petrus zusammen mit Johannes nach Samaria geschickt, um den Neugläubigen den Heiligen Geist mitzuteilen. Dabei kommt es 8,18–24 zu der Begegnung des Petrus mit dem Magier Simon. – 9,32–35 ist von einem Aufenthalt des Simon in Lod die Rede, 9,16–43 von einem solchen in Jafo. Kap. 10 berichtet von der Bekehrung des Hauptmanns Kornelius in Cäsarea durch Petrus. Diese Bekehrung wird wegen ihres programmatischen Charakters, den sie für Lk hat, sehr breit geschildert. Es ist auch kaum zufällig, daß Petrus dabei die zentrale Rolle spielt als der Apostel, dem Gott selbst den Weg zu den Heiden geoffenbart hat. Aber Petrus muß sich dann doch vor der Jerusalemer Gemeinde rechtfertigen, 11,1–18. Diese Linie findet ihren Abschluß auf dem »Apostelkonzil« Kap. 15, wo Petrus die Entscheidung für die Heidenmission damit begründet, daß Gott selbst diese Entscheidung längst in einem positiven Sinne getroffen hat, »daß durch meinen Mund die Heidenvölker das Wort des Evangeliums hören sollten und zum Glauben kämen«. – Schließlich ist noch zu erwähnen die Erzählung der Hinrichtung des Jakobus; der Verhaftung und wunderbaren Befreiung des Petrus durch einen Engel (12,1–19).

2.6.3 Damit ist die Rolle des Petrus nach Apg erschöpft. Folgende Grundzüge lassen sich im lukanischen Petrusbild herausstellen: Der »reiche Fischzug« symbolisiert vorwegnehmend den nachösterlichen Missionserfolg der »Missionspredigt« des Petrus (und der »Zwölf Apostel«). Dem entspricht das Petrusbild der Apg vor allem in den großen »Petrus-Reden« sowie in dem Bericht von der ersten Heidenbekehrung. Petrus als Hauptredner vor der jüdischen und heidnischen Öffentlichkeit, dessen Predigt jeweils am Anfang neuer Entwicklungen steht. Als der, dessen Glaube auf die Fürbitte Jesu hin nicht erlosch, bildet er gleichsam die Klammer zwischen der Jesus-Zeit und der Zeit der Kirche. Dabei wird, gerade in der Verbindung des Petrus mit den »Zwölf Aposteln« das Problem authentischer Jesusüberlieferung bewußt aufgegriffen und artikuliert, das nach Auffassung des Lk nur durch die »Augenzeugenschaft von Anfang an« gelöst werden kann. Dazu kommt schließlich noch der Umstand, daß der Inhalt der Petrus-Reden der Apg sich weitgehend mit dem Rahmen und Inhalt des Lukasevangeliums deckt. Das Evangelium – und zwar in Gestalt des Lukasevangeliums – erscheint in der Apg als die »Norm« der »apostolischen Verkündigung«.

Diese Verkündigung geht weiter, auch wenn Petrus von der historischen Bühne abtritt und wir von ihm nichts weiter mehr hören. Die irdischen Instanzen sind nicht wichtig, sondern das Evangelium, der göttliche Heilsplan, der dieses Evangelium weit in die Heidenwelt hinein und schließlich nach Rom führen wird. Aber das geschieht in der Apg nicht durch Petrus, sondern durch Paulus; er ist es recht eigentlich, der das von Petrus begonnene Werk der Heidenmission weiterführen wird. So kann man im Sinne der Apg sagen: Der Heidenmissionar Paulus ist der erste authentische »Nachfolger des Petrus«, und zwar in der Verkündigung des Evangeliums. Oder anders gesagt, die Verkündigung des Evangeliums schafft die Kontinuität der Kirche, nicht eigentlich eine »Amtsnachfolge«.

2.7 Petrus im Johannesevangelium[60]

2.7.1 Im Vergleich zur synoptischen Tradition wird Petrus bei Joh eher selten erwähnt. Es fehlen weitgehend solche Stellen, an denen Petrus stereotyp als Sprecher des Jüngerkreises erscheint. Die Verbindung »Petrus, Jakobus und Johannes« findet sich bei Joh überhaupt nicht. Wenn es bei Joh eine bestimmte Tendenz im Hinblick auf Petrus gibt, dann eher in Richtung einer »Petrus-Legende«, als Interesse an seiner Gestalt, das aber zugleich mit der Petrus-Typologie verbunden bleibt.

2.7.2 Nach Joh 1,40–42 gehört Simon Petrus zu den Jüngern der ersten Stunde. Er wird von seinem Bruder Andreas für Jesus gewonnen mit der Bemerkung: »Wir haben den Messias gefunden.« Gleich bei der ersten Begegnung mit Jesus bekommt Simon den Beinamen Kefas/Petrus. Nach 1,45 war Betsaida am Nordufer des Sees Genesareth der Heimatort des Philippus, Andreas und Petrus. Freilich trägt der joh Bericht über die Jüngerberufung stark konstruierte Züge; bemerkenswert bleibt jedoch, daß Petrus nicht als der zeitlich erste Jünger erscheint.

2.7.3 6,66–71 berichtet Joh von einem *Petrus-Bekenntnis,* das mit dem synoptischen Petrusbekenntnis (Mk 8,27–30par) manches gemeinsam hat. Als nach der großen »Brotrede« (6,22–65) viele Jünger sich von Jesus

---

[60] Zum folgenden vgl. die Kommentare zum Johannesevangelium von Bultmann, 12, Göttingen [11]1950; – R. Schnackenburg, HThK IV, 3. Teil (Kap. 13–21), Freiburg/Basel/Wien 1975; – J. Blank, Geistliche Schriftlesung 4/3, Düsseldorf 1977; – Mußner, Petrus und Paulus, 40ff.

zurückziehen, fragt Jesus die Zwölf: »Wollt auch ihr weggehen?« Darauf antwortet Simon Petrus stellvertretend für den Jüngerkreis: »Herr, zu wem sollen wir gehen? Du hast Worte ewigen Lebens. Wir haben geglaubt und erkannt, daß du der Heilige Gottes bist« (6,68f). Der vierte Evangelist hat das Petrus-Bekenntnis ganz deutlich seiner theologischen Intention und Sprache angepaßt. Ein »Messias-Bekenntnis« konnte es bei Joh nicht sein, da Jesus gerade vorher (6,14f) das Ansinnen, Jesus zum (politischen) Messiaskönig zu machen, scharf abgelehnt hatte, indem er sich der Menge entzog. Dagegen entspricht die Bestimmung »der Heilige Gottes«, die man mit dem johanneischen Verständnis Jesu als Offenbarer und Gesandter Gottes in Verbindung sehen muß, eher dem christologischen Duktus der johanneischen Theologie.

2.7.4 Danach tritt Petrus erst wieder bei der Fußwaschung (13,1–11) in Erscheinung, wo er sich zunächst weigert, den Dienst Jesu an sich geschehen zu lassen, dann aber stürmisch verlangt, daß ihm auch noch der Kopf gewaschen werde (13,6–10). Hier spielt Petrus wohl eine typische Rolle, da an ihm ein Mißverständnis und seine Lösung demonstriert wird. – 13,24f stellt Petrus über den Lieblingsjünger die Frage nach dem Verräter. – 13,36–38 sagt Jesus die Verleugnung des Petrus voraus. Nach 18,10–11 ist es Petrus, der bei der Verhaftung Jesu dem Knecht des Hohenpriesters Malchos das rechte Ohr abhaut. Die Synoptiker kennen zwar den Vorgang, wissen aber von den Namen der Handelnden bzw. Betroffenen nichts, sie sind bei Joh zweifellos nachgetragen. – 18,15–18.25–27 wird die Verleugnung des Petrus erzählt, und 20,1–10 berichtet vom Gang des Petrus und des Lieblingsjüngers zum leeren Grab.

2.7.5 Das Problem *»Petrus und der Lieblingsjünger«* ist ein Spezifikum der johanneischen Petrustradition[61]. Es taucht erstmals 13,24f auf, bei der Frage des Petrus nach dem Verräter. Der Lieblingsjünger (wörtlich: »Der Jünger, den Jesus liebte«) vermittelt an dieser Stelle zwischen Petrus und Jesus. Warum Petrus nicht selbst fragt, wird nicht ersichtlich. Ein Grund könnte allenfalls darin liegen, daß der Evangelist bereits an dieser Stelle die »größere Nähe« des Lieblingsjüngers zu Jesus aufzeigen wollte. – Beim »Wettlauf der Jünger zum leeren Grab« (20,1–10) scheint ein »Konkurrenzmotiv« nicht ausgeschlossen. Doch in welchem Sinn? Das ist schwer zu sagen. Die beiden Jünger eilen auf die Kunde der Maria Magdalena hin zum leeren

---

[61] Zu diesem Problem vgl. außer den Kommentaren die Studie von R. Mahoney, Two Disciples at the Tomb. The Background and Message of Joh 20,1–10, Bern/ Frankfurt a. M. 1974.

Grab. Doch der andere Jünger ist schneller am Ziel, geht aber nicht in die Grabkammer hinein und läßt dem Petrus den Vortritt. Petrus geht als erster in die Grabkammer hinein, während ihm der »andere Jünger« folgt. »Und er sah und glaubte.« Vielleicht haben wir es hier doch mit der johanneischen Version der Ersterscheinung des Petrus zu tun, die freilich eher indirekt angedeutet wird, während der Lieblingsjünger betont als einer dargestellt werden soll, der ohne Ostererscheinung zum Glauben kommt. Er ist das eigentliche Gegenstück zum »Zweifler« Tomas (20,24–29). Die symbolische Interpretation: Petrus Symbol des Judenchristentums, Johannes das des Heidenchristentums, wie sie von *Bultmann* vertreten wurde, halte ich für wenig überzeugend[62]. Eine andere Absicht scheint noch mitzuspielen, nämlich die, das Osterzeugnis dadurch abzusichern, daß zwei männliche Augenzeugen das leere Grab inspizieren. – Das Problem wird noch einmal aufgenommen im Nachtragskapitel (21,1–14.15–19.20–24). 21,7ff ist es wieder der Lieblingsjünger, der Jesus zuerst erkennt, während Petrus daraufhin besonders aktiv wird, um möglichst schnell zu Jesus zu kommen. – Endlich behandelt der letzte Abschnitt 21,20–24 noch einmal das Problem[63]. Der Sinn dieses Abschnitts scheint mir darin zu liegen, daß im Hinblick auf den »Lieblingsjünger« die Frage nach der besonderen Art der »Nachfolge« gestellt wird. Schließt die Nachfolge Jesu notwendigerweise das blutige Martyrium ein oder nicht? Der Text will sagen: Es gibt verschiedene Weisen der Nachfolge Jesu, auch ein »sanfter Tod« kann dem Willen Jesu entsprechen. Dazu kommt das Problem der Parusieverzögerung, hier in deutlichem Zusammenhang mit dem Tod der ersten Jüngergeneration. – Auf die übrigen Probleme des »Lieblingsjüngers« gehe ich hier nicht ein, weil dies zu weit ab führen würde.

2.7.6 Die Übertragung des »Hirten-Amtes« an Petrus (Joh 21,15–17 18–19).

Dies ist sicher der wichtigste johanneische Petrus-Text. Hier geht es um zwei Aussagen: a) die Übertragung des Hirtenamtes an Petrus; b) eine verhüllte Aussage über den Tod des Petrus.

»Weide meine Schafe« (Vv. 15–17). Jesus wendet sich in besonders feierlicher Form an Petrus, was durch die dreimalige volle Namensnennung »Simon, Sohn des Johannes« besonders unterstrichen wird. Das Ritual ist jedesmal dasselbe: 1. Anrede und Frage; 2. Antwort des Simon Petrus; 3. Auftragswort an Simon Petrus. Die Frage lautet dreimal: »Simon, Sohn des Johannes, liebst du mich (mehr als diese)?« Gefragt ist nach der persönlichen und uneingeschränkten Bindung des Petrus an Jesus. Da in diesem

---

[62] Bultmann, 531.
[63] Mußner, Paulus und Jesus, 69.

Kontext der Symbolname Kefas/Petrus nicht ausdrücklich vorkommt, vielleicht sogar bewußt vermieden wird, darf man vermuten, daß es auch hier um die *Sachinterpretation* des Petrus-Namens geht. Für die johanneische Tradition hat der Symbolname »Fels« die Bedeutung: Jesus ganz besonders lieben, im Sinne einer letzten und unerschütterlichen Bindung an Jesus. Solche Liebe zu Jesus in einem totalen, festen Sinn erscheint zugleich als die innere Vorbedingung für den nachfolgenden Auftrag. Aber auch hier entsteht ein ähnliches Problem wie bei Lukas. Auch Joh weiß um den Widerspruch in Verbindung mit der Verleugnung. Zweimal antwortet Petrus auf die Frage Jesu zuversichtlich: »Ja, Herr, du weißt, daß ich dich liebe.« Beim dritten Mal heißt es: »Da wurde Petrus traurig, daß er ihn zum dritten Mal fragte . . .« (V. 17). Die traditionelle Auslegung, die hier eine Anspielung auf die Verleugnung des Petrus erblickt, scheint wohl recht zu haben. Dann ist es nach Joh Jesus, der Auferstandene selbst, der durch seine Frage an Petrus zum Ausdruck bringt, daß er die ursprüngliche Zusage, die im Petrus-Namen steckt, nicht zurückgenommen hat, sondern sie aufs neue bekräftigt. Zugleich bietet Jesus im johanneischen Bericht dem Petrus eine Chance zur Umkehr an.

Auf die dreimalige Antwort des Petrus erfolgt nunmehr ein dreimaliger Auftrag Jesu: »Weide meine Lämmer« bzw. »meine Schafe«. Das heißt auf der Erzählungsebene: Für die Zeit der Abwesenheit Jesu ist Petrus durch Jesus selbst zum Hirten seiner Schafe bestellt. Die Redeweise und damit auch der Sinn der Aussage erklären sich am besten von der johanneischen Hirtenrede her (10,14–16), wo Jesus sich selbst als den »guten Hirten« bezeichnet und von »meinen Schafen« spricht. Es ist darum auch genau zu beachten, daß bei der Übertragung des »Hirten-Amtes« an Petrus immer von »meinen Schafen«, also den »Schafen Jesu« die Rede ist. Petrus wird nicht zum »Herrn der Schafe« bestellt, und sie können ihm auch niemals gehören. Ebensowenig kann »Petrus« frei darüber verfügen. Er ist der Hirte der Schafe Jesu. Damit sind dem Hirtenamt des Petrus deutliche Grenzen gesetzt. – Daß dieses Verständnis des »Hirten-Amtes« nicht spezifisch johanneisch ist, sondern in der Urkirche offenkundig eine breitere Basis hat, wird vor allem durch 1 Petr 5,1–4 belegt, wo es heißt: »Die Presbyter unter euch ermahne ich als Mit-Presbyter und Zeuge der Leiden Christi sowie als Mitgenossen der Herrlichkeit, die in Zukunft offenbar werden soll: Weidet die Herde Gottes bei euch, indem ihr auf sie achtgebt, nicht gezwungenermaßen sondern freiwillig gemäß Gott, auch nicht um schnöden Gewinnes willen sondern bereitwillig, nicht als solche, die sich wie die Herren des Erbes aufführen, sondern die sich als Vorbild der Herde verhalten; wenn dann der Erz-Hirte erscheinen wird, werdet ihr den unverwelklichen Kranz der Herrlichkeit erhalten.« Der Hirten-Dienst erfordert eine ganz bestimmte Einstellung und Verhaltensweise, die dadurch geprägt sind, daß dieser Dienst stellvertretend geschieht. Er hat auch eine eschatologische Seite: er ist nur »vorübergehender« Natur, nämlich bis zur Parusie.

Was sagt der johanneische Petrus-Text, und was sagt er nicht? Der Text spricht in der Tat von einer Sonderstellung des Petrus. Auf der Ebene des Textes haben wir es mit der *johanneischen Interpretation der Petrus-Gestalt und ihrer Rolle in der Urkirche* zu tun. Daß es sich hier nicht um ein »echtes« Jesuswort handelt, sondern um eine Bildung der johanneischen Tradition, ist heute keine Frage mehr. Nach Jesu Tod und Auferstehung war Petrus derjenige, der als »Hirt der Herde Jesu« fungierte, dies ist die Vorstellung, die der johanneische Kreis sich von Petrus macht. Es ist die Rolle eines »stellvertretenden Hirtendienstes«, die keinerlei Herrschaft oder Machtansprüche einschließt. In diesem Sinne kann man durchaus von einem »Petrus-Amt« sprechen, wenn auch noch nicht im Sinne einer festen Institution, sondern im Sinne einer Art »Führungsrolle«, die mit der Person des Petrus verbunden erscheint. Sie wird motiviert durch die »unerschütterliche Liebe zu Jesus«. Diese ist eine nicht-institutionalisierbare Grundvoraussetzung des Hirten-Dienstes, wie er hier gesehen wird. Mit einer »Institutionalisierung« eines »Petrus-Amtes« ist diese Grundvoraussetzung, die Liebe zu Jesus, noch keinesfalls mit-institutionalisiert und eo ipso gegeben. Sie bleibt eine besondere Gegebenheit, eine Gabe Jesu, die, genau genommen, eine Verabsolutierung dieses Amtes verhindert und es in einer letzten Weise für jeden menschlichen Träger unverfügbar macht. Die Liebe zu Jesus bleibt also das entscheidende innere Kriterium des »Hirten-Amtes«. Auch von einer Petrus-Nachfolge ist an dieser Stelle keine Rede, was um so mehr auffällt, als anschließend ja der Tod des Petrus, wenn auch in verhüllter Weise, erwähnt wird (Vv. 18–19). Es wird zwar gesagt, daß Petrus zum stellvertretenden Hirtendienst an den Schafen Jesu gerufen wurde. Wer an die Stelle des Petrus treten wird, oder ob überhaupt jemand an seine Stelle treten soll, darüber wird kein Wort gesagt. Vielmehr bleibt alles offen. Auch von Joh 21,15–19 ist ein »Petrus-Amt« im Sinne des römischen Primats nicht abzuleiten. Gerade dieser Text läßt offenbar die Verlegenheit der Urkirche noch sehr klar erkennen, z. B. durch die »Konkurrenzgestalt« des Lieblingsjüngers. Das Johannesevangelium vertritt ganz gewiß keine »Petrus-Polemik«, vielmehr wird die Rolle des Petrus gesehen und ohne Schwierigkeiten anerkannt. Aber »Petrus« hat keine absolute oder exklusive Bedeutung. Darüber hinaus rückt er gerade durch die johanneische Interpretation wieder in eine »symbolische« oder »typologische« Dimension ein als Symbolfigur dessen, was kirchliches Hirtenamt ist oder seiner theologischen Grundstruktur nach sein soll, nämlich »Dienst an den Schafen Jesu«. Hier ist gerade die oben zitierte Stelle 1 Petr 5,1–4 wieder sehr aufschlußreich. Denn sie zeigt, daß das »Hirtenamt« gleichsam ekklesiologisch verallgemeinert wird. »Hirten-Amt« ist keine Bezeichnung für irgendein besonderes Amt in der Kirche, keine Bezeichnung einer »hierarchischen Struktur«, sondern Bezeichnung für das Amt überhaupt, wie es sich in jeder Ortsgemeinde darstellen soll. Was Joh 21,15–17 von Petrus gesagt wird, gilt im Frühkatholizismus und in der frühen Großkirche von jedem Gemeindebischof und Presbyter. Es ist ja kein Zufall, daß sich der gesamte kirchliche Leitungsdienst als »Hirten-Dienst«, also pastoral versteht.

3. ZUSAMMENFASSUNG

In seiner Studie »Petrus und Paulus, Pole der Einheit« stellt *Mußner* »eine enorme Aufwertung der Petrusgestalt und des Petrusdienstes nach dem Tod des Apostels Petrus« fest. Dies gelte sowohl für den judenchristlichen wie für den heidenchristlichen Bereich[64]. Dies trifft vorwiegend für die Evangelien-Überlieferung zu, auf die ich mich hier weitgehend beschränke, bei der man wahrscheinlich mit der Zuordnung »judenchristlich« (Mt), »heidenchristlich« (Mk, Lk, Joh) sehr vorsichtig sein muß. In der Evangelientradition überwiegt sehr stark das »judenchristliche« Element, auch wenn die Adressaten vorwiegend »Heidenchristen« sein sollten. Doch zunächst trifft sich die Beobachtung *Mußner*s mit dem von mir als »Typologisierung« bezeichneten Prozeß. Es ist der »symbolische Petrus«, der zunehmend an Bedeutung gewinnt. *Mußner* weist auch mit Recht darauf hin, daß diese Aufwertung »im gesamten damaligen Kirchenbereich« erfolgt[65]. Wenn man diese »Aufwertung« des Petrus so stark unterstreicht, dann muß man zugleich daran erinnern, daß von Paulus abgesehen, daneben die übrigen Mitglieder des Zwölferkreises in der Evangelientradition und darüber hinaus äußerst blasse Figuren bleiben, von denen wir oft nicht mehr als den bloßen Namen kennen. Was darüber hinaus berichtet wird, gehört gewöhnlich der mehr oder weniger apokryphen Legende an. Auch dieser Tatbestand ist ein weiteres Indiz für die »Symbolisierung« des Petrus. Der Name des Petrus war am meisten geläufig; er ist damit der Prototyp des Jesus-Jüngers und des Apostels, den man deshalb in der Tradition wie in der Redaktion beliebig einsetzen kann. Es bleibt deshalb auch problematisch, aus dem häufigen Vorkommen des Symbolnamens »Petrus« einfach

---

[64] F. Mußner, Petrus und Paulus, Pole der Einheit, 69–75.

auf dessen historische Rolle zurückzuschließen. Das historisch Zuverlässige ist äußerst minimal, vergleicht man es mit dem, was wir von Paulus wissen. Es ist am verläßlichsten bei Paulus zu finden; dazukommen einige Notizen aus der Mk-Überlieferung.

Nun hat sich aber gezeigt, daß gerade die »großen Petrus-Texte« bei Mt, Lk und Joh, auf die man sich am meisten beruft, redaktionelle Bildungen der jeweiligen Evangelisten und ihrer Tradition sind, die alle darin übereinstimmen, daß sie die Bedeutung des Kefas-Symbols als Name, Gestalt und besondere Rolle im Sinne ihrer eigenen Theologie interpretieren. Dabei stieß sich das Empfinden der Evangelisten, so vor allem bei Lk und Joh, aber auch bei Mt (der sinkende Petrus!) an dem, was man aus der Tradition sonst von Petrus wußte. Man hat also die Spannung zwischen dem »Felsen« und seinem kläglichen Versagen, vor allem bei der Verleugnung Jesu, gesehen und sie auch artikuliert. Will man diesem Umstand eine Bedeutung beimessen, dann könnte man sagen, daß »Petrus« hier gesehen ist als – »*simul justus et peccator*«. Er hat seine Rolle, seine Funktion und sein »Amt« mit und in aller menschlichen Unzulänglichkeit, ja Sündhaftigkeit, und zwar »allein durch Jesus«, also »sola gratia«.

Aus den verschiedenen Akzentuierungen der Evangelientradition ergab sich meines Erachtens klar, daß die Funktion des Petrus durchweg ihren Ort hat in der Weitergabe der Evangelien-Überlieferung. Es besteht eine gewisse *Zuordnung oder Zusammengehörigkeit von Jesus-Überlieferungen und Petrus-Tradition*. Aus diesem Grund kann ich die These *Mußners* nicht mitvollziehen, daß in der Urkirche »Paulus theologisch gesiegt« habe[66]. Hier macht sich das alte Problem »Paulus und der historische Jesus« bemerkbar. Traditionsgeschichtlich wird hier eher die alte Papias-Notiz von Petrus als dem Gewährsmann des Markus bestätigt (vgl. *Eusebius* h.e. III, 39,15) freilich nicht im wörtlichen Sinne, sondern im Sinne einer weiten traditionsgeschichtlichen Zuordnung. In der Frage nach der Bedeutung des Fels-Symbols wird diese Zuordnung bei Mt verstärkt, hier aber schon durch die Vollmachtsübertragung in einem »Gemeinde-disziplinären Sinn«, also *in Richtung auf Gemeindeleitung und kirchliches Amt*, als dessen Träger freilich bei Mt noch die Gesamtgemeinde erscheint.

Die lukanische Interpretation sieht offenbar stärker *die Verkündigung und die Mission* in Petrus symbolisiert. Dazu kommt die Reflexion auf die Verbindung von Jesus-Zeit und Zeit der Kirche, von Jesus-Verkündigung (Grundlegung des Evangeliums«) und Verkündigung der Apostel, die das

---

[65] A.a.O., 70.
[66] A.a.O., 133.

von Jesus gepredigte Evangelium weitersagen. Petrus erscheint hier als die symbolische Klammer zwischen den verschiedenen heilsgeschichtlichen Perioden. Er ist dann auch schließlich derjenige, durch den Gott selbst den Weg zur Heidenmission eröffnet, und der damit den zweiten wichtigen Schritt der Urkirche nach dem Pfingstgeschehen vollzieht. Nach der Apg ist Paulus der eigentliche »Nachfolger« des Petrus. Bei Joh zeigt sich die Verbindung von Liebe zu Jesus und Hirtenamt, die im Zusammenhang mit der Petrus-Typologie wohl die allgemeine Eigenart des kirchlichen Amtes demonstrieren soll. Aller kirchliche Dienst setzt – und dies ist echt johanneische Tradition – die Liebe zu Jesus voraus und ist »Hirten-Dienst«, keine »potestas«. Darin freilich kommen alle Zeugnisse überein, daß der unbedingte Vorrang Jesu gegenüber dem »Amt« gewahrt bleibt. Überall ist die bleibende Rückbindung an Jesus und die Vergegenwärtigung Jesu der letzte Sinn dieses »Amtes«.

Nach meiner Meinung kann man die Frage, ob man von einem »neutestamentlichen Petrusamt« sprechen könne, durchaus positiv beantworten, solange man sich dabei dessen bewußt bleibt, wie offen und wenig festgelegt dieses Amt war. Die frühkirchliche Ämterentwicklung ist nun einmal weit mehr ein soziologischer als ein theologisch-glaubensmäßiger Prozeß gewesen, bei dem, und das sehen wir heute erst deutlich, die theologischen Argumente häufig den Charakter eines ideologischen Überbaues hatten. Das ließ sich deswegen leicht machen, weil durch die »Symbolik« eine Mehrdeutigkeit und Offenheit gegeben war, die man so oder anders interpretieren konnte. Von den Evangelien her gesehen ist »Petrus« darüber hinaus weit mehr Symbol für das »eine kirchliche Amt«, als Symbol für ein einziges besonderes Amt. Von daher wären auch die üblichen Zuordnungen von Petrus – die übrigen Apostel, analog Papst – die Bischöfe noch einmal kritisch zu überprüfen. In der alten Kirche war jeder Bischof für seine Gemeinde der Inhaber des Petrus-Amtes. Der Schluß von der Anerkennung eines so verstandenen Petrus-Amtes auf die Berechtigung des römischen Primats kann deshalb vom NT niemals in direkter Linie gezogen werden. Der römische Primat ist eine soziologisch-historische Sonder-Entwicklung im Sinne einer »Monopolisierung« des Petrus-Amtes, aber keineswegs dessen einzig mögliche Gestaltung. Es gibt nach meiner Meinung keine zwingenden theologischen Gründe, die eine Verfassungsänderung des Papsttums im Rahmen des Petrusamtes prinzipiell ausschließen würden. Entscheidend ist hier viel mehr das Gewicht einer historischen Entwicklung sowie die Tatsache, daß mit dieser Entwicklung enorme kirchenorganisatorische Konsequenzen verbunden waren und noch immer sind. Der Zwang liegt hier also wesentlich stärker in der beträchtlichen Macht der historischen Gewohnheiten und Verhältnisse.

Wie kann man hier weiterkommen? Nach meiner Meinung geht es zunächst darum, vom NT her ein Bewußtsein zu schaffen für die soziologisch-historischen Bedingtheiten und Relativitäten des kirchlichen Amtes. Man muß sich von einem immer noch stark ontologisch-metaphysisch geprägten Kirchen- und Amtsverständnis lösen. Es ist beachtlich, was alles im Lauf der Geschichte als »göttlichen Rechtes« ausgegeben worden ist, was einer genauen historischen Nachprüfung nicht standhält. Hier gilt es, die historische Wahrheitsfrage innerhalb der katholischen Theologie und Kirche wirklich ernst zu nehmen. Was sich der historischen Forschung aus irgendwelchen Gründen als unhaltbar, als Rechtfertigungs-Ideologie oder vielleicht sogar als Fälschung ergibt, das kann auch keinen Anspruch auf bleibend gültige »dogmatische Wahrheit« erheben. Dies ist ein negatives Kriterium, dessen positive Forderung lautet, daß die »dogmatische Wahrheit« im Zweifelsfall sich der historischen Wahrheit anpassen muß. Es ist untragbar, mit einem »doppelten Wahrheitsbegriff« arbeiten zu müssen, wenn es zu Widersprüchen zwischen historischer und dogmatischer Aussage kommt. Daß mit diesem Postulat auch heute noch immer enorme ungelöste Schwierigkeiten und Probleme verbunden sind, ist bekannt. Darüber hinaus steckt in der historischen Erkenntnis auch ein befreiendes Moment. Es zeigt sich nämlich, daß die Kirche Jesu Christi bei aller Bindung an das Evangelium und an ihre eigenen Traditionen, an ihre Geschichte, doch sehr viel mehr Handlungsfreiheit gerade in der Gestaltung ihrer Kirchenverfassung hat, als sie selber sich zuzugestehen getraut. Es gilt, diesen Handlungsspielraum wahrzunehmen, und ihn Schritt für Schritt allmählich zu erweitern.

DISKUSSION

Gräßer: Zunächst kann ich einen Konsens zwischen mir und Herrn Blank feststellen: außer einigen methodischen Unterschieden gibt es keine wirklich gewichtigen Differenzen. Inhaltlich ist festzuhalten, daß vom Petrus der Bibel zum Papst der Ewigen Stadt nur ein qualitativer Sprung führt. Aus dem fehlbaren Zeugen Jesu wird dabei der Vicarius Christi. Die zwei entscheidenden Weichenstellungen, die diese Entwicklung eingeleitet haben, lassen sich noch aufzeigen (siehe mein Referat S. 33ff): 1. Die faktische Sukzession, in der die spätere Gemeinde zu den christlichen Anfängen steht, hat sich im Blick auf die Ordnungen und damit auf die Struktur des Amtes ganz unterschiedlich ausgeprägt. Daran ist solange nichts Verwerfliches, als sich solche Ausprägungen ihrer Geschichtlichkeit und also auch Veränderbarkeit bewußt bleiben. Verhängnisvoll wird die Sache dann und dort, wo das auf der einen oder anderen Seite Gewordene als *normativ* angesehen wird. Das ist beim römischen Bischofsamt von einem bestimmten Augenblick der Geschichte an der Fall gewesen. Damit hat es sich jeder neutestamentlichen Begründbarkeit begeben. Das Petrusamt ist in *diesem* Sinne nie normativ gewesen. – 2. Die andere entscheidende Weichenstellung ist der Umschlag des Amtsbegriffs in ein essentiell anderes Strukturgefüge. Aus der regulativen Rolle des Amtes wird von einer bestimmten Zeit an eine konstitutive Rolle des Amtes, konstitutiv nämlich für das Wesen der Kirche. Das aber kann theologisch nicht sein; daß das Amt konstitutiv ist für das Wesen der Kirche, das widerspricht dem Wesen der Kirche, die allein durch die Wortverkündigung konstituiert wird. Das Papstamt in seiner derzeitigen Figur kann darum in gar keinem Sinne Petrus sein.
Damit ist freilich die Frage nach theologisch relevanten Sachverhalten des Neuen Testaments für die Diskussion um ein ökumenisches Papsttum als Amt der geeinten Christenheit nicht beendet. Dabei sind folgende von mir in der Vorlage genannten Sachverhalte zu bedenken: 1. Das Amt der Apostel (Botschafter an Christi Statt), 2. Petri mehrfach unterstrichene Vorrangstellung, 3. der spät- und nachapostolischen Zeit dient Petrus als Garant der Rechtgläubigkeit im Kampf wider die Ketzerei, und 4. Petrus kam als *der* Apostel nach Rom und starb hier als Blutzeuge Christi (sicher bezeugt erst jenseits des Neuen Testaments).
Blank: Ich kann den Konsens, den Herr Gräßer feststellte, nur bestätigen.
Darum möchte ich jetzt nicht auf den exegetischen Befund insistieren.

Das Problem einer möglichen neutestamentlichen Grundlegung des Papstamtes ist kein dogmatisches, sondern ein typisches Legitimationsproblem. Wir kommen davon weg, wenn wir nicht mehr Petrus und seine Nachfolger isoliert sehen, sondern ihn betrachten im Gesamtzusammenhang der Überlieferung. Denn es geht hier um die Rückkoppelung einer bestimmten geschichtlich gewordenen Gestalt der Kirche an die apostolische Zeit; und die Aufwertung des Petrus, wie sie in den Evangelien vor sich geht, ist bereits dieser Prozeß der Rückkoppelung, d. h. Petrus wird Chiffre, Repräsentant, Typos für die konstitutive Problematik der Sammlung und abschließenden Festlegung der authentischen Jesustradition. Petrus bildet so – nach seinem Tod mehr und mehr – die Klammer zwischen dem vor- und nachösterlichen Christus. Es geht also in der Petrustradition nicht um die Legitimation des römischen Primats, sondern – umfassender – um die Legitimation einer bestimmten Jesustradition im Kampf gegen Häresien, was allerdings geschieht nicht ohne Zusammenhang mit der Ausbildung des monarchischen Episkopats. Entscheidend wird hier das 2. Jahrhundert, über das wir freilich noch viel zu wenig wissen.

Wichtig für unser Thema ist weiterhin, daß im Neuen Testament, wenn vom Amt innerhalb der Gemeinde die Rede ist, eher bestimmte Richtwerte gesetzt werden, wie kirchliches Amt auszusehen hat: daß es vor allem nicht als Herrschaft verstanden werden kann, sondern als Dienst, als Hirtenamt im Auftrag Jesu. Das was man in der älteren katholischen Tradition als »Moral eines Amtsträgers« bezeichnet hat, besagt weit mehr: es sagt etwas aus über die Struktur und die Art und Weise, wie das Amt in der christlichen Gemeinde wahrzunehmen ist – eben als Dienst, wobei in den Evangelien die bleibende Rückbindung an die übergeordnete Autorität Jesu deutlichst zum Ausdruck kommt.

Schließlich meine ich, daß die Entwicklung des kirchlichen Amtes – sei es in der Ausprägung des monarchischen Episkopats, sei es auch des Papsttums – wesentlich stärker von bestimmten historischen und soziologischen Bedingungen her verstanden werden muß, als das aus dem Neuen Testament abgeleitet werden könnte. Gemessen am Neuen Testament sind die Möglichkeiten der Kirche, ihren Dienst zu organisieren und neu zu konstituieren, viel größer, als wir das bisher gewußt haben, weil wir uns bisher zu eng auf ein einziges Legitimationsmodell festgelegt haben, wie es sich vom 3. Jh. an entwickelt hat. Von da aus scheint mir auch eine sehr starke Relativierung des Papsttums durchaus sinnvoll, und ich meine, sie ist mehr und mehr geboten.

Diskussion

Schweizer: Die Gemeinde des Neuen Testaments kennt zwar verschiedene geordnete Dienste, doch liegt der Nachdruck darauf, daß alle Dienste – sowohl der allgemeine Dienst eines jeden Getauften wie die speziellen Ämter – charismatische Dienste sind und darum grundsätzlich auf der gleichen Ebene stehen. Aber heißt das – Frage an Herrn Gräßer –, daß die Einrichtung kirchlicher Ämter einfach nach Zweckmäßigkeitsgesichtspunkten vor sich gehen müsse? Vielmehr liegt doch alles daran, diese Dienste so zu ordnen, daß die Grundbotschaft des Evangeliums sich auch in der Ordnung der Kirche ausspricht. Die dogmatische Wahrheit hat dabei – im Gegensatz zur Meinung von Herrn Blank – Vorrang vor der historischen. Denn es könnte doch sein, daß in der historischen Entwicklung dogmatische Einsichten des Neuen Testaments zugedeckt worden sind, so daß es nun gilt, diese Einsichten in das Wesen des Amtes hervorzuheben gegenüber dem, was sich historisch feststellen läßt – und das gälte sogar schon für die Zeit des Neuen Testaments.

Gräßer: Meine Formulierungen zur Ordnung des Amtes aus Zweckmäßigkeitsgründen sind mißverständlich und werden geändert. Denn in dieser Ordnung soll sich natürlich das Walten des Geistes auswirken. Es steht dahinter der alte Streit zwischen Rudolf Sohm und Adolf von Harnack. Sohm hat darin recht – und das wollte ich ausdrücken –, daß die Rechtsordnung dann im Gegensatz zum Wesen der Kirche steht, wenn das Recht, statt eine regulierende, eine konstituierende Funktion erhält; aber er hat unrecht, wenn er meint, die regulierende Funktion des Rechts könne nicht Wirkung des Geistes sein.

Nissiotis: Frage an Herrn Gräßer: Wo ist die biblische Basis für den Prioritätsunterschied von Wort und Amt? – Frage an Herrn Blank zu seinem Schema Praxis – Legitimation – Theologisierung: Wo ist die neutestamentliche Praxis des Petrusamtes, aus der Rom sich zu legitimieren beansprucht?

Gräßer: Mir geht es nicht um eine Entgegensetzung von Wort und Amt, sondern um die Begründung des Amtes. Und da ist es doch nicht strittig, daß es den Apostel nur gibt, weil er Gesandter an Christi Statt ist . . .

Nissiotis: . . . dann ist die Apostolizität der Grund, und damit bin ich einverstanden. Wenn wir Wort sagen, Logos, bedeutet das die Predigt des Wortes Gottes, der Akt. Aber die Apostolizität ist eine andere, eine tiefere Ebene. Man darf auf keinen Fall die Apostolizität mit dem Amt identifizieren – und hier liegt unsere Schwierigkeit mit der römischen Theologie.

Blank: Apostolizität – da stimme ich zu – ist begründet in der Verkündigung, die eine unaufhebbare Priorität hat. Um aber die Authentizität der Verkündigung zu sichern, bedarf es einerseits einer Rückkoppelung an die apostolische Zeit – damit hängt die Aufwertung der Petrusgestalt zusammen –, andererseits kommt es zur Bildung besonderer Dienstleistungen und Ämter, für deren Interpretation – das ist noch näher zu untersuchen – bestehende Herrschaftsmuster und -vorstellungen sicher eine Rolle spielten. Warum kommt es etwa zum monarchischen Episkopat? Steht dahinter vielleicht doch die antike Formulierung: Einer soll herrschen? Das ist also nicht unbedingt neutestamentlich verankert. Die von Herrn Nissiotis speziell angefragte Praxis ergibt sich aus diesem Zusammenspiel, daß also solche Vorstellungen die praktische Amtsausübung beeinflussen, die nicht allein von neutestamentlichen Kriterien her geleistet ist – man vergleiche etwa den 1. Clemensbrief.

Nissiotis: Vorsitzender des ersten Konzils in Jerusalem ist Jakobus, nicht Petrus. Wie erklären Sie sich diese Praxis? Ihnen zufolge sollte Petrus da das monarchische Amtsverständnis vertreten, weil Jakobus auch nicht Apostel ist, aber in der Praxis hat Jakobus dieses Amt inne, und zwar in Jerusalem, nicht in Rom.

Blank: Ob es einen zweifachen Ansatz gibt für ein mögliches Amtsverständnis, den man speziell an Petrus und Jakobus aufhängen könnte – das müßte ich mir noch genauer ansehen.

Brunner: Mir scheint Joh 21,15f etwas zu wenig beachtet. Der Grundgedanke dieses Textes ist folgender: Der erhöhte Herr ist und bleibt der gute Hirte von Joh 10, aber er will doch offenbar nunmehr, wo er nicht mehr leibhaftig in der Welt ist, einen der Apostel, eben den Petrus, beauftragen mit dieser seiner Hirtenfunktion, d. h. der Botschafter an Christi Statt ist auch der gute Hirte an Christi Statt und zwar nun für die gesamte Christenheit. Hier ist doch eine Funktion ins Auge gefaßt, die nicht durch Christi Auferstehung und Erhöhung auf Erden ausgelöscht sein soll. Man kann vielleicht sagen, so wie die Bewahrung der Verkündigungsfunktion des Apostels bis zum Ende der Welt gefordert ist, so muß auch diese stellvertretende Funktion für den Kyrios bis zum Ende der Welt da sein.

Blank: In diesem Wort an Petrus ist zweierlei reflektiert: die Übertragung des Hirtenamtes an Petrus und der Tod des Petrus. Es geht hier um die Interpretation der Funktion des Petrus im Sinne des johanneischen Kreises: für diesen hat der Symbolname Fels die Bedeutung, Jesus ganz besonders lieben im Sinne einer letzten und unerschütterlichen Bindung an Jesus. Diese Bindung ist unerläßliche Vorbedingung für den nachfolgenden Auftrag, die Übertragung des Hirtenamtes an Petrus, die Schafe *Jesu* zu weiden – womit zugleich sachliche Grenzen gesetzt sind. Interessant ist nun, daß nach der Übertragung in verhüllter Weise auf den Tod des Petrus angespielt wird, ohne die Frage einer möglichen Nachfolge zu stellen.

Brunner: Aber nun ist auch in Joh 10 vom Tod des Hirten gesprochen: hier liegt eine Analogie vor.

Jüngel: Die soteriologische Qualität des Hirten Jesus – er läßt sein Leben für die Schafe – kommt dem Petrus in keiner Weise zu. Und da muß die Differenz im Amt bestimmt werden.

Küng: Der Konsens, den die beiden Referenten feststellen konnten: ist er repräsentativ nicht nur für die evangelische, sondern auch für die katholische Exegese, oder gibt es irgendwelche ernstzunehmenden abweichenden Stellungnahmen?

Pesch: Herr Gräßer zitiert in seiner Vorlage zwei katholische Exegeten – Ruckstuhl und Kertelge –, die die Fragelinie verfolgen, ob das Papsttum in der Konsequenz der Petrustradition des Neuen Testaments liegen kann. Warum, Herr Gräßer, meinen Sie, das sei unmöglich? Ich frage das, weil ich in Ihrem Gegenmodell, wie kirchliches Amt zu begründen sei – »regulativer Akt« usw. – ganz bestimmte reformatorisch-theologische Voraussetzungen zur Deutung des Amtes heraushöre, die in *dieser* Form zumindest auch nicht neutestamentlich zu sein scheinen. Weiter: Wenn nicht neutestamentlich nach der Begründung des Papsttums gefragt werden kann, kann dann einigermaßen sinnvoll nach den neutestamentlichen Grundlagen des »ökumenischen Amtes der Einheit« gefragt werden, oder ist das auch wieder nur ein regulativer Akt, der zunächst nichts direkt mit dem Neuen Testament zu tun hätte?

Gräßer: In der Tat fallen Ruckstuhl und Kertelge aus dem Konsens heraus.

Im Gegensatz zu ihnen meine ich, daß das derzeitige Papsttum nicht in der Konsequenz des Neuen Testaments liegt. Hat nun ein regulativer Akt nichts mit dem Neuen Testament zu tun, dann ist er verwerflich.

Pesch: Problematisch scheint mir bei Ihnen die grundsätzliche Begründung des kirchlichen Amtes ausschließlich im Sinne eines regulativen Aktes – wohl im Sinne der Zwei-Reiche-Lehre Luthers, wo ja die Ämterstruktur der Kirche letztlich auch zum »Regiment Gottes zur Linken« gehört, soweit sie institutionelle Bewandtnis hat. Ist da aber nicht doch von der neutestamentlichen Basis her eine andere theologische und religiöse Qualifikation des kirchlichen Dienstes an Wort und Sakrament zu erfragen, die *zwischen* Kirchenrecht und Charisma steht?

Gräßer: Wie gesagt, bestehe ich nicht auf dieser Formulierung, sie ist mißverständlich.

Küng: Daß die genannten Exegeten vom Konsens abweichen, scheint mir nicht eindeutig. Erstens sprechen sie nicht vom Petrusamt, sondern vom Bischofsamt überhaupt, und zweitens diskutieren sie das Problem, inwiefern Bischöfe die Funktion der Apostel innehaben.

Gräßer: Kertelge versucht, im Zusammenhang seines Textes, einen persönlichen Nachfolger des Petrus im Sinne einer monarchischen Kirchenleitung doch noch biblisch zu begründen.

Blank: Der Konsens hat sich inzwischen erweitert um Paul Hoffmann und auch um Franz Mußner in seinem Buch »Petrus und Paulus – Pole der Einheit«.

Zur Sache selbst: Wir stehen offenbar vor einem Bruch zwischen Petrusamt und Papsttum. Läßt sich nun dieser »garstig breite Graben« überbrücken oder nicht? Bei dieser Frage ist es wichtig, das Neue Testament historisch zu betrachten, d. h. daß wir bei aller Bedeutung, die die kanonische Urkunde selbstverständlich hat, gerade auch die geschichtlichen Bedingungen und Bedingtheiten dieser kanonischen Urkunden und ihrer zeitlichen Erstreckung sehen müssen. Nun können wir einerseits feststellen, daß biblisch kein direkter Weg vom Petrusamt zum Papsttum führt – andrerseits aber wird schon vom 4. Jh. an der römische Primat aus der Bibel begründet. Man kann also die Entwicklung der Begriffe ›Petrus‹ und ›apostolisch‹ als Typos, als Symbol nicht ablösen von den konkreten Fragen der Kirchenorganisation; die Ausprägung des Amtes lag nicht im Belieben oder Nichtblieben, es war einfach notwendig, Garanten der Tradition zu verorten. Natürlich sind Entwicklungen durch ihre Faktizität nicht gerechtfertigt, aber die Geschichte als Interpretation des Neuen Testaments kann nicht ausgeblendet werden. Zwei Momente dürften maßgebend gewesen sein, sich auf Petrus im Neuen Testament zu beziehen: das Interesse an Kontinuität der Verkündigung durch Rückgriff auf Zeugen und das Interesse an der Einheit einer wachsenden Christenheit. Wenn solcherart historisch die ideologischen, soziologischen usw. Komponenten mitberücksichtigt sind, kann man fragen, in welcher Weise Entwicklungen stattgefunden haben, die – gemessen an neutestamentlichen Kriterien – legitim oder illegitim sind.

Pesch: Ich würde gerne noch etwas hören zum Problem einer neutestamentlichen Begründung des »ökumenischen Amtes der Einheit« im Unterschied zur bisherigen Frage nach einer neutestamentlichen Legitimation des jetzigen Papsttums.

Gräßer: Die Frage nach einer neutestamentlichen Legitimation des Einheitsamtes ist neu und müßte erst einmal exegetisch durchbuchstabiert werden.

Jüngel: Bei der Frage nach der Begründung des Einheitsamtes würde man unhistorisch verfahren, wenn man eine neutestamentliche Begründung im Sinne der faktischen historischen Kontinuität aufzuweisen überhaupt versuchen wollte. Dagegen scheint es mir sowohl historisch wie theologisch korrekt zu sein, wenn man nach der neutestamentlichen Legitimation eines solchen Amtes, nicht nur in seiner Möglichkeit, sondern in seiner Notwendigkeit fragt. Für ein solches Amt scheint es mir nicht zureichend zu sein, nur das neutestamentliche Petrusamt im Blick zu haben, sondern auch denjenigen, der dem Kefas ins Angesicht widerstand (Gal 2,11); anders formuliert: für ein solches Amt ist die Repräsentation der Wahrheit im apostolos unaufgebbar, dem apostolos, vertreten durch Petrus im Sinne des Siegelbewahrers der authentischen Jesustradition und des Hirten *und* durch Paulus als desjenigen Apostels, der darüber wacht, daß kein anderes Evangelium in der Kirche herrscht. Dieser apostolos hat keinen Erben und kann keinen Erben haben. Aber er hat einen *sachlichen* Nachfolger und das ist das Dogma; das Dogma übernimmt die Funktion des apostolos in neutestamentlicher Zeit. Das ökumenische Einheitsamt müßte m. E. deshalb zumindest auch, wenn nicht gar entscheidend, bestimmt werden von der Relation zum Dogma.

Geißer: Wo und wie läßt sich näherhin die Aufwertung des Petrus zu einer Chiffre, einem Symbol festmachen?

Gräßer: Hier bin ich mit Herrn Blank und seiner Bewertung der redaktionellen Dimension nicht ganz einig, denn es könnte doch sein, daß die Rolle, die die Gemeinde Petrus zuschreibt, schon der historische Petrus mitbrachte. Ich psychologisiere sehr ungern, aber hier läßt sich vielleicht sagen, daß Petrus besonders temperamentvoll gewesen ist und deshalb eine Führerrolle im Zwölferkreis besaß.

Blank: Ich sehe hier keinen Gegensatz. Die Frage ist doch, was vom Historischen aufgegriffen und weitertradiert wird und dann als Rolle in diesem Prozeß sich herausstellt.

Greifbar ist die Entwicklung des Petrus zum Typos vor allem im Mattäusevangelium, etwa in der Geschichte vom sinkenden Petrus – hier wird Petrus dargestellt als einer, der sein Amt hat trotz seiner Kleingläubigkeit –, besonders aber zeigt sich die Typologisierung im 1. und 2. Petrusbrief. Hier werden dann die schon erwähnten Probleme der Traditionssicherung, der richtigen Schriftinterpretation artikuliert.

Stirnimann: Zwei Fragen an Herrn Gräßer: 1. Was meinen Sie mit der Formel »Der Papst ist Petrus«? 2. Ist das Amt nur zu verstehen als eine pragmatische Einrichtung, die sich aus dem allgemeinen Christenamt ableitet?

Gräßer: Bei der genannten Formel beziehe ich mich auf einen Artikel von Quiter mit dem Titel »Der Papst ist Petrus – ein bildhafter Vergleich, ein Anachronismus oder eine begründbare Identität?« Die Formel besagt für mich, daß der Inhaber des Bischofsstuhles von Rom der

Nachfolger Petri auch in diesem Amt ist. Zur Ämterfrage: da kann ich nur wiederholen, daß meine Formulierung mißverständlich ist.

Moltmann: Die Bibel als Begründungs- und Legitimationsbuch: ich habe da ein Unbehagen. Man kann nachträglich vielleicht sagen, was im Einklang mit dem Neuen Testament und jener frühen Zeit steht, aber kann man umgekehrt deduzieren aus dem Neuen Testament, was kirchliche Ordnung, was kirchliche Ämter sein müssen? Das geht ja offenbar nicht, es ist also ein nicht-reversibler Vorgang, und darüber müßten wir noch diskutieren, welche Bedeutung solche Legitimationsvorgänge eigentlich haben oder ob sie überflüssig sind. Wie normativ ist also das Neue Testament in Fragen von Kirchenordnung und Ämtern usw.?

Ott: Unsere Frage sehe ich in Parallelität zur anderen Problematik der Kirchenstiftung durch Jesus. Der vorösterliche Jesus hat keine Kirche gestiftet, sondern die »Stiftung der Kirche« ist ein Indikat des Gesamtgeschehens der Evangeliumsverkündigung oder Reich-Gottes-Ansage des vorösterlichen wie nachösterlichen Christus. Und in einer gewissen Parallele dazu wird nun gesagt, aus dem Neuen Testament läßt sich kein rechtlicher Primat des Petrus ableiten, weil er dort einfach nicht aufweisbar ist. Hingegen wird positiv gesagt: um die neutestamentliche Symbolgestalt Petrus kristallisiert sich ein für die Gemeinde wesentliches Anliegen der Einheit und der Kontinuität, das auch in der Gegenwart aktuell ist bzw. wieder werden kann. Ich meine, hier zeigt sich in beiden parallelen Fällen – Kirchengründung und Petrusamt – ein grundsätzlich anderer Modus des Umgangs mit der Schrift in Fragen der Ekklesiologie. Der frühere Modus des Umgangs mit der Bibel vermittelte sich auf dem Wege der Deduktion: aus bestimmten historisch vorausgesetzten, weil für historisch nachweisbar gehaltenen normativen Akten werden dann allgemeine Normen deduziert. Nun bleibt für mich vorläufig die neue Frage offen: Wie vermittelt sich die neue Methode des ekklesiologischen Rekurses auf die Schrift, wie sie jetzt sichtbar wird, wie vermittelt sich das hinein in die ekklesiologische Theorie und Praxis? Statt Deduktion – wie machen wir es jetzt?

Schlink: Mir käme es auf eine Präzisierung der Begriffe an, mit denen die Neutestamentler die Sonderstellung des Petrus im Verhältnis zu den anderen Jüngern bzw. Aposteln gekennzeichnet haben. Es ist deutlich: Petrus ist nicht der Vorgesetzte der anderen, so daß sie Befehle von ihm entgegenzunehmen und auszuführen hätten. Statt dessen ist der Begriff des Sprechers, des Repräsentanten der Jünger oder auch des repräsentativen Sprechers verwendet worden. Müßte man nicht auch gegenüber diesen Begriffen noch Präzisionen vornehmen? Denn Petrus ist zweifellos nicht als von den anderen Jüngern beauftragter Sprecher oder beauftragter Repräsentant zu verstehen, so wie man heute im rechtlichen und auch politischen

Sprachgebrauch den Sprecher als den Beauftragten etwa einer Partei versteht, der die Pflicht hat das auszusagen, was die Partei denkt und will, und entsprechendes gilt vom Repräsentanten. Es gehört also zu diesem Sprecher-Sein, Repräsentant-Sein des Petrus offensichtlich ein Moment der Spontaneität, das in einer pneumatischen Gemeinschaft zwischen ihm und den Jüngern seinen besonderen Ort hat – einer Gemeinschaft, die ihrerseits wiederum den Grund hat in den Erscheinungen und dem Auftrag Jesu. Es wäre also ein Sprechertum, ein Repräsentantentum völlig sui generis. Diese Besonderheit ist m. E. sehr wichtig, um dann zu fragen, wie weit das Modell später in der Kirchengeschichte Nachfolge gefunden hat. Es ist auch verwendet worden der Begriff des Führers. An diesem Punkt sind wir älteren Deutschen jedenfalls besonders allergisch, denn dieser Begriff ist ja ungeheuer vieldeutig. Er enthält die Möglichkeit, die von vielen als abschreckend empfunden wird, zu deklarieren: ich und das Volk sind eins – was ich sage, ist die Stimme der anderen Jünger bzw. die der Kirche. Auch hier wären genaue Differenzierungen nötig, wenn man die Sonderstellung des Petrus charakterisieren will.

Dagegen finde ich anderseits bei den Neutestamentlern oft – ich rede nicht speziell von Ihnen – eine für mich auffallende und nicht überzeugende Ablehnung gegenüber allem, was jurisdiktionell, institutionell oder amtlich klingen könnte. Manche weigern sich sogar, von Apostelamt zu sprechen, weil es in seiner Einmaligkeit keine Fortsetzung gefunden hat. In der dogmatischen Tradition dagegen hat man keine Scheu gehabt, vom Amte Christi zu sprechen, wenngleich dieses Amt nicht nur einmalig ist, sondern schlechterdings einzigartig. Ein elementar jurisdiktioneller Akt ist m. E. der Akt des Sündenvergebens und des Sündenbehaltens. Ferner zum Begriff institutionell: Calvin etwa hat seine ganze Dogmatik unter dem Begriff der institutio gestellt. Ich fürchte, daß man bei der ablehnenden Bewertung dieser Begriffe sich zu leicht einer gewissen Zeitströmung hingibt, auch bei der Übernahme der Begriffe Sprecher und Repräsentant. Hier sind zweifellos Klärungen notwendig, wenn überhaupt das Gespräch darüber exakt geführt werden soll, inwieweit urchristliche Strukturen in der späteren Kirchengeschichte eine – sei es berechtigte oder unberechtigte – Veränderung erfahren haben.

Gräßer: Viele Voten laufen auf die wichtigste Frage hinaus, wie die Kirche nach dem Tod der Apostel apostolische Kirche bleiben kann. Ich stimme der hier von Herrn Jüngel aufgestellten Hypothese zu, daß nicht das apostolische Amt vererbt wird, sondern daß das Dogma das Erbe ist. Der Ursprung der apostolischen Existenz liegt beim Kyrios und die Apostel sind als Auferstehungszeugen Botschafter an Christi Statt, das macht ihre apostolische Vollmacht aus; ihre Verkündigung wird zur Tradition, die die

Gemeinde bewahrt, und dieses Bewahren der apostolischen Tradition macht sie zur apostolischen Kirche: Die Apostel geben also ihr Evangelium weiter, ihre Tradition, sie können nicht ihr Amt weitergeben, in das sie gekommen sind dadurch, daß sie den Auferstandenen gesehen haben und mit der diakonia betraut wurden oder wie Petrus mit der Funktion des Fundamentes betraut wurde, was m. E. gar nichts anderes sagt. Ich meine, daß das auch abhebt auf das, was Herr Brunner gesagt hat: die Gemeinde muß geweidet werden bis zur Parusie Christi, das Weiden der Herde darf nicht aufhören, aber das kann nur so geschehen, daß die von den Aposteln vererbte Tradition in den Gemeinden bewahrt wird, lebendig bleibt; in welcher Form des Dienens das geschieht, ist offen, muß offen sein.

Herr Moltmann, ich habe auch ein Mißbehagen, wenn man das Neue Testament als Legitimationsbuch benützt. Die Frage kann nicht sein: Ist das Amt neutestamentlich begründbar? Aber es muß immer die Frage sein, ob dieses Amt der Bewahrung der Wahrheit, für die das Neue Testament das unaufgebbare Zeugnis ist, nützt oder schadet – insofern nur kann die Frage an das Neue Testament zurückgeleitet werden.

Blank: Eine der wichtigsten Fragen, die hier gestellt worden sind, scheint mir die von Herrn Ott zu sein: daß wir uns klar werden müssen über den entsprechenden Modus des Umgangs mit dem Neuen Testament, was den Legitimationsgebrauch betrifft. Ich würde nicht so ohne weiteres dem Satz von Herrn Jüngel zustimmen, der sachliche Nachfolger sei das Dogma. Denn wenn die Grundrelation, von der das Dogma herkommt, die Verbindung von Wort, Kerygma und Apostolos ist, dann kann nicht allein das Dogma als solches die Weiterführung sein, sondern dann muß es auch eine analoge Funktion für den Apostolos geben.

Was die Bestimmung des Apostolos betrifft, da will ich Herrn Jüngel sehr zustimmen, wenn er betont hat, daß eben dieser Petrus im Neuen Testament nicht denkbar ist ohne Paulus. Pauschal formuliert kann man vielleicht sagen: die Katholiken haben den Paulus mit seinem absoluten Kriterium Evangelium und Freiheit des Christenmenschen gegenüber der einseitigen Verabsolutierung des Petrus zu lange vernachlässigt – umgekehrt die Frage an die protestantische Theologie, ob nicht gerade auch das Evangelium um seiner Kontinuität willen den Petrus braucht. Unser Bemühen muß darin bestehen, diese beiden Faktoren wieder sinnvollerweise zusammenzubringen.

Wilhelm de Vries

DIE ENTWICKLUNG DES PRIMATS IN DEN ERSTEN DREI JAHRHUNDERTEN

Der Sinn dieses Vortrags ist es, rein historisch zu untersuchen, was wir gemäß den uns erhaltenen historischen Quellen über die Entwicklung des Primats des Bischofs von Rom sagen können. Diese Quellen stellen naturgemäß nur einen Bruchteil des Materials dar, das zum größten Teil nicht bis auf uns gekommen ist. Das Bild, das wir zeichnen können, ist deshalb notwendig unvollständig. Im 5. Jahrhundert, etwa zur Zeit Leos I., ist der Primat bereits voll entwickelt. Aber er ist gewiß damals nicht fertig vom Himmel gefallen. Wir wollen versuchen, seinen Werdegang bis in die Urzeit des Christentums zurückzuverfolgen.

Die Christenheit bestand niemals aus einem bloßen Nebeneinander von unter sich völlig gleichberechtigten Einzelgemeinden, die nur in der Liebe und im Glauben eins waren. Jerusalem, die Urgemeinde, in der die Frohbotschaft vom auferstandenen Gottessohn zuerst verkündet worden war und von wo sie weiterdrang, zunächst nach Judäa, Samaria und Galiläa und dann auch in das überwiegend heidnische Antiochien, war naturgemäß der Vorort der werdenden Kirche. In Jerusalem residierte das Apostelkollegium mit Petrus an der Spitze. Paulus hatte zwar direkt vom Herrn die Offenbarung der Frohbotschaft erhalten (Gal 1,16). Er hatte es deshalb nicht nötig, nach Jerusalem zu reisen zu denen, die vor ihm zu Aposteln berufen waren (1,17). Trotzdem zog er »drei Jahre später nach Jerusalem hinauf, um Kefas kennenzulernen« (1,18). Außer diesem traf er damals nur Jakobus, den Bruder des Herrn, dort an (1,19). Vierzehn Jahre später reiste er wieder nach Jerusalem, um das Evangelium, das er unter den Heiden verkündete, »den maßgebenden Männern vorzulegen«, »um nicht etwa ins Blaue hineinzulaufen« (Gal 2,2). Auftauchende Streitigkeiten wurden in Jerusalem entschieden, so der Streit um die grundlegende Frage, ob die getauften Heiden das jüdische Gesetz beobachten müßten oder nicht (Apg 15,1.2). »Die Apostel und Ältesten« teilen in einem Brief die in Jerusalem gefällte Entscheidung mit, die »dem Heiligen Geist und uns gefallen hatte« (Apg 15,28). Auf seiner letzten Reise nach Jerusalem (Apg 20) ging Paulus zu Jakobus, bei dem sich alle Ältesten versammelt hatten (Apg 21,18). Ihnen legte er Rechenschaft über seine Tätigkeit ab. Paulus übergab den Gläubigen in Jerusalem die Liebesgaben, die er in den von ihm gegründeten Gemeinden gesammelt hatte (Apg 24,17).

Mit der Zerstörung Jerusalems im Jahre 70 war seine Rolle als Vorort der Christenheit zu Ende. Die Apostel zerstreuten sich. Petrus hatte schon lange vorher Jerusalem verlassen und war schließlich nach Rom gegangen, gewiß aus der Einsicht heraus, daß von der Hauptstadt aus das Christentum am leichtesten zu verbreiten war. Rom wurde der neue Vorort der Christenheit. Seine politische Bedeutung als Hauptstadt hat dabei eine Rolle gespielt, mindestens wegen der von Petrus getroffenen Wahl dieser Stadt als seines Sitzes. Daß Petrus in Rom (wahrscheinlich unter Nero im Jahre 64) den Martyrertod erlitten hat, wird heute wohl allgemein angenommen[1]. Schon Tertullian sieht das Leben und Sterben des Petrus in Rom als außer Zweifel stehend an[2]. Ob er als der »Bischof« der Stadt bezeichnet werden kann, ist strittig. – Was geschah nun nach dem Tod des Petrus in Rom? Es ist nicht unsere Aufgabe zu untersuchen, in welchem Sinn Petrus in der Urkirche einen Primat ausübte. Jedenfalls regierte er die Kirche nicht, wie etwa die Päpste unserer Zeit sie regieren. Die Apostelgeschichte berichtet, wie das Apostelkollegium in Jerusalem den Petrus und den Johannes nach Samaria schickte, um das Werk des Philippus, der dort die Frohbotschaft vom Reiche Gottes verkündet und viele getauft hatte (Apg 8,14,15), zu vollenden. Stellen wir uns vor, wir läsen heute in der Zeitung, die Bischofssynode von Rom habe Papst Paul VI. zu irgendeiner Aufgabe irgendwohin »geschickt«. Es wäre unvorstellbar. Es liegt auf der Hand, daß zwischen der Stellung des Petrus im Apostelkollegium und der des heutigen Papstes im Kollegium der Bischöfe ein grundlegender Unterschied besteht. Als Petrus in Cäsarea den heidnischen Hauptmann Kornelius und viele andere getauft hatte (Apg 10,25ff) machten ihm nachher »die aus der Beschneidung« in Jerusalem Vorwürfe: »Wie konntest du zu Unbeschnittenen gehen und mit ihnen zusammen essen?« (Apg 11,15). Heute wäre es einfachhin unvorstellbar, daß ein Papst von einer Gemeinde wegen seines Tuns zur Rechenschaft gezogen würde.

Die Kirche von Rom wurde nach dem Tod des Petrus wahrscheinlich zunächst durch ein Kollegium von Presbytern mit *einem* Mann an der Spitze geleitet. Jedenfalls können wir historisch nicht nachweisen, daß Petrus einen Nachfolger designiert habe oder daß ein solcher durch die hervorragendsten Gemeindemitglieder gewählt worden sei. Es ist durchaus denkbar, daß das Leitungsamt des Petrus zunächst von einem Kollegium übernommen wurde. Im ältesten Dokument, das wir über die römische Gemeinde besitzen, im Klemens-Brief, ist von einem Bischof von Rom mit keinem Wort die Rede. Daß ein »Klemens« der Verfasser war, wissen wir nur aus anderen frühen Zeugnissen. Die Gemeinde von Rom schreibt an die Gemeinde von Korinth. In Rom geschah nach Hans Lietzmann der Über-

---

[1] Baus, 131ff.
[2] Jalland, 66.

gang von der kollegialen zur monarchischen Leitung um die Mitte des 2. Jahrhunderts[3]. Das Leitungsamt des Petrus, das sich auch auf die Gesamtkirche erstreckte, kann – wie schon gesagt – nach seinem Tode sehr wohl zunächst auf ein Kollegium übergegangen sein. Gregory Dix, ein anglikanischer Benediktiner, schreibt zur Sache: »I Clemens (AD 96) offers fairly conclusive evidence, that church government at Rome and Corinth was then in the hands of a corporation of presbyters.«[4] An der Zuverlässigkeit der von Irenäus aufgestellten Liste der dem Petrus nachfolgenden ersten Bischöfe von Rom werden ernste Zweifel geäußert.

Der Klemens-Brief war bekanntlich eines der Hauptargumente der katholischen Apologeten zum Aufweis des römischen Primats bereits im 1. Jahrhundert, wenn uns dies auch nicht recht einleuchten will, weil der Verfasser niemals *selbst* befiehlt, sondern nur auf bestehende Gesetze und Vorschriften hinweist, deren Beobachtungspflicht sich aus der ihnen innewohnenden Autorität ergibt, worauf jedermann hinweisen kann, auch ohne eine persönliche Autorität in Anspruch zu nehmen. Jedermann kann mit Berufung auf solche Anordnungen in einem recht autoritativen Ton sprechen. Der Verfasser des Klemens-Briefes beansprucht schwerlich eigene Autorität in Korinth. Er weist auf bestehende Gesetze hin, ohne ein Recht auf autoritative Interpretation dieser Gesetze zu beanspruchen. Die Intervention Roms in Korinth weist aber doch darauf hin, daß Rom bestrebt war, nach dem Untergang Jerusalems der neue Mittelpunkt der Weltkirche zu werden. Jakob Speigl weist in seinem Aufsatz »Weltkirche – Ortskirche« hierauf hin[5]. Der Autor des Briefs erwähnt zwar einmal beiläufig den Aufenthalt des Petrus und des Paulus in Rom, ohne daraus irgendeine Autorität für sich selbst oder seine Gemeinde abzuleiten. Er weist auf die Mühseligkeiten und Leiden hin, die Petrus (wie auch Paulus) in Rom zu erdulden hatten[6], ohne den Tod des Petrus in Rom und eine eventuelle Nachfolge in seiner Stellung zu erwähnen. Der Autor des Briefs weist auf fremde Autorität, z. B. der von Gott gegebenen Gesetze hin, ohne eigene Autorität zu beanspruchen[7]. Er fordert an vielen Stellen Gehorsam Gott gegenüber. Das altchristliche Solidaritätsbewußtsein dürfte zur Erklärung der freilich recht energischen Mahnungen an die Gemeinde von Korinth genügen. A. W. Ziegler schreibt zur Sache: »Es darf heute als ausgemachte Sache gelten, daß ein ausdrücklicher Primatsanspruch nicht erhoben wird.«[8]

---

[3] Lietzmann, 246.
[4] Dix, 34. Zur Bischofsliste vgl. Jalland, 85; Colson; L'organisation, 82.
[5] Festgabe Döpfner, 78.
[6] Fischer, Klemensbrief, 5,4, S. 30.
[7] Ziegler, 111.
[8] A.a.O., 119.

Jedenfalls stellt sich der Briefschreiber in keiner Weise als Petrusnachfolger vor. Er begründet seine Forderungen nicht mit dieser Nachfolge. – Ziegler nimmt einen von prophetischer Autorität getragenen, rein religiösen Vorrang Roms, der in die Geschichte des Primats gehört, als die beste Erklärung an[9].

Der Klemensbrief beweist, daß schon damals Rom eine hervorragende Stellung besaß. Aber als Argument für einen auf der Petrusnachfolge beruhenden Primat kann er nicht gelten.

Auch andere Kirchen schreiben Mahnbriefe an Schwesterkirchen, und zwar in nicht weniger autoritativem Ton als Rom im Klemens-Brief. Dionysius von Korinth schreibt (um 170) sogar an die weit entfernte Kirche von Amastris und an andere in Pontus. Er »ordnet für diese Kirchen an«, daß sie größere Milde den Sündern gegenüber walten lassen sollten[10]. Die Korrespondenz des Dionysius findet sich im 4. Buch der Kirchengeschichte des Eusebius[11]. Wenn in einem Brief eines Bischofs von Rom ein solch starker Ausdruck sich fände, würde man ihn sofort als Argument für den Primat ausnutzen. McCue bemerkt dazu: »It is difficult to imagine that these letters could have been less imperatives less anthoritarian than 1 Clemens«[12].

Der Brief des Ignatius von Antiochien an die Kirche von Rom (geschrieben um 107) wird sehr häufig als Beweis für eine Sonderstellung Roms angeführt[13]. Die Urteile der Autoren hierüber gehen freilich weit auseinander. H. Grotz übersetzt die bekannte Stelle in der Grußadresse an Rom (nicht an seinen Bischof, der überhaupt nicht erwähnt wird), »προκαθημένη τῆς ἀγάπης«, unbedenklich mit »Vorsteherin des Liebesbundes«[14]. Baus gibt den Text mit »Vorsitz in der Liebe« wieder und bemerkt dazu, der Ausdruck könne keineswegs im Sinn einer besonderen persönlichen Vorrangstellung des Bischofs von Rom verstanden werden[15]. Baus weist darauf hin, daß das Verhalten der römischen Gemeinde in der Caritas als Beispiel empfunden wurde[16]. McCue lehnt die Deutung »Vorsitzende des Liebesbundes« (= der Gesamtkirche) m. E. mit Recht ab. Sie würde der Ekklesiologie des Ignatius selbst widersprechen, die episkopalistisch ist und keine

---

[9] A.a.O.,122.
[10] Vgl. Eusebius, Hist. Eccl. IV,23,6; Προστάττει: so nach Riddl-Scott I 1526.
[11] Nautin, Lettres, 24ff. Vgl. Mc Cue in: Theol. Studies 25 (1964) 167/168.
[12] A.a.O. (Mc Cue), 168.
[13] Wir benutzen die von Josef A. Fischer, Die Apostolischen Väter, im Kösel-Verlag 1956 erschienene Ausgabe.
[14] Arch. Hist. Pont. 13 (1975) 25.
[15] Baus, 180.
[16] A.a.O., 353.

einheitliche Organisation für die Gesamtkirche kennt[17]. Josef A. Fischer schreibt in seiner Einleitung zu den Ignatiusbriefen: »ἀγάπη« ist lexikalisch als »Liebesbund« nicht zu halten ... Auch an dieser Stelle ist von keinem eigentlichen Lehr- und Jurisdiktionsprimat die Rede«[18]. McCue schlägt als Übersetzung des umstrittenen Textes vor: »Hüterin oder Schützerin der Liebe«[19].

Michele Maccarone polemisiert zwar gegen McCue, gibt aber zu, daß dessen Reserven gegen die Übersetzung »Vorsteherin des Liebesbundes« berechtigt sind[20]. Es handelt sich auch nach diesem Autor nicht um einen juridischen Vorrang, sondern nur um einen moralischen[21]. B. J. Kidd ist der Auffassung, daß die Einleitung des Briefs nicht mehr als eine moralische Autorität Roms beweist[22].

McCue lehnt die Gleichsetzung von Agape und Kirche, wie sie von manchen Autoren, z. B. von H. Grotz, vertreten wird, ab. Ignatius spricht an anderer Stelle (Rom 9,3) von der »Agape der Kirche«[23]. Auch nach P. Stockmeier paßt die Übersetzung »Vorsitzende des Liebesbundes« ganz und gar nicht in das ekklesiologische Konzept des Ignatius. Nach diesem gibt es ... keine Instanz, die übergreifend allen Ortskirchen vorgeordnet wäre[24]. Die ignatianische Formel »katholische Kirche« kann nicht im Sinn eines Attributs der universalen Kirche als solcher verstanden werden. Ignatius kennt keine universale Kirche, die für den Ortsbischof eine übergeordnete Instanz wäre. Die hierarchische Spitze des Primats ist der ignatianischen Ekklesiologie fremd. So P. Stockmeier[25]. Die Übersetzung »Vorsteherin des Liebesbundes« ist also irreführend. Es gab zur Zeit des Ignatius noch keine organisierte universale Kirche. Rom kommt gewiß eine ganz hervorragende Stellung zu. Dies wird aber von Ignatius niemals auf die Tatsache zurückgeführt, daß Petrus und Paulus in Rom weilten und dort das Martyrium erlitten. Ignatius erwähnt den Aufenthalt der beiden Apostelfürsten in Rom nur nebenbei, zieht aber keine Schlüsse daraus. Er schreibt: »Nicht wie Petrus und Paulus befehle ich euch.«[26]

Eine Begründung der Sonderstellung Roms läßt sich also aus den ältesten

---

[17] Mc Cue, in: Theol. Stud., 173.
[18] Fischer, 129/130.
[19] Maccarone, 103.
[20] A.a.O., 108.
[21] Kidd, 13.
[22] Mc Cue, a.a.O., 173.
[23] Mc Cue, ebd.; vgl. Fischer, Ign. Rom. 9,3,191.
[24] Stockmeier, in: Festgabe Döpfner.
[25] A.a.O., 74.
[26] Ign. ad Rom. 4,3, Fischer, 187.

Dokumenten, die wir über die Gemeinde von Rom besitzen, nicht herleiten. Auch bei den frühchristlichen Apologeten ist zur Sache nichts zu finden. Der Aufenthalt von Petrus und Paulus in Rom und ihr Martertod dort legen es nahe, dieser Stadt deswegen eine besondere Stellung einzuräumen. Aber dies geschieht ausdrücklich nicht. Rom gewann als Kirche der Hauptstadt gewiß ein besonderes Ansehen. Aber es geht nicht an, den Primat einfach aus der Tatsache zu erklären, daß Rom die Hauptstadt des Reichs war. Der Anglikaner Gregory Dix weist darauf hin, daß bei keiner anderen in Rom vertretenen Religion diese Stadt der Vorort geworden ist. Das Judentum hatte durch die Zerstörung Jerusalems sein historisches Zentrum verloren. Rom trat nicht an die Stelle Jerusalems, obwohl zahlreiche Juden dort wohnten. Die kaiserliche Regierung war ihnen für gewöhnlich wohlgesinnt und hätte es nicht ungern gesehen, wenn die Juden die Hauptstadt zum Zentrum ihrer Religion gemacht hätten, wenigstens vorläufig bis zur etwaigen Wiedergewinnung Jerusalems. Dies hätte den Kaisern die Kontrolle dieses ewig unruhigen Volks erleichtert. Aber nichts davon. Nur ein einziger jüdischer »Patriarch« – diese folgten den Hohenpriestern nach – hielt sich im 2. Jahrhundert für eine gewisse Zeit in Rom auf. Die Patriarchen nahmen schließlich ihren Sitz in Jamnia, und zwar unter dem Titel »Fürsten der Gefangenschaft«. – Der Mithraskult war in Rom weit verbreitet, ebenso die Verehrung der Isis. Aber die Anhänger dieser Kulte in Rom übten niemals, weil Rom die Hauptstadt war, irgendeinen leitenden Einfluß in ihrer Religionsgemeinschaft aus[27]. Die Christen machten keinen Hehl daraus, daß sie für Rom als Hauptstadt des Reiches keine besondere Zuneigung hegten. Dix bringt eine Reihe von Beispielen aus christlichen Schriften, die sich sehr abfällig über Rom äußern[28]. Als eines davon sei Hippolyt genannt, für den die majestätische Herrschaft Roms nur eine teuflische Parodie des Reiches Gottes ist. Im 4. Jahrhundert wurde freilich auf dem ersten Konzil von Konstantinopel (381) die Vorrangstellung Roms aus der Tatsache, daß diese Stadt Sitz des Kaisers und des Senats war, begründet[29]. Aber inzwischen war das Christentum die offizielle Religion des Staats geworden. Ähnliche Gefühle für Rom bei den Christen des 2. Jahrhunderts anzunehmen, wäre ein grober Anachronismus[30].

Roms Vorrangstellung ist nicht zu erklären ohne die Tatsache, daß dort die

---

[27] Dix, 115.
[28] Dix, 114.
[29] Jalland, 105; Tertullian, Ad Nationes, in: Corpus Christianorum, Series latina, Tertulliani Opera, Pars I, Turnhold 1954, 173.
[30] Dix, 114.

Gräber der Apostelfürsten Petrus und Paulus sich befanden, daß diese Apostel dort gewirkt hatten und daß Rom die Lehrtradition dieser Apostel hütete. Ausdrückliche Zeugnisse hierfür haben wir im 2. Jahrhundert. Dionys von Korinth antwortet dem Bischof von Rom Soter (166–175), bei dem man ihn wegen seiner zu laxen Haltung den Sündern gegenüber verklagt hatte. Er erkennt in seinem Schreiben an, daß Petrus und Paulus in Rom gewirkt hätten und dort als Martyrer gestorben seien, was Rom naturgemäß einen hervorragenden Platz in der Christenheit sichere[31]. Aber dem hält Dionysius von Korinth gegenüber, daß beide Apostel auch in seiner Bischofsstadt gelehrt hätten. Er gibt deshalb seine Ansicht wegen der Mahnungen des Bischofs von Rom nicht auf, wenn dieser auch auf Petrus und Paulus als die Lehrer seiner Gemeinde hinweisen konnte[32]. Immerhin haben wir bei Dionys wohl zum ersten Mal – soweit wir wissen – eine ausdrückliche Berufung auf Petrus und Paulus als Begründung der moralischen Autorität, die einem apostolischen Sitz zukommt. Aber man beruft sich noch nicht auf die klassischen Petrus-Texte, wie Mt 16,18. Die Bischöfe von Rom treten auch noch nicht als Nachfolger des Petrus auf. Sie sehen sich als Hüter der von Petrus und Paulus ererbten Lehre an, was ihnen eine moralische Autorität, die aber nicht absolut ist, verleiht.

Am klarsten erscheint dies bei Viktor I. (189–199) im Osterfeststreit. Leider wissen wir nicht direkt, was er wirklich in dieser Sache geschrieben hat. Wir haben davon Kenntnis durch die Polemik des Polykrates von Ephesus gegen ihn. Aus dieser ist klar, daß Viktor sich auf die Apostel, natürlich Petrus und Paulus, und die auf sie zurückgehende Tradition berief. Dem hält Polykrates die Tradition seiner Bischofsstadt, Ephesus, entgegen, die auch apostolisch ist. In Ephesus seien die Apostel Philippus und Johannes begraben, der Johannes, der an der Brust des Herrn geruht hatte[33]. Apostolische Tradition steht also hier gegen apostolische Tradition. Polykrates läßt es in keiner Weise gelten, daß die Tradition des Petrus und Paulus den Vorzug verdiene. Natürlich ist es willkürlich, solche Gebräuche auf die Apostel zurückzuführen. Man hat den ganzen Fall des Osterstreits und die Rolle, die Viktor dabei spielte, m. E. allzusehr hochgespielt. Die zur Vorbereitung des (inzwischen bereits veralteten) neuen Codex Juris Canonici für die orientalischen Kirchen herausgegebenen »Acta Summorum Pontificum, Tom. I« bringen zur Sache die pompöse Überschrift: »S. Victoris Romanae Ecclesiae praesulis *iussu* in universa ecclesia synodi congre-

---

[31] Nautin, Lettres, 29.
[32] A.a.O., 31.
[33] Eusebius, Hist. eccl. 24,2, vgl. Sources Chrétiennes 41, Paris 1955, 66–67.

gantur«[34]. Wenn man die unter dieser Überschrift stehenden Dokumente genau liest, ergibt sich, daß nur ein einziges Mal von einer Initiative Viktors bei der Berufung der Synoden die Rede ist, und zwar bei der in Asien, vermutlich in Ephesus gehaltenen. Polykrates von Ephesus schreibt an Viktor: »Ihr habt es für gut befunden (ἠξιώσατε) die Bischöfe zusammenzurufen.«[35] Das ist der einzige positive Text, den wir über die Initiative Viktors in der Sache haben, und auch hier ist von »Befehl« nicht die Rede, sondern nur von einem »für recht halten«. Man hat aus Viktor den ersten Papst gemacht, der souverän in der ganzen Kirche regiert und Befehle für die universale Kirche erläßt. Das Aktenfundament dafür ist äußerst schwach. Erich Caspar überschätzt das Vorangehen Viktors offensichtlich, wenn er darin »bereits den Charakter einer von Rom geleiteten Organisation der Gesamtkirche, eines Staates im Staate« annimmt[36]. Caspar übertreibt, wenn er den Bischof Viktor die Rolle eines Herrn über alle Gemeinden der Christenheit spielen läßt[37].

Eusebius erwähnt Viktor zunächst in Kap 22 des V. Buchs seiner Kirchengeschichte. In Kapitel 23 kommt er auf die Synoden zu sprechen, die wegen des Osterdatums abgehalten wurden. Die vom Brauch der übrigen Kirche abweichende Gewohnheit (in Asien), das Fest am 14. Nisan zu feiern, an dem Tag, an dem die Juden das Osterlamm schlachteten, erregte solches Aufsehen, daß zahlreiche Synoden und Versammlungen von Bischöfen zusammentraten, die sich für die Osterfeier am Sonntag entschieden. Eusebius zählt dann eine Reihe von diesen Synoden auf, über die er – offenbar in seinem Archiv zu Cäsarea – Dokumente gefunden hatte. Es wurden Synoden gehalten z. B. in Palästina und in Rom. Hier wird beiläufig erwähnt, daß Viktor damals Bischof dieser Stadt war. Dazu ist die Rede von Pontus, wo Palmas den Vorsitz führte, auch von Gallien, dessen Bischof Irenäus war. Ferner werden noch Synoden in der Osroene, von Korinth und vielen anderen Städten erwähnt. Sie waren sich alle einig[38]. Hier wird Viktor zwischendurch und nebenher als der Bischof einer der Städte, in der eine Synode stattfand erwähnt. Daß nun gerade *dieser* Bischof es war, der alle Synoden abzuhalten befahl, ist eine ziemlich willkürliche Annahme[39]. Wir müssen uns immer davor hüten, unsere jetzige Sicht einfach in die Frühzeit zurückzuprojizieren und aus dieser Einstellung heraus zu argumentieren.

---

[34] Acta I, 20.
[35] A.a.O., 23.
[36] Caspar, 35.
[37] A.a.O., 19.
[38] Eusebius, Hist. eccl. V, 23, 2–4; vgl. Sources Chr. 41, 66–67.
[39] A.a.O., 66.

Daß soviele Synoden gleichzeitig über dieselbe Frage abgehalten wurden, legt freilich nahe, daß dies auf die Initiative eines einzigen Mannes, eben des Bischofs von Rom geschah. Aber einen positiven Beweis dafür haben wir nicht. Es hat auch eine ganze Anzahl von Synoden gegen die Montanisten gegeben[40]. Niemandem ist es in den Sinn gekommen, die Abhaltung dieser Synoden auf den Befehl eines Papstes zurückzuführen. Nautin ist der Auffassung, daß auch die Annahme, Viktor habe die ganze asiatische Kirchenprovinz – wenn man so damals schon reden kann – exkommuniziert, auf einer Übertreibung des Eusebius beruht[41]. Auch Eusebius wäre demnach der Versuchung erlegen, die Zeit Viktors aus der Situation seiner eigenen Epoche zu interpretieren. Zudem setzt die Exkommunikation, auch wenn wir sie annehmen, nicht eine »päpstliche« Vollmacht voraus. Jeder Bischof konnte einen anderen oder andere exkommunizieren, d. h. mit ihnen die üblichen Beziehungen der Liebe und der Gemeinschaft abbrechen. Basilius z. B. exkommunizierte den Eusthatius von Sebaste, dessen Vorgesetzter er nicht war[42]. Daß *ein* Teil der Kirche von einem andern exkommuniziert war, bedeutete nur den Abbruch der normalen Beziehungen der »κοινωνία«. Basilius lebte außerhalb der »communio« von vielen Bischöfen. Für ihn war auch die Gemeinschaft mit Rom nicht wesentlich[43].

Wenn die übliche Interpretation des Osterstreites zu Recht bestünde, hätte sich plötzlich ein Bischof von Rom zu einer Macht und Größe aufgeschwungen, die in seine Zeit einfach nicht hineinpaßt. Das wäre schlechthin ein Anachronismus. Bischof Soter (166–175) konnte sich weniger als 20 Jahre vorher gegen Dionysius von Korinth nicht durchsetzen. Dieser hielt dem römischen Bischof einfach seine, der römischen gleichberechtigte Tradition des Paulus entgegen. Soter war demgegenüber machtlos.

Wie wenig Macht ein römischer Bischof in den ersten Jahrhunderten besaß, zeigt rund ein halbes Jahrhundert später der Kampf des Kornelius (251–253), der zur Milde gegenüber den »lapsi« neigte, gegen seinen Gegenpapst, den Rigoristen Novatian (251). Kornelius mußte seinem Rivalen zunächst einmal eine römische Synode entgegensetzen, zu der er 60 Bischöfe und viele Kleriker und Laien berief, und mit der zusammen er den Novatian exkommunizierte. Dieser fand trotzdem in Afrika Anhang. Im Orient gingen ganze Kirchenprovinzen zu ihm über[44]. Kornelius mußte

[40] Vgl. W. de Vries, Der Episkopat auf den Synoden vor Nicäa, in: Theol. Quartalschrift (Linz) 1963, 263–277.
[41] Nautin, Lettres, 76.
[42] L. Hertling, Communio und Primat, in: Miscellanea Pontif., Rom 1943, 16.
[43] Vgl. W. de Vries, Die Ostkirche und die Cathedra Petri im IV. Jahrh., in: OCP 40 (1974) 131.
[44] Lietzmann, 259/268.

sich an die Inhaber der großen Bischofssitze des Ostens wenden, an Dionys von Alexandrien und an Fabius von Antiochien. Fabius selbst neigte dem Rigorismus zu. Kornelius schrieb selbst an Fabius, suchte sich aber auch der Hilfe des Bischofs Dionys von Alexandrien zu versichern, der seinerseits ebenfalls dem Fabius schrieb. Der Brief des Kornelius an Fabius ging zunächst nach Alexandrien mit der Bitte um Unterstützung. Cyprian von Carthago stand auf seiten des Kornelius[45]. Dieser ganze Streit zeigt, wie vorsichtig ein Bischof von Rom mit den Inhabern der großen Bischofssitze verhandeln mußte. Er war nicht, wie Viktor – Caspar zufolge – bereits gewesen sein soll, »Herr über alle Gemeinden der Christenheit«. Wäre er es gewesen, hätte die Verurteilung des Novatian durch eine römische Synode von 60 Bischöfen vollauf genügen müssen, was in unserem Fall offensichtlich nicht zutraf. Ob Viktor wirklich den Versuch gemacht hat, die ganze asiatische Kirchenprovinz zu exkommunizieren, ist zweifelhaft. Irenäus erwähnt diesen Versuch in einem Brief an Viktor. Er bemerkt, daß eine solche Exkommunikation durchaus nicht allen Bischöfen gefalle. Sie wandten sich energisch gegen Viktor, so insbesondere Irenäus selbst. Viktor wäre mit seiner Exkommunikation auf den Widerstand eines Großteils der Bischöfe gestoßen, was ihr ihre Wirksamkeit genommen hätte[46]. Viktor hatte nicht die Absicht, mit allen Christen Asiens und der Umgebung zu brechen, sondern nur mit Polykrates[47]. Nach allem muß man sagen: Es ist eine Übertreibung, Viktor als den ersten Papst zu bezeichnen.

Von entscheidender Wichtigkeit für die Deutung der Stellung Roms in der Gesamtkirche gegen Ende des 2. Jahrhunderts ist der bekannte Text in Irenäus, Adv. Haer. III, 3, 3., in dem er die römische Tradition, die auf Petrus und Paulus zurückgeht, im Kampf gegen die Gnostiker benutzt. Über diesen Text existiert bekanntlich eine weitläufige Literatur. Seine richtige Deutung ist um so schwieriger, da er nicht in der Originalsprache, der griechischen nämlich, sondern nur in lateinischer Übersetzung überliefert ist, die zudem noch sehr wahrscheinlich im Lauf der Zeit durch das häufige Abschreiben entstellt worden ist. Dieser Text ist der einzige, den das Vaticanum I aus der griechischen Vätertradition zur Stützung des römischen Primats anführt[48]. Aus einem so umstrittenen Text einen sicheren Sinn herauszuholen, ist geradezu ein Ding der Unmöglichkeit. Er lautet: »Ad hanc enim Ecclesiam (sc. Romanam) propter potiorem eius

---

[45] Nautin, a.a.O., 143ff.
[46] Nautin, Irénée, 37ff.
[47] Z. B. Adelin Rousseau in: Sources Chr. 210, 223ff; F. Sagnard, in: Sources Chr. 34, 105ff; Nautin, a.a.O., 46.
[48] Denz. Schönm. 3057.

principalitatem necesse est omnem convenire Ecclesiam, hoc est eos qui sunt undique fideles, in qua semper ab his qui sunt undique conservata est ea, quae est ab Apostolis traditio.«[49]

Irenäus will im Zusammenhang ein sicheres Kriterium gegen die überall grassierende Häresie der Gnostiker aufstellen. Dieses Kriterium findet er in der apostolischen Tradition, die in den von Aposteln gegründeten Kirchen von deren Vorstehern als heiliges Erbe überliefert ist. Jede apostolische Kirche[50] könnte als Vorbild dienen. Da es aber zu weit führen würde, die Überlieferung aller apostolischen Kirchen zu untersuchen, will sich Irenäus beschränken auf *die* Kirche, die a gloriosissimis duobus apostolis Petro et Paulo Romae fundata et constituta est. Rom dient also als *Beispiel,* neben dem auch andere Beispiele angeführt werden könnten. Wenn man dies vergißt und aus dem Irenäus-Text herausliest, daß eine strenge Verpflichtung für alle Christen bestehe, der Tradition von Rom zu folgen, so verfälscht man den Text oder man mutet dem Irenäus einen derartigen Mangel an Logik zu, der bei einem so hervorragenden Mann wie ihm nicht angenommen werden kann. Es ist wichtig zu wissen, daß Irenäus nirgendwo Petrus einen Primat zuerkennt, folglich auch keinen Primat eines Nachfolgers Petri kennen kann. C. Hanson schreibt in »Studia Patristica III (Berlin 1961): »There is no hint anywhere in Irenäus of what later to be called ›the prerogatives of Peter‹. If he attaches dogmatic value to any see, it is the see of Jerusalem, of which he says (III 12,5): ›These are the voices of the church from which every church had its origin; these are the voices of the mother city of the citizens of the new dispensation.‹«[51]

Da wir uns im Rahmen dieses kurzen Vortrags unmöglich mit allen Auslegungsversuchen des Textes befassen können, wollen wir *die* herausgreifen, die uns die plausibelsten zu sein scheinen. Wir gehen dabei nach der Reihenfolge der einzelnen Textteile voran. Das »Ad hanc enim ecclesiam« wird gemeinhin von der römischen Kirche verstanden. Neuerdings hat Nautin den Versuch gemacht, den Text völlig anders zu deuten. Er versteht unter »hanc ecclesiam« die universale Kirche, nicht die römische. Wer das »hanc ecclesiam« auf Rom beziehen will, kommt in Schwierigkeiten mit den »ab his, qui sunt undique«. Es geht nicht an, die Bewahrung des Glaubens ausgerechnet gerade als das Verdienst derer hinzustellen, die von allen Seiten nach Rom kamen. Unter diesen waren auch nicht wenige Häretiker. Die Bewahrung des Glaubens ist nach Irenäus das Verdienst der aufeinander folgenden und auf Petrus und Paulus zurückgehenden Vorsteher der

---

[49] Sources Chr. 211, Paris 1974, 32.
[50] A.a.O., 31 (Adv. Haer. III,3,1).
[51] Hanson, Potentiorem principalitatem, 369.

Gemeinden. Das »in qua semper et ubique . . .« kann nach Nautin nur von der universalen Kirche verstanden werden[52].

Gegen diese neue Interpretation hat man geltend gemacht, daß man bei Irenäus nicht annehmen kann, daß er die häretischen Konventikel als »Kirchen« bezeichne. Vor allem Norbert Brox hat sich in seinem Aufsatz »Rom und ›jede Kirche‹« in der Festgabe für Hubert Jedin gegen diese Deutung ausgesprochen. Im Zusammenhang ist evident von der römischen Kirche die Rede. Die Gnostiker können nicht als »Kirchen« bezeichnet werden. Zu behaupten, daß die römische Kirche mit der universalen gleichzusetzen sei, wäre völlig anachronistisch. Man kann nicht annehmen, daß Irenäus Rom eine solche kirchliche Zentralfunktion zugeschrieben habe[53]. »Ad hanc enim ecclesiam« gleichzusetzen mit »ad talem enim ecclesiam« ist sprachlich möglich, wenn auch an sich unwahrscheinlich. Wenn es aber die einzige Möglichkeit ist, dem Satz einen annehmbaren Sinn zu geben, dann muß man eben zu einer sprachlich zwar unwahrscheinlichen Übersetzung seine Zuflucht nehmen. Stockmeier entscheidet sich für diese Lösung, die allein dem Zusammenhang entspricht[54]. Allein diese Übersetzung wahrt den Charakter des Beispiels, den Irenäus für Rom behauptet. Es gibt ja doch auch andere apostolische Kirchen. Der römischen Kirche kommt eine »potior principalitas« zu, weil Rom von zwei Aposteln gegründet worden ist[55]. Freilich kann so eine gesamtkirchliche Vorrangstellung auch nicht begründet werden. In Ephesus wirkten auch zwei Apostel: Paulus und Johannes[56]. Eine für die gesamte Kirche maßgebliche Stellung Roms kann von Irenäus nicht gemeint sein. Er wußte sehr wohl darum, daß Polykrates von Ephesus die apostolische Tradition seiner Bischofsstadt der von Rom gleichgesetzt hatte und sich eben deshalb Rom nicht unterwarf[57]. Zudem erkennt Irenäus in der Osterfrage Rom keine apostolische Tradition zu. Viktor kann sich – Irenäus zufolge – nur auf die »vorangegangenen Presbyter« stützen, während die Asiaten – so Polykrates – sich auf ihre Apostel berufen konnten[58]. Demnach ist Brox der Auffassung, daß nicht alle apostolischen Kirchen sich in der Sache Rom fügen mußten. Es seien also nur die westlichen Kirchen gemeint[59]. Irenäus kann nicht behaupten

---

[52] Nautin, Irénée, 51.
[53] Brox, Rom und »jede Kirche«, in: Annuarium Conciliorum 1975, 42–48.
[54] Stockmeier, Römische Kirche, 370.
[55] Brox, a.a.O., 55.
[56] A.a.O., 56.
[57] A.a.O., 57.
[58] A.a.O., 72; vgl. Eusebius, Hist. Eccl. V, 23,1; s. Sources Chr. 41/66,1; 67,1.
[59] Brox, a.a.O., 59.

wollen, daß alle anderen apostolischen Kirchen sich Rom fügen müßten. Er hat sie vorher einander gleichgestellt. Wenn man animmt, Irenäus vertrete eine Abhängigkeit des gesamten Erdkreises von Rom, so unterstellt man ihm einen beträchtlichen Mangel an Logik[60]. Eine Verpflichtung der Gesamtkirche, der römischen Tradition zu folgen, besteht also nicht[61]. Irenäus kennt keine alles normierende Einzelkirche. Eine Verpflichtung, Rom zu folgen, kann nur für den Westen angenommen werden[62].

Man kann auch nicht a priori voraussetzen, daß die Träger der apostolischen Überlieferung untereinander übereinstimmen. Wenn Irenäus das meinte, hätte er ein kurzes Gedächtnis. Der Gegensatz zwischen Polykrates von Ephesus und Viktor von Rom war ihm ohne Zweifel noch präsent. Nur das überragende Ansehen Roms kann ein »necesse est convenire« in einem abgeschwächten Sinne rechtfertigen[63]. Norbert Brox polemisiert in seinem bereits zitierten Artikel »Rom und ›jede Kirche‹« m. E. mit Recht gegen Rousseau und Doutréleau, die doch wieder Rom einen normativen Sonderrang für alle Kirchen zuerkennen wollen[64]. Brox zufolge muß zur Erklärung des Textes beachtet werden, daß er von einem gallischen Bischof geschrieben ist, der in akuter Bedrohung die Christen auch seiner Region über Ketzer und Kirche informieren, dadurch vor Verführung schützen und auf die für sie »erreichbare Quelle unverfälschter Wahrheitsverkündigung, nämlich auf die nächstliegende Apostelkirche als Garanten verweisen wollte und zu diesem Zweck seine Belehrung über konkrete Ortskirchen als Horte der apostolischen Wirksamkeit erteilt hat«[65]. Das »necesse est convenire omnem ecclesiam« ist demnach teilkirchlich zu verstehen: für den ganzen Westen, insbesondere für Gallien, nicht aber für die universale Kirche. Da es sich hier um Gebräuche handelt (im Osterstreit) und nicht um den Glauben, kann es Verschiedenheiten auch in apostolischen Kirchen geben. Irenäus war sich dessen, wie schon betont, sehr wohl bewußt. Man darf aber nicht vergessen, daß es *hier* im Kampf gegen die Gnostiker um den Glauben geht. Am meisten Schwierigkeit bereitet der folgende Relativsatz: »Hoc est eos qui sunt undique fideles, in qua semper ab his qui sunt undique conservata est ea quae est apostolica traditio.« Es sind verschiedene Lösungsversuche vorgeschlagen worden. Adelin Rousseau erklärt in seinem Kommentar zur Sache in »Sources Chrétiennes«[66] den lateinischen Text als

---

[60] A.a.O., 58.
[61] A.a.O., 65.
[62] A.a.O., 77; vgl. H. Küng, Die Kirche, 541.
[63] Lebourlier, Le problème, 266/267.
[64] Sources Chr. 210, 233.
[65] Rom und »jede Kirche«, 59, auch Anm. 49.
[66] Sources Chr. 210, 233.

falsch aus dem Griechischen übersetzt. Rousseau selbst übersetzt ins Französische: »Dans laquelle toujours au bénéfice des (gens) de partout, a été conservé . . .«[67] Nach J. Lebourlier stünde hinter dem lateinischen »ab« das griechische »ἀπὸ«. Dann wäre der Sinn dieser: »Die apostolische Tradition ist immer bewahrt worden *vor* denen, die von überall gekommen sind.«[68] Diese Erklärung scheint uns zu gewunden und wenig überzeugend.

Nautin, der unter »Hanc Ecclessiam« die universale Kirche versteht, hat hier keine Schwierigkeit. Gerade um den Relativsatz erklären zu können, hat er seine gewagte Interpretation aufgestellt[69]. Freilich bekommt er es – wie oben schon ausgeführt – mit anderen Schwierigkeiten zu tun. A. Javierre hat vor kurzem (1972) eine neue Erklärung gegeben, die mir recht plausibel zu sein scheint[70]. Er versteht unter dem »von allen Seiten« die Träger der Sukzession, also die Gemeindevorsteher. Dieser Sukzession kommt die entscheidende Kraft zu, weil sie *in der Kirche* geschieht, was durch das »in qua« ausgedrückt ist. Die Übernahme und Weiterleitung des Traditionsgutes geschieht in der Kirche und nur weil sie in der Kirche vor sich geht, besitzt sie die Garantie der Unversehrtheit durch den Hl. Geist. Mit dem »in qua« ist zunächst die Ortskirche gemeint, deren Vorsteher, die Traditionsträger, miteinander und mit den apostolischen Sitzen, besonders mit dem wegen seiner Doppel-Apostolizität bedeutendsten, dem römischen nämlich, übereinstimmen.

Bei allen Interpretationsversuchen wird doch der Kirche von Rom eine hervorragende Stellung zugesprochen, weil in ihr die von beiden Apostelfürsten Petrus und Paulus hergeleitete Tradition treu bewahrt wird. Dieses überragende Ansehen der römischen Kirche erklärt es auch, daß so viele die Reise nach Rom unternehmen, um dort ihren Glauben zu stärken oder bestätigen zu lassen. Das zeigt eine gewisse moralische Autorität der Kirche von Rom. Aber damit ist noch keine überragende Autorität des Bischofs von Rom gegeben. Im Eingreifen Viktors im Osterstreit konnte man einen solchen Anspruch vermuten. Aber gerade weil dies in das Gesamtbild der moralischen Autorität der von den Apostelfürsten gegründeten Kirche nicht hineinpaßt, scheint mir die vielfach übliche Interpretation der Intervention Viktors in diesem Streit höchst zweifelhaft. Einen Aufweis für einen schon Ende des 2. Jahrhunderts vorhandenen Primat des römischen Bischofs können wir aus dem Irenäus-Text nicht herauslesen.

Nach Trevore Gervase Jalland beanspruchte die römische Gemeinde bereits

---

[67] A.a.O., 233/234.
[68] Lebourlier, Le problème, 267ff.
[69] Nautin, Irénée, 51.
[70] Javierre, »In Ecclesia«, 272–283; 314–317.

einen Vorrang, ohne daß man über dessen Gründe reflektierte[71]. Wir finden im 2. Jahrhundert keinen Appell an einen »petrinischen Sitz«, etwa aufgrund von Mt 16,18[72]. Aber auch für die Trinität wird zu dieser Zeit der klassische Text noch nicht angeführt. Jalland bringt eine Aufzählung bedeutender Männer, die nach Rom gingen. Darunter werden aufgeführt: Polykarp von Smyrna, Valentin von Ägypten, Cerdon von Syrien, der Häretiker Marcion von Sinope, Justinus von Samaria, Tatian von Assyrien, Hegesipp von Jerusalem, Irenäus usw.[73]. Rom genoß also bereits als Gründung der Apostel Petrus und Paulus großes Ansehen.

Im 3. Jahrhundert wird ein entscheidend neuer Schritt getan. Römische Bischöfe beginnen, sich auf Mt 16,18 zur Stütze ihrer Ansprüche zu berufen. Papst Kalixt (217–222) soll sich bereits auf das Felsenwort berufen haben, um so seinen Entscheid, Unzuchtsünder zum kirchlichen Bußverfahren zuzulassen, zu begründen. Manche interpretieren die diesbezügliche Polemik Tertullians[74] als gegen den römischen Bischof gerichtet. Baus zufolge ist die Identifizierung des angegriffenen Bischofs mit Kalixt oder Zephyrin (199–217) nicht zu halten. Tertullian selbst schließt sie aus, wenn er später von diesem Bischof sagt, er nehme an, die dem Petrus verliehene Vollmacht sei auf jede Kirche übergegangen, die mit Petrus im Zusammenhang stehe[75]. Der Bischof, gegen den Tertullian polemisiert, muß ein afrikanischer sein. Zudem geht es, wie mir scheint, im Zusammenhang nur um die Vollmacht zur Sündenvergebung, die allerdings allen Einzelkirchen auch gegeben ist, nicht um das höchste Leitungsamt in der Kirche. Im Zusammenhang wird hier Mt 16,18 nicht in diesem Sinne angewandt. – Jalland nimmt zwar an, daß Tertullian gegen einen römischen Bischof spricht, verneint aber, daß dieser Bischof selbst sein Vorgehen in der Bußfrage mit Mt 16,18 begründet habe. – Hugo Koch vertritt in seinem Buch »Cathedra Petri« (Gießen 1930) die Auffassung, daß Tertullian gegen Kalixt polemisiert, auch in »De Puditia« 21. Er führt eine Reihe von vor allem älteren Autoren an, die in dem Gegner Tertullians den Papst Kalixt sehen[76].

Man kann wohl sagen, daß die Interpretation von Mt 16,18 im Sinne eines Primats des Bischofs von Rom damals schon in der Luft lag. Der entschei-

---

[71] Jalland, 106.
[72] Ebd.
[73] Jalland, 108; vgl. Grotz, 37ff.
[74] Tertullian, De pudicitia 21, 7–10, s. Corpus Christianorum, Series II, Pars II, Turnhold 1954, 1326–1327.
[75] Baus, 368/369.
[76] Koch, Cathedra Petri, 6, Anm. 1.

dende Schritt wurde aber erst im Ketzertaufstreit getan. Cyprian stand in diesem Streit bekanntlich gegen Rom. Wir können hier im Rahmen eines kurzen Vortrags unmöglich die ganze Literatur über Cyprian behandeln. Wir stützen uns hier auf den vorzüglichen Kenner der Lehre Cyprians über die Kirche, ihre Einheit und über die Rolle, die der Primat dabei spielt: Maurice Bévenot[77]. Im Buch Cyprians »De Ecclesia« steht im 4. Kapitel ein Text, der in einem dem Primat günstigen Sinn gedeutet werden könnte. Manche meinen, Cyprian habe nach seinem Streit mit Stephan von Rom (254–257) den Text geändert. Bévenot ist dagegen der Auffassung, daß beide Versionen den Primat des Petrus und damit den des Bischofs von Rom, wie wir ihn heute verstehen, ablehnen und daß Cyprian zwar die Änderung vorgenommen habe, aber nur, um etwaige Mißverständnisse zu vermeiden. Bévenot betont, daß auch in der ersten sogenannten »papalistischen« Fassung nur gesagt wird, daß dem Petrus *ein* Primat gegeben wurde, nicht aber, daß ihm *der* Primat anvertraut worden sei, wie wir ihn heute verstehen[78]. Es ist allerdings zu bemerken, daß der lateinische Text, der keinen Artikel kennt, diesen Unterschied nicht so klar hervortreten läßt. Bévenot argumentiert aus dem Kontext: Wenn in der ersten Version gesagt wird: »et cathedra una est«, so ist der gesamte Kontext gegen eine Andeutung im Sinn einer Einschränkung auf »den Stuhl von Rom«. Nach Cyprians Auffassung hat jeder legitime Bischof irgend eines Bischofssitzes einen Platz auf der *einen* cathedra, die Christus in Petrus stiftete[79]. Bévenot führt zur Stütze seiner These den Brief 59,14 an: Kornelius, der Ortsbischof, sitzt als legitimer Nachfolger des Petrus, des Ortsbischofs von Rom, auf dessen Cathedra. Kornelius besaß die örtliche Sukzession, was Petrus angeht, und sitzt deshalb auf dem Stuhle Petri. Die Cathedra Petri gehört zu der Hauptkirche, der römischen, von der die Einheit des Priestertums ausgegangen ist. Die Pseudobischöfe der Häretiker können sich nicht darauf berufen[80]. Die Einheit des Priestertums ist *geschichtlich* ausgegangen von der Cathedra Petri. Das gilt für den Westen. Das heißt aber nach Bévenot nicht, daß *heute* die Einheit der Bischöfe von Rom ausgeht, sondern nur, daß die Einheit des Episkopats ihren historischen Ursprung in der ersten Kirche hat. Wer sich von der Cathedra Petri trennt, der trennt sich von der Kirche. Im Zusammenhang handelt es sich um ein Schisma in einer partikularen Kirche. In Carthago intrigierte damals Felicissimus gegen

---

[77] Siehe vor allem: Maurice Bévenot, Episcopat et primauté chez Cyprien, in: Ephemerides Théol. Lovanienses 42 (1966) 176–195.
[78] A.a.O., 181.
[79] A.a.O., 182.
[80] Ebd.

den rechtmäßigen Bischof Cyprian[81]. »Primatus« heißt bei Cyprian nicht Primat in unserem Sinne. Die Cathedra Petri bedeutet die Vollmacht eines jeden legitimen Bischofs[82]. Und doch ist der Bischof von Rom für Cyprian nicht ein Bischof wie jeder andere. Die Lehre vom Primat ist bei ihm nur implicite vorhanden, aber sie war ihm nicht völlig fremd. So schließt Bévenot seine Ausführungen in dem zitierten Artikel, in dem er seine Auffassung über die Lehre Cyprians vom Primat zusammenfaßt[83].

Man hat die Bedeutung der Auffassung Cyprians für die Tradition der katholischen Lehre über den Primat überschätzt. Gewiß ist Cyprian ein gewichtiger Kirchenvater und eine positive Aussage von ihm über die überragende Stellung des Bischofs von Rom käme der katholischen Lehre sehr gelegen. Karl Adam schreibt zur Sache: »War Cyprian tatsächlich ein ausgesprochener Gegner jedes Primatsausspruchs, jeder Primatsregung, dann reißt sein Ausfall aus der Tradition tatsächlich in diese eine Lücke, die gar nicht mehr ausgefüllt werden kann. Hier macht eine Schwalbe einen ganzen Sommer.«[84]

Wir haben zur Zeit Cyprians Appellationen an Rom und auch an Carthago, die dem unbefangenen Historiker für die Zeit Cyprians die Geltung des römischen Primats in abendländischen Kirchenverwaltungsfragen bezeugen. Von hier wäre kein sehr weiter Schritt mehr zum lehramtlichen Primat Roms. Aber Cyprian hat diesen Schritt nicht getan, wenigstens nicht in dem Sinn, daß er Rom eine Unfehlbarkeit zugesprochen hätte[85]. Dies wäre nun wirklich zuviel verlangt. Cyprian beharrte in der Frage der Gültigkeit der Ketzertaufe auch Rom gegenüber auf seinem Standpunkt, und Stephan beharrte im Bewußtsein der Petrusnachfolge auf dem seinigen.

Dies wissen wir aus der Polemik Firmilians von Cäsarea gegen Stephan, die sich in einem Brief des Bischofs von Cäsarea an Cyprian findet. Stephan von Rom – so Firmilian – hat es gewagt, den Frieden mit den anderen Kirchen zu brechen, die die von Ketzern gespendete Taufe für ungültig hielten. Stephan beruft sich auf Petrus und Paulus und diffamiert diese Apostel, die in ihren Briefen bewiesen haben, daß sie die Häretiker verabscheuten[86]. Er beruft sich darauf, Nachfolger Petri zu sein, des Felsens, auf den der Herr die Fundamente seiner Kirche gelegt hat. Wenn er aber die Häretikertaufe anerkennt, dann erkennt er auch die Gemeinschaften der

---

[81] Ebd.

[82] A.a.O., 183.

[83] A.a.O., 185.

[84] Adam, 80.

[85] Adam, 79.

[86] Hartel, CSEL Vol. III, Pars II, Wien 1868, Brief 75, n. 6, 813/814.

Häretiker als Kirchen an. »Stephan, der durch Nachfolge die cathedra des Petrus innezuhaben behauptet«, hat keinen Eifer gegen die Häretiker, weil er deren Sakramente als gültig anerkennt. Sie können – nach ihm – durch ihre Taufe die Wiedergeburt der Kinder Gottes bewirken und so das ewige Leben schenken[87].

Aus dieser Polemik geht klar hervor, daß Stephan Mt 16,18 in dem Sinne deutete, daß er als Bischof von Rom Nachfolger des Petrus sei. Damit ist ein entscheidender Schritt getan in der Entwicklung zur vollen Erkenntnis des Primates hin. Man war sich schon lange in Rom bewußt, das Erbe des Petrus und Paulus zu verwalten, ihre Lehre reinzuerhalten. Aber daß der Bischof von Rom sich als Nachfolger Petri proklamierte, das ist etwas Neues. Dafür ist diese Polemik der erste eindeutige Beweis. Bei Tertullian ist es nicht klar, ob er gegen den Bischof von Rom oder einen Bischof von Carthago polemisiert. Bei Stephan ist es keine Frage. Die Polemik Firmilians geht gegen Stephan von Rom, der das Felsenwort des Herrn in dem Sinn auslegt, daß er – Stephan – selbst der Nachfolger Petri ist, daß in seiner Person als dem Nachfolger des Felsenmannes die Kirche auch heute noch ihr Fundament hat und es nach ihm zu allen Zeiten in seinen Nachfolgern haben wird. Die Kirche ist für alle Zeiten bis zur Wiederkunft des Herrn gegründet. Petrus muß in seiner Funktion, der Fels zu sein, auf dem die Kirche gegründet ist, Nachfolger für alle Zeiten haben. Das war aus der Polemik Tertullians, auch wenn sie sich gegen einen Bischof von Rom richtete, nicht herauszulesen.

Der Brief des Firmilian ist an Cyprian gerichtet, der dem Firmilian durch einen Diakon Rogatianus einen Bericht über den bisherigen Verlauf der Diskussion überbracht hatte[88]. Dem Anspruch Stephans haben sich die beiden führenden Bischöfe Afrikas und Kleinasiens nicht gebeugt. Cyprian ließ noch im Jahr 256 eine große Synode, an der 87 Bischöfe teilnahmen, abhalten. Die Synode bekräftigte noch einmal seinen Standpunkt[89]. In den Akten dieser Synode heißt es ausdrücklich: »Keiner von uns will sich als ›Bischof der Bischöfe‹ aufspielen.«[90] Das ist doch offenbar gegen den Bischof von Rom gemünzt, der seine Ansicht in der ganzen Welt allen aufdrängen will, wogegen Cyprian und ebenso Firmilian sich energisch wehrten. Der Primatsanspruch Roms wird also um die Mitte des 3. Jahrhunderts klar aufgrund des klassischen Textes Mt 16,18 ausgesprochen, stößt aber auf Widerspruch.

---

[87] Hartel, a.a.O., n. 17, 821.
[88] Baus, 405.
[89] Ebd.
[90] Hartel, Vol. III, Pars I, 436.

Ohne die Entwicklung des Primats in den ersten drei Jahrhunderten wäre es unverständlich, wie Päpste des 4. und vor allem des 5. Jahrhunderts Ansprüche erheben konnten, die schon recht weit gingen. Der Primat ist nicht fertig vom Himmel gefallen. Er hat sich aus neutestamentlichen Keimen entwickelt, aus denen eine langsam fortschreitende Tradition eine Vorrangstellung des Bischofs von Rom als des Nachfolgers des Petrus herausgearbeitet hat.

Literatur- und Abkürzungsverzeichnis

K. *Adam,* Cyprians Kommentar zu Mt 16,18, in: Karl Adam, Gesammelte Aufsätze, hg. v. Fritz Hofmann, Augsburg 1936 (= Adam).

C. *Andresen,* Die Kirchen der alten Christenheit, Stuttgart 1971.

K. *Baus,* Von der Urgemeinde zur frühchristlichen Großkirche, in: H. Jedin, Handbuch der Kirchengeschichte, Band I, Freiburg i. Br. 1962 (= Baus).

M. *Bévenot,* Episcopat et primauté chez Cyprien, in: Ephemerides Théologicae Lovanienses 42 (1966) 176–195 (= Bévenot).

N. *Brox,* Rom und »jede Kirche« im 2. Jahrh., Zu Irenäus, Adv. Haeres. III,3,2, in: Annuarium Conciliorum 1975, Festgabe für H. Jedin, 42–78 (= Brox, Rom und »jede Kirche«).

ders., Tendenzen und Parteilichkeiten, in: Zeitschrift für Kirchengeschichte 83 (1972) 291–324.

P. *Th. Camelot,* Ignace d'Antioche, Lettres, in: Sources chrétiennes 10 a, Paris 1969.

E. *Caspar,* Die älteste römische Bischofsliste, 1926.

ders., Geschichte des Papsttums, 2 Bände, Tübingen 1930–1933. (= Caspar).

J. *Colson,* Agape chez St. Ignace d'Antioche, Paris 1961 (= Colson, Agape).

ders., L'Organisation ecclésiastique aux deux premiers siècles, in: L'Orient Syrien 6 (1961) 179–292 (= Colson, l'Organisation).

Y. *Congar,* De la communion des Eglises à une ecclésiologie de l'Eglise universelle, in: Unam Sanctam 39: L'episcopat et l'Eglise universelle, Paris 1962 (= Congar).

C. B. *Daly,* The »Edict« of Callistus, in: Studia Patristica III, Pars I, Berlin 1961, 176 ff.

CSEL = Corpus Scriptorum Ecclesiasticorum Latinorum, Vindobonae.

G. *Dix,* Jurisdiction in the Early Church, Episcopal and Papal, London 1975 (= Dix).

J. A. *Fischer,* Die Apostolischen Väter, Griechisch und Deutsch, München 1956 (= Fischer).

H. *Grotz,* Die Stellung der Römischen Kirche anhand frühchristlicher Bullen, in: Archivum Historiae Pontificiae 13 (1975) 7–64 (= Grotz).

R. P. C. H. *Hanson,* Potentiorem Principalitatem, in: Iren., Adv. Haer. III, 3,2, in: Studia Patristica III, Pars II, Berlin 1961, 369 ff (= Hanson, Potentiorem Principalitatem).

A. *von Harnack,* Mission und Ausbreitung des Christentums, Leipzig 1915.

G. *Hartel,* S. Thasci Caecilii Cypriani Opera Omnia, in: CSEL Vol. III, Pars I und II, Wien 1868 und 1871 (= Hartel).

W. *Huber,* Passa und Ostern, Berlin 1969.

T. *Gervase Jalland,* The Church and the Papacy, London 1946 (= Jalland).

A. M. *Javierre,* »In Ecclesia«, Ireneo Adv. Haer. III,3,2, in: Comunione intereccle-siale, Collegialità, Primato, Ecumenismo. Acta Conventus Internationalis de Historia »sollicitudinis omnium ecclesiarum«, Romae 1967, curantibus Josepho d'Ercole, Alfonso Maria Stickler ecc., Vol. II. (= Communio 13, Roma 1972) 221ff (= Javierre, In Ecclesia).

H. Jedin, Handbuch der Kirchengeschichte, Band I–VII, Freiburg i. Br. 1962–1977.

H. Kirchner, La lettre de St. Irénée au Pape Victor, in: Zeitschrift für Neutestamentliche Wissenschaft 56 (1965) 260–282.

B. J. Kidd, The Roman Primacy, London 1936 (= Kidd).

H. Koch, Cathedra Petri, neue Untersuchungen über die Anfänge der Primatslehre, Gießen 1930 (= Koch).

H. Küng, Die Kirche, Freiburg i. Br. 1967 (= Küng, Kirche).

J. Lebourlier, Le problème de l'Adv. Haeres. III, 3,2 de St. Irénée, in: Revue des sciences philosophiques et théologiques 43 (1959) 261ff (= Lebourlier, Le problème).

H. Lietzmann, Geschichte der alten Kirche, 2 Bände, Berlin u. Leipzig 1936 (= Lietzmann).

M. J. Le Guillou, Principe apostolique et principe impérial, in: Istina 1976, n. 2, 142–153.

M. Maccarrone, Cathedra Petri e lo sviluppo dell'idea del primato papale dal II al IV secolo, in: Problemi di storia della chiesa antica, sec. II–IV, Milano 1970 (= Maccarrone).

J. Mc Cue, Der römische Primat in den ersten drei Jahrhunderten, in: Concilium 7 (1971) 245–250.

ders., The Roman Primacy in the second Century and the problem of the development of dogma, in: Theological Studies 25 (1964) 161–196 (= Mc Cue, in: Theol. Studies).

P. Nautin, Irénée, in: Revue de l'histoire des religions 151 (1957) 37ff (= Nautin, Irénée).

ders., Lettres et écrivains chrétiens des IIe et IIIe siècles, Paris 1961 (= Nautin, Lettres).

C. J. Peter, Dimensions of Jus Divinum in Roman Catholic Theology, in: Theological Studies 34 (1973) 227–250 (= Peter).

OCP=Orientalia Chr. Periodica.

M. Richard, La lettre de St. Irénée au Pape Victor, in: Zeitschrift für Neutestamentliche Wissenschaft 56 (1965) 260–282 (= Richard, La lettre).

ders., La question pascale au II siècle, in: L'Orient Syrien 6 (1961) 179–212 (= Richard, Quest. Pasc.).

Sources Chrétiennes 34, Hier Kommentar zu Ir. Adv. Haer. III, 3,2 von F. Sagnard, 105ff.

Sources Chrétiennes 210, Hier Kommentar zu Ir. Adv. Haer. von A. Rousseau, 223ff.

J. Speigl, Ortskirche – Weltkirche, in: Festgabe für Julius Kardinal Döpfner, Würzburg 1973, 75ff (= Festgabe Döpfner).

P. Stockmeier, Kirchengeschichte und Geschichtlichkeit der Kirche, in: Zeitschrift für Kirchengeschichte 81 (1870) 145–162.

ders., Römische Kirche und Petrusamt im Licht frühchristlicher Zeugnisse, in: Archivum Historiae Pontificiae 14 (1976) 113–128 (= Stockmeier, Römische Kirche).

ders., Zum Begriff der καθολική ἐκκλησία bei Ignatius, in: Festgabe Döpfner, 63–74.

A. W. Ziegler, Neue Studien zum ersten Klemensbrief, München 1958 (= Ziegler).

DISKUSSION

Congar*: Die Frage ist, glaube ich, einfach folgende: Wenn man also in den
frühen Dokumenten nicht nachweisen kann, daß man sich auf
die Autorität oder auf eine Nachfolge Petri oder auf einen Primat beruft,
aber immerhin so viel zum Ausdruck kommt, daß man sich berufen fühlt,
die Überlieferung der Lehre der Apostel oder die apostolische Lehre zu
bewahren und zu hüten, wie und in welchem Grad ist dann in dieser
Formulierung der Aufgabe und Funktion des Bischofs von Rom das
Konzept oder der Begriff einer Cathedra, einer Sedis Petri eingeschlossen?

De Vries: Der Ausdruck kommt meines Wissens noch nicht vor. Aber
natürlich ist mit dieser Aufgabenbestimmung schon der Weg
geebnet zu einer autoritativen Interpretation dieser Tradition. Und auch ist
damit bereits eine moralische Autorität beansprucht in dem Sinne: Wir
hüten die Tradition der Apostel, diese Tradition ist maßgebend. – Mehr ist,
wenigstens explicite, noch nicht gesagt, implicite vielleicht. Aber dies liegt
auf dem Wege zu dem Anspruch, als Nachfolger Petri eben auch die Lehre
Petri autoritativ zu verkünden.

Vischer: Ich hätte gerne eine Frage gestellt, die die Bedeutung der altkirchlichen Patriarchate betrifft. Wir haben heute früh von dem neutestamentlichen Befund gesprochen und sind darin übereingekommen, daß
sich von da aus keine direkte Brücke schlagen läßt zum heutigen Papsttum.
Nun könnte man sich im Anschluß daran fragen, ob sich eine parallele
Aussage im Blick auf die Geschichte der ersten Jahrhunderte rechtfertigen
läßt, d. h. daß man auch dort keine direkte Brücke schlagen kann, sondern
sich eher fragen muß, wie die Kirche in den ersten Jahrhunderten jenes Amt
der Einheit wahrnahm und welche Ausprägungen dafür geschaffen wurden.
– Nun scheint mir, daß es in diesem Zusammenhang wichtig wäre, etwas
mehr Klarheit zu gewinnen bezüglich der Rolle der Patriarchate. Im Plural
wohlgemerkt! Denn der Sitz von Rom war ursprünglich ein Patriarchat.
Und dazu hätte ich dann drei Fragen. Die erste wäre: Inwiefern hat sich der
Anspruch Roms herausgebildet im Gegenüber zu den anderen Patriarchaten? Mußte der Anspruch, in der Nachfolge Petri zu stehen, nicht zum Teil
auch darum erhoben und legitimiert werden, um gegenüber den übrigen
Patriarchaten einen ersten Platz zu behaupten? Sie, Pater de Vries, haben
das vierte Jahrhundert ja nicht ausdrücklich behandelt, sondern haben einen

---

* Übersetzung von Stirnimann

Sprung direkt ins fünfte Jahrhundert gemacht, und gerade im vierten Jahrhundert, scheint mir, spielt die Frage eine gewisse Rolle. – Die zweite Frage wäre: Ist nicht die Geschichte der westlichen Kirche die Geschichte *eines* isolierten Patriarchates? Nachdem der Bruch mit dem Osten vollzogen war, begann sich dieses Patriarchat als *die* Kirche zu betrachten, und der Anspruch, der zunächst nur intern im westlichen Patriarchat galt, wird nun für die gesamte Kirche erhoben? – Meine dritte Frage lautet: Ist es eigentlich nicht seltsam, daß bei der großen, gewaltigen Ausdehnung, die das westliche Patriarchat im Laufe der Kirchengeschichte gewann, keine neuen Patriarchate mehr entstanden sind, daß sich also dieses westliche Patriarchat nicht mehr aufgeteilt hat, sondern daß sich die altkirchliche Konzeption von einigen Patriarchaten im Grunde bis auf den heutigen Tag erhalten hat, obwohl die geschichtlichen Voraussetzungen sich so grundlegend verändert haben?

De Vries: Also zunächst zu der Frage nach den östlichen Patriarchaten: Dasjenige östliche Patriarchat, das unbedingt das älteste ist, ist ohne Zweifel Alexandrien. Man muß sagen, Alexandrien tritt in die Geschichte ein und ist von vornherein die beherrschende Kirche in ganz Ägypten. Die apostolische Begründung durch den Hinweis auf Markus als dem Petrus-Schüler tritt zum ersten Mal belegbar im vierten Jahrhundert in Erscheinung, und zwar bei Eusebius. Und meines Wissens beruft sich kein Bischof von Alexandrien, um seine Rechte auszuüben, auf Markus, bis hin zu, wenn ich mich nicht irre, zu Dioskorus. Das allerdings ist erst im fünften Jahrhundert. – Die ganze Idee von der Bedeutung der Apostolizitätsmacht kommt erst ziemlich spät, im Osten vor allem, auf. – Antiochien ist noch zur Zeit von Nizäa eine sehr vage Größe. Das Territorium wird nicht determiniert, während es bei Alexandrien determiniert wird. Es wird nicht einmal darauf angespielt, daß ja doch Petrus auch in Antiochien gewesen ist. Denn die erste Cathedra Petri hat in Antiochien bestanden. Doch darauf beruft man sich erst später – meines Wissens eben erst im fünften Jahrhundert. Antiochien war die Hauptstadt der politischen Diözese des Orients und als solche die zweite Stadt des Ostens, bevor Konstantinopel in Erscheinung trat.

Dann die Antwort auf die Frage nach dem Grund, weshalb es im Westen nicht mehr zur Gründung von neuen Patriarchaten kam. Ja, das ist nun eine sehr komplexe Frage, zu deren Beantwortung man die gesamte Geschichte, auch die politische Geschichte des Westens hinzunehmen muß. – Der Einfluß Roms im Westen schwankte hin und her, je nach den verschiedenen Umständen. Von besonderer Bedeutung war dabei die Invasion der Germanen, die beispielsweise in Gallien ein selbständiges Königreich errichteten und damit auch eine recht selbständige Kirche. Desgleichen in Spanien die

Visigoten, die dazu noch, bis zum Jahre 589, Arianer waren. Das heißt also, der direkte Einfluß Roms erstreckte sich zunächst einmal nur etwa bis zum Apennin. Es hatte darüberhinaus auch Rivalen in Italien selbst, nämlich Mailand, zum Beispiel unter Ambrosius. Ambrosius spielt in den Verhandlungen mit dem Osten um das erste Konzil von Konstantinopel eine viel bedeutendere Rolle als Damasus. Ambrosius ist eigentlich der erste Mann im Westen, weil Mailand die Kaiserstadt war. – Also das, was Leo später ganz energisch bestreitet, daß nämlich die politische Stellung einer Stadt eine Bedeutung für die kirchliche Stellung ihres Bischofs besitzt, genau das hat es auch im Westen gegeben. So wurde Karthago zum kirchlichen Hauptort Afrikas, obwohl es nie den Anspruch erhoben hat, eine apostolische Gründung zu sein. – Folglich sind es zwei Faktoren, die dazu mitgewirkt haben, daß die Patriarchate entstanden sind. Daß sich dann das westliche Patriarchat nicht mehr weiter aufgespalten hat, liegt vor allem an folgenden Gründen: Zunächst haben wir in der Folge sehr starke einheitsbildende Kräfte, vor allen Dingen das Reich Karls des Großen, der die fränkische Kirche wieder sehr stark mit der römischen verbindet, aber in dem Sinne, daß er der eigentliche Herr der Kirche ist. Er hält sogar ein eigenes Konzil gegen das zweite Nizänum in Frankfurt ab und läßt dieses Konzil die Beschlüsse des zweiten Nizänums verwerfen. Und auf diese Weise entsteht dann eine starke Bindung an Rom. – Ein zweiter Grund liegt in der Missionstätigkeit Roms. Da haben wir einmal die Missionstätigkeit in Byzanz, die ganz von Rom ausgeht, sodann ist da die Tätigkeit von Bonifatius, der zunächst die gallische Kirche reformiert, im Anschluß daran auch das, was wir heute die deutsche Kirche nennen würden, missioniert. Er hat den Eid der suburbikarischen Bischöfe abgelegt und damit die deutsche Kirche sehr stark an Rom gebunden, so daß eine starke Einheit entsteht, die es nicht zuläßt, das Ganze jetzt wieder aufzuspalten in Patriarchate. – Schließlich kommt das Streben der Päpste hinzu, etwa Nikolaus I. Und in diesem Zusammenhang haben auch die pseudo-isidorischen Dekretalen eine nicht geringe Rolle gespielt, auch schon unter Nikolaus I. Die Tendenz ging hin zu einem gewissen Absolutismus des Papstes, in dem Sinn etwa, daß Papstdekretalen den gleichen Wert haben sollten wie die Canones eines Konzils. Für Ostchristen war dies eine unvorstellbare Angelegenheit. Und deshalb sind die Dekretalen des Papstes auch nicht angenommen worden. Im Collanum steht nichts davon, sie werden völlig ignoriert. – Diese Faktoren haben zu einer immer stärker werdenden Macht des Papsttums geführt, auch schon im ersten Jahrtausend, insbesondere gegen Ende des ersten Jahrtausends. Im 10. Jahrhundert folgt dann eine Zeit völligen Niedergangs, gefolgt wiederum von der cluniazensischen Reform. Dann kommt Gregor VII., und mit ihm steigt das

Papsttum zu einer Machtfülle auf, die Patriarchate einfach nicht mehr zuließ.

Vischer: Wenn das alles stimmt, muß man sagen, daß die Geschichte des Papsttums getragen ist vom Ethos *eines* Patriarchates, aber nicht von der Gesamtkirche.

De Vries: Also, inwieweit ein Primat des Bischofs von Rom im Osten anerkannt wurde, ist eine sehr komplexe Frage, die ich hier nicht behandeln kann. Ich glaube jedenfalls, mehr, als man gewöhnlich meint. Aber niemals als eine Sache göttlichen Rechts, nur als eine Sache menschlichen Rechts: das haben die Konzilien, das haben die Canones so bestimmt, und deshalb nehmen wir das an. Auch die Petrusnachfolge wird in nicht wenigen östlichen Dokumenten anerkannt, auch von Patriarchen und von Kaisern. Sie ist also im Osten nicht völlig unbekannt, wie Heiler einmal geschrieben hat. Das stimmt einfach nicht. Denn es gibt soundsoviele Dokumente, die zeigen, daß diese Idee durchaus bekannt war und gelegentlich sogar anerkannt wurde, nur eben nicht immer. – Wie gesagt, das ist eine sehr komplexe Frage, die noch eingehendes Studium nötig hat.

Blank: Ja, Herr Pater de Vries, ich muß Ihnen ganz ehrlich sagen, daß ich Ihre Interpretation nicht so ganz mitvollziehen kann. Dies betrifft insbesondere die Frühzeit, aber auch die spätere Entwicklung. Einige Argumente und Bedenken, die Herr Vischer schon genannt hat, teile ich auch. Aber ich möchte mich zunächst einmal auf Ihre Interpretation des berühmten Irenäus-Textes beschränken. – Sie haben gesagt, und das ist meines Erachtens auch völlig richtig, daß Irenäus hier nicht von einem universalkirchlichen Primat spricht. Er greift Rom als Beispiel heraus, aber es ist ganz deutlich, daß er ebensogut jede andere apostolische Gründung als Beispiel heranziehen könnte. Rom, und das ist dann durchaus der Westen, hat also ganz unverkennbar ein bestimmtes Gewicht für ihn, aber damit ist überhaupt kein universalkirchlicher Vorsitz in irgendeiner Form anvisiert. Die Frage lautet demnach: Für wen hat Rom diese moralische Autorität? Für Irenäus ganz ohne Zweifel, denn Rom ist diejenige apostolische Gründung, die seinem Bischofssitz in Lyon am nächsten liegt. Aber die anderen apostolischen Gründungen könnten durchaus die gleiche Funktion innehaben. Damit ist doch wohl deutlich eine ungemein starke Relativierung der Bedeutung Roms im Hinblick auf die Apostolizität usw. angedeutet.

Hinzukommt vor allem auch die Frage nach dem Osterfeststreit, und die scheint mir doch etwas gewichtiger zu sein. Dies besonders deswegen, weil Irenäus doch wohl auch hier, so weit ich den Text kenne, die apostolische Tradition des Ostens vollzieht, die Viktor gerade abbrechen will – und zwar wahrscheinlich im Zuge bestimmter, sagen wir, ritentechnischer Vereinheitlichungsbestrebungen. Denn diese Synodengruppe wird man wohl in dem Sinne interpretieren müssen, daß man dort langsam versucht, hinsichtlich des Osterfestes eine einheitliche Regelung zu finden. – Aber nun scheint mir erstens die quartadezimanische Osterfeier tatsächlich die ältere zu sein, älter als die römische und die der Synoden, so daß Irenäus dem Viktor mit Recht sagt: »Hör, so kannst Du nicht verfahren. Die anderen berufen sich doch mit Recht auf apostolische Tradition.« Insofern ist auch von da her nichts in Richtung auf den Primat zu gewinnen. – Darüberhinaus müßte man, so meine ich, die einzelnen von Ihnen angeführten Aussagen sehr deutlich verorten im jeweiligen kirchen- oder gemeindegeschichtlichen Rahmen. Auch im Hinblick auf eine apostolische Berufung von Antiochien oder Alexandrien – in bezug auf Konstantinopel hat man es ja, so weit ich weiß, kaum versucht – gilt, so weit sie ins Spiel gebracht wird, im Grunde, daß es für den Osten zu keiner Zeit eine universalkirchliche Autorität Roms im Sinne eines römischen Primats oder gar eines Jurisdiktionsprimates gegeben hat. Und das deutet doch darauf hin, daß die Entwicklung des römischen Primats ohne bestimmte kirchenpolitische und weittragende politische Akzentsetzungen so niemals hätte stattfinden können, und deshalb müßte man diese, wenn man über die faktische Entwicklung spricht, schon noch deutlicher benennen. Und dies kann man nicht, indem man einfach Texte aneinanderreiht und interpretiert im Lichte der Frage: Ist da schon vom Primat die Rede oder nicht, und falls ja, in welchem Sinne? So bin ich auch hinsichtlich Stephans der Auffassung, daß der römische Bischof das damals durchaus gesagt haben kann und daß darin trotzdem noch keinerlei Andeutung in Richtung auf einen universalkirchlichen Primat liegt.

De Vries: Im allgemeinen bin ich einverstanden, allerdings, was Stephan angeht, bleibe ich dabei: Immerhin hat er es als Argument benutzt, und damit haben wir einen ersten Ansatz, mehr nicht. Es wurde eben nicht allgemein anerkannt. Aber ich habe auch nur gesagt, in den ersten drei Jahrhunderten hätten wir erste Ansatzpunkte, und ich habe darauf hingewiesen, daß bereits im fünften Jahrhundert dann im Westen ein Universalprimat ziemlich vollentwickelt ist. Und das gibt uns doch ein gewisses Recht, diese verschiedenen Anhaltspunkte eben als Stufen dahin aufzufassen. Denn ein Primat fällt nicht fertig vom Himmel.

Blank: Dann hätte ich noch eine Zusatzfrage: Wie würden Sie denn in diesem Zusammenhang die Stellung von Arles beurteilen? Es hat ja doch in der Region von Arles einmal Bestrebungen gegeben, im Westen so etwas wie eine Konkurrenz zu Rom zu entwickeln.

De Vries: Das kann man so überhaupt nicht sagen. Denn Rom hatte beispielsweise auch in Thessaloniki ein Vikariat eingerichtet, und in der gleichen Weise sollte Arles ein Vikariat Roms werden, als man dort die Notwendigkeit sah, dieses ungeheure Gebiet ein wenig aufzuteilen und Stellvertreter einzusetzen. Wir sehen diesen Sachverhalt bei Leo ganz klar, und deshalb haben manche Leute aufgrund bestimmter Texte Leos, die sich auf den Vikar von Thessaloniki beziehen, den Schluß gezogen, Leo habe die Bischöfe einfach als seine Stellvertreter, als seine Beamten betrachtet.

Blank: Das stimmt nicht. Denn die Texte, die Sie zitieren, beziehen sich alle auf den Vikar von Thessaloniki. Der war natürlich ein Beamter des Papstes, nicht aber die einzelnen Bischöfe samt und sonders. Dafür haben wir andere Texte, in denen Leo ganz eindeutig das eigene Recht der Bischöfe anerkennt. Wir sind hier noch nicht so weit wie bei Innozenz III., dazu braucht es noch viel bei Leo dem Großen.

Pesch: Ich knüpfe noch einmal an das an, was Sie, Pater de Vries, gerade sagten und was Sie auch schon Herrn Vischer geantwortet haben. Und ich möchte noch einmal bohren und zurückfragen nach der Methode, mit Hilfe derer Sie zu Ihrer Conclusio gelangen. Als ich Ihr Referat las und jetzt hörte, da erinnerte ich mich ganz spontan an 1953/54, als ich als Student diese Dinge in der Kirchengeschichte hörte, und damals wurden sie noch genau nach dem alten Schema dargestellt, Stückchen um Stückchen wurden da Praxis und Theorie des Primats in den ersten drei Jahrhunderten zusammengetragen. Nach Ihrem Referat hatte ich in dieser Sache erstmals den Eindruck: Geschichte macht frei – wenn man sie nur unbefangen treibt! Aber nun zu meiner Frage, und diese ist eine doppelte: Wenn, wie Sie selbst sagen, in den ersten drei Jahrhunderten nur wenig in die Richtung von so etwas wie Primat weist; wenn, wie heute morgen ausführlich diskutiert, im Neuen Testament schon gleich gar nichts in eine solche Richtung deutet, sondern vielleicht in Richtung auf einen ganz anders gearteten Petrusdienst, dann frage ich mich: Wie kommt es dann, daß Sie dieses Wenige bis Nichts, das vorliegt, *im Rückblick vom vierten Jahrhundert her* »Ansatzpunkte« oder gar einen Weg in Richtung auf den Primat hin nennen? Anders gesagt: Weshalb kommt man nicht gerade zu dem umgekehrten Urteil, daß nämlich irgendwo im vierten Jahrhundert, verglichen mit dem, was vorher war, eben jener, heute vormittag schon öfters beschworene »qualitative Sprung« passierte, angesichts dessen man die Frage stellen muß, welches Recht er hat? Jedenfalls ist er doch, gemäß dem exegetischen Befund und auch nach Ihrem Referat, weder aus dem biblischen noch aus dem historischen Material selbst so einfach abzuleiten, sondern höchstens mit Hilfe der Methode eines ganz gezielten Rückblicks vom vierten Jahrhundert her. Von da aus nun stellt sich der zweite Teil meiner Frage an Sie noch schärfer. Denn wenn die Dinge tatsächlich so liegen, wie kommt es dann, daß wir vom vierten Jahrhundert an nicht nur das Vorherige historisch als Weg dorthin betrachten müssen, sondern sogar aus Gründen des Glaubens an diese Sicht gebunden sind? Weshalb also dürfen wir nicht umgekehrt urteilen oder doch zumindest *fragen,* ob da nicht im vierten Jahrhundert etwas zum bisherigen biblischen und frühchristlichen Zeugnis hinzugefügt wurde, bei dem die Grenze des Zulässigen überschritten ist? – Die Frage lautet also, zusammengefaßt: Weshalb komme ich nicht aufgrund des Materials, das Sie selbst so nüchtern analysiert haben, zum genau gegenteiligen Schluß im Vergleich zu dem, den Sie im letzten Abschnitt Ihres Referates dann ziehen?

De Vries: Der Schluß ist natürlich, sagen wir einmal, ein Wahrscheinlichkeitsschluß. Es scheint mir eben wenig wahrscheinlich, daß ein Primat fertig vom Himmel fällt, und wenn ich deshalb solche Ansätze sehe, dann ist es doch, meine ich, richtig, sie auch in diesem Sinne zu interpretieren. Damit ist selbstverständlich kein stringenter Beweis erbracht und ebensowenig bewiesen, daß wir verpflichtet sind, diese Dinge anzunehmen. Ich habe hier ein rein historisches, kein theologisches Referat gehalten. Und rein historisch betrachtet, kann ich doch, wenn ich eine solche Reihe von Fakten vor mir habe, die in eine derartige Richtung weisen, das auch ausdrücklich feststellen.

Pesch: Wäre es aber nicht – ich weiß sehr wohl, daß es für einen Historiker völlig hypothetisch und irrelevant ist, so zu fragen –, aber trotzdem: wäre es nicht durchaus denkbar gewesen, daß der, sagen wir, recht beachtliche Vorstoß bei Stephan I. statt weiter ausgebaut, im hellen Entsetzen wieder korrigiert worden wäre? Auch das liegt doch – immer vorausgesetzt, daß die kärgliche Berichterstattung, die wir haben, korrekt ist – nicht außerhalb des Denkbaren!

De Vries: Aber das sind Hypothesen, in Wirklichkeit war es eben nicht der Fall.

Pesch: Ja, aber an dieser Frage entscheidet sich, mit welchem Recht wir von »Ansatzpunkten« sprechen!

De Vries: Wir können natürlich von Ansatzpunkten nur mit einer gewissen Wahrscheinlichkeit reden, nicht mit Sicherheit. Das gebe ich zu. Aber wir haben auch keinen Grund zu sagen, das hat mit dem vierten und fünften Jahrhundert alles nichts zu tun. Gratis accepto, gratis legato.

Lengsfeld: Ich vermute, daß wir auf diese Frage noch weiter eingehen müssen, denn es handelt sich dabei auch um die Frage nach der theologischen Relevanz faktisch abgelaufener Geschichte, einer Geschichte, die wir ja eigentlich bis heute zu verfolgen hätten, um dann einen Ansatzpunkt für die Beantwortung der Frage zu finden, was wir denn nun mit der gegenwärtigen Situation machen. Da kehrt das gleiche Problem wieder.

Nissiotis: Ich beziehe mich mit meiner Frage auf die letzte Bemerkung von

Herrn Pesch; darum habe ich Angst, daß ich damit schon in die theologische Debatte, in den systematischen Teil der Diskussion eintrete. Jedenfalls, meine Frage lautet: Warum eigentlich hat nur Rom allein, als ein isoliertes Patriarchat, den Primat in dieser Richtung verstanden? Wie steht dieser Sachverhalt in der Geschichte der ersten drei Jahrhunderte? Können Sie nicht einen tieferen Grund finden, um diese Situation zu erklären? – Nun, ich weiß es nicht, aber mir scheint es jedenfalls, daß irgendwie sehr früh in Rom eine andere ekklesiologische Voraussetzung im Spiele war. Und vielleicht brauchen wir etwas derartiges auch heute, um den Primat als solchen, nicht den Primat von Rom, überhaupt neu verstehen und die Frage beantworten zu können, ob wir überhaupt einen Primat in der Kirche akzeptieren können und in welchem Sinne. Und ich glaube ja, denn die Kirche hat immer einen Primat gehabt. Es fragt sich jedoch, welchen Primat.

Darauf komme ich später noch zurück, im Augenblick gebe ich zu bedenken, ob nicht die Ekklesiologie Roms von Anfang an irgendwie universalistisch war, nicht katholisch, echt katholisch, sondern irgendwie geographisch verstanden, qualitativ. Meines Erachtens gibt es bereits sehr früh in der kirchlichen Geschichte zwei Hauptrichtungen der Ekklesiologie: Die eine denkt universalistisch und nach ihrem Verständnis spitzt sich die Kirche wie eine Pyramide zu, mündet in einem Gipfel, an dem sich alle Kirchen, also die Lokalkirchen, irgendwo bestimmen. Von Anfang an ist demnach eine globale Kirche da, und diese globale Kirche denkt man quantitativ, d. h., die Sammlung aller Kirchen ist die Kirche. Und eben deswegen, weil sie eine Sammlung aller Kirchen ist, braucht die globale Kirche einen Kopf, ein Haupt. Ohne Haupt existiert diese Sammlung nicht. – Die andere Richtung hat von Anbeginn an in den übrigen Patriarchaten eine Rolle gespielt, in denen die Apostolizität keine Rolle spielte. Konstantinopel beruft sich ja erst heute darauf, daß es den Apostel Andreas zum Begründer hat – das ist eine andere Legende. Darin zeigt sich eine Manie, die wir von Ihnen vermittelt bekommen haben, und diese Manie ist vollkommen falsch. Denn das Bischofsamt hat nichts mit – das ist auch übertrieben – ist jedenfalls nicht identisch mit der Apostolizität. Keiner von den Aposteln wurde ein Bischof. Darüber müssen wir uns erst einmal einigen, damit das Gespräch überhaupt weitergehen kann. Es ist eine Legende, daß Petrus Bischof von Rom wurde. Bestimmt war er irgendwie der geistliche Vater, aber Bischof auf keinen Fall. Denn in diesem Sinne müßten wir auch Paulus als den Bischof von Korinth, Andreas als den Bischof von Patras bezeichnen. Wir wissen aber: Timotheus führt den Namen nicht. Dennoch war er der erste Mann in Ephesus, Titus in Kreta, Barnabas auf Cypern, Ignatius in Antiochien – alle ohne den Namen

›Bischof‹. Ignatius von Antiochien, das hieß einfach: *der* Mann in Antiochien, das Haupt in Antiochien, aber eben nicht in dem besagten Sinne als Gipfel. – Also die andere Richtung, die für uns von Bedeutung ist, legt das Gewicht auf die sogenannte katholisch-eucharistische Gemeinde, und für sie existiert die eine Kirche *in* den Lokalkirchen. Wo die Eucharistie gefeiert und das Wort gepredigt wird, dort ist die Kirche – einfach. Und die wird dann auch, zugunsten der Einheit, mit einem Namen benannt: Polykarp von Smyrna, dem Christen in Smyrna. Nicht auch der Ort, zunächst jedenfalls nicht der Ort, denn der Ort ist überall. Aber dort in Ephesus ist *er* als Name. – Deshalb frage ich, ob Sie in der Geschichte einen tieferen Grund dieser Art finden. Lukas Vischer hat die Frage, um die es geht, sehr gut gestellt: Warum gab es eigentlich kein anderes Patriarchat im Westen? Weshalb ist die Entwicklung im Westen so monolithisch monarchisch geblieben? – Und ich finde, dahinter steckt eine ganze Ekklesiologie, eine bestimmte Art ekklesiologischen Denkens: Es gibt *eine* Kirche. Was bedeutet das in diesem Denken? Es bedeutet: einen *Gipfel* von Kirche. – Für mich gibt es – Entschuldigung, wenn ich das kritisch sage –, seit es eine eucharistische Ekklesiologie gibt, in der römisch-katholischen Kirche nicht Bischöfe, sondern nur einen einzigen Bischof, nämlich den Bischof von Rom. Die anderen sind, wie Sie gesagt haben, lediglich Stellvertreter. Bei uns dagegen muß, wenn jemand zum Bischof ordiniert wird, derjenige die Priorität bei dem Ersten, d. h. bei der Eucharistie haben. Aus diesem Grunde wird er überhaupt ordiniert: damit er sofort unter den Bischöfen, die ihn ordiniert haben, in der Eucharistie die Priorität einnehmen kann. Dies bedeutet für uns der Satz des Irenäus προκαθημένη τῆς ἀγάπης. In diesem Sinne war Rom immer das erste Episkopat für uns, also in der Liebe, der Gemeinschaft, der eucharistischen Gemeinschaft. Das Wort erinnert uns hier an das Abendmahl, hier ist der Ort der eucharistischen Gemeinschaft, der Gemeinschaft der Liebe. – Ich möchte also wissen: Sehen Sie als Kirchenhistoriker in dem, was ich genannt habe, einen Grund für die tatsächliche Entwicklung? Ist das wahr, oder wie scheint es Ihnen?

De Vries: Ich habe in den ersten drei Jahrhunderten diese Tendenz eigentlich noch nicht entdecken können, und wir haben auch später im Westen durchaus keine so geschlossene Gemeinschaft, wie Sie das vielleicht voraussetzen. Ich weiß nicht, ob Sie einmal das Buch von Heiler gelesen haben, in dem er gerade darstellt, wie auch im Westen der Papst nicht von Anfang an das Oberhaupt des ganzen Westens gewesen ist – auch nicht als Patriarch. So war etwa die afrikanische Kirche, obwohl sie von Rom aus gegründet worden war, von Anbeginn an immer sehr selbständig. Ähnlich die gallische und die spanische Kirche, bei der hinzukommt, daß sie bis 589, also bis die Westgoten den Katholizismus annahmen, arianisch war, dann allerdings die Bande mit Rom stärker werden. Für Frankreich jedoch gilt das zur gleichen Zeit ebenfalls noch nicht: Die Synoden im Frankenreich werden vom König bestimmt und bestätigt, nicht vom Papst, und insofern besitzt die fränkische Kirche eine sehr starke Selbständigkeit. – Die Bildung dieser straffen Einheit im Westen hat folglich ihre Geschichte, und diese ist, scheint mir, nicht so sehr von theoretischen Erwägungen als vielmehr vom praktischen Verlauf der Ereignisse abhängig.

Zwischenruf: Nur administrativ gesehen?

De Vries: Ich erwähnte zum Beispiel auch das Reich Karls des Großen, das wieder zu einer viel stärkeren Bindung der fränkischen Kirche an Rom führte. Dabei spielte allerdings Karl der Große in etwa die gleiche Rolle wie der Kaiser im Osten. Es ist das eine Imitation, nicht ganz so schlimm vielleicht wie das Original, aber die Tendenz ist da. Dies also ist die Situation. Und es verhält sich eben nicht so einfach, daß man sagen kann, wir stünden hier vor einer anderen Mentalität und diese andere Mentalität würde alles erklären. Es gilt dabei, eine ganze Reihe von Faktoren zu berücksichtigen. Allerdings sehen wir uns im Westen mit einem Faktum konfrontiert, das wir im Osten nicht kennen, nämlich mit der Tatsache, daß Päpste – und zwar ziemlich bald – anfangen, ihre Dekrete einfach als Dekretalen zu betrachten, die Gesetzeskraft für die gesamte Kirche wenigstens des Westens, ihrer Absicht nach vielleicht sogar auch des Ostens, haben sollten. Also, eine derartige Mentalität gibt es schon. Nur ist sie nicht allein für die weitere Entwicklung verantwortlich, sondern es ist eine ganze Anzahl von historischen, auch politischen Faktoren, die mitbewirkt haben, daß im Westen statt neuer Patriarchate eine solch straffe Einheit entsteht und Rom das einzige Patriarchat bleibt. Außerdem mag vielleicht, vielleicht, mitgespielt haben, daß im Westen der einzige apostolische Sitz eben Rom war, während es im Osten mehrere Sitze gab, die schon sehr früh einen apostolischen Ursprung beanspruchten – auch Alexandrien in bezug auf Markus, obgleich mir das eine sehr problematische Angelegenheit zu sein scheint. Sodann Konstantinopel, wo ja die Geschichte mit Andreas erst sehr viel später erfunden wurde. Da ist eben nur die politische Stellung der Stadt als Hauptstadt des Reiches maßgebend gewesen. Aber entscheidend ist die ganz andere politische Entwicklung, die sich im Osten vollzieht, etwa die Invasion der Araber, die die Situation total verändert. So etwas haben wir im Westen nicht gehabt. Dort haben wir den Bund zwischen Papsttum und Germanentum, dort geschieht es, daß Papst Stephan III., glaube ich, zu Pippin geht und ihn um Hilfe bittet gegen die Langobarden, weil ihn die Byzantiner im Stich ließen. Das war eigentlich der politische Bruch zwischen dem Westen und dem Osten, der später auch für den religiösen Bruch zur Zeit des Curtius eine sehr große Rolle gespielt hat und der darin besteht, daß Rom sich politisch von Byzanz loslöst und sich mit den neuen Kräften des Nordens, den Germanen, verbindet.

Nissiotis: Weshalb hat dann der Papst in Konstantinopel einen Patriarchen ernannt, nachdem Konstantinopel in die Hände von Kurasaten gefallen war?

De Vries: Das war ein großer Fehler!

Nissiotis: Nein, das war nicht nur einfach ein Fehler. Ich betrachte das nicht als Fehler, sondern als konsequente Ekklesiologie. Der Papst war nicht so dumm, einen solchen Fehler zu begehen.

De Vries: Er hat gesehen, daß er die Ekklesiologie des Ostens doch irgendwie respektieren müsse.

Nissiotis: Ja, aber aus welchem Grund? Doch deswegen, weil man im Osten sehr anders ekklesiologisch dachte.

De Vries: Der Papst sah, daß er dem Osten nicht einfach seine eigene Ekklesiologie aufdrängen konnte. Deshalb ernennt er einen lateinischen Patriarchen, deshalb setzt er einen lateinischen Patriachen nach Konstantinopel, nach Antiochien, nach Jerusalem und Alexandrien. Und das letztere gelang ihm, weil die Kreuzfahrer Alexandrien nicht erobern konnten.

Nissiotis: Nein, der Patriarch ist ein Stellvertreter des Papstes, er ist kein Patriarch im wahren Sinn.

De Vries: Das ist die Aufassung der Patriarchen im zweiten Jahrtausend, im ersten Jahrtausend nicht. Im ersten Jahrtausend sind die Patriarchen auch in der Konzeption Roms keineswegs Stellvertreter des Papstes, sondern sie besitzen ihr Eigenrecht. Und warum haben sie dieses eigene Recht, woher haben sie es? Aus dem Gewohnheitsrecht. Das sagen die Päpste nicht ausdrücklich, aber meines Erachtens ist dies die einzig plausible Erklärung. Die einzelnen Bischöfe haben dann, um der besseren Leitung der Kirche willen, stillschweigend auf einen Teil ihrer Rechte verzichtet und größere Verbände formiert. Es vollzieht sich also im Osten, innerhalb und außerhalb des Reiches, eine Zentralisierung auf regionaler Ebene, und so haben wir schließlich die persische Kirche – von der man gewöhnlich nur weniges weiß, die armenische Kirche und die äthiopische Kirche, die allerdings fast bis in unsere Tage hinein von Alexandrien abhängig geblieben ist. – In Rom jedenfalls finden wir während des ersten Jahrtausends nicht die Auffassung, den Patriarchaten kämen ihre Sonderrechte vonseiten Roms zu, vielmehr gehören ihnen diese aufgrund eigenen Rechts. Erst im zweiten Jahrtausend hatte sich die Sicht der Macht des Papsttums derart weit fortentwickelt, daß man sich einen Patriarchen mit derartigen Vollmachten einfach nicht mehr vorstellen konnte, ohne zu denken, er habe diese Vollmachten vom Papst erhalten.

Nissiotis: Seit wann braucht ein Bischof die Anerkennung des Papstes, um ein echter Bischof der katholischen Kirche zu werden?

De Vries: Auch erst im zweiten Jahrtausend. Im ersten Jahrtausend wurden die Bischöfe bekanntlich gewählt. Es war dann die Zustimmung des Metropoliten bereits nach dem ersten Konzil von Nizäa notwendig, eine Bestätigung durch den zuständigen Metropoliten. Aber Rom hatte damit nichts zu tun. Deshalb ist es, historisch gesehen, heller Unsinn, zu behaupten, es sei juris divini, daß der Papst die Bischöfe einsetzt.

Stirnimann: Ich möchte im Zusammenhang der Diskussion mit Herrn Nissiotis nur ganz rasch auf ein westliches Beispiel einer relativ romfreien Kirche hinweisen, das man leicht vergißt. Es handelt sich nämlich um Irland, ein Land also, das unpolitisch zum Christentum kommt und eine der wenigen unpolitischen Missionierungen betrieben hat. Irland hielt sich relativ selbständig und hat ja auch, beispielsweise, noch bis in die späte Zeit hinein die Ostern quartadezimanisch gefeiert. Das ist immerhin beachtenswert, aber es ist eben ein Sonderfall, d. h. eine Mönchskirche usw. Deshalb gab es dort unter anderem auch keine Patriarchate.

Grässer: Mir scheint, daß Herr Blank und Herr Pesch mit der Frage nach dem geschichtlichen Prozeß eine wichtige Frage angeschnitten haben. Mir leuchtet schon ein, wenn Sie, Herr de Vries, sagen, der Primat sei nicht vom Himmel gefallen, und Sie uns Stufe für Stufe eine Treppe bis hin zum Primat entwickeln. Aber dann fügen Sie etwas hinzu, was in genauem Gegensatz zu dem steht, was ich selbst in meinem Referat ausgeführt habe, wenn Sie nämlich weiterfahren, der Primat habe sich aus neutestamentlichen Keimen heraus entwickelt, aus denen eine langsam fortschreitende Tradition eine Vorrangstellung des Bischofs von Rom als des Nachfolgers Petri herausgearbeitet hat. Wenn also in diesem Sinne die neutestamentlichen Belege wirklich die Qualifikation ›Keime‹ verdienen, dann heißt das aber doch, daß dort etwas angelegt war, das nur darauf wartete, sich geschichtlich entfalten zu können. Und gerade das ist nach meiner Meinung eben nicht der Fall. Wohl hat sich in der fortschreitenden Tradition geschichtlich einiges entwickelt, aber das wurde keineswegs aus den neutestamentlichen Quellen heraus-, sondern eher schon in sie hineingearbeitet.

De Vries: Ich würde wenigstens so viel sagen: Diese Entwicklung läuft dem Neuen Testament nicht zuwider, und deshalb kann man das Neue Testament so interpretieren, daß es einen Keim für diese Entwicklung enthält.

Grässer: Darf ich dazu ein konkretes Beispiel aus der evangelischen Kirchengeschichte anführen? – Ich meine das Verhältnis von Thron und Altar: Nachdem sich das in einer bestimmten Weise geschichtlich entwickelt hatte, wurde natürlich auch versucht, das Resultat dieses Prozesses biblisch zu legitimieren. Und da ist einem dann auch das eine oder andere dazu eingefallen, z. B. ›Fürchte Gott, Ehret den Kaiser‹. Röm 13 hat bekanntlich in diesem Zusammenhang eine unheilvolle Rolle gespielt. Aber inzwischen weiß man auch, daß das in keiner Weise im Neuen Testament angelegt war, sondern es sich schlicht um eine Fehlentwicklung handelte, die theologisch mitvollzogen und dadurch legitimiert wurde – was man inzwischen wieder aufgegeben hat.

De Vries: Ich kann diesem Einwand, bezogen auf die Stellung des Petrus im Neuen Testament, nicht stattgeben, denn nach meiner Ansicht sind dort Ansatzpunkte vorhanden, die es erlauben, zu behaupten, daß die Entwicklung, die tatsächlich stattgefunden hat, dem Neuen Testament wenigstens nicht widerstreitet. Andernfalls stünden wir vor dem Kuriosum, um nicht zu sagen: Absurdum, daß sich die Kirche Christi in einem Sinne entwickelt haben soll, der der Absicht Christi völlig zuwider ist. Das kann ich nicht akzeptieren. Ich kann Ihnen sagen: deshalb bin ich katholisch. – Es gibt freilich Primat und Primat, und den Primat, wie er sich heute darstellt, den halte ich auch nicht in allem für der Absicht Christi entsprechend. Aber andererseits scheint mir klar, daß – bei aller Selbständigkeit der einzelnen Ortskirchen – irgendwie eine Spitze vorhanden sein muß. Denn sonst entsteht die Gefahr, daß das Ganze zerfließt. – Wenn wir also die eucharistische Ekklesiologie übernehmen, sehen wir immer nur die Ortskirche, in der Eucharistie gefeiert wird, und wo das Wort Gottes verkündigt wird, da ist dann Kirche. Aber diese einzelnen Kirchen müssen doch untereinander irgendwie verbunden sein, wenn sie nicht auseinander fließen sollen. Sonst gibt es am Ende so viele Sinne wie Köpfe und so viele Köpfe wie Sinne. Und deshalb halte ich etwas ähnliches wie das Papstamt doch für erwägenswert. Das wird ja jetzt, aus rein praktischen Gründen, auch von evangelischer Seite viel stärker anerkannt als früher. Nun, wir Katholiken haben etwas Derartiges. Es hat sich geschichtlich entwickelt, freilich mit ganz erheblichen Seitensprüngen, die aber auch von katholischer Seite als falsch anerkannt werden. Dennoch, die Tatsache, daß die Kirche auch ein Ganzes ist und als solches auch eine Spitze haben muß – das scheint mir nicht der Absicht Christi zu widerstreiten. – Die entscheidende Frage ist: Was für eine Spitze? Wie soll der Primat aussehen? Jedenfalls nicht so wie heute. Darüber bin ich vollständig mit Ihnen einig.

Lengsfeld: Ich habe den Eindruck, daß sich hier ein sehr fruchtbares Feld für weitere Auseinandersetzungen eröffnet, die allerdings eine Reihe methodischer Überlegungen nötig machen. Wir befinden uns hier fast auf einem Gebiet, auf dem wir jetzt eine Art Sachkritik nicht mehr nur, wie früher, am Neuen Testament, sondern an der Kirchengeschichte betreiben müßten. Dafür aber, so scheint es mir, fehlt uns noch das Instrumentarium, mit dessen Hilfe wir genau abheben könnten, wo sich im ersten Jahrtausend Elemente finden, die wir als sachgerechte Entfaltung des apostolischen Glaubens nach wie vor akzeptieren können, und wo andererseits etwas hinzugekommen ist, das wir als Fehlentwicklung oder qualitativen Sprung bezeichnen müssen. Ich glaube, hier, in diesem Feld, liegt die Differenz, die wir freilich bisher noch nicht genau genug haben erfassen können – jedenfalls nach meinem Eindruck.

Hasler: Ich möchte auch noch einmal auf den letzten Paragraphen in dem Referat von Pater de Vries zurückkommen. Man könnte da vielleicht folgende Unterscheidung einführen: Zunächst will man nur historisch erklären, wie es zum Primat und zur päpstlichen Unfehlbarkeit gekommen ist. Und in diesem Sinne findet man dann ja tatsächlich Ansatzpunkte. – Im Anschluß daran aber muß man dann noch eine weitere Frage stellen, nämlich: Was bedeutet eigentlich dieser negative Befund bezüglich der ersten drei Jahrhunderte und des Neuen Testaments für die Ansprüche des Papstamtes, die ja auf eine göttliche Institution hinauslaufen? Ich glaube nun, daß alle drei Referate im Grunde diese Ansprüche ziemlich radikal infragestellen. Und deshalb scheint mir, daß Herr Blank sich zu euphemistisch ausgedrückt hat, wenn er daraus lediglich folgert, damit sei die Kirche frei, auch andere Organisationsformen zu finden. Denn das ist doch nicht ganz so einfach, nachdem jahrhundertelang, wie dann ganz besonders im Ersten Vatikanischen Konzil, behauptet wurde, Unfehlbarkeit und Jurisdiktionsprimat gingen auf die göttliche Offenbarung zurück. Es ist doch selbst für jeden Nichttheologen unglaubwürdig, wenn man dann einfach sagt, jetzt können wir das alles auch anders organisieren. – Nach meiner Meinung lautet also die Hauptfrage: Wie kann man nach diesen drei Referaten noch die Ansprüche des Papstamtes begründen?

Pannenberg: Ich wollte die Fragen von Herrn Gräßer und Herrn Pesch noch einmal aufnehmen und fortführen und dabei beginnen mit dem Gesichtspunkt, den Lukas Vischer in die Debatte geworfen hat, indem er nach dem Ursprung und den Funktionen der Patriarchate fragt. Damit ist doch eigentlich die Alternative für unser Gespräch schon überwunden, nach der man sich entweder auf jene universalistische Mentalität bezieht oder aber eine Auffassung bevorzugt, die ganz begrenzt ist auf den eucharistischen Lebensvollzug und den örtlichen Bischofssitz. Denn die Entwicklung von Patriarchaten scheint doch zu zeigen, daß es schon von früh an in den regionalen Bereichen und lokalisiert in den regionalen Zentren, eine über diese örtlichen Bischofssitze hinausgehende Einigungstendenz gegeben hat, die wir gar nicht zurückführen müssen auf das Neue Testament, die aber doch zum Ausdruck bringt, daß das Bedürfnis nach einer übergreifenden Einheit, die irgendwie auch organisatorische Gestalt annimmt, in der Christenheit vorhanden war. Und das könnte man dann ja vielleicht auch nach rückwärts verankert sehen in der paulinischen Kollekte, jener Funktion, die eben Jerusalem als Vorort vor dem Jahre 70 gespielt hatte. – Die Frage ist dann nur, wie es dazu kommt, daß Rom nicht ein Patriarchat unter anderen geblieben ist. Und da haben Sie, Herr de Vries, ja nun uns deutlich gemacht, daß das noch bis ins dritte Jahrhundert hinein eigentlich kaum in Erscheinung tritt und daß man erst im Nachhinein Ansatzpunkte sehen kann. Ich finde, es wäre gut, auseinanderzuhalten, ob man im Nachhinein Ansatzpunkte sieht, oder aber sagt, es seien schon im Vorhinein sozusagen keimartige Anlagen, und zwar ganz bestimmte Dinge, vorhanden gewesen. Daß man im Nachhinein Ansatzpunkte sehen kann, die vielleicht, wäre die Entwicklung anders verlaufen, eben auch nicht als solche sichtbar würden – das scheint mir doch plausibel zu sein. Und mehr hatten Sie, Herr de Vries, so, wie ich Sie zunächst verstanden habe, auch nicht behaupten wollen. – Aber wann tritt nun jenes Ereignis ein, von dem aus im Rückblick die ganze Sache so anders aussieht? Mir schien nach Ihren Ausführungen jener Brief Firmilians von Cäsarea an Cyprian das auch noch nicht zu enthalten. Denn da wird doch eigentlich auch auf einen universalen Anspruch des Bischofs von Rom nicht, jedenfalls nicht ausdrücklich, Bezug genommen, sondern Cyprian wird gleichsam nur am Schlips ergriffen und daran erinnert, daß er doch Nachfolger des Petrus sein will und trotzdem nicht gegen die Häretiker auftritt. Ist das nicht eine viel engere Thematik, die nicht notwendig den Anspruch auf einen Universalprimat einschließt? – Dazu hätte ich gern noch eine Äußerung von Ihnen, Pater de Vries.

De Vries: Firmilian verlangte aber von Cyprian und, wie es scheint, auch von Kyrillian von Cäsarea, daß sie seine Ansicht teilten – und zwar unter Berufung auf den Mattäus-Text und die Nachfolge Petri. Es handelt sich also doch schon um etwas mehr, als das, was Sie ansprachen.

Pannenberg: Darf ich meine Frage noch etwas weiterführen? – Sie haben ja das vierte Jahrhundert übergangen und gesagt, definitiv anders als im dritten sei es erst im fünften Jahrhundert, in dem dann wohl jener qualitative Sprung zu vermuten wäre, von dem Herr Pesch sprach. Möglicherweise müßte man hier doch fragen, ob die Entwicklung im vierten Jahrhundert grundsätzlich über die der ersten drei Jahrhunderte hinausführt. – Im Blick auf das fünfte Jahrhundert jedenfalls ist zu berücksichtigen, daß dies das Jahrhundert der Völkerwanderung war, und daher geht meine zweite Frage an Sie dahin, ob nach Ihrer Ansicht die politischen Ereignisse, die in diesem Zusammenhang stehen, also etwa die Auflösung der westlichen Reichshälfte, aufgrund derer dann Rom für die westliche Christenheit eine bestimmte Funktion zufiel, ob diese Ereignisse also in bezug auf den Funktionswandel Roms von einem Patriarchat neben anderen zu einem Ort mit exklusivem und universalem Primatsanspruch eine wesentliche Bedeutung besitzen.

De Vries: Zunächst einmal zum vierten Jahrhundert: Das ist eine ziemlich problematische Angelegenheit. Da gibt es nämlich einen Brief des Papstes Julius an die Eusebianer, der oft als das erste Dokument angeführt wird, das angeblich beweist, daß auch im Osten ein allgemeines Appellationsrecht an den Bischof von Rom existierte. – Der Sinn des ganzen Briefes, den wir nur in einer griechischen Übersetzung bei Athanasius kennen (DS 132), hängt nun aber ab von der Bedeutung eines einzigen Wortes. Dieses Wort heißt ἔνϑεν. Bedeutet das jetzt ›hinc‹, ›illinc‹ oder aber ›deinde‹? – Daran entscheidet sich alles. Heißt es nämlich ›hinc‹, dann will Julius sagen: »Ihr hättet zuerst an uns – das wäre dann der Pluralis majestatis, also eigentlich: an mich – schreiben müssen, damit hier von Rom aus dann die Entscheidung falle. – Bedeutet das Wort jedoch ›illinc‹, dann geht es bei dem ›wir‹ nicht um einen Pluralis majestatis, sondern es sind damit die westlichen Bischöfe gemeint. Folglich würde der Satz besagen: »Ihr hättet an uns schreiben müssen, damit wir auch etwas dazu sagen können und die Entscheidung gleichfalls von hier aus gefällt wird.« – Heißt es schließlich ›deinde‹, dann steckt wahrscheinlich gar nichts weiter dahinter und es ist lediglich gemeint: »Ihr hättet schreiben sollen, und danach wäre dann die Entscheidung gefallen. Wie, das ist dort gesagt.« – Mir persönlich scheint, daß der Brief von der Auffassung her interpretiert werden muß, die später Ambrosius vertritt, und zwar anläßlich des ersten Konzils von Konstantinopel, auf dem man Entscheidungen wichtigster Art getroffen hatte, ohne dabei den Westen zu fragen. Und jetzt ist es Ambrosius, nicht Damasus wohlgemerkt, der gegen dieses Vorgehen protestiert – und zwar eben nicht unter Berufung auf den Primat, sondern indem er sich auf die Koinonia beruft. Ambrosius argumentiert also: »Diese allgemeine Gemeinschaft unter den christlichen Kirchen verlangt, daß ihr derart wichtige Entscheidungen wie die Aufstellung eines neuen Bischofs von Konstantinopel und von Antiochien nicht trefft, ohne euch vorher mit uns Bischöfen des Westens beraten zu haben. Denn das ist eine alte Gewohnheit.« – Ich glaube, in diesem Sinne ist auch der Brief des Julius zu verstehen. Dann jedoch wäre darin noch keineswegs ein solcher Primatsanspruch erhoben, wie man es oft bis in die jüngste Zeit hinein darstellt. – Wir haben dann noch bei Damasus selbst einen Text aus der Synode vom Jahre 382, der wahrscheinlich eben dieser Synode angehört. Es handelt sich dabei um einen Teil des Dekretes Gelasianum, in dem wiederum ausdrücklich Mattäus 16,18 zitiert und daraus der Schluß gezogen wird, der Bischof von Rom sei der Nachfolger des Petrus und, wie ich meine, auch als solcher

Haupt der Kirche. – Dann aber folgt im fünften Jahrhundert in Ephesus die Erklärung der päpstlichen Legaten an Cölestin. Und erst da stehen wir vor der ganz klaren Primatsauffassung, also der Sicht des Bischofs von Rom als des Hauptes der gesamten Kirche. Das findet sich in dieser Form erst im fünften Jahrhundert, im vierten geht es um einen gewissen Übergang, um – so glaube ich – nichts weiter. Was schon im dritten Jahrhundert vorhanden war, steigert sich – und deswegen eben meine These einer langsamen Entwicklung, nicht eines plötzlichen Bruches.

Pannenberg: Sie würden also dem Ereignis von 410 und allem, was darauf folgte, keine Bedeutung für diese Entwicklung beimessen?

De Vries: Natürlich fiel in diesem Zusammenhang dem Bischof von Rom eine sehr große Bedeutung zu. Allerdings hat das eben eine ganze Weile gedauert. Erst kam die Herrschaft der Goten und die kurze Rückeroberung von Byzanz, dann – viel entscheidender – die Invasion der Langobarden, deren sich Rom nicht erwehren kann und von Byzanz allein gelassen wird. Und erst im Anschluß daran vollzieht sich der Übergang zu den Germanen, die vorher auch in Rom als die Barbaren betrachtet wurden. Jetzt aber wird zwischen Rom und den sogenannten Barbaren ein Bund geschlossen, und der wird nun zur Grundlage unserer heutigen Zivilisation und auch der Entwicklung des Papsttums. Was bleibt, ist der Anspruch, auch im Osten etwas zu sagen zu haben, der erstmals im Schisma des Cerularius zum Bruch führt. Denn mittlerweile war das Papsttum durch Gregor VII. und Innozenz VIII. übersteigert worden. Schließlich wird dann Konstantinopel erobert und das zweite Konzil von Lyon abgehalten, das eine Definition des Papsttums präsentiert, die aufgrund der darin enthaltenen Auffassung von der Abhängigkeit der Patriarchen vom Papst für den Osten absolut untragbar war. Damit wird zum Schluß der Bruch zwischen Westen und Osten endgültig vertieft. – All das aber war eine Entwicklung erst der späteren Geschichte.

Küng: Pater de Vries, ich bin beeindruckt, wie Sie die einzelnen Texte und Zeugnisse, die einzelnen facta dogmatica, die jedenfalls früher als solche galten, unvoreingenommen interpretiert haben. Gerade deshalb frage ich mich jedoch, weshalb Sie nun trotzdem auf so viel Opposition stoßen – und zwar von katholischer wie von evangelischer Seite. Genauer gesagt: ich frage mich, ob Sie nicht doch in einem Denkschematismus befangen sind, der bekanntlich vor allem in Tübingen seinen Ursprung hatte und von da nach Rom weitergegeben wurde. Ich denke insbesondere an Möhler, dann an Perrone und Ihre Väter von der Gesellschaft Jesu, die dieses Denkschema schon aufgegriffen haben, um damit das Dogma von der Unbefleckten Empfängnis zu begründen, 1950 auch das Dogma von der Assumptio und dann natürlich erst recht alles, was im Ersten Vatikanischen Konzil gesagt wurde. Kurzum, ich meine das auch von Möhler nicht erfundene, sondern vom Deutschen Idealismus übernommene Schema von der – wie man früher formuliert hätte – ›organischen‹ Entwicklung. Nicht umsonst sprechen Sie ständig von ›Entwicklung‹ und von ›Keimen‹.

Von daher reduziert sich die ganze Problematik auf die Frage, ob dieses Schema überhaupt den Fakten entspricht. Nun zitieren Sie in diesem Zusammenhang meinen Vorgänger Karl Adam und sagen, er habe die Lücke in der Vätertradition, die bei Cyprian vorliegt, übertrieben. Ich glaube aber im Gegenteil, daß Karl Adam, der ja diesem Schema gleichfalls verhaftet war, sehr wohl gemerkt hat, wie schwierig die Geschichte wird, wenn Cyprian fehlt. Nicht umsonst hat etwa auch mein eigener Lehrer an der Gregoriana, Zappelena, gerade an dieser Stelle große Schlachten geschlagen. Wenn Sie jetzt das »Primatszeugnis« Cyprians – wie ich in Übereinstimmung mit den anderen meine zu Recht – fallenlassen, dann bleibt nicht bloß eine kleine Lücke, sondern es fehlt praktisch das Fundament. In diesem Sinne war schon das, was die Herren Gräßer und Blank sagten, eindeutig: es fehlen auch nur Keime für die Konzeption eines Primats – allerdings nicht, wie gleich hier vorzumerken ist, für jegliche Form eines Einheitsamtes. Darin bestand heute morgen weithin ein evangelisch-katholischer Konsens.

Wenn aber die Basis fehlt, wie ist es dann möglich, daß Mitte des dritten Jahrhunderts man sich plötzlich eben darauf beruft – und zwar gegen den Widerspruch aller anderen? Weshalb braucht es ein halbes Jahrtausend, bis ein solches Verhalten möglich ist? Außerdem haben Sie, Herr de Vries, nicht erklärt, wie Sie dem Zugzwang entgehen wollen, der durch das Entwicklungsschema entsteht: Wenn sich das alles so schön langsam entwickelt hat, dann nämlich müssen Sie natürlich auch Nikolaus I. mitnehmen und auf der Gegenseite dafür Gregor VII. ›einkaufen‹, ganz abgesehen von Innozenz III. und Innozenz IV., der, wenn man an die Kodifizierungen denkt, für die weltliche Macht des Papsttums beinahe noch mehr getan hat als Innozenz III. All das ist dann, so muß man sagen, Entwicklung. Und es ist ja auch lange Zeit so gesagt worden. Noch bis zum Konzil konnte man in kirchlichen Kreisen die Meinung vertreten: Im Grunde sei auch diese potestas in temporalia richtig, sub aspecto peccati gewissermaßen, und wie diese Unterscheidungen alle hießen.

Hier sehen wir also die Folgen dieses Entwicklungsschemas, das, wie sich heute zeigt, keine Basis hat.

Und nun taucht eben die Frage von Peter Lengsfeld auf, ob wir nicht im Besitz eines Instrumentariums sind, mit dessen Hilfe wir eine solche Entwicklung kritisieren können. Haben wir ein solches Kriterium? Als Antwort wird man doch heute auch als Katholik zugeben müssen, es gebe keine andere Möglichkeit, als zum Neuen Testament zurückzugehen und an ihm Maß zu nehmen. Es gibt natürlich, da würde ich Ihnen zustimmen, eine Entwicklung secundum evangelium. Das wird man nicht bestreiten können. Denn man kann nun einmal die Kirche nicht so leiten wie im Jahr 451 oder gar 150. Es gibt auch, so würde man mit noch mehr Recht sagen dürfen, eine evolutio praeter evangelium, und darunter fällt zum Beispiel ein Problem wie das, ob der Papst solche oder andere Kleider tragen sollte oder nicht. Darüber läßt sich sehr wohl streiten.

Schließlich gibt es Entwicklungen, die contra evangelium sind. Ich meine, sie beginnen dort, wo aus dem Dienstprimat ein Machtprimat wird. Angesichts dessen kann man nicht mehr bloß von Entwicklung sprechen, sondern muß auch das Unheil nennen, das damit in die Kirche eingezogen ist. Umgekehrt gilt dies natürlich genauso: wenn in allerneuester Zeit eine Wende zurück auf den Dienstprimat eingetreten ist, die man auch dann konstatieren kann, wenn man Johannes XXIII. nicht mythologisieren will. Leider geschah diese Wende nur faktisch, nicht theoretisch, leider auch ohne organisatorische Konsequenzen innerhalb der Kurie. Aber immerhin: so etwas ist möglich.

Kurz und gut, die historische Begründung des Primatsanspruches läßt sich nach den bisherigen Data weder historisch (also im Sinne einer historischen Kontinuität) noch formalrechtlich (wie das im Zusammenhang damit immer wieder versucht wurde) liefern, sondern sie ist funktional oder auch theologisch zu denken. Das heißt, es soll jemand die Einheitsfunktion in jener Weise wahrnehmen, die beispielsweise bei Johannes XXIII. ein so positives Echo gefunden hat. Er hätte also die Aufgabe, Einheit zu vermitteln, zu verkörpern, nach innen und außen zu repräsentieren. Eine solche Funktion könnte auch vom Neuen Testament her gerechtfertigt werden. Alle anderen Implikationen, die im Laufe der Geschichte mit dem Einheitsamt verbunden wurden, lassen sich, meiner Meinung nach, auch mit Entwicklungsdenken nicht mehr begründen.

De Vries: Ich bin vollkommen damit einverstanden, daß mit dem Hinweis auf eine bestimmte Entwicklung nicht alles entschuldigt werden kann. Trotzdem ist Entwicklung grundsätzlich notwendig. Über die Kriterien müssen wir uns freilich unterhalten.

Küng: Kriterium ist das Neue Testament!

De Vries: Das Neue Testament ganz für sich alleine?

Küng: Es wäre das alte Lied, jetzt sofort wieder die Tradition einzuführen und zu sagen: »Wir haben nicht das Neue Testament allein, wir haben auch noch die Tradition.« Diese Argumentation kennen wir noch vom Zweiten Vatikanischen Konzil her. Aber, wenn wir ihr folgen, sind wir wieder so weit wie vorher. Denn dann gehört selbstverständlich wieder alles dazu, auch Innozenz III. und Pius XII. Hier ist die Frage nach der norma normans und der norma normata zu stellen.

Blank: Ich habe im Anschluß an Herrn Küng auch noch einmal zu sagen, daß mir der Begriff der Entwicklung hier in dieser Sache nicht angemessen zu sein scheint. Denn er setzt voraus, daß da etwas gegeben ist, das sich irgendwie weiter entwickelt. Er wird aber darüberhinaus, wie die wissenschaftstheoretische Diskussion der letzten zehn oder fünfzehn Jahre gezeigt, dem historischen Denken selbst, und nicht nur den historischen Fakten, nicht gerecht. Und zwar zunächst einmal nicht, weil dabei der Faktor der menschlichen Entscheidung zu kurz kommt. In diesem Sinne ist der Entwicklungsbegriff ein Schleier-Begriff, der gerade diejenigen Dinge verschleiert, um deren Erkenntnis es eigentlich doch geht. Denn ich will gerade wissen, weshalb sich an diesem oder jenem Punkt neue Einfälle und Interpretationen zeigen. – Zum zweiten handelt es sich bei der Geschichte um einen Prozeß, den man wahrscheinlich mit sauberen hermeneutischen und vor allem auch soziologischen und wissenssoziologischen Kategorien doch besser und genauer erfassen kann als mit diesem allzu vagen Begriff ›Entwicklung‹. Um das an einem konkreten Beispiel zu demonstrieren: Es ist doch wohl kaum ein Zufall, daß es in der frühen Kirchengeschichte trotz der Einheit des Reiches nicht zur Ausbildung des Primates kommt. Das hängt nach aller Wahrscheinlichkeit eben damit zusammen, daß in dieser Zeit bestimmte Faktoren nicht gegeben waren oder zumindest anders gelagert waren, daß z. B. alle noch ein starkes Bewußtsein von der Autonomie der einzelnen Kirchengemeinden besaßen. – Hier ist vor allem auch der Gesichtspunkt wichtig, den Herr Nissiotis ins Spiel gebracht hat. Auch Augustinus hat sich ganz bestimmt nicht in irgendeiner Form als Vertreter des Papstes gefühlt, und das, obwohl er eine bestimmte Rolle Roms bis zu einem gewissen Grad anerkannt hat. Aber eben auf keinen Fall im Sinne des Primates. Und es ist ja doch kein Zufall, daß sich diese Dinge erst von da an stärker entwickeln, als eine Reihe von politischen Bedingungen weggefallen waren. Es handelt sich ja nicht bloß um die Gemeinden des Ostens, die auf einmal ausfallen, es ist vielmehr ganz Nordafrika, das bislang ein sehr starkes Element der westlichen Kirche gewesen war. – In diesem Sinne muß man meines Erachtens weitergraben mit Rücksicht darauf, daß hier gerade die menschlichen, geistesgeschichtlichen und politischen Faktoren von Wichtigkeit sind. Wir müssen uns also langsam befreien von einem Bild der Theologiegeschichte und somit von theologischer Entwicklung, dem entsprechend man glaubt, abseits von der Welt und der Geschichte, die abgelaufen ist, theologisch argumentieren zu können.

Löhrer: Im Rahmen dieser Diskussion eine Rückfrage an Herrn Gräßer. Sie schreiben am Schluß Ihres Vortrags, der Pastoralprimat sei neutestamentlich gedeckt. Nun, müßte man nicht von da her das Ganze etwa folgendermaßen betrachten, d. h. fragen, ob wir den Pastoralprimat einfach als eine rein utopische Größe begreifen können, die sich vielleicht von irgendwelchen neutestamentlichen Ansätzen her konstruieren läßt, oder nicht vielmehr sagen, daß wenn man die Entwicklung auch als eine Lebensgeschichte versteht, in ihr trotz aller Seitensprünge und Mißbildungen eben doch immer schon auch Spuren eines Pastoralprimats in der Praxis der Kirche vorhanden waren. Ich akzeptiere ebensowenig wie Sie jenes Entwicklungsschema, das Herr de Vries zu supponieren scheint. Und dennoch möchte ich diesen Pastoralprimat nicht als rein zukünftige Größe verstehen, sondern meine, es ließen sich davon Spuren in einer zugegebenermaßen oft verschütteten Geschichte wahrnehmen. Und insofern könnte man durchaus von einer Kontinuität sprechen, nicht im Sinne der Identitätsformel, die Sie am Anfang Ihres Referats abgelehnt haben und die, glaube ich, auch nicht unsere Formel ist, wohl aber im Sinne einer bleibenden Wirksamkeit eines Pastoralprimats.

Schweizer: Einen Satz nur, oder zwei. Läuft das nicht einfach auf eine Heiligsprechung der Geschichte der Sieger hinaus? Natürlich, wenn man nachher Ansatzpunkte sucht, findet man sie immer. Aber auch für eine ganz gegenteilige Entwicklung würde ich sehr wohl Ansatzpunkte finden. Wir alle würden beispielsweise Anhaltspunkte finden für eine Konzeption, die gar keinen Primat kennt, außer den Primat des Heiligen Geistes, der durch jedermann sprechen kann. Ist denn die Entwicklung nur die Entwicklung der offiziellen Kirche? Könnte es nicht auch sein, daß es eine ganz ähnliche Geschichte auf ganz anderen Seiten gäbe?

Jüngel: Ich bin nicht sicher, ob nicht doch ein Mißverständnis der Ausführungen des Referates zu dominieren beginnt. Ich habe den Gebrauch des Wortes ›entwickeln‹ so verstanden, daß, wenn etwas historisch sich in einer bestimmten Eigenart gezeigt hat, dann ist es auch geworden. Und die Bemühungen des Referates waren, zu zeigen, wie es geworden ist, also die quaestio facti zu klären, nicht die quaestio juris. Am Schluß ist dann diese zweite Gattung zwar tangiert worden, aber die Arbeit des Referates bestand doch nicht eigentlich darin, im Sinne eines organistischen Entwicklungsgedankens zu argumentieren, sondern es ging aus von der Voraussetzung, daß man, wenn sich etwas in seiner historischen Eigenart gezeigt hat, unterstellen darf, daß es geworden ist, um dann zu zeigen, wie es geworden ist. – Die quaestio juris ist eine davon zu unterscheidende, nun allerdings in dem eben geäußerten Sinne zu stellende Frage, und da hätte ich gerade eine Unterfrage anzumelden. Sie haben ja erwähnt, daß man in Rom Bischöfe angeklagt hat. Ist das schon genauer untersucht worden? Der römische Stuhl als Anwalt der Wahrheit.

Nissiotis: Das gleiche gibt es auch im Osten. Konstantinopel hat bis heute dieselbe Funktion. Man kann sich in unserer Kirche bis heute an Konstantinopel halten und dort klagen, wenn man in einer Lokalkirche kein Recht gefunden hat. Aber das bedeutet keinen Primat. Das genau ist es, eine ganz ähnliche Geschichte auf ganz anderen Seiten gäbe? Funktion, die er ausübt, ist eine Liebesfunktion, keine jurisdiktionelle Funktion. Es ist ein Schutz der Lokalkirchen, keine potestas. Was Küng angesprochen hat, nämlich diesen Übergang vom Primat der Liebe zum Primat der Macht, läßt sich nicht durch Entwicklung erklären.

Jüngel: Ist das denn eine notwendige Koppelung? Wenn man feststellt, hoc est verum, so ist das doch nicht notwendig mit jurisdiktionellen Implikationen versehen. Es muß doch jedenfalls nicht so sein.

Nissiotis: Aber wie ist es mit der Entwicklung in Rom gewesen? Das ist die Frage.

De Vries: Ich muß sagen, daß es mich überrascht hat, zu lesen, daß bereits an den Bischof Soter von Rom, also etwa um 160, Klagen über den Bischof Dionysius von Korinth einliefen. Wir haben die Dokumente dazu. Ich habe übrigens die Sache aus dem Buch von Bautin: »Lettres d'écrivains de deuxième et troisième siècle«, das sehr instruktiv ist.

Gräßer: Ich will kurz antworten auf die Frage nach dem Pastoralprimat. Es ging in meinem Referat um eine Zustimmung zu Hans Küng, mit der ich sagen wollte: Wenn es aus pragmatischen Gründen eine gewisse Notwendigkeit eines Pastoralprimats gibt, dann ist der vom Neuen Testament her zu rechtfertigen. Es ist keine Frage: den Pastoralprimat hat der Kyrios Jesus selber geprägt. Er ist der Kyrios. Aber er hat gesagt: »Wer unter euch groß sein will, der sei euer aller Diener«. und »Wer bei euch der erste sein will, soll der Sklave aller sein«. – In diesem Sinne könnte man, meine ich, einen Pastoralprimat akzeptieren, ihn biblisch begründen. Aber nur in diesem Sinne. Ob er unbedingt nötig ist, wage ich nicht zu entscheiden.

Küng: Was ich sagen will, ist als Anregung für die Kirchen- und Theologiehistoriker gedacht. Ich meine, gerade der Gesichtspunkt des Pastoralprimats würde unter Umständen eine andere Optik innerhalb der Betrachtung der Geschichte der Sedes Romana ergeben können. Ich würde mich zum Beispiel interessieren, ob es andere Pontifikate gibt, die etwa in der Richtung eines Gregor I. liegen, der zwar nichts von dem aufgegeben hat, was er von seinen Vorgängern übernahm, und bei dem doch etwas von einem pastoralen Selbstverständnis zu spüren ist. Ich denke an Marcellus II. in der Reformationszeit, dessen Amtszeit nur wenige Wochen dauerte. Es müßte spannend sein, zu beobachten, wo Rom tatsächlich einen solchen Dienstprimat wahrgenommen hat, statt immer nur auf die historischen

Situationen zu starren, in denen der Jurisdiktionsprimat vorbereitet wird. Mich würde mehr die positive, pastorale Geschichte der römischen Gemeinde bewegen. Ich würde gerne nach den Gründen fragen, weshalb viele Völker und Menschen trotz allen Elends doch auch dankbar waren für diese Kirche. Da ließe sich konkretisiert finden, was wir mit Pastoralprimat meinen.

Schlink: Ich habe mich offen gestanden etwas gewundert über die breite Kritik an dem Referat von Pater de Vries. Denn ich war bei der Lektüre überaus positiv beeindruckt von der kritischen, sachlichen und unvoreingenommenen Analyse der altkirchlichen Texte. Das bedeutet jedenfalls gegenüber der Darstellung dieser Lehrentwicklung vom Primat in den traditionellen Lehrbüchern der Dogmatik geradezu eine revolutionäre Tat. Das muß man auf alle Fälle anerkennen – und Herr Küng hat ja darauf auch schon hingewiesen. Ich verstand nur nicht, wie der letzte Absatz des Referates zu den vorherigen paßte, und von dem gleichen Eindruck her erklären sich viele der Voten hier. Ich finde aber, daß in dem Referat sehr deutlich eine Reihe von Unterschieden herauskam, die in den üblichen Darstellungen unterschlagen werden, nämlich der Unterschied zwischen dem Vorrang einer Kirche und dem Vorrang des Bischofsamtes, die nicht identisch sind. Ferner – das hängt damit zusammen – der Vorrang einer Überlieferung und der Vorrang jurisdiktioneller Art. Auch das ist nicht identisch. Und dann die *gelegentliche* Inanspruchnahme als Appellationsinstanz und die *durchgängig* anerkannte Geltung als Appellationsinstanz. Außerdem ist in dem Referat von Herrn de Vries ganz deutlich unterschieden zwischen einem erhobenen Anspruch und einer Nichtanerkennung dieses Anspruchs in soundsovielen Fällen. Ferner wird klar unterschieden zwischen Entscheidungen in einzelnen Streitfällen und einer erst sehr viel später auftretenden umfassenden Jurisdiktionsgewalt.

Dem möchte ich eine methodische Frage hinzufügen: So wichtig das ist, müßte nicht die Geschichte des Primats anhand einer Reihe von Gesichtspunkten noch weiter aufgefächert werden? Einen Gesichtspunkt hat Herr Nissiotis geltend gemacht, wenn er von der eucharistischen Ekklesiologie sprach. Es ist wiederholt auch geltend gemacht worden, daß das filioque in einem Zusammenhang mit dem päpstlichen Primatsverständnis steht, nämlich insofern, als dadurch der Heilige Geist im Westen in gewisser Weise eine abgeleitete Stellung erhält, während er in der östlichen Ekklesiologie stärker zusammen mit dem Vater und dem Sohn zur Geltung kommt.

Es wäre ferner zu überlegen, ob nicht der Kirche mit dem Einbruch der Völkerwanderung Aufgaben des Kaisers zufielen, und deshalb gerade im Westen der Bischof von Rom gezwungen war, Funktionen zu übernehmen, die bislang anderswo aufgehoben waren. Ob er nicht wegen des Wegfalls der Ordnung des römischen Imperiums sogar gewisse staatliche Positionen oder quasi-staatliche Schutzmaßnahmen für die Bevölkerung hat ergreifen *müssen*, die dann auch sein Amt mitgeformt haben. Es wäre weiterhin zu fragen, ob nicht in dieser Zeit in gewisser Weise die Einheit der Kirche so bedroht war, daß die Einheitsfunktion der leitenden Ämter gesteigert werden mußte – wobei anschließend sogleich die Frage zu stellen ist, inwieweit eine solche Machtsteigerung auch einfach aufgrund eines naheliegenden Schemas römischen Rechtsdenkens angestrebt wurde.

Alle diese Gesichtspunkte wären zu berücksichtigen, wenn man dann fragt: Wie weit läßt sich diese Entwicklung von den elementaren Strukturen kirchlicher Einheit, wie sie uns in der Urchristenheit und in den ersten Jahrhunderten entgegentreten, her rechtfertigen? Daß diese Strukturen nicht einfach biblizistisch oder patristisch identisch festgehalten werden können, das ist für jeden geschichtlich Denkenden klar. Aber daß sie andererseits nicht einfach aufgegeben werden dürfen, sondern auch angesichts geschichtlicher Veränderungen in einer veränderten Weise festgehalten werden müssen, das, meine ich, sollte ebenso klar sein. Hier scheint mir das Problem zu liegen. Ich könnte mir denken, daß man manches von der damaligen Situation her rechtfertigen könnte, was uns fremdartig erscheint, daß aber auch manches damals schon geschehen ist, was so nicht hätte geschehen dürfen. Das erfordert aber konkrete Analysen.

Geißer: Sie, Herr Lengsfeld, haben gefragt, welche Kriterien es gäbe, um die Entwicklung zu beurteilen und auch Fehlentwicklungen festzustellen. In diesem Zusammenhang interessiert mich ein Problem, das schon heute morgen in dem Votum von Herrn Schlink anklang. Ich meine das Problem, welche Möglichkeiten es gibt, eine Entwicklung, die man für ungut hält, auch zu ändern, zu steuern, gegenzusteuern. Und da wurden vorhin an einer anderen Stelle die Kategorien ›Macht‹ und ›Dienst‹ gegeneinander ins Feld geführt. Nun gibt es natürlich gute Gründe, gegenüber Macht in ihren verschiedenen Formen mißtrauisch und vorsichtig zu sein. Aber ich glaube nicht, daß uns eine Entgegensetzung von Macht und Liebe sowohl im Blick auf die vergangene Geschichte als auch hinsichtlich möglicher Weiterentwicklungen, auf die man einwirken möchte, weiterhilft. Darf ich einmal als Protestant etwas Unvorsichtiges sagen: An der römisch-katholischen Kirche kann uns doch auch dies imponieren: nicht nur, daß sie mächtig war, sondern daß sie das auch offen zuzugeben vermochte. Natürlich hat sie dann, das hat uns Herr Blank gezeigt, ihre Weise der Legitimation gesucht. Aber sie hat es auch geschafft, mit Macht umzugehen und dabei die Tradition des römischen Rechts zu beerben vermocht. Jedenfalls kann man an ihr merken, daß hier Macht geübt, Macht verwaltet, und dann – vielleicht auch auf oft recht fadenscheinige Weise

– Macht legitimiert wird. Wir Protestanten reden so gerne von Dienst und Liebe und vergessen dabei leicht, daß nicht nur in unserer Kirchengeschichte, sondern auch in unserer Gegenwart sehr wohl von seiten kirchlicher Instanzen Macht ausgeübt wird, nur wissen die es nicht oder wollen es nicht wissen. Wir alle wollen es nicht richtig wissen. Wir können nicht so recht damit umgehen. Ich würde mir also wünschen, daß gerade bei der Kritik an den römisch-katholischen Entwicklungen das Problem des Umgangs mit und der Verwaltung von Macht ganz einfach dadurch eliminiert wird, daß man nur noch von Dienst und Liebe spricht. Denn auch Dienst und Liebe bedürfen der Legitimation im institutionellen Rahmen, und auch dabei können Dienst und Liebe auf eine nicht ganz glaubhafte Weise legitimiert werden. Es ist nicht nur die Macht, die falsch legitimiert werden kann. Es wird natürlich darauf ankommen, mit welchen Rechtstiteln man Macht legitimiert. Ob man weiterhin auf die römische Tradition im Sinne der Rechtsbegründung durch Stiftung des historischen Jesus zurückgreift, oder ob es auch andere Formen einer anerkennbaren Legitimation von Macht gibt. Aber Macht allein, oder auch Recht allein, scheinen mir als Kriterium für das, was recht und falsch ist, nicht zu genügen.

Küng: Nur ein Satz, damit Sie nicht bei einem Mißverständnis bleiben: Ich meine nicht Macht, sondern würde lieber von Liebe und Dienst im Gegensatz zu Herrschaft reden. Herrschaft ist, meine ich, präzise. Ohne Macht, da haben Sie völlig recht, geht es nicht. Aber, ob Macht zur Herrschaft oder zum Dienst gebraucht wird, ist ein wesentlicher Unterschied.

Otto Hermann Pesch

BILANZ DER DISKUSSION UM DIE VATIKANISCHE PRIMATS-UND UNFEHLBARKEITSDEFINITION

In der international beachteten Wochenzeitung DIE ZEIT veröffentlichte der Schriftsteller Martin Walser unter dem 25. März 1977 einen Essay unter dem Titel: »Über Päpste«. Darin beklagt und mokiert er sich über Literaturkritiker, die »im Besitz eines absoluten Wissens sind«[1]. Am 1. Juli 1977 beschreibt der Chefredakteur des gleichen Blattes, Theo Sommer, den ideologischen Konflikt zwischen dem spanischen KP-Chef Carrillo und dem Kreml ganz in der dogmatisch-kirchenrechtlichen Terminologie von »Rechtgläubigkeit«, »Ketzerei« und nachfolgendem »Bann« durch die »Kreml-Theologen«[2]. Noch einmal zwei Monate später, am 2. September 1977, berichtet ebendort Joachim Nawrocki über den Ostberliner Systemkritiker Bahro und nennt, ihm folgend, die SED eine »katholische« Partei, denn in ihren Reihen »kann und darf« selbst bei wissenschaftlichen Untersuchungen »gar nichts herauskommen, was der herrschenden Interpretation widerspricht. Geschieht dies doch, dann muß die Konzeption falsch gewesen sein, die zu den unerwünschten Aussagen führte. Es heißt dann, die Forscher hätten es an Parteilichkeit fehlen lassen«[3] – man sage »Kirchlichkeit« statt »Parteilichkeit«, und man könnte die zitierten Sätze in der theologischen Erkenntnislehre eines Lehrbuchs der Dogmatik vermuten[4].

---

[1] DIE ZEIT, Nr. 14/25. 3. 1977, 37f.

[2] A.a.O., Nr. 28/1. 7. 1977, 1.

[3] A.a.O., Nr. 37/2. 9. 1977, 3; vgl. R. Bahro, Die Alternative. Zur Kritik des real existierenden Sozialismus, Köln/Frankfurt a. M. 1977; Zitat: 290; vgl. 288–291 und schon 257–259; 266–269.

[4] Selbstverständlich drückt sich kein Theologe genau so aus. Liest man aber in den methodologischen Einleitungen der Dogmatiklehrbücher, daß das kirchliche Lehramt die unmittelbare und nächste Quelle der Theologie als Glaubenswissenschaft ist; daß die Theologen nur wahrheits- und gewißheitsfähig sind, soweit sie mit der Doktrin des Lehramtes übereinstimmen; und daß die Theologie sich daher jederzeit vom Lehramt korrigieren lassen muß, eine Revision der amtlichen Lehre aufgrund der Arbeit der Theologie aber keinesfalls in Betracht kommt – dann ist eine Ausdrucksweise wie die hier disputandi causa angedeutete die nächstliegende Konsequenz, und bei einem Außenstehenden wie Bahro ist es *nicht nur* blanke Unterstellung, wenn er a.a.O. Parallelen zu den Kirchen zieht. Vgl. B. Bartmann, Lehrbuch der Dogmatik, 2 Bde., Freiburg i. Br. ³1917 (im Folgenden = Bartmann), hier: I, 34–45, bes. 36 und 43; F. Diekamp, Katholische Dogmatik, Bd. I, Münster ¹⁰1949;

Das also – vermehrbar durch viele gleichartige Beispiele aus demselben und anderen Blättern – ist die »Bilanzsumme« aus der Wirkungsgeschichte des I. Vatikanums bei Zeitgenossen, die, soweit man erkennen kann, der Kirche fernstehen. Tausendfache Klarstellungen dessen, was in der Definition von 1870 wirklich gemeint und was gerade nicht gemeint ist, haben diese Bilanz nicht verhindern können: Wer »Papst« sagt, ja schon, wer »katholisch« sagt, assoziiert »absolutes Wissen«. Demgegenüber steht die Selbstverständlichkeit, mit der nicht nur das II. Vatikanum die Doktrin von 1870 aufgenommen, nach Meinung mancher bekräftigt und sogar verschärft hat[5], mit der vielmehr die erdrückende Mehrheit des »Kirchenvolkes« dieses Dogma internalisiert hat, höchstens theoretische Fragen dazu stellt, aber kaum persönliche Konflikte an ihm empfindet, entsprechend »papstfreudig« bleibt[6] – solange nicht eine konfliktträchtige konkrete Lebenssituation

---

Bde. II und III neubearbeitet und hg. von K. Jüssen, Münster [10]1952 und [11-12]1954 (im Folgenden = Diekamp-Jüssen), hier: I, 54–58; 60–63; vgl. 22–25; 40–43; J. Pohle/J. Gummersbach, Lehrbuch der Dogmatik, 3 Bde., Paderborn [10]1952–1960 (= Pohle-Gummersbach), hier: I, 70–100, bes. 71 und 89f; M. Schmaus, Katholische Dogmatik, 5 Bde. in 8, München [6]1960ff (= Schmaus), hier: I,29f; 105–113; 161–163; M. Premm, Katholische Glaubenskunde. Ein Lehrbuch der Dogmatik, 4 Bde. in 5, Wien [2]1956–1958 (= Premm), hier: I, 25–29; L. Ott, Grundriß der Dogmatik, Freiburg i. Br. [8]1970 (= Ott), hier: 5f; 9–12. – Die genauere Illustration des Sachverhaltes ergibt sich w. u. aus den Abschnitten 3–5.

[5] Vgl. z. B. H. Fries, »Ex sese, non autem ex consensu ecclesiae«, in: R. Bäumer/H. Dolch (Hg.), Volk Gottes. Festgabe für Josef Höfer, Freiburg i. Br. 1967, 480–500: 484; 492–496; G. Maron, Kirche und Rechtfertigung. Eine kontroverstheologische Untersuchung, ausgehend von den Texten des Zweiten Vatikanischen Konzils, Göttingen 1969, 33–35; 81–84; 233–237; H. Küng, Unfehlbar? Eine Anfrage, Zürich 1970, 54–62.

[6] Vgl. die immer noch aufschlußreichen Zahlen bei W. Harenberg (Hg.), Was glauben die Deutschen? Die Emnid-Umfrage. Ergebnisse und Kommentare, München/Mainz 1968. 61% der praktizierenden Katholiken bejahen demnach den Leitungsprimat des Papstes, 36% möchten ihn auf einen Ehrenvorrang beschränken und an die Zusammenarbeit mit den Bischöfen binden. Den 44%, die den Papst *nicht* für unfehlbar halten, stehen immerhin 40% praktizierender Katholiken gegenüber, die ihn genau im Sinne des I. Vatikanums für unfehlbar halten, und dazu noch 14%, die ihn sogar immer dann für unfehlbar halten, wenn er sich an die Öffentlichkeit wendet. – Die *schriftliche* Umfrage unter den deutschen Katholiken, die die deutschen Bischöfe vor Beginn der Synode der Bistümer in der Bundesrepublik Deutschland veranlaßten, stellt zum Thema Papst und Papsttum – aus welchen Gründen auch immer – keine Fragen. Vgl. den Text der Umfrage bei G. Schmidtchen, Zwischen Kirche und Gesellschaft. Forschungsbericht über die Umfragen zur Gemeinsamen Synode der Bistümer in der Bundesrepublik Deutschland, Freiburg i. Br. 1972, 299f. Die zusätzlich durch das Allensbacher Institut durchgeführte *mündliche* Repräsentativumfrage fragte anhand einer Liste nur allgemein, mit welchen »Auffassungen der

die Selbstverständlichkeiten schmelzen läßt[7]. Abweisendes Mißverstehen auf der einen Seite, zustimmendes Überverstehen auf der anderen: eine Bilanz der *theologischen* Diskussion um die vatikanische Primats- und Unfehlbarkeitsdefinition tut gut daran, sich im Spannungsfeld dieser Gegensätze zu bewegen. Um so größer ist die Chance, daß eine solche Bilanz zu erklären vermag, wie die Wirkungsgeschichte des I. Vatikanums das eine wie das andere Ergebnis zeitigen konnte, die in ihrem Kontrast unvermeidlich die Ausgangssituation einer weiterführenden Auseinandersetzung bilden.

1. Ein Blick in das Jahrzehnt nach 1870

Bekanntlich haben binnen einem Jahr nach der Definition (18. Juli 1870) die meisten Bischöfe der oppositionellen Minorität die Konstitution »Pastor aeternus« angenommen[8]. In der Generalkongregation am 13. Juli gab es

---

Kirche« man »Schwierigkeiten« habe. Den Punkt »Autorität des Papstes« bejahten 33%; vgl. Schmidtchen, a.a.O. 12f.
Mögen nun die genannten Prozentzahlen im Jahrzehnt seit der Emnid-Umfrage etwas zurückgegangen sein oder nicht, wie sehr sich die »Papstfrömmigkeit« zahlloser Katholiken bis in die Ausdrucksformen hinein durchgehalten hat, konnte man im »Heiligen Jahr« 1975, beim Tode Pauls VI. und Johannes Pauls I. sowie bei der Wahl und Amtseinführung ihrer Nachfolger beobachten.
[7] Für die durch die Enzyklika »Humanae vitae« heraufbeschworene Konfliktsituation muß man das kaum lange beweisen. Aber schon 1968 haben von den lt. Anm. 6 befragten praktizierenden Katholiken 55% die Ehescheidung, 65% die Schwangerschaftsunterbrechung nach Vergewaltigung, 53% den vorehelichen Geschlechtsverkehr befürwortet. Ähnlich alarmierende Ergebnisse erbrachte auf diesem Gebiet die Synodenumfrage; vgl. K. Forster (Hg.), Befragte Katholiken, Freiburg i. Br. 1973, 64–72.
[8] Für das Folgende konsultiere man die jüngeren monographischen Darstellungen: C. Butler/H. Lang, Das Vatikanische Konzil. Seine Geschichte von innen geschildert in Bischof Ullathornes Briefen, München ²1961 (¹1933), 444–465; R. Aubert, Vaticanum I (= Geschichte der ökumenischen Konzilien, Bd. XII), Mainz 1965, 281–296; L. J. Rogier/R. Aubert/M. D. Knowles (Hg.), Geschichte der Kirche, Bd. V/I, Einsiedeln 1976, 54–61; H. Jedin (Hg.), Handbuch der Kirchengeschichte, 7 Bde. in 10, Freiburg i. Br. 1962–1979 (im Folgenden = HKG), hier: VI/1 (1971), 789–796 (R. Aubert); Y. Congar, Die Lehre von der Kirche. Vom Abendländischen Schisma bis zur Gegenwart (= Handbuch der Dogmengeschichte, im Folgenden = HDG, Bd. III Fasz. 3d), Freiburg i. Br. 1971, 100–107; A. B. Hasler, Pius IX., päpstliche Unfehlbarkeit und 1. Vatikanisches Konzil. Dogmatisierung und Durchsetzung einer Ideologie, Stuttgart 1977, 401–537 (= II. Halbband). Aus evangelischer Sicht, abrißartig, aber präzise: H.-W. Krumwiede, Geschichte des Christentums. Bd. III, Neuzeit: 17.–20. Jahrhundert, Stuttgart 1977, 150–158.

noch 88 Gegenstimmen, zu schweigen von Enthaltungen und »Iuxta-modum-Voten«. Die Mehrheit betrug weniger als die Hälfte der auf dem Konzil stimmberechtigten Prälaten. Aber nur noch 55 bekundeten ihr »Non placet« durch Abreise oder Fernbleiben am 18. Juli und rechtfertigten dies in einem Schreiben an den Papst. Die meisten von diesen 55 jedoch bekundeten, wenn nicht sogleich nach ihrer Heimkehr, so doch im Laufe der folgenden Monate schriftlich ihre Zustimmung, wenn nicht gar wörtlich ihre »Unterwerfung«. Sie veröffentlichten die Dekrete in ihren Diözesen und verpflichteten Klerus, Theologen und Gläubige auf deren Annahme nach den Grundsätzen katholisch-kirchlichen Verhaltens gegenüber dem Lehramt der Kirche. Es gab keinen einzigen Fall von Absetzung, Suspension oder Exkommunikation eines Minoritätsbischofs. Wohl gab es römischen Druck auf einige Zögernde und auch einige mehr oder weniger erzwungene Rücktritte[9]. Die weithin bekannte Ausnahme von der Regel ist der Bischof Stroßmayer von Diakovar/Kroatien. Erst 1872 veröffentlichte er – kommentarlos – die Dekrete in seiner Diözese, was gemeinhin als Unterwerfung ausgelegt wurde und wird. Aber erst 1875 »versöhnte« er sich nach eigenen Worten mit dem Papst, und erst 1881, schon unter dem Pontifikat Leos XIII., bekannte er sich erstmals öffentlich zur Unfehlbarkeitsdefinition. Und noch 1883 entdeckte der Wiener Nuntius Vannutelli, daß drei Bischöfe in Ungarn und Kroatien es verstanden hatten, sich vor jeder schriftlichen Zustimmungserklärung zu drücken.

Von besonderer Bedeutung in diesem Rezeptionsprozeß war der Hirtenbrief der deutschen Bischöfe aus Fulda vom 30. August 1870[10]. Im Gegensatz zum ultramontan gesinnten Klerus und Kirchenvolk in Frankreich löste die Definition in Deutschland bei katholischen Intellektuellen und Laien große Erregung aus. Um dem entgegenzutreten, betonten die Bischöfe die Rechtmäßigkeit des Konzils. In den umstrittenen dogmatischen Entscheidungen spreche sich daher das unfehlbare Lehramt der Kirche aus. Die Meinungsverschiedenheiten auf dem Konzil beeinträchtigen nicht die Gültigkeit der Beschlüsse, zumal hier keine neue Lehre geschaffen, sondern eine alte Wahrheit entdeckt, erklärt und zu glauben vorgestellt werde. Die Unfehlbarkeit des Papstes wird mit der Unfehlbarkeit der ganzen Kirche in Zusammenhang gebracht, einem isolierenden Verständnis der Unfehlbarkeit des päpstlichen Lehramtes wird gewehrt und die Apostolizität der Bischöfe ausdrücklich hervorgehoben. Mit diesen Akzentsetzungen konnten Bischöfe der Minderheit nicht nur mit denen der Mehrheit an einen

---

[9] Dazu und zum Folgenden bes. ausführlich Hasler, a.a.O., 402–505.
[10] Der volle Text, außer bei Mansi (s. Anm. 82), 53, 917 A–920 A, auch bei Butler-Lang, a.a.O., 455–458.

Tisch gebracht, sondern auch zur Unterschrift bewogen werden. Der Brief schien so sehr auf der Linie dessen, wofür die Minorität auf dem Konzil gefochten hatte, daß die Teilnehmer der Nürnberger Gelehrtenkonferenz[11] die bereits geplanten und entworfenen öffentlichen Proteste verschoben. Da nun auch Pius IX. in einem Brief vom 28. Oktober den Fuldaer Hirtenbrief belobigte, und da die Kurie sich bemühte, nach dem Muster der Fuldaer Konferenz auch in anderen Ländern Bischofskonferenzen und ähnliche Hirtenbriefe zu veranlassen, schien Rom selbst die maximalistische Interpretation der Dekrete durch Männer wie etwa Manning zurückgewiesen zu haben – wiewohl Pius IX. das *direkt* nie getan hat. Unbeschadet weiterbestehender persönlich-wissenschaftlicher Bedenken sahen also bald die meisten Minoritätsbischöfe weder Grund noch Chance für die öffentliche Fortsetzung eines Widerstandes gegen die Dekrete, und Bischof Dinkel von Augsburg konnte die freilich übertriebene Bemerkung schreiben, das endgültige Dekret habe die Unfehlbarkeit so eingegrenzt, daß man es statt Sieg der Majorität eher Sieg der Minorität heißen müsse[12]. Die gelungene und wiederum von Pius IX. bestätigte Abwehr der Unterstellungen in Bismarcks Circulardepesche von 1875, wonach das Vatikanum den Papst zum absoluten Monarchen über alle Katholiken und die Bischöfe zu seinen bloßen Beamten gemacht habe, trug zur weiteren Beruhigung bei[13].

Für das rasche Ende des Widerstandes gab es sachliche und formale Gründe. Die sachlichen Gründe sind vor allem die trotz des »ex sese, non autem ex consensu ecclesiae« gelungene Zurückweisung maximalistischer Vorstellungen von der Unfehlbarkeit, wie sie vor dem Konzil vertreten wurden, und die Durchsetzung der historischen Vorbemerkung, daß die Päpste sich bei der Ausübung ihres Lehramtes stets der Hilfe der Bischöfe auf Konzilien und Synoden bedient hätten – was sich nun normativ gegen

---

[11] Auf Initiative des Prager Kirchenrechtsprofessors Johann Friedrich von Schulte hatte sich eine große Zahl deutscher Theologieprofessoren verabredet, durch eine Erklärung den erwarteten Protest der deutschen Minoritätsbischöfe zu unterstützen. Der Widerstand der Professoren bröckelte indes bald ab, als der Protest der Bischöfe faktisch ausblieb. Von den Entwicklungen überrollt, fanden sich nur noch vierzehn Theologen am 25. August 1870 zur Konferenz in Nürnberg ein.

[12] Diese Bemerkung Bischof Dinkels in einem Brief vom 15. 11. 1870 an Kardinal Schwarzenberg fehlt seit Granderath (s. Anm. 78; hier: III, 551) in keiner größeren Darstellung des I. Vatikanums; vgl. Butler-Lang, a.a.O., 458; Aubert, a.a.O., 284; Hasler, a.a.O., 480; vgl. auch H. Tüchle, In beiden Lagern. Deutsche Bischöfe auf dem Konzil, in: G. Schwaiger (Hg.), Hundert Jahre nach dem Ersten Vatikanum, Regensburg 1970, 31–50, hier: 46f.

[13] Text der bischöflichen Erklärung: DS 3112–3116; gekürzter Text des Belobigungsschreibens Pius' IX.: DS 3117.

eine absolutistische Lehramtspraxis verstehen und auswerten ließ[14]. Der formale Grund war, daß man sich noch geraume Zeit Hoffnung auf eine Fortsetzung des Konzils machte – die Bischöfe hatten noch nicht, nach dem Vorbild von Trient, sämtliche Dokumente insgesamt unterzeichnet – und dann gewillt war, im Rahmen der Debatte um das Verhältnis von Papst und Bischöfen für weitere Klarstellungen und Eingrenzungen zu sorgen[15]. Das jüngst erschienene Buch von August B. Hasler über Pius IX. und das I. Vatikanum[16] relativiert diese in der bisherigen Konzilsgeschichtsschreibung üblichen Begründungen zwar stark durch den Nachweis ganz anderer, außersachlicher Gründe – darauf wird zurückzukommen sein. Das Ergebnis wird davon nicht berührt: die ruhige, gelegentlich auch unruhige, Wirkungsgeschichte des vatikanischen Dogmas konnte beginnen, an deren Endpunkt 4–5 Generationen später katholische Christen, Amtsträger und Theologen beträchtliche Mühe aufwenden müssen, die Angst vor der Einsicht zu vertreiben, daß der Glaubensanspruch des Primats- und Unfehlbarkeitsdogmas *doch* Probleme in sich birgt, und daß auf dem Konzil doch nicht alles mit rechten Dingen zugegangen sein könnte.

Für diese Probleme ist die Entstehung und die Fortexistenz der altkatholischen bzw. »christkatholischen« Kirche ein unübersehbarer Beleg, und die gelegentlich leicht zynisch wirkende Art, mit der sie in der älteren katholischen Kirchengeschichtsschreibung als quantité néglegeable betrachtet wird[17], ist kein sachliches Gegenargument. Der Altkatholizismus, dessen besondere Geschichte hier nicht zu verfolgen ist[18], ist das Ergebnis des Widerstandes nicht der Bischöfe, sondern einer Reihe von Theologen und

---

[14] Darauf verweisen Butler-Lang, a.a.O., 483–501f; Aubert, a.a.O., 262f; 279; 284; 353; Fries, a.a.O., 490f; Aubert, HKG VI/1, 789–791; Hasler, a.a.O., 474–484. Vgl. auch K. Schatz, Kirchenbild und päpstliche Unfehlbarkeit bei den deutschsprachigen Minoritätsbischöfen auf dem I. Vatikanum, Rom 1975, 221f.

[15] Vgl. Hasler, a.a.O., 409–415; Butler-Lang, a.a.O., 447f; 452f.

[16] Hasler, a.a.O. (s. Anm. 8). Vgl. dazu w. u. S. 193–196.

[17] Vgl. w. u. S. 189 (Anm. 79).

[18] Überblick und Literatur jetzt in HKG VI/1, 792–796 (R. Lill). Speziell zu Döllinger vgl. J. Finsterhölzl, Ignaz von Döllinger, Graz 1969; ders., Die Kirche in der Theologie Ignaz von Döllingers bis zum ersten Vatikanum, Göttingen 1975; ferner die einschlägigen Arbeiten von G. Schwaiger; vgl. ders., Der Hintergrund des Konzils, in: G. Schwaiger (Hg.), a.a.O. (s. Anm. 12), 11–30, hier: 28, Anm. 11. Zum aktuellen Stand des Gespräches mit der altkatholischen Kirche vgl. W. Küppers, Zwischen Rom und Utrecht. Zur neueren Entwicklung der Beziehungen zwischen alt-katholischer und römisch-katholischer Kirche, in: M. Seckler u. a. (Hg.), Begegnung. Beiträge zu einer Hermeneutik des theologischen Gesprächs (= Festgabe für Heinrich Fries), Graz 1972, 505–523; P. Bläser, Das Gespräch zwischen römisch-katholischer und alt-katholischer Kirche in Deutschland, a.a.O., 525–535. Vgl. auch den ganzen Jg. 60 (1970) der IKZ.

anderer Wissenschaftler sowie prominenter Laien. Von den Theologen, die sich vor dem Konzil öffentlich gegen die Unfehlbarkeitsdefinition geäußert hatten, haben sich die einen, zur Unterwerfung aufgefordert, zur Zustimmung bereit gefunden, andere haben die Absage an ihre gewissenhaft erworbene wissenschaftliche Überzeugung abgelehnt und dafür lieber die Exkommunikation oder den freiwilligen Austritt aus der Kirche in Kauf genommen – was, wie vor allem Döllinger beweist, keineswegs den Beitritt zur altkatholischen Kirche bedeutete[19]. Dieses übliche Bild von der Scheidung der Geister läßt allerdings übersehen, daß dabei auch menschliche und pastorale Voreiligkeit mancher Bischöfe im Spiel gewesen sein könnte[20]. Rom jedenfalls scheint die Professoren nicht so bedrängt zu haben, wie es die Bischöfe bedrängte, und war jenen gegenüber in der Regel zufrieden, wenn sie schwiegen und das Dogma nicht öffentlich kritisierten. Der bekannteste Fall ist die Tübinger Theologische Fakultät, die nie aufgefordert wurde, eine öffentliche Zustimmungserklärung abzugeben, davor auch zusätzlich durch Bischof Hefele geschützt wurde. In der Tübinger Theologischen Quartalschrift hat denn auch nie eine derartige offizielle Erklärung der Professoren gestanden[21], was bekanntlich Döllinger gegenüber Harnack zu der sarkastischen Bemerkung veranlaßte, seine Kollegen dürften in der Theologischen Quartalschrift nur noch theologischen Allotria behandeln[22]. Derselbe Döllinger aber scheint auch bereit gewesen zu sein, zu tun, was die Tübinger und viele andere taten. Hätte Erzbischof Scherr ihn nicht gleich nach der Definition, am 21. Juli 1870, frontal gefragt, ob er nun das Dogma verteidigen werde, so wäre er, wie er ebenfalls Harnack erzählte, »noch heute in der Kirche«[23].

---

[19] Zur Haltung der Theologen vgl. außer Hasler, a.a.O., 505–512, schon Butler-Lang, a.a.O., 453–465.

[20] Vgl. Hasler, a.a.O., 488–491 – darin mit Nachdruck bestätigt von seinem sonst so kritischen Rezensenten K. Schatz, a.a.O. (vgl. w. u. Anm. 99), 274.

[21] Vgl. Hasler, a.a.O., 489f, dort Dokumente und Literatur.

[22] Vgl. A. von Harnack, Aus der Werkstatt des Vollendeten als Abschluß seiner Reden und Aufsätze (= Reden und Aufsätze, Bd. 5, hg. von Axel v. Harnack), Gießen 1930, 116, hier zitiert nach Hasler, a.a.O., 490. Immerhin gab es in den folgenden Jahrzehnten in der ThQ einige *historische* Aufsätze zur Primatsfrage, nämlich: A. Brüll, Zur ältesten Geschichte des Primates in der Kirche, 62 (1880) 453–468; F. X. Funk, Der römische Stuhl und die allgemeinen Synoden des christlichen Altertums, 64 (1882) 561–602; A. Brüll, Die Klemensromane und der Primat der römischen Kirche, 73 (1891) 577–601; Dr. Birck (Vorname nicht mitgeteilt), Hat Nikolaus von Cues seine Ansicht über den Primat geändert?, 74 (1892) 617–642; J. Hollweck, Rezension zu F. X. Funk, Der Apostolische Stuhl und Rom, 79 (1897) 195-197.

[23] Vgl. Harnack, a.a.O., 44 (Hasler, a.a.O., 490f).

Am leichtesten taten sich diejenigen Professoren, die nicht gegen den Inhalt, sondern nur gegen die Opportunität des Dogmas Bedenken hatten und es nun, nachdem doch definiert worden war, redlichen Gewissens verteidigen konnten. Sie bestimmten denn auch die Verwurzelung des Dogmas in der Theologie des folgenden Jahrzehnts. Ein Musterbeispiel ist hier Matthias Joseph Scheeben. Er, der vorher auch das Dogma für inopportun gehalten zu haben scheint[24], arbeitet dann in der theologischen Erkenntnislehre im Rahmen seiner Dogmatik, erstmals erschienen 1872, jene Position aus, deren wachsende Festigung die Konflikte der kommenden Jahrzehnte (Modernismus, Reformkatholizismus contra Integralismus) einerseits verständlich, anderseits so heillos macht, weil man gegen diese Position beim besten Willen nicht den Vorwurf des Maximalismus oder eines intellektuellen Fanatismus erheben kann, der einen aufrechten Geist hätte abschrecken müssen[25].

Scheeben gibt eine im *im Ansatz durchaus strikte* Auslegung der Unfehlbarkeit. Die »assistentia divina« bei unfehlbaren Lehrentscheidungen ist keine neue Offenbarung und erschöpft auch keineswegs die dem ganzen »Lehrkörper« (= Konzil und Bischofskollegium) eigene Unfehlbarkeit, so daß diese etwa nur durch jene vermittelt werde. Sie kommt auch dem Papst nicht als Person, sondern nur als Inhaber der cathedra zu. Und dergleichen scharfsinnige Abgrenzungen noch mehr. Aber: die Unfehlbarkeit bezieht sich nicht nur auf strikte Glaubenslehre, sondern allgemeiner auf »katholischen Glauben oder überhaupt die katholische Überzeugung«. Der »consensus« könne deswegen nicht Bedingung des päpstlichen Spruches sein, weil er ja gerade *gefordert* werde – was doch wohl den Bemühungen der Fuldaer Konferenz zuwiderläuft, aufgrund der historischen Vorbemerkung zur Unfehlbarkeitsdefinition doch noch einen normativen »consensus antecedens« vorauszusetzen. Es fehlt auch nicht an disqualifizierenden Äußerungen über die Gegner. Vor allem aber: die ganze Argumentation verläuft in juridischer Terminologie. Der »Kathedralspruch« ist ein »souveränes Urteil oder Gesetz«, es hat »äußere und innere Rechtskraft« und verpflichtet zum Gehorsam. Den Kathedralspruch erkennt man daher an bestimmten Rechtsformen. Neben den »Dogmatischen Konstitutionen oder Bullen«

---

[24] Vgl. E. Paul, Matthias Scheeben, Graz 1976, 25, auch 18f. Anders Hasler, a.a.O., 338; 340, der, gestützt auf die römische Wertschätzung Scheebens und auf sein späteres Verhalten (vgl. 87, Anm. 6; 515, Anm. 19), Scheeben der »römischen Schule« zuweist.

[25] Vgl. M. J. Scheeben, Handbuch der katholischen Dogmatik, I (= M. J. Scheeben, Gesammelte Schriften, hg. von J. Höfer, III), Freiburg i. Br. 1948, 231–242; vgl. auch 211–231.

gehören dazu auch die Enzykliken, Apostolische Briefe, Bestätigung anderer Konzilien. Eine gewisse Unsicherheit wird zwar konzediert, Prüfung von Fall zu Fall verlangt, aber die Möglichkeit, daß in all solchen päpstlichen Äußerungen unfehlbare Entscheidungen getroffen werden, wird sehr weit gespannt. Zum Beleg verweist Scheeben auf jene päpstlichen Dokumente seiner eigenen Zeit, die katholische Theologen heute nur noch mit Beschämung erwähnen: die Enzykliken »Mirari vos« Papst Gregors XVI., »Quanta cura« Papst Pius' IX., den Syllabus ...[26]

Stehen wir hier also an den Wurzeln jener *faktisch extensiven* Lehrautoritätspraxis, die bald den Modernismusstreit zur Hypothek für die Theologie eines halben Jahrhunderts machte und über den Antimodernisteneid zum »Enzyklikenparagraph« von »Humani generis« führte, der nur deshalb das II. Vatikanum nicht verhinderte, weil er konsequent mißachtet wurde?[27]

2. EIN BLICK IN DAS JUBILÄUMSJAHR 1920

Ein Blick in das Jahr des 50. Jahrestages der Primats- und Unfehlbarkeitsdiskussion bringt eine seltsame Enttäuschung. Obwohl es keineswegs unge-

---

[26] Zum Problem der Verbindlichkeit päpstlicher Enzykliken und zu deren unterschiedlicher Beurteilung in Vergangenheit und Gegenwart vgl. A. Pfeiffer, Die Enzykliken und ihr formaler Wert für die dogmatische Methode. Ein Beitrag zur theologischen Erkenntnislehre, Fribourg/Schweiz 1968, 59–131, bes. 72–101. – Knappe Auszüge aus »Mirari vos« finden sich DS 2730–32; etwas ausführlichere aus »Quanta cura« DS 2890–2896 (etwas gekürzt gegenüber der vorausgehenden 31. Auflage); der »Syllabus« findet sich vollständig DS 2901–2980. Y. Congar hat kürzlich darauf hingewiesen, daß, im Gegensatz zu Scheeben, schon Konzilteilnehmer »Quanta cura« und den Syllabus nicht für unfehlbare Dokumente hielten: Erzbischof Lefèbvre, Lehrmeister der »Tradition«? Die notwendigen Unterscheidungen, in: Concilium 14 (1978) 619–624: 622.

[27] Der »Enzyklikenparagraph« findet sich DS 3885, sachlich bestätigt durch die Kirchenkonstitution des II. Vatikanums, Nr. 25 (innerhalb des 3. Kapitels über die hierarchische Struktur der Kirche). Trotzdem: die zahlreichen Zitate und Verweise täuschen nicht darüber hinweg, daß die Liturgiekonstitution, die Kirchenkonstitution und die Offenbarungskonstitution des II. Vatikanums – um nur diese bemerkenswertesten Fälle zu nennen – die berühmten und bis dahin jeder Kritik entzogenen Enzykliken Pius' XII. »Mediator Dei« (Liturgie, DS 3840–3855), »Mystici Corporis« (Kirche, DS 3800–3822) und »Divino afflante Spiritu« (Hl. Schrift, DS 2825–2830) nicht in allen Punkten aufgenommen, sie sogar nicht selten überschritten haben. Theologen, die hernach maßgeblich an den Texten des II. Vatikanums mitgearbeitet haben, müssen also, anders ist es gar nicht denkbar, entgegen der Anweisung von »Humani generis« doch diskutiert und den noch vom II. Vatikanum (ebd.) geforderten »religiösen Gehorsam des Willens und des Intellektes« nur sehr eingeschränkt geleistet haben.

wohnt und ein fernliegender Gedanke war, ein Jubiläum zu begehen[28], herrscht in der Diskussion geradezu Totenstille über das I. Vatikanum. Man findet keinen bedeutenden und gar die weitere Diskussion prägenden Titel aus dem Jahre 1920, weder eine Monographie noch einen Aufsatz[29]. Vielleicht wäre die 1919 in Paris erschienene geschichtliche Darstellung von F. Mourret zu erwähnen[30]. Die Tübinger Theologische Quartalschrift bringt

---

[28] Zum 50jährigen Jubiläum der Dogmatisierung der Unbefleckten Empfängnis Mariens schrieb Pius X. 1904 die Enzyklika »Ad diem illum« (vgl. DS 3370 und w. u. Anm. 122); 1925 feierte man das »Heilige Jahr« (vgl. DS 3670); 1931 verfaßte Pius XI. in Erinnerung an die Enzyklika »Rerum novarum« Leos XIII. (DS 3265–3271) die berühmte Enzyklika »Quadragesimo anno« (DS 3725–3744). Auch das Lutherjubiläum 1917 und die mit ihm einsetzende »Lutherrenaissance« in der evangelischen Theologie ist in der katholischen Theologie (jedenfalls in Deutschland) nicht spurlos vorübergegangen; vgl. W. Beyna, Das moderne katholische Lutherbild, Essen 1969, 61–71, auch 71–77.

[29] Es wurden folgende damals (schon oder noch) erscheinenden Zeitschriften überprüft: Archiv für katholisches Kirchenrecht; Benediktinische Monatsschrift; La Ciencia Tomista; Collationes Brugenses; Divus Thomas (Fribourg); Gregorianum; Hochland; Internationale Kirchliche Zeitschrift; Nouvelle Revue théologique; Pastor Bonus; Revue Bénédictine; Revue Ecclésiastique de Liège; Revue des sciences philosophiques et théologiques; Revue des Sciences Religieuses; Revue Thomiste; Stimmen der Zeit; Theologisch-Praktische Quartalschrift; Theologische Quartalschrift; Theologische Revue; Theologische Studien und Kritiken; Theologie und Glaube; Zeitschrift für katholische Theologie; Zeitschrift für Kirchengeschichte; Zeitschrift für Theologie und Kirche. Keine dieser Zeitschriften brachte 1920 einen Jubiläumsbeitrag, mit den folgenden Ausnahmen: Die ZKTh brachte zwar nicht 1920, wohl aber in den Jahren davor zwei Aufsätze zur Unfehlbarkeit: F. Th. Spacil, Der Träger der päpstlichen Unfehlbarkeit, 1916, 524 ff; A. Straub, Gibt es zwei unabhängige Träger der kirchlichen Unfehlbarkeit?, 1918, 250 ff; zur IKZ vgl. w. u. Anm. 32–35; zur ThQ vgl. Anm. 31. Der einzige echte »Jubiläumsartikel«, den ich finden konnte, steht in den StdZ: M. Reichmann, Das Vatikanische Konzil, StdZ 98 (1920) 172–188; er feiert den »fünfzigsten Gedenktag jenes gesegneten 8. Dezember« (= Konzilseröffnung), gibt einen begeisterten Überblick über Vorgeschichte, Verlauf und Nachwirkung des Konzils, sieht Anlaß zur Freude über den Erfolg und erblickt in der Uneinigkeit im Protestantismus sowie in der Unfreiheit in der Orthodoxie die Chance für die Wiedervereinigung mit der katholischen Kirche. Für liebenswürdige und schnelle bibliographische Hilfe bei der Erstellung dieser Anmerkung sowie der Anm. 22 danke ich P. Dr. Paulus Engelhardt, Walberberg, P. Dr. Tiemo R. Peters, Münster, und Prof. Dr. Richard Heinzmann, München. Im übrigen finden sich ungewöhnlich reichhaltige Literaturangaben, auch für die Zeit zwischen 1870 und 1920, und unter Einbezug der Zeitschriftenaufsätze und Festschriftbeiträge, bei Schmaus, III/1, zu § 172 und 177.

[30] F. Mourret, Le concile du Vatican d'après des documents inédits, Paris 1919. Nach Aubert, HKG VI/1, 774, ist dieses Buch von bleibendem Wert wegen der Verwendung der Tagebücher von J. A. T. Icard.

1920 keinen Jubiläumsbeitrag – wie sollte sie auch, nach allem oben Gesagten! –, wohl aber einen langen Artikel über »Glaube und Glaubenswissenschaft im Katholizismus« – die Antrittsvorlesung von Karl Adam! Darin finden sich einige Bezugnahmen auf das I. Vatikanum, aber auf »Dei Filius«, nicht auf »Pastor aeternus«. Von Unfehlbarkeit und vom Verhältnis der »Glaubenswissenschaft« zum päpstlichen Lehramt *direkt* kein Wort![31] Die evangelisch-theologischen Zeitschriften und Kirchenblätter sehen natürlich erst recht keinen Anlaß, auf das I. Vatikanum zu sprechen zu kommen. Bezeichnend aber dürfte ein 1920 gehaltener, 1921 in der (christkatholischen) Internationalen Kirchlichen Zeitschrift abgedruckter Vortrag von Eduard Herzog über die Wiedervereinigung der Kirchen sein[32]. Die gemeinte Wiedervereinigung betrifft die *protestantischen* Kirchen. Auf die römisch-katholische Kirche richten sich keine Hoffnungen mehr. Das I. Vatikanum und seine Folgen haben sie zunichte gemacht. Denn nach dem fatalen Satz von Kardinal Manning[33] habe dort das Dogma die Geschichte überwunden. Inzwischen aber habe das Kirchenrecht das Dogma zementiert. »Je weniger sich die Welt um die kirchlichen Dogmen kümmert, desto maßgebender wird die in religiöses Gewand gekleidete Jurisprudenz.«[34] Genau das also, was für Scheeben zum Wesen des »Kathedralspruches« und kirchlicher Lehre überhaupt gehört, ihre zum Gehorsam verpflichtende Rechtskraft, ist für Herzog die tiefste Perversion kirchlicher Glaubensverkündigung. Es handelt sich um eben jenen, inzwischen zum altkatholischen Bischof erhobenen Professor Herzog in Bern, der es im Unterschied zu

---

[31] K. Adam, Glaube und Glaubenswissenschaft im Katholizismus, in: ThQ 101 (1920) 131–155; zwischen den Zeilen wird allerdings einiges erkennbar, bes. 145–147. Die kirchliche Autorität ist zu verstehen als »Selbstdarstellung des christlichen Gemeingeistes und seines Einheitsbewußtseins im Prozeß der Glaubensaneignung«, und *insofern* hat sie Bedeutung bei der Entstehung des Glaubens (147). Zitate aus »Dei Filius«: 134f; 142; 145ff; 148ff.

[32] E. Herzog, Nach welcher Methode ist die kirchliche Wiedervereinigung zu versuchen?, in: IKZ 11 (1921) 1–16. Der Kontrast zur Sehweise von M. Reichmann (s. Anm. 29) ist nicht zu überbieten.

[33] Der Satz wird in verschiedener Fassung in mehreren Briefen Döllingers Manning *zugeschrieben;* vgl. Hasler, a.a.O., 346. Man muß Manning damit allerdings kein Unrecht: die Texte, die Hasler, a.a.O., 344f, aus Mannings Ausfällen gegen die Wissenschaftlichkeit und theologische Bedeutung der Geschichtsforschung zitiert, bewegen sich sprachlich in der Nähe des fatalen Satzes und stimmen sachlich mit ihm überein. – Einmal in der Welt, wird der Satz natürlich von Gegnern des Dogmas gern aufgespießt und auch von Freunden nur mit Beklommenheit zitiert. Vgl. Herzog, a.a.O., 10, der nach J. Friedrich, Geschichte des Vatikanischen Konzils, 3 Bde., Bonn 1877–1887, hier II, 265, zitiert.

[34] Herzog, a.a.O., 10.

vielen Kollegen nach 1870 abgelehnt hatte, nur zu schweigen und nicht zu widersprechen, und lieber seinen Lehrstuhl aufgab[35].

Über die Gründe des Schweigens über das I. Vatikanum im Jahr seines Jubiläums kann man nur Vermutungen anstellen[36]. Der Konflikt um den Modernismus war gerade zu Ende gegangen, und zwar mit dem Sieg des Integralismus über den Reformkatholizismus. Der Codex Iuris Canonici war in Kraft getreten, und Nuntius Pacelli hatte in München damit begonnen, auf deutschem Boden ihn modellhaft in Kirchenpolitik umzusetzen – nach dem zentralistischen Grundmuster, von dem auch der Codex bestimmt ist. Die unter dem I. Vatikanum und seinen Folgen litten, hatten wahrlich keinen Grund, ein Jubiläum zu feiern. Die aber zu den Siegern gehörten, hatten, kaum daß ihr Sieg vollkommen war, neue Sorgen: die neu entstandenen Republiken standen ja mehr denn je auf dem Boden der Ideen, denen endgültig einen Riegel vorzuschieben das I. Vatikanum einberufen worden war[37]. Ein Grund jenseits des Streites mag hinzutreten: Das ökumenische Gespräch spielte noch keine Rolle – Ansätze waren gerade wieder zugeschüttet worden[38]; von dort gab es also noch keine Herausforderung an die katholische Theologie in Sachen I. Vatikanum, wie es heute der Fall ist – was auch die Gleichgültigkeit der evangelischen Theologie damals erklärt. Wohl aber beginnt damals jene Bewegung, die Romano Guardini mit dem berühmten Satz kennzeichnete: »Die Kirche erwacht in den Seelen«[39]. Gegen die einseitig juridische Betrachtung der Kirche wendet

---

[35] Vgl. Hasler, a.a.O., 491. Herzog starb im hohen Alter 1924; vgl. RGG III, 287f (mit Lit.).

[36] Zum Folgenden vgl. jetzt HKG (s. Anm. 8) Bd. VII (Die Weltkirche im 20. Jahrhundert), Freiburg i. Br. 1979, 22–30; 181–186; 193–201; 537–544. Vgl. auch Rogier/ Aubert/Knowles, a.a.O. (s. Anm. 8) V/1, 189f, und Krumwiede, a.a.O. (s. Anm. 8) 206–210.

[37] Vgl. dazu die Literaturangaben w. u. Anm. 89 und 90. – Bekannt ist die Auseinandersetzung zwischen Konrad Adenauer als Präsident des Deutschen Katholikentages und Kardinal Faulhaber auf dem Katholikentag in München 1922 um die positive Haltung der Katholiken zur Weimarer Republik. Faulhaber hatte deren Gründung und die vorausgehende Revolution als (sittlich verwerflichen) Verrat gebrandmarkt. Vgl. H. Stehkämper, Adenauer und Faulhaber 1922. Form und Grenze politischer Entscheidungsfreiheit im kirchlichen Raum, Mainz 1977.

[38] Nämlich durch die Bücher von H. Denifle, Luther und Luthertum in ihrer ersten Entwicklung, 2 Bde., Mainz 1904/09; und H. Grisar, Luther, 3 Bde., Freiburg i. Br. 1911/12 (³1924/25) und deren urteilsbildende Wirkung auf das öffentliche Bewußtsein in der katholischen Kirche. Vgl. dazu Beyna, a.a.O. (s. Anm. 28), 28–55; 71–77; und für den außerdeutschen Sprachraum R. Stauffer, Die Entdeckung Luthers im Katholizismus, Zürich 1968, 7–41; G. Ph. Wolf, Das neuere französische Lutherbild, Wiesbaden 1974.

[39] R. Guardini, Vom Sinn der Kirche, Mainz 1922, 1. Zur Gesamtentwicklung vgl.

sich eine neue Ekklesiologie, die von allen Seiten Impulse erhält, ihr geistliches Geheimnis zu deuten. Die Strukturen und mit ihnen das I. Vatikanum wurden dabei nicht in Frage gestellt, aber ist es ein Wunder, daß man sie nicht zum Hauptthema machte?

3. Kirchenamtliche Dokumente und kirchenamtliche Theologie

Es wurde schon angedeutet, daß bereits im Jahrzehnt nach 1870 die theologischen Fundamente für eine lehramtliche Praxis gelegt wurden, die, gelinde gesagt, die in »Pastor aeternus« gezogenen Grenzen unscharf macht. Wenn auch nur die Möglichkeit in Betracht gezogen werden mußte, daß vorkonziliare Dokumente wie »Mirari vos«, »Quanta cura« und Syllabus unfehlbare Entscheidungen enthielten, welcher Aufmerksamkeit und lehramtlicher Verpflichtungskraft durften dann Dokumente wie »Aeterni Patris«, »Arcanum divinae sapientiae«, »Rerum novarum«, »Providentissimus Deus«, das Decretum »Lamentabili« und die Enzyklika »Pascendi dominici gregis«, der Antimodernisteneid, die Äußerungen Pius' X. über die Reformatoren gewiß sein[40], ganz zu schweigen von den Enzykliken und Ansprachen Pius' XI. und Pius' XII. Der »Enzyklikenparagraph« in »Humani generis« ist so gesehen nicht nur ein Anspruch, sondern auch die Festschreibung einer längst bestehenden Praxis. In ihm wird durch den Rekurs auf das *ordentliche* Lehramt nachgeholt, was das I. Vatikanum durch seinen Abbruch nicht mehr behandeln konnte, und es wird *ohne* förmliche Ex-cathedra-Entscheidung doch so apodiktisch vollzogen, daß die Folgen so sind, als wäre es eine Ex-cathedra-Entscheidung. Deshalb sind auch evangelische Theologen – nicht so geübt in der feinen Unterscheidung zwischen »authentischen« und »unfehlbaren« lehramtlichen Äuße-

---

jetzt den knappen, aber schwungvoll geschriebenen Überblick von J. Frisque, Die Ekklesiologie im 20. Jahrhundert, in: H. Vorgrimler/R. van der Gucht (Hg).), Bilanz der Theologie im 20. Jahrhundert, III, Freiburg i. Br. 1970, 192–243 (227–243: Lit.!); ferner H. Fries, Wandel des Kirchenbilds und dogmengeschichtliche Entfaltung, in: Mysterium Salutis (s. Anm. 64), IV/1, 223–279: 272ff; Y. Congar, Die Lehre von der Kirche (s. Anm. 8), 114–127; E. Klinger, Ekklesiologie der Neuzeit. Grundlegung bei Melchior Cano und Entwicklung bis zum 2. Vatikanischen Konzil, Freiburg i. Br. 1978, 241–254, auch 73–93.
[40] Vgl. DS 3135–3140: 3142–3146; 3265–3271; 3280–3294; 3401–3466; 3475–3500; 3537–3550. Die Borromäus-Enzyklika »Editae saepae« mit den bekannten Ausfällen gegen die Reformatoren (längere Kostprobe bei Beyna, a.a.O., 72f) findet sich nicht in DS, sondern bei C. Mirbt, Quellen zur Geschichte des Papsttums und des römischen Katholizismus, Tübingen [5]1934, 514.

rungen, wie die katholische Hermeneutik lehramtlicher Äußerungen sie machen muß – der Meinung, zumindest Enzykliken beanspruchten nach Pius XII. unfehlbare Entscheidungen zu treffen, wo sie über eine bisher strittige Frage handeln[41].

Ein weiteres kommt hinzu: Der Druck, den die Kurie nach 1870 auf widerstrebende Katholiken ausübte, war ja nach ihrem eigenen Selbstverständnis keineswegs unsachgemäß. Was Eduard Herzog als das eigentlich Unannehmbare am I. Vatikanum brandmarkt, nämlich den Sieg des Kirchenrechts über das Dogma und des Dogmas über die Geschichte, genau dies wird ja von Scheeben als Selbstverständlichkeit ausgesprochen. Lehramtliche Stellungnahmen ergehen also, wenn schon nicht in der Form von Gesetzen, so zumindest in der Form von Rechtsverordnungen. Sie haben daher Folgen, die mit kirchenrechtlichen oder staatskirchenrechtlichen Mitteln durchgesetzt werden können – und eine Appellation dagegen gibt es nicht. Die ohnehin schon ihre Grenzen nicht strikt einhaltende Lehramtsausübung *braucht* also gar nicht formell ex cathedra zu sprechen. Sie kann den Widerspruch einfach durch die normale juristische Effizienz ihrer Stellungnahmen verhindern.

Dies alles impliziert nun ein Verständnis vom Verhältnis zwischen Lehramt und Theologie, dessen theoretische Positionen so erstaunlich sind wie seine immer noch fast unbehinderte Effektivität, und das unmittelbar ein Posten in der kirchenamtlichen Bilanz aus dem I. Vatikanum ist. Max Seckler hat das Verdienst, diesen quälenden Bilanzposten aufgeschlüsselt zu haben in seinem Aufsatz »Die Theologie als kirchliche Wissenschaft nach Pius XII. und Paul VI.«[42]. Die wesentlichen Ergebnisse lauten zusammengefaßt:
a) Die Offenbarung, das »depositum fidei« ist *allein* dem kirchlichen

---

[41] »[Es schien] . . ., der Papst werde sich in Zukunft [sc. nach dem I. Vatikanum] wohl hüten, ›ex cathedra‹ zu sprechen. Was aber nicht ›ex cathedra‹ komme, sei der freien Diskussion unterstellt. Man könne z. B. den Syllabus oder die Enzykliken nicht als absolut verbindliche Äußerungen des *unfehlbaren* [Hervorhebung von mir] Lehramtes hinstellen. Mit dieser Verharmlosung hat kein Geringerer als Pius XII. aufgeräumt. In *Humani generis* wendet er sich ausdrücklich dagegen« (W. von Loewenich, Der moderne Katholizismus, Witten ⁴1959, 157; auch in der neuesten Auflage unter dem Titel: Der moderne Katholizismus vor und nach dem Konzil, Witten ³1970, sind diese Sätze stehengeblieben; vgl. a.a.O., 152).

[42] M. Seckler, Die Theologie als kirchliche Wissenschaft nach Pius XII. und Paul VI. in: ThQ 149 (1969) 209–234; dasselbe (3.) Quartalsheft der ThQ enthält weitere Aufsätze zur gleichen Thematik von P. Touilleux (Kritische Theologie), J. Neumann (Zur Problematik lehramtlicher Beanstandungsverfahren) und H. Kümmeringer (Es ist Sache der Kirche, »iudicare de vero sensu et interpretatione scripturarum sanctarum«).

Lehramt zur Erklärung anvertraut, allen voran dem Papst als dem Nachfolger Petri und Stellvertreter Christi.

b) Gegenstand des Lehramtes ist nicht nur die strenge Glaubens- und Sittenlehre, sondern alle Gebiete von Wissen und Tun, die den Bereich des Glaubens überschneiden oder auch nur berühren, von der Medizin über politische Fragen bis hin zum Kunstcharakter der Musik.

c) In dieser Weltzeit sind die Stimme des Papstes und die Stimme Christi identisch, kraft des besonderen Beistandes des Heiligen Geistes.

d) Daraus folgt ein umfassendes Inquisitions-, Steuerungs- und Überwachungsrecht – bis hin zu beauftragter Beobachtertätigkeit gegenüber der theologischen Wissenschaft.

e) Das kirchliche Lehramt ist daher in seinem gesamten Gegenstandsbereich formal und inhaltlich die innere Norm theologischer Arbeit, und zwar die nächste und allgemeine Norm der Wahrheit.

f) Theologie kann daher nur aus »Delegation« betrieben werden: Das Amt, insonderheit der Papst, delegiert seine Lehrfunktion an Theologen, diese lehren nie kraft eigenen Rechtes oder eigener wissenschaftlicher Einsicht. Vielmehr versehen sie ein Hilfsamt für die bzw. den eigentlichen Lehrer der Kirche, und ihre Aufgabe ist es, nachzuweisen, *wie* – nicht: *daß!* – die Verkündigung des Lehramtes in genau dem Sinne, wie sie ergeht, in den Offenbarungsquellen enthalten ist. Es ist nicht einmal privat erlaubt, aus wissenschaftlichen Gründen eine andere Meinung zu haben als das Lehramt, es sei denn, das Lehramt hat sich zu einer Frage noch nicht geäußert.

Seckler meint abschließend, mit diesem Konzept habe die Theorie die Praxis eingeholt. Es bleibt nur festzuhalten, daß es aufgrund des I. Vatikanums entworfen, durch das II. Vatikanum nicht korrigiert wurde, sich theoretisch wie praktisch bis an die Grenzen des Machbaren durchsetzen kann und wie ein roter Faden auch alle postkonziliaren lehramtlichen Dokumente durchzieht: etwa »Humanae vitae«, »Mysterium Ecclesiae«, die Küng-Dokumente, die Erklärung zu Fragen der Sexualethik[43]. – Dem allen ist dreierlei hinzuzufügen:

---

[43] Originaltexte in: AAS 60 (1968) 481–503 (»Humanae vitae«); 65 (1973) 396–408 (»Mysterium Ecclesiae«); 67 (1975) 203f (Küng-Erklärung); 68 (1976) 77–96 (Erklärung zur Sexualethik). – Deutsche Übersetzung (u. a.) in: HK 22 (1968) 418–424; 27 (1973) 416–421 (421–422: Stellungnahme der Deutschen Bischofskonferenz); 29 (1975) 182 (182–184: Erklärung der Bischofskonferenz; die weiteren bischöflichen Stellungnahmen mitsamt der Ehrenerklärung für Küng in: W. Jens [Hg.], Um nichts als die Wahrheit. Deutsche Bischofskonferenz contra Hans Küng, München 1978, 142–172); 30 (1976) 82–87. – Der »rote Faden« besteht in dem selbstverständlichen

Erstens: Eine so beschriebene und bestimmte Theologie muß keineswegs stumm werden, sie kann im Gegenteil Bibliotheken füllen, erklärt aber zugleich den Umstand völliger Dialogunfähigkeit gegenüber jedem, der das vorausgesetzte Konzept nicht teilt: Man meint hier Worte aus einer anderen Welt zu hören[44].

Zum anderen: Wer sich das hier skizzierte Konzept vor Augen hält, begreift, daß etwa die Unterschriftenaktion der Gruppe um »Concilium« betreffend die Freiheit der Theologie in Lehre und Forschung oder die wiederholten Vorstöße zur Verbesserung der Verfahrensordnung der Glaubenskongregation[45] nicht nur auf taube Ohren stießen, sondern schlicht nicht verstanden werden konnten, weil sich ja schon der Impuls zur Aktion selbst einem »falschen« Theologieverständnis verdankt.

Und endlich: Es ist zu beobachten, daß in jüngster Zeit Grenzen der Durchführbarkeit des Konzeptes sichtbar wurden. Im Fall von »Humanae vitae«, der Neuregelung des »Mischehenrechts« und der Beilegung des Verfahrens gegen Hans Küng haben die deutschen Bischöfe einerseits die praktischen Auswirkungen abzubremsen gewußt und dies, soweit man weiß, mit allen Mitteln auch der politischen und psychologischen Argumentation erreicht. Sie haben anderseits in ihren diesbezüglichen Dokumenten deutlich erkennen lassen, daß sie auch theologisch anders denken als Rom – wenngleich sie das begreiflicherweise nicht gern zugeben werden[46]. Vielleicht wird man einmal sagen, daß in solchen Geschehnissen doch

---

und teilweise auf den Hl. Geist zurückgeführten Anspruch, ohne Rücksicht auf Fragen und Diskussionsergebnisse festlegen zu müssen und zu können, was ein katholischer Theologe sagen und was er nicht sagen darf.

[44] Pars pro toto sei auf die Zeitschrift der Lateran-Universität »Divinitas« hingewiesen (Pontificiae Academiae Theologicae Romanae Commentarii, Rom 1957ff). Ein Schulbeispiel, das vor dem Vergessen bewahrt werden sollte, ist etwa D. Staffa, L'unità della fede e l'unificazione dei popoli, nel magisterio del Sommo Pontefice Giovanni XXIII., in: Divinitas 6 (1962) 3–32; dort werden drei konstitutive Faktoren kirchlicher Einheit herausgearbeitet: der Thomismus, die im Codex Iuris Canonici »präzis wie die Mathematik« gewordene »juridische Struktur« und die lateinische Sprache als Überwindung der babylonischen Sprachverwirrung in der Kirche (a.a.O., 21–31).

[45] Die Freiheit der Theologen und der Theologie. Eine Erklärung. Beilage zu Concilium 5 (1969) Heft 1. Zur Sache vgl. ferner J. Neumann, Menschenrechte – auch in der Kirche? Zürich 1976, 108–192; St. H. Pfürtner, Macht, Recht, Gewissen in Kirche und Gesellschaft, Zürich 1972, 224–273.

[46] Entgegen der Forderung nach bedingungslosem Gehorsam in »Humanae vitae« und den entsprechenden Weisungen an die Seelsorger müssen die Gläubigen nach den Königsteiner Dokumenten der deutschen Bischöfe von 1968 a) eine von der amtlichen Lehre der Kirche abweichende Meinung nicht mehr nur als riskante Ausnahme ansehen; b) sie brauchen sie nicht privat für sich zu behalten, sondern

eine neue Seite der kirchenamtlichen Bilanz des I. Vatikanums aufgeschlagen wurde.

4. DIE SCHULDOGMATIK

Die Schuldogmatik – also die Theologie, die der Theologiestudent sich bis vor kurzem und teilweise heute noch aus einem Handbuch der Dogmatik als Grundwissen und Ausgangspunkt für alle »fortschrittlichen« Aufbrüche

können sie unter Wahrung der Rücksicht auf die Gesetze des innerkirchlichen Dialogs auch »vertreten«; c) sie ebenso wie die Theologen und die Fachleute aus den einschlägigen Wissenschaften sollen die »klärende Aussprache« weiterführen; und d) werden die Seelsorger angewiesen, in der Verwaltung der Sakramente »die verantwortungsbewußte Gewissensentscheidung der Gläubigen zu achten« (Wort der deutschen Bischöfe zur seelsorglichen Lage nach dem Erscheinen der Enzyklika »Humanae vitae«, Nr. 3; Verlautbarung nach Abschluß der außerordentlichen Vollversammlung der Deutschen Bischofskonferenz am 29./30. August 1968, Mitte). Die Bischöfe gehen damit sogar stillschweigend über das hinaus, was sie kurz zuvor dargelegt hatten, in: Lehrschreiben der deutschen Bischöfe an alle, die von der Kirche mit der Glaubensverkündigung beauftragt sind, Trier 1968, Nr. 18; vgl. zum Ganzen O. H. Pesch, Über die Verbindlichkeit päpstlicher Enzykliken. Dogmatische Überlegungen zur Ehe-Enzyklika Papst Pauls VI., in: A. Görres (Hg.), Ehe in Gewissensfreiheit, Mainz 1969, 23–36, bes. 28ff. – Entgegen dem Tenor des Motu proprio vom 31. März 1970 zur Neuregelung der kirchenrechtlichen Bestimmungen über die konfessionsverschiedene Ehe, worin zwar im Blick auf die ungünstiger gewordenen Umstände für die »Mischehe« bedeutsame Konzessionen gemacht werden, im übrigen aber alle Aufmerksamkeit der Gefahr des Glaubensabfalls des katholischen Partners gilt, sorgen sich die Ausführungsbestimmungen der Deutschen Bischofskonferenz vom 23. September 1970 weniger um den *Katholiken* als vielmehr um die *Ehe* und die Christlichkeit der *Familie*, weisen die Seelsorger an, einem bereits entschlossenen Brautpaar nicht mehr von der konfessionsverschiedenen Ehe abzuraten, und schöpfen im Detail den vom Motu proprio belassenen Spielraum weitestmöglich aus. Der Text des Motu proprio sowie die Ausführungsbestimmungen der Bischofskonferenz finden sich übrigens außer in den Amtsblättern der Diözesen auch abgedruckt in: Materialdienst des Konfessionskundlichen Institutes 21 (1970) 55–59 und 95–100. – Entgegen dem Wortlaut der Erklärung der Glaubenskongregation vom 15. Februar 1975, wonach die drei beanstandeten Lehren Küngs (Zweifel an der Unfehlbarkeit des päpstlichen Lehramtes, Küngs Begriff vom kirchlichen Lehramt überhaupt, Konsekrationsvollmacht eines Laien in der Eucharistie im Notfall) nur Beispiele einer *im ganzen* bedenklichen Theologie seien, sagen die Bischöfe in ihrer Erklärung vom 20. Februar 1975, Zurückweisung und Wiederholungsverbot beträfen *nur* einzelne Lehren, nicht aber Küngs Theologie im ganzen; sie möchten der Klärung solcher Streitfragen einen Freiraum *in* der Kirche sichern und dafür auch zeitweilige Spannungen in Kauf nehmen; sie geben eine persönliche Ehrenerklärung für Küng und sein theologisches Engagement ab. Als ich 1975 – nach einigem Zögern – mich entschlossen hatte, auf die auch an mich

erwarb und erwirbt – hat, das kann vorab festgestellt werden, die im Ergebnis extensive Auslegung der Definition von 1870, wie wir sie bei Scheeben fanden, nicht mitgemacht. Welche Einflüsse (oder auch: welche heilsam schockierenden Erfahrungen) das auch immer bewirkt haben, man braucht nur etwa die Dogmatik von Diekamp-Jüssen mit Scheeben zu vergleichen, dann springt der Unterschied in die Augen. Diekamp-Jüssen betont alle einschränkenden Formulierungen des Dogmas, und bei der Frage nach den »Formen« unfehlbarer Lehrverkündigung werden schon die Enzykliken, geschweige denn andere Arten päpstlicher Verlautbarungen nicht mehr erwähnt. Ähnlich andere, im Gebrauch befindliche Lehrbücher[47].

Es kann anderseits kein Zweifel sein, daß die schuldogmatische Darstellung der Fragen um das kirchliche Lehramt in strenger Bindung an das vatikanische Dogma verläuft. Dieses und auch die skizzierte lehramtliche Theorie vom Verhältnis zwischen Lehramt und Theologie werden umgesetzt in die schulmäßig begründeten Lehrsätze der Handbücher der Dogmatik und der

---

ergangene Umfrage G. Denzlers nach der gegenwärtigen und zukünftigen Stellung des Papsttums zu antworten, und einen Sonderdruck meines Beitrages auch Kardinal Döpfner übersandte (vgl. G. Denzler [Hg.], Papsttum heute und morgen. 57 Antworten auf eine Umfrage, Regensburg 1975, 153–157), bekam ich in einem Brief vom 4. März 1975 zu meiner Freude ein vorsichtiges Lob für »viele Aussagen, die man durchaus akzeptieren kann«, mein Hinweis auf die Differenz der genannten römischen und bischöflichen Dokumente (a.a.O., 156) schien ihm »freilich überzogen«. Daß aber die Bischöfe sich in allen drei Fällen bewußt gewesen sein müssen, etwas »gewagt« zu haben, beweisen die bekanntgewordenen Schwierigkeiten auf der Würzburger Synode, im Beschluß über »Christlich gelebte Ehe und Familie« die Gefahr abzuwehren, daß die Bischöfe von der Königsteiner Erklärung vorsichtig abrückten; vgl. die beiden Berichte von F. Böckle in: Gemeinsame Synode der Bistümer in der Bundesrepublik Deutschland. Offizielle Gesamtausgabe I, Freiburg i. Br. 1976, 412–414; und in: D. Emeis/B. Sauermost (Hg.), Synode – Ende oder Anfang. Düsseldorf 1976, 218–220; ferner M. Plate, Das deutsche Konzil. Die Würzburger Synode, Bericht und Deutung, Freiburg i. Br. 1975, 194–196; das beweisen die Berge von Protestbriefen, die nach zuverlässigen Informationen den Bischöfen nach Erlaß der Ausführungsbestimmungen zum Mischehen-Motu-proprio zugingen; beweist die Verärgerung der Bischöfe darüber, daß Hans Küng es an dem »hohen Maß an Mitwirkung des Autors« habe fehlen lassen, auf dessen Erwartung die Bischöfe im Februar 1975 ihre versöhnliche und von ihnen als »modellhaft« bezeichnete Beilegung des langen Streites gründeten; vgl. K. Lehmann, Hoftheologie für und von Hans Küng. Zur Dokumentation des Briefwechsels Bischofskonferenz-Küng (s. Anm. 43), in: Rheinischer Merkur Nr. 8/24. Februar 1978, S. 31 Sp. 4.
[47] Vgl. die in Anm. 4 verzeichneten Lehrbücher: Diekamp-Jüssen, I, 63–72, bes. 71f; Bartmann, II, 163–167; Pohle-Gummersbach, I, 78f; Premm, I, 27–29; Ott, 346–350. Zu Schmaus vgl. das Folgende. Zur selben strengen Auffassung gelangt auch Pfeiffer, a.a.O. (s. Anm. 26), 59–131.

Apologetik. Man muß sich ja auch einmal vorstellen, was es für einen Theologen bedeutet, nicht nur unter der ständigen staatskirchenrechtlichen Bedrohung seines Lehrstuhls, sondern unter dem moralischen Druck eines Eides, des Antimodernisteneides zu arbeiten, selbst wenn man ihn für ungerecht und damit unverbindlich hält[48]. Gewiß kann die Sprache der Schuldogmatik unterschiedlich sein: herrisch, Ansprüche betonend und selbstgewiß wie etwa bei Scheeben oder Diekamp-Jüssen, oder argumentierend, verstehend auf Mißverständnisse eingehend wie etwa in der Dogmatik von Michael Schmaus[49]. In der Sache macht das keinen Unterschied, und auch bei Schmaus liest man Sätze – konsequent aus den Formulierungen von 1870 abgeleitet –, die Schmaus heute so nicht mehr wiederholt. Unfehlbare päpstliche Lehrentscheidungen »tragen den Grund ihrer Richtigkeit in sich selbst. Ihre Wahrheit gewinnt Evidenz aus ihrer Tatsächlichkeit. In der Faktizität einer kirchlichen Lehrentscheidung liegt ihre Legitimität.«[50] Wenn denn doch einmal Bedenken gegen den Sachgehalt einer päpstlichen Entscheidung unabweisbar sind, geht die schuldogmatische Lösung in die Richtung einer doppelten Klarstellung: entweder handelt es sich nicht um eine unfehlbare Entscheidung – z. B. im Falle der Bulle »Unam Sanctam« Bonifaz' VIII., die auch die staatliche Gewalt dem Papst unterwarf, was sogar Pius XII. als »zeitbedingt« kennzeichnet (Ansprache vom 7. 9.

---

[48] Viele ältere Theologen der damaligen Zeit stimmten dem Antimodernisteneid gewiß zu! *Alle* aber nicht – sonst hätte sich nichts ändern können. Die heutige Kurzform, die seit einigen Jahren die alte Formel abgelöst hat und keine einzelnen Inhalte mehr nennt, ist das Eingeständnis, daß seit einigen Jahrzehnten beim besten Willen nicht mehr alles beschwörbar ist, was in DS 3537–3550 steht. Für diese mindestens zwei bis drei Jahrzehnte war der Antimodernisten-Eid für zahllose jüngere Theologen, die auf wissenschaftliche Aufrichtigkeit ebenso wenig verzichten wollten wie auf eine kirchliche Anerkennung, eine ernste, je nach Temperament sogar unerträgliche Gewissensbelastung – zu einer Zeit, wo viele der im Eid verworfenen Lehren längst mit kirchlicher Druckerlaubnis verbreitet wurden. Wer da nicht in blanken Zynismus ausweichen wollte, konnte vor seinem Gewissen nur bestehen im Rückgriff auf die moraltheologische Lehre, daß ein ungerecht geforderter Eid nicht verpflichtet. Es dürfte nicht verfrüht sein, dies einmal offen auszusprechen. – Zur Lehre vom ungerechten Eid vgl. B. Häring, Das Gesetz Christi, 3 Bde., Freiburg i. Br. ⁶1961, hier: II, 263f. Vgl. auch Thomas von Aquin, Summa Theologiae, II–II 89,3 und 7; LThK III, 728f.
[49] Vgl. M. Schmaus, Katholische Dogmatik, III/1, 798–820.
[50] A.a.O., 811; übrigens weist auch Schmaus ausdrücklich auf den rechtlichen Charakter unfehlbarer Entscheidungen hin, sie sind ein »Glaubensgesetz« (a.a.O., 812). Vorsichtiger sowohl zur Frage der Evidenz als auch zum Gesetzescharakter von Lehrentscheidungen urteilt Schmaus in seiner zweiten Dogmatik: Der Glaube der Kirche, 2 Bde., München 1969–1970, hier: II, 184–203, bes. 189–194.

1955)[51], oder es betrifft nicht Fragen von Glaube und Sitte im Sinne des Dogmas, etwa wenn der Papst sich zu Fragen der Astronomie äußert. Trotz aller Bemühung, zwischen Treue zum Lehramt der Kirche und wissenschaftlicher Redlichkeit einen kleinen Freiraum abzustecken, kann dennoch kein Zweifel sein, daß das Dogma von 1870 in der Schuldogmatik Folgen für das theologische Argumentationsverfahren hat. Wenn das Lehramt unmittelbare und nächste Norm der theologischen Arbeit ist, dann ist es nur konsequent, wenn das kirchliche Lehramt an erster Stelle unter den Beweismitteln figuriert, mit denen das Enthaltensein eines Lehrsatzes im depositum fidei nachgewiesen wird. Erst danach folgen die »Offenbarungsquellen« Schrift und Tradition, woran sich die »spekulative Durchdringung« anschließt. Die bindenden Folgen zeigen sich sogar außerhalb der Schuldogmatik. Als symptomatisch muß es doch wohl gelten, wenn etwa ein so freimütig fragender Geist wie Karl Rahner 1953 eine Reflexion auf die Bedeutung des Immaculata-Dogmas mit der Überlegung einleitet, durch die Tatsache seiner Definition sei klar, *daß* das Dogma eine Bedeutung für uns habe, und nun sei die Frage nur noch, *welche*. Wenn der Papst will, daß wir uns eine kirchliche Lehre zu Herzen nehmen, können wir sie nicht bloß auf sich beruhen lassen, sondern müssen sie auf ihre (fraglos vorauszusetzende) Bedeutung für uns befragen[52].

Eine weitere Folge ist, daß tatsächlich – um Kardinal Manning noch einmal zu zitieren – das Dogma die Geschichte überwindet. Das sichere Dogma ist weit davon entfernt, einer historisch-kritischen Überprüfung unterworfen werden zu dürfen – nicht einmal hinsichtlich seines Enthaltenseins in den Offenbarungsquellen, geschweige denn hinsichtlich seines Sachgehaltes. Der ganze Modernismusstreit ist – unter anderem – eine Auseinandersetzung um dieses Prinzip, daß das Dogma darüber entscheidet, was in der Heiligen Schrift gefunden werden muß und was in den Dokumenten der Kirchen- und Dogmengeschichte nicht gefunden werden darf[53]. Der Histo-

---

[51] Vgl. M. Chinigo (Hg.), Der Papst sagt. Lehren Pius'XII. Deutsch von B. Wuestenberg, Frankfurt a. M. 1956, 364–367, zitiert bei Schmaus, Kath. Dogmatik III/1 (s. Anm. 4), 677–680, hier bes. 679.

[52] Vgl. K. Rahner, Die unbefleckte Empfängnis, in: Schriften zur Theologie, bisher 13 Bde., Einsiedeln 1957–1978, hier: I, 223–237: 223.

[53] Bezeichnende Beispiele sind die »Propositiones Modernismi«, die zumeist historische bzw. exegetische Fragestellungen enthalten, welche aber aus dogmatischen Gründen für unzulässig erklärt werden. Vgl. bes. DS 3423f, 3428, 3430–3432, 3439f, 3443f, 3446–3451, 3453–3456, 3460 – das sind nur die Sätze, bei denen heute kein vernünftiger Zweifel besteht, daß sie eine legitime und notwendige Fragestellung enthalten und daß die möglicherweise entstehende Spannung zum kirchlichen Dogma für gegenstandslos erklärt werden kann. Die hier nicht aufgeführten proposi-

riker hat im Fall eines Konfliktes davon apriorisch auszugehen, daß er falsch gearbeitet hat und daher sich bemühen muß, aber auch hoffen darf, mit aller Anstrengung die Lehre des Dogmas wenigstens in nuce in den Dokumenten der Geschichte aufzufinden. Das Verfahren ist dann geradezu schematisiert in den Entscheidungen der Bibelkommission. Auf die stereotypen Fragen »Ob gelehrt werden könne«, »ob gehalten werden müsse« folgen die lapidaren Antworten: Negative, oder Affirmative[54]. Um Mißverständnissen vorzubeugen: Es geht mir nicht um ein Plädoyer für den jeweils neuesten Schrei. Es muß nur, und zwar als eine Konsequenz aus dem I. Vatikanum, das bezeichnende Verfahren vor Augen geführt werden, daß hier im voraus zu einer Prüfung der Gründe, im voraus auch zur Frage nach dem wirklichen und nicht nur vermeintlichen Ausmaß der Bedrohung des Dogmas, entschieden wird, was ein *Historiker* herausfinden *darf* bzw. *nicht* darf. Es ist kein Wunder, daß die Bibelkommissionsentscheidungen in den Handbüchern unter den Beweismitteln aus dem »kirchlichen Lehramt« auftauchen[55]. Vorerst jüngster und letzter Wellenschlag dieser Entwicklung: die gezielte Polemik gewisser katholischer Kreise gegen das Katholische Bibelwerk in Stuttgart und seine Zeitschrift »bibel und kirche« nach dem Motto: Das Katholische Bibelwerk ist nicht katholisch[56].

---

tiones enthalten Thesen, die auch heute noch als umstritten angesehen werden müssen.

[54] Die Entscheidungen der Bibelkommission beginnen DS 3372 und sind von dort an leicht auffindbar. Sie sind außerdem gesammelt in: Enchiridion Biblicum. Documenta ecclesiastica Sacram Scripturam spectantia auctoritate Pontificiae Commissionis de Re Biblica edita, Rom 1927, ⁴1961. Zum Schicksal der Bibelkommission und zum Schicksal der katholischen Exegese in dessen Gefolge vgl. jetzt A. Wikenhauser / J. Schmid, Einleitung in das Neue Testament, 6., völlig neu bearbeitete Auflage, Freiburg i. Br. 1972, 9–11; dort weitere Literatur. – Wohltuend anders klingt es (nicht erst, aber besonders repräsentativ) in der von H. Jedin selbst verfaßten Einleitung in die Kirchengeschichte im HKG, I (1962), 1–55, bes. 2–6; 10f – obwohl auch Jedin nur »zeitweilig . . . Spannungen« zwischen kirchengeschichtlichem Forschungsergebnis und »Glauben bzw. theologischen Postulaten, die man mit ihm identifiziert« (a.a.O., 5), für möglich hält, zum Eventualfall eines unauflösbaren Konfliktes aber nicht Stellung nimmt. Zum Freimut der Kirchengeschichtsschreibung vgl. jetzt auch H. Jedin, Kardinal Caesar Baronius. Der Anfang der katholischen Kirchengeschichtsschreibung im 16. Jahrhundert, Münster 1978, bes. 49–58.
[55] Vgl. wieder die in Anm. 4 verzeichneten Dogmatiken: Diekamp-Jüssen, II, 83; 85; 93; Pohle-Gummersbach, I, 56; 533f; Premm, I, 401f; Ott, 111f; Schmaus, Dogmatik, I, 131 – aber gewissermaßen zurückblickend in: Der Glaube der Kirche, I, 311f.
[56] Vgl. z. B. die von W. Schamoni herausgegebene Zeitschrift »Theologisches«. Beilage der »Offerten-Zeitung für die kath. Geistlichkeit Deutschlands«, Abensberg, Nr. 84, April 1977, 2298–2312 (W. Schamoni und F. Bettex); Nr. 91, Nov. 1977, 2534–2539 (P. Hacker). Dazu die Erwiderung des Leiters des Bibelwerkes, F. J. Stendebach, Grünes Licht für Häresien? Publik-Forum 6 (1977) Nr. 25, 9. 12. 1977,

Daß nach demselben Verfahren die exegetischen und historischen Schwierigkeiten gegenüber dem vatikanischen Dogma selbst in Angriff genommen werden, überrascht nicht. Erinnert sei an die »Causa Honorii« oder an die Art, wie mit den Erhebungen von Brian Tierney umgegangen wird[57]. Skurriler wird es schon, wenn auch letztlich dogmatisch nicht entscheidende Zeugen der Tradition nicht mehr sagen dürfen, was sie sagen. Weil Leo XIII. Thomas von Aquin zum authentischen Lehrer der Kirche erklärt hat, kann es nicht sein – diesem Gedanken begegnet man allen Ernstes, und zwar in Publikationen –, daß dieser authentische Lehrer der Kirche anders lehrt als die Kirche – auch die spätere Kirche – selbst. Im Zweifelsfall ist

---

13f. – Wie schwierig im Zuge der fortschreitenden Befreiung der katholischen Exegese von den Folgen des Modernismus-Streites das Verhältnis von historisch-kritisch arbeitender Exegese und Dogma und Dogmatik geworden ist, belegt die einschlägige Diskussion um Exegese und Dogmatik in den 60er Jahren. Vgl. pars pro toto: R. Schnackenburg, Der Weg der katholischen Exegese, in: ders., Schriften zum Neuen Testament. Exegese in Fortschritt und Wandel, München 1971, 15–33 (geschrieben 1958); ders., Neutestamentliche Theologie. Der Stand der Forschung, München 1963, ²1965; ders., Konkrete Fragen an den Dogmatiker aus der heutigen exegetischen Diskussion. Catholica 21 (1967) 12–27; K. Rahner, Über die Schriftinspiration, Freiburg i. Br. 1958; ders., Exegese und Dogmatik, in: Schriften zur Theologie, IV (1962) 82–111; O. Kuss, Exegese als theologische Aufgabe, in: ders., Auslegung und Verkündigung, I, Regensburg 1963, 1–24; jetzt auch ders., Der Römerbrief. Dritte Lieferung (Röm 8,19–11,36), Regensburg 1978, III–XIV; H. Schlier, Biblische und dogmatische Theologie, in: ders., Besinnung auf das Neue Testament, II, Freiburg i. Br. 1964, 25–34; und W. Kasper, Die Methoden der Dogmatik. Einheit und Vielheit, München 1967. Ganz zu schweigen von den methodologischen Auseinandersetzungen um Hans Küng, die vor allem das Verhältnis von (normierendem) biblischem Zeugnis und (normiert-normierender) dogmatischer (einschl. lehramtlicher) Tradition betreffen. Aus evangelischer Sicht vgl. K. G. Steck, Das römische Lehramt und die Heilige Schrift. München 1963. Endlich in einem verheißungsvollen evangelisch-katholischen Gespräch zu dieser Thematik ist man in: J. Blank / R. Schnackenburg / E. Schweizer / U. Wilckens (Hg.), Evangelisch-Katholischer Kommentar zum Neuen Testament. Zürich/Neukirchen-Vluyn, bisher 4 Hefte Vorarbeiten über wichtige Kontroversfragen, 1969ff, sowie 3 Kommentarbände, 1975ff, darunter der erste Teil eines Römerbriefkommentars (Röm 1–5) von U. Wilckens, 1978. Vgl. jetzt auch HKG VII (s. Anm. 36), 286–290.
57 Vgl. Diekamp-Jüssen, II, 248; Pohle-Gummersbach, II, 101; Premm, II, 75f; Ott, 180; ebenso im Endergebnis, trotz aller offenherzigen Darlegung der Fakten, auch noch R. Bäumer, Honorius I., in: LThK V (1960) 474f. Schmaus spricht zwar ausführlich vom Monotheletismus, erwähnt aber mit keinem Wort Honorius I. und kommt auch im Zusammenhang der päpstlichen Unfehlbarkeit nicht auf die »Honoriusfrage« zu sprechen; vgl. Katholische Dogmatik, II/2, 209–215; III/1,813–815 (bes. 815); kaum anders in: Der Glaube der Kirche, wo Honorius einmal kurz erwähnt wird: II, 190. – Zur konziliaren und außerkonziliaren Diskussion um die »Honoriusfrage« auf dem I. Vatikanum vgl. jetzt Hasler, a.a.O., 283–289, dort auch die Literatur zum heutigen Stand der Forschung. – Was B. Tierney betrifft, vgl. seine

daher Thomas nach der Lehre der Kirche – auch der späteren Kirche – zu interpretieren und nicht nach den Methoden der Geschichtswissenschaft[58]. Es kann also nicht sein, daß Thomas in der Frage des Verhältnisses von Gnade und Urstandsgerechtigkeit und in der Deutung der Erbsünde anders dachte als das Konzil von Trient[59]. Es kann nicht sein, daß er in der Beurteilung der Möglichkeiten des Sünders zum guten Handeln mehr zum augustinischen Pessimismus neigte als zum Optimismus der humanistischen Zeit, die vom bleibenden »guten Kern« im Menschen ausging[60]. Selbst die Bestreitung der unbefleckten Empfängnis Mariens bei Thomas hat man wegzudisputieren versucht: Thomas habe alle »Prinzipien« des

---

Arbeiten: Origins of Papal Infallibility 1150–1350. A Study on the Concepts of Infallibility, Sovereignty and Tradition in the Middle Ages. Leiden 1972; ders., Ursprünge der päpstlichen Unfehlbarkeit, in: H. Küng (Hg.), Fehlbar? Eine Bilanz. Zürich 1973, 121–145; ders., Infallibility and the medieval canonists. A discussion with Alfons M. Stickler, in: The Catholic historical Review, 1975, 265–274. Die Ergebnisse dieser Untersuchungen sind noch nicht in die Handbücher eingegangen. Was aber gegebenenfalls zu erwarten steht, lassen die Rezensionen ahnen; vgl. R. Bäumer, in: ThRv 69 (1973) 441–450; Antwort Tierneys a.a.O., 70 (1974) 185–194; Antwort Bäumers a.a.O., 193–194.

[58] Vgl. z. B. A. Michel, La grâce sanctifiante et la justice originelle, in: RThom 26 (1921) 424–430, hier: 425; J. Ude, Die Autorität des hl. Thomas von Aquin, Salzburg 1932, bes. 9–57; F. M. Gallati, Der Mensch als Erlöser und Erlöster. Der aktive und passive Anteil des Menschen an der Erlösung, Wien 1958, 142f, Anm. 107.

[59] Es geht hier um die Doppelfrage, ob die heiligmachende Gnade konstitutives und formales Element der Urstandsgerechtigkeit und somit von dieser nur inadäquat unterscheidbar sei, und ob demgemäß das Wesen der Erbsünde im Verlust der urständlichen heiligmachenden Gnade als solchem bestehe. Thomas versteht die heiligmachende Gnade als *Wirkursache* der Urstandsgerechtigkeit, *formal* besteht diese aber in der habituellen Unterordnung der ratio unter Gott und der Leiblichkeit und der Sinne unter die ratio. Dementsprechend besteht das Wesen der Erbsünde nicht im Verlust der heiligmachenden Gnade, sondern in der habituellen Abkehr der ratio von Gott und der habituellen Konkupiszenz als deren materialer Auswirkung. Die nachtridentinische thomistische Theologie, beeindruckt von der »sanctitas et iustitia«, die Adam in der Ursünde verloren hat (DS 1511), von der »vera et propria peccati ratio« der Erbsünde (vgl. DS 1515) und von der »concupiscentia vel fomes« (vgl. ebd.), die *keine* Sünde sind, solange der Mensch nicht zustimmt, hat aus Sorge vor einem Dissens zwischen Thomas und dem Konzil die Thomas-Lehre tridentinisch uminterpretiert. Als Anfang unseres Jahrhunderts einige Monographien die authentische Thomas-Lehre und ihren Unterschied zu Trient wieder herausarbeiteten, gab es eine stürmische innerthomistische Diskussion, und es brauchte etliche Jahre, bis neue historische Untersuchungen, vor allem von O. Lottin, unangefochten die Erhebungen ihrer Vorgänger hieb- und stichfest machen konnten. Sachbericht und Literatur dazu bei O. H. Pesch, Theologie der Rechtfertigung bei Martin Luther und Thomas von Aquin. Versuch eines systematisch-theologischen Dialogs, Mainz 1967, 488–491; 495–499.

[60] Erst von dem evangelischen Theologen H. Vorster, Das Freiheitsverständnis bei

Dogmas, er vertrete es »virtuell«, nur habe er infolge seiner biologischen Vorstellungen und vor allem aus christologischen Sorgen daraus nicht die Konsequenzen gezogen[61].

Nicht skurril, sondern höchst problematisch ist es, wenn das Verfahren am Ende blind macht für wirklichen Wandel kirchlicher Auffassungen, die zwar einem geschichtlichen Wahrheitsverständnis keine Schwierigkeit machen, im Sinne des Dogmas von 1870 aber schlicht als »reformatio« von »irreformablen« Sätzen betrachtet werden müssen. Um nur an die beiden dramatischsten Fälle zu erinnern: an die Umkehrung der verbindlichen christologischen Formel binnen 20 Jahren (zwischen Ephesus und Chalkedon)[62], wobei der Rückzug auf die Stichworte »Sprachregelung« und »Präzisierung« daran scheitert, daß man offenbar binnen 20 Jahren vom Orthodoxen zum Häretiker werden konnte und umgekehrt[63]; und an die

---

Thomas von Aquin und Martin Luther, Göttingen 1965, bes. 231f, mußten sich die Thomisten daran erinnern lassen, daß es keinen Grund gibt, Thomas von dem tiefen augustinischen Pessimismus reinwaschen zu wollen, der Summa Theologiae I–II, 109 so überdeutlich durchzieht. Zur Sachfrage und Literatur vgl. Pesch, a.a.O., 507–516, ferner ders., Freiheitsbegriff und Freiheitslehre bei Thomas von Aquin und Luther, in: Catholica 17 (1963) 197–244, bes. 198f; 221–231.

[61] Vgl. Diekamp-Jüssen, II, 369; M. D. Koster, Relate ad progressum dogmatis immaculatae conceptionis doctrina S. Thomae magni valoris erat, in: Virgo Immaculata. Acta Congressus Mariologici-Mariani Romae anno 1954 celebrati, Bd. 6, Rom 1955, 124–135; ders., Die Himmelfahrt Mariens gleichsam die Vollendung ihrer Unbefleckten Empfängnis. Ein theologischer Versuch, a.a.O., Bd. 10, Rom 1957, 39–45; jetzt in: ders., Volk Gottes im Werden. Gesammelte Studien, hg. von H.-D. Langer und O. H. Pesch, Mainz 1971, 77–94, hier 84. Nüchtern und ohne Beschönigung dagegen J. Kuničič, Sublimiori modo redempta, in: Divus Thomas (Piacenca) 57 (1954) 220–229, hier 228f, und besonders ausführlich und gründlich: Deutsche Thomas-Ausgabe, Bd. 26, Heidelberg/Graz 1957, 536–551 (A. Hoffmann). – Die sachliche Richtigkeit und Bedeutung der in diesem Zusammenhang gegebenen Hinweise ist gar nicht zu bestreiten. Bezeichnend ist nur die Emphase, mit der man sie geben zu müssen meint.

[62] Ephesus: Christus ist »einer der Natur nach« (DS 254, vgl. 253, 256, 260). Chalkedon: Christus besteht »in zwei Naturen unvermischt, unverwandelt, ungetrennt und ungesondert« (DS 302). Zur Sache und ihrer Geschichte muß und darf hier der Hinweis auf die »erste Adresse« genügen: A. Grillmeier, Die theologische und sprachliche Vorbereitung der christologischen Formel von Chalkedon, in: A. Grillmeier/H. Bacht (Hg.), Das Konzil von Chalkedon, Bd. I, Würzburg 1951, ⁴1973, 5–202; erweitert in: ders., Christ in Christian Tradition, London 1965, stark erweiterte 2. Aufl. 1975; und die Sammlung der Begleit- und Folgestudien in: ders., Mit ihm und in ihm. Christologische Forschungen und Perspektiven, Freiburg i. Br. 1975, ²1978.

[63] Der Gedanke vom Dogma als »Sprachregelung« ist ursprünglich als Entlastung von einer dogmatistischen Verhärtung zur Diskussion gestellt worden, die Sache und Formel faktisch identifizierte. Vgl. in diesem Sinne, pars pro toto, K. Rahner, Was ist

Umkehrung des Satzes »Außerhalb der Kirche kein Heil« von Augustinus über das Florentiner »Decretum pro Jacobitis« bis zum II. Vatikanum, wobei die modernen Deutungen dieses Vorgangs nur zu oft als Ausflucht erscheinen müssen – wohlgemerkt: nicht durch das, was man positiv zur Sachproblematik sagt, sondern durch die Behauptung, das genau sei der Sinn, der nun besser verstandene Sinn des *alten* Satzes[64].

Unter diesen Voraussetzungen wird natürlich die *Entwicklung* des kirchlichen Dogmas und dessen Übereinstimmung mit der Schrift zum besonders drängenden Problem. Die Dogmengeschichte kennt nach dem vorgenannten Konzept natürlich keine wirklichen Brüche und Diskontinuitäten. Sie

---

eine dogmatische Aussage?, in: Schriften zur Theologie, V (1962) 54–81, bes. 67–72; U. Horst, Sinn und Funktion des Dogmas in der Kirche, in: ders., Umstrittene Fragen der Ekklesiologie, Regensburg 1971, 119–136, bes. 135f.; auch O. H. Pesch, Kirchliche Lehrformulierung und persönlicher Glaubensvollzug, in: H. Küng (Hg.), Fehlbar? (s. Anm. 57), 249–279, bes. 253–257, 272–274. Der Tenor solcher Überlegungen ist dann: Das Dogma ist zwar verbindliche, aber *nur* Sprachregelung, »ins Mysterium hinein« (Rahner), legt also das theologische Fragen und Nachdenken (auch das kritische) nicht fest, sondern eröffnet es gerade. Man kann aber den Gedanken der Sprachregelung auch zur Einschärfung des Dogmas benutzen. Der Tenor ist dann: Das Dogma ist zwar nur, aber *verbindliche* Sprachregelung: »Si quis (non) dixerit . . . anathema sit!« Diese Umkehrung der Tendenz darf man wohl – aus was für Gründen auch immer (vgl. w. u. S. 185) – bei H. Jedin feststellen; vgl. ders., Zum Wandel des katholischen Lutherbildes, in: H. Jedin/W. Kasch/G. Ritter, Martin Luther. Gestalt und Werk, Karlsruhe 1967, 35–46, bes. 43–45; mit Verweis auf weitere Arbeiten Jedins zum Problem. Dann allerdings ist der *Wortlaut* des Dogmas jeder Diskussion entzogen, man kann nur noch »ergänzen« und »präzisieren«, »in neue Zusammenhänge rücken« (Jedin, a.a.O., 45); vgl. auch ders., Wandlungen des Lutherbildes in der katholischen Kirchengeschichtsschreibung, in: K. Forster (Hg.), Wandlungen des Lutherbildes. Würzburg 1966, 77–101, bes. 100f. – Statt schärferer Nachfragen nach dem hier vorausgesetzten Wahrheits- und Sprachverständnis nur diese Überlegung: Sollte eine »Sprachregelung« nicht doch dann »überholt« und damit *als solche* auch nicht länger verbindlich sein können, wenn kein Mensch sie mehr (richtig) versteht? Ein Dogma wird nicht nur für Historiker und Theologen gemacht, die jederzeit den ursprünglich gemeinten Sinn der »Sprachregelung« sich klarmachen können, sondern für *heute* zu lebenden und zu verstehenden Glauben. Für den muß dann auch der Historiker übersetzen – also die alte Sprachregelung als solche verlassen. Entweder ist also die *Sache* verbindlich, und das Dogma ist *nur* Sprachregelung, als solche verbindlich für die geschichtliche Stunde, die es formuliert hat – dann muß »Revision« der Sprachregelung möglich sein, nicht nur »Ergänzung« und »Präzisierung«. Besteht man aber auf der Verbindlichkeit gerade der *Sprachregelung*, dann muß man sich einen Reim auf Tatsachen der Geschichte machen, von denen hier (Anm. 62 und 64) exemplarisch zwei aufgeführt sind; vgl. auch Pesch, a.a.O., 257–266; 277f.

[64] Vgl. zu dieser Problematik Y. Congar, Außer der Kirche kein Heil. Wahrheit und Dimensionen des Heils, Essen 1961; U. Horst, Alleinseligmachende Kirche?, a.a.O. (s. Anm. 63), 170–186; J. Ratzinger, Das neue Volk Gottes. Entwürfe zur Ekklesio-

kennt nur, das freilich wirklich, den organischen Fortschritt von rudimen-
tärer zu vollkommener, von ahnungsvoller zu heller und klarer, von
unpräziser zu präziser Erfassung der Glaubenswahrheit. Der Gedanke ist
einerseits sehr alt. Anderseits bekommt er – unter Ausnutzung der entsprechenden Vorarbeit der katholischen Tübinger Schule (J. A. Möhler!) – nach
dem I. Vatikanum besonderen Kredit, weil er die einzig dogmengetreue
Möglichkeit bot, mit den offenkundigen Unterschiedlichkeiten zwischen
Schrift und späterer dogmatischer Entwicklung einerseits und innerhalb der
dogmatischen Entwicklung anderseits wissenschaftlich umzugehen[65]. Die
Urteilsbildung zögert freilich doch, von »materieller Häresie« bei Theologen der Vorzeit zu sprechen, wenn sie dem gegenwärtig gültigen Dogma
widersprochen haben – sie sind von Vorwürfen entlastet, denn sie haben es
ja besten Gewissens nicht genauer gewußt und haben anderweitig hinreichend ihre Bereitschaft bekundet, sich dem Urteil der Kirche zu unterwer-

---

logie, Düsseldorf 1972, 152–177; O. Semmelroth, Die Kirche als Sakrament des
Heils, in: J. Feiner/M. Löhrer (Hg.), Mysterium Salutis. Grundriß heilsgeschichtli-
cher Dogmatik, 5 Bde. in 7, Zürich 1965–1976, hier: IV/1 (1972) 309–356, bes.
334–340; M. Seckler, Alleinseligmachende Kirche? Die vielen Religionen und das
eine Heil, in: J. Hüttenbügel (Hg.), Gott – Mensch – Universum. Der Christ vor den
Fragen der Zeit, Graz 1974, 733–746; und natürlich H. Küng, Die Kirche (s. Anm.
75), 371–378.
[65] In diesem Sinne enthalten alle hier immer wieder herangezogenen Handbücher der
Dogmatik im Zusammenhang der Frage nach Dogma und Dogmatik einen Abschnitt
über das Problem der Dogmenentwicklung. Problematisiert ist das darin artikulierte
Fortschritts-Konzept vor allem seit den einschlägigen Aufsätzen von K. Rahner; vgl.:
Zur Frage der Dogmenentwicklung, in: Schriften zur Theologie, I (1957) 49–90;
Überlegungen zur Dogmenentwicklung, a.a.O., IV (1960) 11–50; Was ist eine
dogmatische Aussage? (s. Anm. 63); Zum Begriff der Unfehlbarkeit in der katholischen Theologie, a.a.O., X (1972) 305–323; Disput um das kirchliche Lehramt,
a.a.O., 324–337; »Mysterium Ecclesiae«, a.a.O., XII (1975) 482–500. Vgl. ferner W.
Kasper, Dogma unter dem Wort Gottes, Mainz 1965; ders., Evangelium und Dogma,
in: ders., Glaube und Geschichte, Mainz 1970, 197–208; M. Seckler, Der Fort-
schrittsgedanke in der Theologie, in: Theologie im Wandel. Festschrift zum 150jähri-
gen Bestehen der katholisch-theologischen Fakultät an der Universität Tübingen
1817–1967, München 1967, 41–67; J. Finkenzeller, Das Verständnis von Dogma und
Dogmenentwicklung in der Theologie nach dem I. Vatikanischen Konzil, in: G.
Schwaiger (Hg.), Hundert Jahre nach dem Ersten Vatikanum (s. Anm. 12), 151–180.
– Zu Möhler vgl. jetzt die Monographie von H. Geißer, Glaubenseinheit und
Lehrentwicklung bei Johann Adam Möhler, Göttingen 1971. P. W. Scheele, selbst
Möhler-Experte, hat sich durch die gelegentlich leicht polemische Formulierung
Geißers zu einer ebenso polemisch geschärften Rezension provozieren lassen, in:
ThRv 70 (1974) 132–135. Der Nicht-Experte kann sich gleichwohl nicht von deren
Richtigkeit insgesamt überzeugen, weil er in Geißers Arbeit überall die Gegenbelege
gegen Scheeles Vorwürfe findet. Daß im übrigen ein evangelischer Leser Möhler
skeptisch gegenübersteht, dürfte nicht verwundern.

fen – also die materielle Häresie nicht zur formellen zu machen[66]. Sachlich aber muß festgehalten werden: das gegenwärtig geltende Dogma ist der relativ beste, alle vorherigen Bemühungen überholende Ausdruck der Sache des Glaubens. Er kann zwar selbst noch verbessert, präzisiert, neu verstanden, in neue Zusammenhänge eingerückt werden, aber man kann nicht mehr hinter ihn zurück[67]. Als ein besonders eindrucksvolles Beispiel solcher Betrachtung der Dogmengeschichte ist mir immer die »Dogmengeschichte der Frühscholastik« von Arthur Michael Landgraf erschienen. Die verwirrenden und manchmal auch sehr bedenklichen Bewegungen der frühmittelalterlichen Theologie liest der Autor nie als mögliche Gefährdung des christlichen Glaubens und der christlichen Frömmigkeit, vielmehr sieht er sie auf dem zielsicheren Weg zur hellen Klarheit der hochmittelalterlichen Theologie, die in seinen Augen der unübertreffliche Ausdruck des Glaubens selbst ist[68]. Und man muß in diesem Falle für die Wirksamkeit des Fortschrittsschemas geradezu dankbar sein, weil wir nur ihm diese wissenschaftlichen Erträge verdanken. Denn wie sollte ein religiös empfindsamer Forscher diese frustrierende theologiegeschichtliche Materialarbeit überhaupt ertragen können ohne den »Trost« des Fortschrittsgedankens? Allen Einengungen zum Trotz hat die Schuldogmatik Freiräume gelassen, die denn auch bald entschlossen betreten wurden. Vatikanum I und Moder-

---

[66] Der *Paradefall*, wo man den Dissens zum späteren Dogma nicht mehr bestreiten kann, ist die schon erwähnte Stellungnahme des Thomas zur unbefleckten Empfängnis Mariens; vgl. Anm. 61. Der *Normalfall* ist die dogmengetreue (Um-)Interpretation. Außer den in Anm. 57 und 59 gegebenen Hinweisen vgl. auch den Umgang mit Augustins Erbsündenlehre, die bei Diekamp-Jüssen ohne Zögern auf der Linie des Tridentinums verstanden (und gegen Luther und Calvin dementsprechend abgehoben) und selbst bei Schmaus in Kontinuität mit der neueren Theologie der Erbsünde gesehen wird; vgl. Diekamp-Jüssen, II, 161f; Schmaus, II/1, 374. – Zur Sachproblematik aus gegenwärtiger Sicht vgl. nun K. Rahner, Was ist Häresie?, in: Schriften zur Theologie, V (1962) 527–576; ders., Häresien in der Kirche heute?, a.a.O., IX (1970) 453–478 – dort Querverweis auf weitere Äußerungen Rahners zum Thema sowie auf weiterführende Literatur; zur historischen Problematik des Häresie-Begriffs vgl. jetzt den Aufsatz von M. Elze, Häresie und Einheit der Kirche im 2. Jahrhundert, in: ZThK 71 (1974) 389–409; und schon ders., Der Begriff des Dogmas in der Alten Kirche. ZThK 51 (1964) 421–438.
[67] Vgl. die Hinweise auf Jedin in Anm. 63.
[68] Vgl. A. M. Landgraf, Dogmengeschichte der Frühscholastik, 4 Bde. in 8, Regensburg 1952–1956. Besonders charakteristisch: die Geschichte der Lehre vom Verdienst, a.a.O., I/1, 141–201; 238–302; I/2, 75–110; zur Sache vgl. O. H. Pesch, Die Lehre vom »Verdienst« als Problem für Theologie und Verkündigung, in: L. Scheffczyk/W. Dettloff/R. Heinzmann (Hg.), Wahrheit und Verkündigung (Michael Schmaus zum 70. Geburtstag), Bd. II, Paderborn 1967, 1865–1907, hier: 1869, Anm. 11; 1880–1882.

nismusstreit haben mit ihrer starken Betonung der Tradition auch einen Schub historischer Forschung ausgelöst – von der Exegese bis zur Liturgiegeschichte[69]. Daß sich die Ergebnisse dieses Forschungsschubs auf die Dauer auch gegen den auslösenden Faktor werden konnten, wissen wir heute – damals konnte es niemand ahnen. So kommt es, daß sich historische Mittelalterforschung, Bibelbewegung, liturgische Bewegung und die ihr zugrunde liegende Liturgiegeschichte gerade der Förderung durch diejenigen Päpste erfreuten, die anderseits am nachdrücklichsten die Konsequenzen aus dem I. Vatikanum zogen. Vor allem aber gab es innerhalb der dogmatischen Theologie selbst einen entscheidenden Freiraum: die Theologie der Kirche. Weil das I. Vatikanum ja vor Behandlung der weiteren und eigentlichen Fragen nach dem Wesen der Kirche abgebrochen worden war, konnte niemand widersprechen, wenn man behauptete und davon ausging: Das I. Vatikanum ist zwar verbindlich, aber es ist einseitig und unvollständig, es beschränkt sich auf die Klärung einiger juridischer Fragen und nicht einmal aller, eine wirkliche Theologie der Kirche steht noch aus. Den Beleg liefern wiederum die Handbücher. Scheeben hatte zwar schon einen Traktat »De ecclesia« für seine Dogmatik geplant, aber nicht mehr ausführen können[70]. Anderseits ist ein solcher Traktat, der nicht aufgeht in einschlägigen Kapiteln innerhalb der theologischen Erkenntnislehre und einigen Paragraphen innerhalb der Sakramentenlehre, in den Handbüchern nicht selbstverständlich. Diekamp-Jüssen zum Beispiel kennt ihn nicht[71]. Vielleicht ist – für den deutschen Sprachraum – hier Schmaus der point of no return[72]. Im allgemeinen gibt es Abhandlungen »De ecclesia« nicht in den

---

[69] Ähnlich wie die Enzyklika »Aeterni Patris« Leos XIII. (DS 3135–3140) für die historische Thomasforschung – eine Folge dieser Enzyklika ist ja die bis heute nicht abgeschlossene kritische Ausgabe der Thomas-Werke, die »Editio Leonina«, Rom 1882ff.

[70] Vgl. das Vorwort von J. Höfer zum I. Buch des Handbuchs der katholischen Dogmatik (s. Anm. 25), XI; vgl. auch E. Paul, a.a.O. (s. Anm. 24), 49.

[71] *Darin* ist Diekamp-Jüssen seinem Vorsatz, die Dogmatik »nach den Grundsätzen des heiligen Thomas« darzustellen, Thomas treu, der, nicht von ungefähr, in seiner Summa Theologiae keinen eigenen Traktat von der Kirche hat; unthomanisch ist bei Diekamp die Vorordnung der Christologie vor der Gnadenlehre. – Wie Diekamp-Jüssen hat auch Pohle-Gummersbach keinen eigenen Abschnitt zur Lehre von der Kirche. – Wohl aber finden sich über die Ausführungen zum Lehramt hinaus Ekklesiologietraktate bei Bartmann, II, 129–217; Premm, II, 432–565; und bei Ott, 327–389. Zur Theologie der Kirche bei Thomas vgl. M. Seckler, Das Heil in der Geschichte. Geschichtstheologisches Denken bei Thomas von Aquin, München 1964, 217–260.

[72] Vgl. Schmaus, Katholische Dogmatik, III/1, – mit über 900 Seiten nun eine ausgewachsene Ekklesiologie im Vergleich zu den knappen Abhandlungen in Anm.

Handbüchern der Dogmatik, sondern in denen der Apologetik. Unter diesen Voraussetzungen beginnt nach dem Ersten Weltkrieg »das Jahrhundert der Kirche«[73] *außerhalb* der Schuldogmatik. Diese neue, zuweilen emphatisch vorgetragene Betrachtung des »Geheimnisses« der Kirche beruht keineswegs auf der Absicht, heimlich das I. Vatikanum zu umgehen oder stillschweigend dem Vergessen anheimzugeben – eine solche Absicht konnte auch kaum von Erfolg gekrönt sein. Diese neuen »Ekklesiologen« – von Karl Adam über Henri de Lubac, Yves Congar, Schmaus bis hin zu Heinrich Fries[74] stehen auf dem Boden des I. Vatikanums. Wenn sie kaum davon reden, dann deshalb, weil sie kaum davon reden *müssen*. Wenn es zutrifft, daß das I. Vatikanum hauptsächlich einige Probleme der juridischen Struktur der Kirche entschieden hat, dann bedeutet das, daß diese Entscheidungen zwar für alle *gelten*, aber nur wenige Katholiken – nämlich im wesentlichen Priester und Theologen – *konkret betreffen*. Der »Masse« der Katholiken muß und darf man ganz andere und sogar wesentlichere Dinge über die Kirche sagen, und *diese* betreffen sehr konkret das tägliche kirchliche Leben der Gläubigen, ihre vielen freudigen Erfahrungen mit ihr, die »Nestwärme«, die sie in ihr empfinden. Mir scheint, daß auch die Arbeiten von Hans Küng[75] hauptsächlich auf *dieser* Linie liegen und *hier* auch nicht angefochten wurden und werden. Daß auch die breite katholi-

---

71. Auch Der Glaube der Kirche, II, 2–298, wahrt die Proportionen innerhalb des Gesamtwerkes.

[73] Vgl. den bekannten und zum geflügelten Wort gewordenen Buchtitel von O. Dibelius, Das Jahrhundert der Kirche, Berlin [5]1928. Y. Congar, Die Lehre von der Kirche (s. Anm. 8), hat dieses Wort als Titel des letzten Kapitels übernommen.

[74] Vgl. K. Adam, Das Wesen des Katholizismus. Düsseldorf 1924 ([13]1957); H. de Lubac, Catholicisme. Les aspects sociaux du dogme, Paris 1938, dt. unter dem Titel: Glauben aus der Liebe. Einsiedeln 1943, [2]1970; Schmaus, III/1; H. Fries, Die Kirche als Anwalt des Menschen, Stuttgart 1954; Kirche als Ereignis, Düsseldorf 1958. Von Y. Congar seien nur die zwei wichtigen Bücher erwähnt: Vraie et fausse réforme dans l'église, Paris 1954; Jalons pour une théologie du laicat, Paris 1952, [2]1954, deutsch unter dem Titel: Der Laie. Stuttgart 1956. Dies sind, wohlgemerkt, Arbeiten, die *vor* dem Konzil und teilweise schon vor dem Zweiten Weltkrieg bewußtseinsbildend gewirkt haben. Auf Arbeiten der genannten Autoren aus den 60er Jahren ist noch zurückzukommen. Vgl. auch die Überblicke in Anm. 39. Volles Echo dieser Klänge bis heute vor allem in den Arbeiten von H. U. von Balthasar; es sei hingewiesen auf: Der antirömische Affekt. Freiburg i. Br. 1974; Klarstellungen. Einsiedeln [4]1978; Die Absolutheit des Christentums und die Katholizität der Kirche, in: W. Kasper (Hg.), Absolutheit des Christentums. Freiburg i. Br. 1977, 131–156.

[75] Ich denke vor allem an: Konzil und Wiedervereinigung, Freiburg i. Br. [7]1963; Kirche im Konzil, Freiburg i. Br. [2]1964; Strukturen der Kirche, Freiburg i. Br. [2]1963; Die Kirche, Freiburg i. Br. [4]1973; Wahrhaftigkeit. Zur Zukunft der Kirche, Freiburg i. Br. [8]1970; und auch: Christsein, München 1974, 468–519.

sche Öffentlichkeit einmal konkret mit der Auswirkung der 1870 definierten juridischen Strukturen der Kirche zu tun bekommen kann, ist eigentlich erst am Fall von »Humanae vitae« deutlich geworden – denn die einschlägige Vorgängerin, die Enzyklika »Casti Connubii« Pius' XI. (1930), wirkte damals umgekehrt als Befreiung von einer viel strengeren kirchlichen Praxis in der Sexualethik[76].

Mir scheint, auf dieser eigenartigen Ausnutzung des vom I. Vatikanum gelassenen Freiraums beruht die nicht minder eigenartige Tatsache, daß zur gleichen Zeit, in der ersten Hälfte unseres Jahrhunderts, die Theologen unter der kirchenamtlichen Einengung stöhnten und das »Kirchenvolk« diese Kirche einschließlich der Stellung des Papsttums in ihr ganz neu und mit entsprechender Begeisterung als christologische und pneumatologische Realität erlebte. Wer sich noch an das Heilige Jahr 1950, zugleich das Jahr des Assumpta-Dogmas, erinnern kann, dem werden genügend Beispiele und eigene Erlebnisse zu dieser eigenartigen Diskrepanz einfallen[77]. Daß es dabei nicht blieb, daß sich vielmehr schließlich auch die Theologie nicht in dem belassenen Freiraum einsperren ließ, sondern sich, erst vorsichtig und schließlich immer offener auch das Recht zur kritischen Rückfrage nahm, erklärt sich aus jenen Faktoren, die in den drei abschließenden Posten unserer Bilanz aufzuschlüsseln sind.

5. Die Kirchengeschichtsschreibung

Daß die Geschichte des I. Vatikanums von Theodor Granderath, beruhend auf dem Autor exklusiv ermöglichten Archivstudien in Rom, nach ihrem Erscheinen 1903–1906 die katholische Konzilsgeschichtsschreibung für die nächsten 25 Jahre bleibend geprägt hat, ist bekannt[78]. In dieser Zeit ist daher

---

[76] Vgl. A. K. Ruf, Die Ehe-Enzyklika »Humanae vitae«. Eine moraltheologische Untersuchung, in: A. Görres (Hg.), a.a.O. (s. Anm. 46), 11–22, hier: 14–16.

[77] Weit über den engsten Kollegenkreis hinaus bekannt geworden ist die innere Not des Patrologen Berthold Altaner gegenüber dem Dogma von 1950, gegen das er sich buchstäblich bis zum Tag vor der Definition aussprach und das er am Tag danach öffentlich akzeptierte; Ähnliches gilt von Karl Adam. Evangelische Theologen können es beidemal nur mit Entsetzen quittieren; vgl. v. Loewenich, a.a.O. (s. Anm. 41) [4]1959, 247–249 (= [3]1970, 248f).

[78] Th. Granderath, Geschichte des Vatikanischen Konzils von seiner ersten Ankündigung bis zu seiner Vertagung. Nach den authentischen Dokumenten dargestellt, hg. von K. Kirch, 3 Bde., Freiburg i. Br. 1903–1906. Zur Beurteilung vgl. Hasler, a.a.O. (s. Anm. 8), 516f, auch 512–516; Aubert, a.a.O. (s. ebd.), 372; HKG VI/1, 774. Butler-Lang bringt in der ersten Auflage von 1933 anläßlich bibliographischer

auch von seiten der Kirchengeschichtsschreibung ein kritischer Vorbehalt gegen das Konzil so wenig zu erwarten wie von der Schuldogmatik. So begegnet denn in den älteren Handbüchern der Kirchengeschichte eine durch und durch positive Darstellung des Konzils. So etwa bei Bihlmeyer – dessen Position erkennbar auch noch die Bearbeitung durch Hermann Tüchle durchzieht : Das Konzil bedeutet nichts als den konsequenten Abschluß einer Entwicklung von Jahrhunderten. Die Entstehung der altkatholischen Kirche bedeutet daher einen »Abfall«. Sie ist eine Sekte ohne religiöse Kraft und daher auch ohne geschichtliche Bedeutung[79]. Fast noch positiver urteilt Lortz in seiner »Geschichte der Kirche in ideengeschichtlicher Betrachtung«: Das Konzil war berechtigt, es war nötig, nur in der Form war die Majorität lieblos – in der Sache hatte sie recht. Lortz gibt sogar eine geschichtstheologische Würdigung des Zusammentreffens von Konzil und Eroberung Roms: Diese und das Ende des Kirchenstaates kamen genau im richtigen Augenblick. In letzter Klarheit hatte das Konzil die geistliche Vollmacht des Papstes befestigt, sie brauchte daher jetzt die Stützung durch eine weltliche Machtposition nicht mehr, Rom konnte fallen[80].

Ändern konnte sich naturgemäß erst dann etwas, wenn neue Quellen oder bisherige Quellen reichhaltiger zu fließen begannen. Unter diesem Aspekt ist schon die Konzilsgeschichte von F. Mourret (1919) von Bedeutung[81]. 1923–1927 erscheinen dann endlich die Konzilsakten und viele andere Quellen im »Mansi«[82]. Wir wissen heute noch besser als damals, daß sie unvollständig und teilweise auch editorisch unzuverlässig sind[83]. Immerhin lösen sie in der kirchengeschichtlichen Bearbeitung des I. Vatikanums einen

---

Hinweise (10–14) eine ähnliche Beurteilung (12f); in der Neuauflage von 1961 sind die Hinweise entfallen.

[79] Vgl. K. Bihlmeyer/H. Tüchle, Kirchengeschichte, Bd. III, Paderborn [17]1961, 396f; auch Butler-Lang, a.a.O., 464f.

[80] Vgl. J. Lortz, Geschichte der Kirche in ideengeschichtlicher Betrachtung. Münster [17-18]1953, 373; 375–380 – auch in der zweibändigen Neuauflage, Münster [23]1969, sachlich nicht geändert; vgl. II, 330; 333–341. Gleich abwertend wie Bihlmeyer-Tüchle urteilt auch Lortz über die Altkatholiken; vgl. a.a.O., 380, abgeschwächt in der Neuauflage, II, 339.

[81] Vgl. w. o. Anm. 30.

[82] J. D. Mansi, Sacrorum conciliorum nova et amplissima collectio. Neudruck und Fortsetzung, hg. von L. Petit und J. B. Martin, 60 Bde., Paris 1899–1927; unveränderter Nachdruck, Graz 1960–1961. Das I. Vatikanum ist dokumentiert in den Bänden 49–53, Arnhem/Leipzig 1923–1927. – Bericht über weitere edierte Quellen bei Aubert, a.a.O. (s. Anm. 8), 369–372, über zugängliche unedierte Quellen bei Hasler, a.a.O., 539–543.

[83] Vgl. Hasler, a.a.O., 517.

Schub aus. Dessen schönstes Ergebnis ist ohne Zweifel das 1930 erschienene zweibändige Werk des englischen Benediktiners C. Butler, 1933 übersetzt und ergänzt von H. Lang, der sprichwörtliche »Butler-Lang«[84]. In Darstellung und Urteil ist Butler eindeutig ein Apologet des Konzils – wie er überhaupt alle Neigungen der Kirchengeschichtsschreibung in dieser Sache bis 1970 repräsentiert[85]: Das Konzil war, entgegen dem Urteil seiner Gegner, frei; Pius IX. hatte Schwächen, aber die hielten sich in Grenzen, auch in seinen Einwirkungen auf das Konzil; Zwischenfälle gab es, aber sie waren weit weniger schlimm als auf anderen Konzilien; auch die Opportunität des Konzils wird bejaht: wegen der Klarheit, die endlich geschaffen wurde. Diese erscheint Butler um so positiver, als das Konzil nach seiner Meinung – und das ist der Tenor des Buches – den *alten* »Ultramontanismus« eines Bellarmin gegen den Gallikanismus definiert hat, den *»Neo*-Ultramontanismus« und seine zuweilen blasphemisch klingenden Übertreibungen aber abwies. Butler ist durchaus Gegner der Maximalisten und bezeugt den Minoritätsbischöfen seine Hochachtung. Um so mehr beeindruckt es ihn, daß sie alle, unbeschadet weniger Zögernder, der Definition ihre Zustimmung gaben – was wiederum, auch dies eine durchgehende Beurteilung der Vorgänge, eine moralische Einmütigkeit aller Bischöfe in der Zustimmung zum Konzil bewirkte, so daß dieses selbst nach gallikanischen Prinzipien spätestens seit 1872 unanfechtbar war. Butler, der das Konzil ranggleich neben das Trienter Konzil stellt, benennt auch mutig die offen gebliebenen Punkte, vor allem die Unklarheit über den präzisen *Gegenstand* der Unfehlbarkeit und über das Verhältnis zwischen Papst und Bischöfen – nun, mit diesen »Offenheiten« konnte Rom ein Jahrhundert gut leben! Die mutigste Bemerkung Butlers: Gut, daß das Konzil nicht mehr das Verhältnis von Staat und Kirche behandeln konnte. Butler deutet an, nach seiner Meinung hätte dann die Kirche unter dem Druck der damaligen Ereignisse emotional überreagiert[86]. Die Kirche ist nämlich nach Butler dort am freiesten, wo *wahre* Demokratie herrscht – das hätte Pius IX. lesen sollen!

Die im ganzen sehr positive Würdigung des Konzils durch Butler hat paradoxerweise weniger gewirkt als deren Grundlage. Denn er zitiert die Quellen, vermehrt durch den Briefwechsel und die Aufzeichnungen des Bischofs Ullathorne, so ausführlich, daß man sie auch unabhängig vom

---

[84] S. Anm. 8.
[85] Vgl. a.a.O., bes. die beiden Schlußkapitel; zum alten Ultramontanismus Bellarmins und zum Neo-Ultramontanismus vgl. 43–68, bezogen auf das Konzil bes. 67.
[86] Man fragt sich unwillkürlich: Hat man in Sachen Unfehlbarkeit *trotz* des Drucks der Ereignisse *nicht* emotional überreagiert?

Urteil des Autors auswerten kann. Und diese Quellen sprechen in der Tat für sich. So wird Butler-Lang einerseits ein Klassiker – Roger Aubert, 30 Jahre später selbst Autor einer Geschichte des I. Vatikanums, hält sie für die beste zur Verfügung stehende Darstellung[87]. Jeder zitiert sie. Anderseits kann man inzwischen auch durchaus kritische, zumindest betont restriktive Arbeiten über das Konzil lesen – unter Hinweis auf Butler-Lang, aber eben eigentlich nicht auf ihn, sondern auf die durch ihn vermittelten Quellen[88]. Kritische Töne hört man durchaus schon vor dem einschneidenden Jahr 1970. In Stichworten: Da ist einmal die stärkere Herausarbeitung der politisch-sozialen Grundvoraussetzungen für die Definition im 19. Jahrhundert. Die katholische *Basis,* nicht nur die Bischöfe, wollte die Definition. Schon bei Butler ist dazu einiges zu lesen – jetzt erst wird es in seinem vollen Gewicht ermessen[89]. Die Dialektik zwischen politischer Ohnmacht des Papsttums und seiner innerkirchlichen Erstarkung, bei Lortz geschichtstheologisch gedeutet, wird etwa von Erika Weinzierl ganz »vordergründig«, nämlich psychologisch interpretiert: als *Reaktion* auf die politisch ungünstig verlaufende Entwicklung[90]. Ohne Umschweife wird erklärt, man habe die Frage der päpstlichen Unfehlbarkeit und des päpstlichen Primates »ohne Klärung der theologischen Grundlagen« in Angriff genommen, und die Bischöfe selbst hätten sogar auf dem Konzil vorliegende Entwürfe, die vom sakramentalen Geheimnis der Kirche ausgingen, aus schlichtem Unverständnis beiseite geschoben. Das Ergebnis konnte nur eine starke juridische Verengung sein, und wenn auch unter diesem eingeschränkten Gesichtspunkt die Definition ihr Recht habe, so sei sie vollkommen unzulänglich im Blick auf die ganze Erstreckung des Sachproblems[91].

---

[87] Vgl. Aubert, a.a.O. (s. Anm. 8), 372; ebenso in HKG VI/1, 774.

[88] Vgl. z. B. H. Fries, »Ex sese« (s. Anm. 5); Horst, a.a.O. (s. Anm. 63), 137–153; M. Seckler, Über den Kompromiß in Sachen der Lehre, in: Begegnung (s. Anm. 18), 45–57, bes. 49–52; M. Seybold (s. Anm. 91).

[89] Vgl. Butler-Lang, a.a.O., 43–68; 92–113; Aubert, a.a.O., 9–45. Statt weitere Titel einzeln aufzuzählen, sei verwiesen auf Überblick und Literaturangaben bei G. Schwaiger, Der Hintergrund des Konzils, in: G. Schwaiger (Hg.), Hundert Jahre nach dem Ersten Vatikanum (s. Anm. 12), 11–30; bei H. Tüchle, In beiden Lagern (s. Anm. 12) und bei V. Conzemius (s. Anm. 91). Darstellung aufgrund der Quellen und der Literatur jetzt auch bei Hasler, a.a.O., 10–29, soweit Haslers Fragestellung betroffen ist.

[90] Vgl. E. Weinzierl, Zwischen Modernismus und Absolutismus. Die päpstliche Autorität im 20. Jahrhundert, in: G. Denzler (Hg.), Das Papsttum in der Diskussion, Regensburg 1974, 123–135, hier: 125; 131.

[91] Vgl. V. Conzemius, Warum wurde der päpstliche Primat gerade im Jahre 1870 definiert?, in: Concilium 7 (1971) 263–267; ferner M. Seybold, Unfehlbarkeit des Papstes – Unfehlbarkeit der Kirche, in: Denzler (Hg.), a.a.O., 102–122, hier:

– Ungünstiger werden auch die Urteile über Pius IX. – auch in der jüngsten Darstellung (vor Hasler), nämlich im Handbuch der Kirchengeschichte (VI/1), immerhin von einem Mann herausgegeben, der über jeden Verdacht eines »antirömischen Affektes« erhaben ist: Hubert Jedin – Autor des Kapitels über das I. Vatikanum ist R. Aubert, der gegenüber seinem früheren Buch sein Urteil durchaus zu verschärfen scheint, wenn auch meist nur in Nuancen[92]. Auch gegenüber der unmittelbaren Folge des I. Vatikanums, der Unterdrückung des Modernismus, ist kritischer Vorbehalt und damit größere Gerechtigkeit gegenüber den »Modernisten« heute einigermaßen selbstverständlich[93].

Verstärkt sind schließlich die Argumente aus der Tradition, auf die man sich 1870 stützte, historisch unter die Lupe genommen worden. Dabei zeigt sich:

– eine Tendenz zur Ernüchterung hinsichtlich Theorie und Praxis des Primates in den ersten Jahrhunderten: so etwas wie ein Primat ist den römischen Bischöfen nicht als den Nachfolgern Petri, sondern als Hauptstadtbischöfen zugewachsen, wobei politischer Druck durch die Kaiser ein übriges tat;

– eine Tendenz, die sich durchhaltenden dezentralen Strukturen der Kirche aufzuweisen und für die heutige Debatte neu fruchtbar zu machen;

– eine Tendenz, die Juridifizierung ursprünglich ekklesiologischer und pastoraler Ansätze im Zusammenhang mit dem Primat zu zeigen;

– eine Tendenz, Traditionslücken auszuleuchten;

– eine Tendenz, anhand historischer Modelle des Papsttums den Nachweis

---

111–115. Hierhin gehört auch H. U. von Balthasars vielzitiertes Wort vom vatikanischen Primatsdogma als einem »gigantischen Unfall«: Klarstellungen (s. Anm. 74), 95, aus dem von Balthasar dann aber ganz entgegengesetzte Folgerungen zieht: Nachdem die geschichtliche Schuld des Papsttums und aller, die zu seiner Machtfülle beigetragen haben, zugegeben wurde, wird, unter Berufung auf Joh 21, durch eine Kehre des Gedankens im Sinne radikaler Kreuzestheologie nicht ein Weg zu mehr evangeliumsgemäßer Amtsausübung in der Kirche gewiesen, sondern die Teilnehmer der gegenwärtigen kritischen Diskussion um das Papstamt pauschal mit den Henkern und Spöttern unter dem Kreuz Jesu in Parallele gebracht. Vgl. auch w. u. Anm. 143.

[92] Vgl. Aubert, a.a.O., 41–45; 292, mit seinen Äußerungen in HKG VI/1, 774–791, bes. 790 (»Intransigenz«, »unnachgiebig«).

[93] Vgl. Darstellung und Literatur in HKG VI/2, Freiburg i. Br. 1973, 435–500; ferner E. Weinzierl (Hg.), Der Modernismus. Beiträge zu seiner Erforschung, Graz 1974; N. Trippen, Theologie und Lehramt im Konflikt. Die kirchlichen Maßnahmen gegen den Modernismus im Jahre 1907 und ihre Auswirkungen in Deutschland, Freiburg i. Br. 1977; O. Köhler, Bewußtseinsstörungen im Katholizismus, Frankfurt a. M. 1972; J. Hulshof, Wahrheit und Geschichte. Alfred Loisy zwischen Tradition und Kritik, Essen 1973; ders., in: Concilium 14 (1978) 153–159.

über die relativ *junge* Entwicklung zu führen, die auf dem I. Vatikanum zum Abschluß kam;

– in diesem Zusammenhang eine Tendenz, Gallikanismus, Episkopalismus und Josephinismus theologisch und kirchenpolitisch aufzuwerten[94].

Brian Tierney hat zudem Aufsehen erregt mit seiner These, daß der Gedanke von der Unfehlbarkeit des Papstes, aus sehr aktuellen kirchenpolitischen Interessen aufgebracht, ursprünglich und sofort als Häresie zurückgewiesen wurde[95]. Und Ulrich Horst ist seit Jahren in einer Serie von Aufsätzen und schließlich in einer großen Monographie über die Ekklesiologie der Thomistenschule den Klischeevorstellungen von Thomas und den Thomisten als den eigentlichen Urvätern des Papstdogmas differenzierend entgegengetreten – was sowohl Verteidigern als Gegnern des I. Vatikanums einigen Verdruß bereiten dürfte[96]. Selbstverständlich hat sich im Rahmen der Debatte um und mit Hans Küng nach 1970 auch wieder eine beachtliche Schar von Verteidigern nicht nur der Ergebnisse, sondern auch des Verlaufs des Konzils zusammengefunden[97]. Den Wandel der Konzilsgeschichtsschreibung vom Panegyricus zur kritischen Rückfrage wird man dennoch nicht wieder rückgängig machen können.

Im Gegenteil, zumindest was die Unverblümtheit der Kritik angeht, geht das schon erwähnte jüngste Buch von August Bernhard Hasler über »Pius IX., päpstliche Unfehlbarkeit und 1. Vatikanum« über alles Bisherige hinaus[98]. Aufgrund von reichhaltigem ungedruckten Quellenmaterial (an dessen Vervollständigung er ohne einleuchtende Gründe gehindert wurde), stellt er so gut wie alle üblichen Urteile auf den Kopf. Um es an einigen

---

[94] Auch hier statt einer Liste von Einzeltiteln der Hinweis auf die einschlägigen Aufsätze und Literaturverweise in: Concilium 7 (1971) Heft 4; 9 (1973) Heft 3; 11 (1975) Heft 10; sowie bei Schwaiger (Hg.), a.a.O. (s. Anm. 12) und bei Denzler (Hg.), a.a.O. (s. Anm. 90). Vgl. ferner den Beitrag von W. de Vries in diesem Band; und schon P. Stockmeier, Die alte Kirche – Leitbild der Erneuerung. ThQ 146 (1966) 385–408; ders., Gemeinde und Bischofsamt in der alten Kirche. ThQ 149 (1969) 133–146; P.-Th. Camelot, Die Lehre von der Kirche (= HDG III 3b), Freiburg i. Br. 1970; Y. Cougar, Die Lehre von der Kirche (= HDG III 3c und 3d; vgl. Anm. 8), 1971.

[95] Vgl. die in Anm. 57 verzeichneten Arbeiten Tierneys.

[96] Vgl. U. Horst, Papst – Konzil – Unfehlbarkeit. Die Ekklesiologie der Summenkommentare von Cajetan bis Billuart, Mainz 1978; dort sind S. XXVI die Vorarbeiten von Horst verzeichnet. Vorabdruck des I. Kapitels unter dem Titel: Kirche und Papst nach Thomas von Aquin, in: Catholica 31 (1977) 151–167.

[97] Vgl. die w. u. in Anm. 122 verzeichneten »Bilanzen« und Diskussionsbände.

[98] S. Anm. 8. Dazu jetzt die thematisch erweiterte, im »Apparat« gekürzte und überdies mit reichhaltigem Fotomaterial ausgestattete allgemeinverständliche Darstellung von A. B. Hasler, Wie der Papst unfehlbar wurde. Macht und Ohnmacht eines Dogmas, München 1979.

Einzelheiten vorzuführen: Gewöhnlich beurteilt man das Konzil im ganzen positiv, jedenfalls als verbindlich. Hasler beleuchtet die problematischen Hintergründe des Konzils und fragt, wie ein solches Konzil verbindlich sein könne. Gewöhnlich: das Konzil war frei. Hasler: das Konzil war manipuliert. Gewöhnlich gibt man die Parteilichkeit des Papstes zu. Hasler führt im Entscheidenden alles auf sie zurück. Gewöhnlich: Pius IX. hatte das Konzil belastende menschliche Schwächen. Hasler: Pius IX. litt an einer psychischen Erkrankung. Gewöhnlich zitiert man die positiven oder neutralen Quellen und Berichte über das Konzilsgeschehen. Hasler zitiert zahllose unbekannte Quellen, in denen sich der unmittelbare Eindruck des Konzilsgeschehens wesentlich negativer darstellt. Gewöhnlich: das Konzil hat den Ultramontanismus fast bis zur Verkehrung ins Gegenteil gebremst. Hasler: diese Interpretation schlägt den Texten wie den historischen Fakten ins Gesicht (dies besonders gegen die jüngste Arbeit von K. Schatz)[99]. Gewöhnlich: die Minorität hat in echt katholischer Haltung das eigene Urteil unter das der Kirche gebeugt und zudem aus wachsender Einsicht den Widerstand aufgegeben. Hasler: die Bischöfe waren verzweifelt, haben nur unter moralischem Druck ihre Zustimmung gegeben, auf Korrekturen bei der Fortsetzung des Konzils gehofft und ihren Widerstand nur wegen äußerer Faktoren (deutsch-französicher Krieg) nicht organisieren können. Gewöhnlich: Stroßmeyer hat sich schon 1872 gebeugt. Hasler: Stroßmeyer hat erst 1875 sich mit Pius IX. ausgesöhnt und erst 1881 erstmals positiv über die vatikanische Definition gesprochen. Gewöhnlich: man hat auf die Minoritätsbischöfe »stillschweigenden Druck« (Butler), »gelinden Druck« (Aubert) ausgeübt, damit sie sich unterwarfen. Hasler: man hat massiven Druck ausgeübt, nämlich eine Art Erpressung mit der Verweigerung von Dispensvollmachten, von denen gültige Ehen ihrer Gläubigen abhingen. Gewöhnlich: man hat Maßnahmen gegen widerspenstige Professoren eingeleitet – bei den Bischöfen war das nicht nötig. Hasler: zumindest Rom hat die Professoren an der langen Leine geführt und war bei ihnen, wenn möglich und im Gegensatz zu den Bischöfen, zufrieden, wenn sie schwiegen und nichts *gegen* die Definition sagten. Gewöhnlich: die nachträgliche moralische Einmütigkeit aller Bischöfe ist ein Argument für die Verbindlichkeit des Konzils. Hasler: die Einmütigkeit war manipuliert, durch

---

[99] Vgl. K. Schatz, Kirchenbild und päpstliche Unfehlbarkeit bei den deutschsprachigen Minoritätsbischöfen auf dem 1. Vatikanum, Rom 1975; dazu Hasler, a.a.O., 481–484. Entsprechend gegenkritisch fällt die (außerordentlich ausführliche und gründliche) Rezension von K. Schatz zu Haslers Buch aus: Totalrevision der Geschichte des I. Vatikanums? Zur Auseinandersetzung mit den Thesen von August B. Hasler, in: ThPh 53 (1978) 248–276.

Druck, manchmal regelrecht durch Tricks. Gewöhnlich: Pius IX. bestätigt ausdrücklich restriktive Stellungnahmen von Bischofskonferenzen zu den Grenzen der Unfehlbarkeit des päpstlichen Lehramtes. Hasler: das war durchdachte Taktik, denn nie hat sich Pius IX. etwa von maximalistischen Konzilsauslegungen Mannings distanziert.

Die Debatte um Haslers umfangreiches Buch ist bereits lebhaft im Gange[100]. Es zeichnet sich schon ab, wie man ihm beizukommen gedenkt: durch den Vorwurf einer unsoliden historischen Methode (was bei einer Dissertation im Fach Geschichte immerhin ein starkes Stück wäre!), durch die Behauptung, er habe nur alte Ladenhüter verkauft (was bei den unzähligen neu erschlossenen Quellen nicht sehr glaubhaft wirkt), und durch den Vorwurf eines vorgefaßten Urteils. Das letztere könnte zumindest im Blick auf die Darstellungsform zutreffen: von der ersten Zeile an läßt Hasler an seiner Meinung keinen Zweifel – aber an dieser Meinung darf man Zweifel haben, will sagen: die Sachfragen sind durch Haslers Befunderhebung noch keineswegs gegenstandslos[101]. Es ist anderseits stimulierend, eine Monographie zu lesen, die ihre wahre Meinung nicht wortreich verbirgt, sondern in den dafür gebräuchlichen Worten unserer außertheologischen Sprache ausdrückt. Manipulation ist dann eben »Manipulation« – und nicht »Einflußnahme«; Taktik ist »Taktik« und nicht »bedachtsames Vorgehen«; autoritär

---

[100] Sie ist inzwischen schon kaum noch zu übersehen. Vollständige Liste der bis zur Drucklegung erschienenen Besprechungen und Auseinandersetzungen in Haslers neuem Buch (s. Anm. 98), 275–277; danach erschienen laut Mitteilung des Verfassers noch folgende Besprechungen: G. Haendler, in: Deutsche Literaturzeitung 99 (1978) 770–773; G. Franz-Willing, in: Zeitschrift für Religions- und Geistesgeschichte 30 (1978) 382–384; F. M. Broglio, in: Storia Contemporanea 9 (1978) 769–771; G. Martina, Pio IX e il Vaticano I di A. B. Hasler – Rilievi Critici, Archivum Historiae Pontificiae 16 (1978) 341–369; J. Hoffmann, Histoire et dogma: La définition de l'infaillibilité pontificale à Vatican I. A propos de l'ouvrage de A. B. Hasler, Revue des sciences phil. et théol. 62 (1978) 543–557; 63 (1979) (im Druck); K. Schatz, Storia contro dogma? Discussione delle tesi di A. B. Hasler sul Concilio Vaticano I, Civiltà Cattolica 130 (1979) Nr. 3087, 245–258; G. Martina, Giustificate riserve su una recente opera, Pio IX 8 (1979) 103–107; A. Lindt, Zwei Päpste – zwei Konzilien. Bemerkungen zu zwei neuen Büchern, Reformatio 28 (1979) 115–118; H. McSorley, in: Journal of Ecumenical Studies (erscheint Sommer 1979); vgl. auch Anm. 99, 101 und 121. Verschiedentlich hat Hasler seinen Kritikern entgegnet, so in Publik-Forum, 28. 10. 1977, 15 (zu Brandmüller im Rheinischen Merkur vom 2. 9. 1977); in Orientierung 41 (1977) 259–262 (zu Conzemius, a.a.O. 207–209); in Neue Zürcher Zeitung, 15. 12. 1977 (zu Helbling, a.a.O., 12/13. 11. 1977).

[101] Vgl. meine (knappe) Besprechung: Wie frei war das 1. Vatikanische Konzil?, in: Deutsches Allgemeines Sonntagsblatt, Nr. 10/11. 3. 1979, 20. Leider hat die Redaktion des Sonntagsblattes ohne Rückfrage und entgegen getroffenen Absprachen den Schluß in einer den Gesamtsinn der Besprechung verändernden Weise gekürzt.

ist »autoritär« und nicht »autoritätsbewußt«, usw. Mit einem solch offenen Kontrahenten zu streiten sollte von aller Bitterkeit und Gehässigkeit frei bleiben.

6. Herausforderung durch die evangelische Theologie

Die Darstellung der evangelischen Haltung gegenüber dem I. Vatikanum ist verabredungsgemäß nicht Gegenstand dieser »Bilanz«. Wohl aber ein Blick auf die Bewegung, die die Beschäftigung mit den evangelischen Einwänden in die katholische Diskussion um das Konzil gebracht hat.

Schon vor Beginn des Konzils hatte Bischof Hefele unter anderem dies als Einwand gegen eine mögliche Definition des päpstlichen Primates und der Unfehlbarkeit seines Lehramtes vorgebracht, ein solches Dogma werde neue Schwierigkeiten für eine Wiedervereinigung der Kirchen heraufbeschwören[102]. Er sollte recht behalten[103]. Mehr noch: wenn 1930 Butler in seinem Konzilsbuch die Opportunität des Dogmas von 1870 nachträglich damit unter anderem begründet, es habe eindeutige Klarheit über die von der katholischen Kirche zu stellenden *Bedingungen* einer Wiedervereinigung geschaffen und somit – durch Verzicht auf jede Vernebelung – ein höchst ehrenhaftes Werk getan[104], dann beweist ein solches Argument nur, daß Fragen und Einwände aus der evangelischen Theologie und Kirche, ja aus allen nicht-katholischen Kirchen noch nicht zählen. Man glaubt noch, einander nicht zu brauchen.

Das ist heute anders. Man *will* die Debatte um das vatikanische Dogma nicht mehr nur innerkatholisch führen. Die nicht-katholische Theologie soll zuhören und, was wesentlicher ist, mitreden. Daraus ergibt sich eine

---

[102] Vgl. H. Tüchle, In beiden Lagern (s. Anm. 12), 33, mit Berufung auf R. Lill, Die ersten deutschen Bischofskonferenzen, in: Römische Quartalschrift 60 (1965) 1–75, hier 25.

[103] Symptomatisch und schon fast klassisch dazu P. Brunner, Reform – Reformation, Einst – Heute. Elemente eines ökumenischen Dialogs im 450. Gedächtnisjahr von Luthers Ablaßthesen, in: KuD 13 (1967) 159–183, bes. 180–183: In der Reformation ging es nach B. im tiefsten nicht um das Thema »Rechtfertigung«, sondern um die wahre Bedeutung der Kirche; deshalb ist auch nicht auf dem Tridentinum, sondern erst auf dem I. Vatikanum die Tür zwischen den Konfessionen endgültig ins Schloß gefallen, und das II. Vatikanum habe daran nichts geändert. – Es hat, im Gegenteil, die Sache nur noch schlimmer gemacht; so jedenfalls G. Maron (s. Anm. 5). – Zur Position Brunners vgl. jetzt auch ders., Bemühungen um die einigende Wahrheit. Göttingen 1977.

[104] Vgl. Butler-Lang, a.a.O., 515f.

beachtliche Verschiebung der Akzente und manchmal ganzer Fragestellungen. Einen evangelischen Theologen etwa wird ja die innerkatholische Frage zum Beispiel nach den sogenannten »dogmatischen Tatsachen« als Gegenstand der Unfehlbarkeit oder die Frage nach der Rechtsform unfehlbarer Entscheidungen kaum interessieren, wohl aber die Frage nach dem Sinn von unfehlbaren Sätzen im Kontext des gelebten Glaubens oder die Frage nach dem Verhältnis des Papstes zur Gesamtkirche. Weniger einhellige Ergebnisse, wohl aber typische und gewissermaßen »chronische« Fragepunkte sind hier zu verzeichnen – die in der vor-ökumenischen Diskussion um das Papsttum gar nicht im Blick standen. Einige von ihnen seien exemplarisch hervorgehoben.

a) Die erste, im Gespräch mit der evangelischen Theologie zu bearbeitende Frage ist das Verhältnis des Dogmas – allgemein und insbesondere des Dogmas von 1870 – zur Schrift. Der evangelischen Theologie sitzt es immer noch wie ein Trauma in der Seele, daß man Luther im Zusammenhang seines römischen Prozesses vorgehalten hat, der Papst stehe über der Schrift – und daß präzis diese These bei Luther den Gedanken auslöste, der Papst sei der Antichrist[105]. Nun wird heute kein Vertreter der päpstlichen unfehlbaren Lehrgewalt den Satz wagen, der Papst stehe über der Schrift. Aber wenn Pius XII., wie gezeigt, der Auffassung ist, daß die Offenbarung und mithin die Schrift allein dem Lehramt zur verbindlichen Auslegung anvertraut ist, dann macht es einen mehr als nur verbalen Unterschied, wenn man mit einem Buchtitel von Walter Kasper das »Dogma *unter* dem Wort Gottes« betont[106], und eben dieser Unterschied ist ein Ertrag des

---

[105] Vgl. Luthers zornigen Bericht über die Zumutung, das als kirchliche Lehre annehmen zu sollen, in den »Acta Augustana«, Weimarer Ausgabe 2/8, 10ff; 10,7f; 17,10ff, 22,18ff. Zur Situation und zur Sachproblematik vgl. O. H. Pesch, »Das heißt eine neue Kirche bauen«. Luther und Cajetan in Augsburg, in: Begegnung (s. Anm. 18), 645–661, hier: 650–654. – Kurz danach setzen die theologisch begründeten Angriffe gegen die römische Kurie ein (also nicht nur die Kritik an den Mißständen), und zwar sofort, wenn auch zunächst noch zaghaft, mit dem Thema vom Papst als Antichrist; vgl. Weimarer Ausgabe, Briefe 1/359, 29–31; 360, 34f. – Zum Ganzen von Luthers Papstkritik vgl. R. Bäumer, Martin Luther und der Papst, Münster ²1971 (schonungslose Aufarbeitung des historischen Sachverhalts aus katholischer Sicht, aber ungerechtes Urteil); H.-J. Urban, Der reformatorische Protest gegen das Papsttum. Eine theologiegeschichtliche Skizze, in: Catholica 30 (1976) 295–319 (Überblick von der Reformationszeit bis zur Gegenwart; Abdruck in: Petrus und Papst [s. Anm 118], 255–265); aus evangelischer Sicht jetzt Überblick und Diskussionsbericht bei G. Müller, Martin Luther und das Papsttum, in: G. Denzler (Hg.), a.a.O. (s. Anm. 90), 73–101; und S. Hendrix, Luther und das Papsttum, in: Concilium 12 (1976) 493–497.
[106] W. Kasper, Dogma unter dem Wort Gottes, Mainz 1965.

Gespräches mit der evangelischen Theologie. Will man ihr auch nur irgendeinen Zugang zum theologischen Mitvollzug des vatikanischen Dogmas eröffnen, dann muß eben dies als erstes de iure und de facto klargestellt werden: Das Dogma ist vom Worte Gottes normiert, und auch der Papst, gegen den niemand rechtskräftig appellieren kann, hat eine *Norm* über sich, und es ist nicht etwa so, daß der Papst sich gewissermaßen fraglos auf eine Automatik der assistentia Spiritus Sancti verlassen könnte[107].

b) Zusammen mit dem Problem des Schriftbezuges ist der katholischen im Blick auf die evangelische Theologie überhaupt die Frage nach dem Zusammenhang von Wahrheit, Bekenntnis und kirchlicher Lehre vor den Blick gebracht. Das beherrschende Stichwort heißt: Geschichtlichkeit. Und zwar gewiß auch im Sinne des Fortschritts an klarer Erkenntnis, vor allem aber als Situationsbezogenheit und damit auch als Möglichkeit epochaler Brüche – eine Möglichkeit, die der vatikanischen Vorstellung von »irreformablen« Sätzen völlig fern liegt. Diesem Fragenkomplex ist man inzwischen auf katholischer Seite auf den vielfältigsten Wegen der biblischen, historischen und systematischen Theologie nachgegangen, und man weiß nicht: ist es der Höhepunkt solcher Bemühungen, oder ist es eine Nebenfrucht, wenn man inzwischen auf katholischer Seite, spätestens seit Karl Rahners und Walter Kaspers einschlägigen Äußerungen, unangefochten sagen kann, daß sich in die Verkündigung eines Dogmas auch vielfältige Sünde einschleichen kann: Machtstreben, Voreiligkeit, Situationsblindheit, Besserwisserei . . .[108] Ohne die evangelische Theologie ist solch eine Aussage jedenfalls nicht zu denken. Von hier bis zu der Frage, ob denn der *Beistand* des Heiligen Geistes im Einzelfall auch unbedingt jeden Irrtum ausschließe, wenn schon die *Gnade* des Heiligen Geistes die Kirche nicht vor Sünde bewahrt, ist es nur ein Schritt – der allerdings erst im Zusammenhang der Küng-Debatte getan wird[109].

---

[107] Mag das Lehramt der Kirche und des Papstes auch *norma proxima* des Glaubens und der Theologie sein (vgl. Anm. 4), so ist es doch niemals *norma normans*. Zur Sachproblematik vgl. auch die w. o. Anm. 56 verzeichneten Arbeiten zum Verhältnis von Exegese und Dogmatik; und Y. Congar, Die Tradition und die Traditionen, Mainz 1965, bes. 218–280. Zur Verstehensschwierigkeit auch Geißer (s. Anm. 120).

[108] Vgl. K. Rahner, Was ist eine dogmatische Aussage? (s. Anm. 63), 56–59; W. Kasper, a.a.O., 137. – Zum Thema »Geschichtlichkeit« vgl. die Hinweise in Anm. 65 sowie Pesch, Kirchliche Lehrformulierung (s. Anm. 63), bes. 256–266, mit Beispielen und Literatur.

[109] Vgl. Pesch, a.a.O., 261 – von mir referierend und überschriftartig als Frage gestellt und in ihren Implikationen entfaltet, von Küng (a.a.O., 400f) vielleicht etwas zu schnell als Bestätigung (»affirmieren«) genommen. Vom Ernst der Sachfrage und den sich daraus schon ergebenden Konsequenzen möchte ich aber nichts zurücknehmen. Vgl. auch w. u. die Schlußthesen.

c) Auch die umfänglichen historischen Studien, die im Gesamtbereich der vatikanischen Definition inzwischen unternommen worden sind, verdanken sich wesentlich dem Zwang, gegenüber der evangelischen Theologie eine Art Rechenschaft ablegen zu müssen. Viele von ihnen mögen anfänglich in der Absicht unternommen worden sein, die evangelischen Einwände zu »widerlegen«, die katholische Position zu verteidigen. Immer häufiger führten und führen sie aber zu einem Resultat, das auf seiner eigenen Basis die Chancen eines Konsenses mit der evangelischen Theologie verbessert – freilich in genau dem Maße, in dem das gelingt, in Rom nicht zur Kenntnis genommen wird[110].

d) Was nun das Primatsdogma anlangt, so wird gegenüber der evangelischen Theologie mit Nachdruck auf einer strikten, d. h. engstmöglichen Interpretation der Definition bestanden, insbesondere bei der Auslegung der Formel »ex sese, non autem ex consensu ecclesiae«. Die einschlägigen Arbeiten von Heinrich Fries sind ein Schulbeispiel dafür[111]. Aber schon die kirchengeschichtlichen Darstellungen betonen – Aubert stehe hier für viele –, daß es ein Mißverständnis sei, diese Formel im Sinne einer Isolierung des Papstes von der Kirche zu verstehen. Man betont also die antigallikanische Spitze dieser Formel und verweist auf die historische Einleitung, die die Rückbindung der Lehramtsausübung des Papstes an die Gesamtkirche klarstellt, mit anderen Worten: die umstrittene Formel schließt nur eine Art nachfolgender parlamentarischer Ratifikation aus, nicht aber den Einklang des Papstes mit dem Glauben der Kirche. Inzwischen hat Hasler dieser Interpretation widersprochen, direkt in Auseinandersetzung mit Schatz, indirekt mit Fries[112]. Sein Argument: Einmal steht von solchen Unterscheidungen nichts im Text – dieser bietet keine Handha-

---

[110] Literatur jetzt im HKG VI/1 (s. Anm. 8), 774–791; zum größeren Zusammenhang auch 696–773; ferner die historischen Beiträge in den in Anm. 118, 120 und 122 verzeichneten Sammelwerken, und jüngstens U. Horst, a.a.O. (s. Anm. 96).

[111] Vgl. H. Fries, »Ex sese« (s. Anm. 5); ders., Ist der Papst allein unfehlbar? Ein umstrittener Satz des Ersten Vatikanischen Konzils, in: Wort und Antwort 9 (1968) 65–72; ders., Das Lehramt des Papstes auf dem Zweiten Vatikanischen Konzil. Ein umstrittener Satz des Ersten Vatikanischen Konzils, II, in: a.a.O., 112–118; ders., Glaube und Kirche auf dem Prüfstand. Versuche einer Orientierung, München 1970, 142–224; ders., Das mißverständliche Wort, in: K. Rahner (Hg.), Zum Problem Unfehlbarkeit. Antworten auf die Anfrage von Hans Küng, Freiburg i. Br., [2]1971, 216–232. – Andere, strikt auslegende Autoren: K. Rahner, Zum Begriff der Unfehlbarkeit in der katholischen Theologie (s. Anm. 65; Abdruck in K. Rahner, a.a.O., 9–26); W. Kasper, a.a.O. (s. Anm. 106); U. Horst, in: Umstrittene Fragen der Ekklesiologie (s. Anm. 63); M. Seybold (s. Anm. 91); Y. Congar, Die Lehre von der Kirche (s. Anm. 8), 104–107.

[112] Vgl. Hasler, a.a.O., 481–484.

be, zwischen einem consensus antecedens und subsequens zu unterscheiden. Zum anderen: die Majorität *konnte* eine derartige Unterscheidung gar nicht im Sinn haben oder auch nur zulassen, weil sie ihrer Auffassung stracks entgegen war; denn man kann ja gern auf einen consensus subsequens verzichten, wenn die Verbindlichkeit eines Dogmas am Ende doch normativ von einem consensus antecedens abhängt. Und endlich: die vorgetragene Interpretation vermag nicht die Verzweiflung der Minoritätsbischöfe zu erklären – sie hätten im Gegenteil triumphieren müssen, wenn sie richtig wäre.

An dieser Stelle sei exemplarisch ein Einwand gegen Hasler vorgebracht, der auch bei anderen Gelegenheiten vorzubringen wäre. Gerade im Namen der Geschichte, die Hasler nicht durch theologische Argumentation überfahren lassen will, verbietet es sich, zeitenthoben auf bloßem Wortlaut von Definitionen zu bestehen, ohne auch deren Wirkungsgeschichte einzubeziehen. Mag also Haslers extensives Verständnis des Textes zutreffen oder nicht, wirkungsgeschichtlich *durchgesetzt* hat sich – wenigstens in der Theologie – die strikte Interpretation, und zwar beginnend schon sechs Wochen nach dem Konzil, mit dem Fuldaer Hirtenbrief der deutschen Bischöfe, und fortgesetzt mit den quasi-amtlichen, ebenfalls strikten Interpretationen durch Konzilsoffizielle, bestätigt durch Pius IX., was immer dieser sich dabei gedacht haben mag. Die Sache hat eine direkte Parallele zur wirkungsgeschichtlichen Durchsetzung einer *thomistischen* Interpretation des Trienter Rechtfertigungsdekretes, obwohl auch hier Gründe vorgebracht worden sind, die eine nominalistische Position der Konzilsväter nahelegen[113].

Vielleicht bietet ein mir bemerkenswert erscheinender Aufsatz von Michael Seybold über »Unfehlbarkeit des Papstes – Unfehlbarkeit der Kirche« die Richtung einer möglichen Lösung dieser Interpretationsstreitfrage[114]. Seybold geht nüchtern davon aus, daß die Primatsdefinition den Papst *nicht* von der Kirche her, sondern tatsächlich weitgehend isolierend beschrieben hat. Insofern bekommt Hasler im voraus recht. Den Sachverhalt bekommt man aber erst vollständig in den Blick, wenn man bedenkt und in die

---

[113] Vgl. H. A. Oberman, Das tridentinische Rechtfertigungsdekret im Lichte spätmittelalterlicher Theologie, in: ZThK 61 (1964) 251–282; alsbaldige Zustimmung von E. Schillebeeckx, Das tridentinische Rechtfertigungsdekret in neuer Sicht, in: Concilium 1 (1965) 452–454; mit historischen Gründen entschieden ablehnend dann H. Rückert, Promereri. Eine Studie zum tridentinischen Rechtfertigungsdekret als Antwort an H. A. Oberman, in: ZThK 68 (1971) 162–194.
[114] M. Seybold, Unfehlbarkeit des Papstes – Unfehlbarkeit der Kirche (s. Anm. 91); und schon Congar, a.a.O., 102–104.

Argumentation einbezieht, daß der Papst faktisch als Glaubender von der Glaubensunfehlbarkeit der Kirche herkommt, und *theologisch* ist daher sein unfehlbares Lehramt gar nicht zu beschreiben ohne Rückbezug auf den Glauben der Kirche, dem der Papst ja nicht entzogen und von dem er nicht dispensiert ist. Argumentiert man also rein auf der juridischen Ebene, dann hat die Definition nach Seybold einen Sinn: kein Ratifikationsverfahren irgendwelcher Art. Argumentiert man theologisch, dann ist der Zusammenhang von Lehrunfehlbarkeit des Papstes und Glaubensunfehlbarkeit der Kirche stärkstens zu betonen, und zwar im Blick auf zwingende Sachzusammenhänge, nicht im Blick auf Formulierungen des Textes. Was diese angeht, so ist nach Seybold gerade dies dem I. Vatikanum zum Vorwurf zu machen, daß es in der Unfehlbarkeitsdebatte keinen Bezug mehr genommen hat auf die vorher verabschiedete Definition über Offenbarung und Glaube, wobei sich die Unzulänglichkeit einer rein juridischen Betrachtungsweise sofort herausgestellt hätte. Im Licht solcher Überlegungen, scheint mir, wird man gegenüber evangelischen Rückfragen mit Nachdruck bei der strikten Interpretation bleiben können.

e) Zu den angenommenen Herausforderungen von seiten der evangelischen Theologie gehört auch, daß die katholische Theologie das zur vollen Entfaltung seiner Wirksamkeit zu bringen trachtet, was das II. Vatikanum im Ökumenismusdekret mit dem enigmatischen, nicht näher erklärten Wort von der »Hierarchie der Wahrheiten« ausgelöst hat. Darüber sind schon auf dem Konzil beachtliche Voten abgegeben worden[115]. Selbst die Unfehlbarkeitsdefinition nimmt sich anders aus, wenn zu unterscheiden wäre zwischen Wahrheiten, die der Ordnung des Zieles, und solchen, die der Ordnung des Mittels angehören, wenn die letzteren den ersteren »hierarchisch« untergeordnet wären, wenn der Primat eindeutig zu den letzteren gehörte, und wenn es wahr wäre, daß hinsichtlich der Wahrheiten in der Ordnung des Zieles weithin Einheit schon bestünde. Auf dieser Basis

---

[115] Obwohl dieser Gedanke erst bei der Endredaktion des Ökumenismusdekretes (Nr. 11) eingefügt wurde. Vgl. den Kommentar von J. Feiner z. St. in: Das Zweite Vatikanische Konzil (= Ergänzung zum Lexikon für Theologie und Kirche), II, Freiburg i. Br. 1967, 88f; die Hinweise bei U. Valeske, Das Papsttum und die Ökumene, in: G. Denzler (Hg.), a.a.O. (s. Anm. 90), 136–150, hier: 146f; sowie die inzwischen erschienene kleine Literatur zu diesem Thema; es sei verwiesen auf: U. Valeske, Hierarchia veritatum, München 1968; H. Mühlen, Die Lehre des Vaticanum II über die »Hierarchia veritatum« und ihre Bedeutung für den ökumenischen Dialog, in: ThGl 56 (1966) 303–335; P. Schoonenberg, Hierarchia veritatum, in: Tijdschrift voor Theologie 8 (1968) 293–298; K. Rahner, Der Glaube der Christen und die Lehre der Kirche, in: Schriften zur Theologie, X (1972) 262–287, bes. 276–279 vgl. auch ders., a.a.O., IX, 339–365, XII, 550–559.

haben jedenfalls die verschiedenen katholisch-evangelischen Arbeitsgruppen der letzten Jahre mit positiven Ergebnissen diskutiert – bis »Mysterium Ecclesiae« erschien und erkennen ließ, daß man die Ergebnisse dieser Diskussionen von ersten Fachleuten aus allen Ländern kaum zur Kenntnis zu nehmen oder gar in die amtlichen Überlegungen einzubeziehen bereit ist[116].

f) Neben dem Unfehlbarkeitsdogma ist auch der Jurisdiktionsprimat des Papstes für evangelische Christen ein Stein des Anstoßes. So hat sich die katholische Theologie auch hier zu neuen Gedanken herausfordern lassen. Man darf wohl vermuten, daß die schon genannten Tendenzen in der Kirchengeschichtsschreibung, verschüttete alte Strukturen der Kirche aufzuwerten, sich nicht zuletzt dem Impuls seitens der evangelischen Theologie verdanken. Der Grundgedanke ist: die Vorbehalte können nicht so hart bleiben, wenn sich zeigen läßt, daß die katholische Kirche gar nicht solch ein monolithischer Block ist, als welcher sie seit geraumer Zeit erscheint; wenn es ganz andere Modelle der Stellung und Amtsführung des Papstes gegeben hat und folglich geben kann; wenn die Stellung des Papsttums in der katholischen Kirche mindestens so sehr ein Ergebnis der Geschichte ist, wie sie auf theologischem Erkenntnisfortschritt beruhen mag. Im übrigen kann die katholische Theologie an dieser Stelle auch offensiv werden: indem sie die evangelische Theologie nachdrücklich darauf hinweist, daß eine Kirche ohne »Petrusdienst« – wie immer er zu verstehen ist – eine Verkürzung des biblischen Zeugnisses ist, bei der man genauso nach den außertheologischen Motiven fragen darf wie umgekehrt gegenüber den Verteidigern der gegenwärtigen Primatspraxis[117].

Ziehen wir ein Fazit, so läßt sich dennoch kein sehr optimistisch stimmender Ertrag bilanzieren. Es ist wohl gelungen, bei denjenigen evangelischen Theologen, die an der Frage überhaupt interessiert sind, eine Zustimmung

---

[116] Das schließt nicht aus, daß es in »Mysterium Ecclesial« Aussagen und Formulierungsnuancen gibt, die den genauen Leser überraschen, weil römisch-kirchenamtliche Dokumente bisher eher das Gegenteil vertraten; besonders der 5. Abschnitt über die Geschichtlichkeit dogmatischer Formulierungen. Analyse dieses und weiterer begrüßenswerter Punkte der Erklärung bei K. Rahner, »Mysterium Ecclesiae« (s. Anm. 65).

[117] Vgl. pars pro toto, Y. Congar, Die Wesenseigenschaften der Kirche, in: J. Feiner/M. Löhrer (Hg.), Mysterium Salutis (s. Anm. 64), IV/1, 357–594, hier: 397–408. – Erfreulicherweise gilt dieser kritische Hinweis längst nicht mehr pauschal für *die* evangelische Theologie. Das beweisen der Beitrag von E. Schlink in diesem Band, und schon L. Vischer, Petrus und der Bischof von Rom – ihre Dienste in der Kirche, in: H. Stirnimann/L. Vischer (Hg.), Papsttum und Petrusdienst, Frankfurt a. M. 1975, hier: 37; U. Valeske, in: G. Denzler (Hg.) (s. Anm. 118), 149.

zu der Notwendigkeit eines – freilich nicht juridisch zu verstehenden – Petrusdienstes in der Kirche zu erlangen[118]. Für diesen Petrusdienst in einer »ökumenischen« Kirche werden sogar schon allerhand Modelle gehandelt: Papst auf Zeit, Papst wieder vorwiegend Bischof von Rom, Kollektiv-Papsttum[119]. In der Frage der Unfehlbarkeit aber – sowohl der der Kirche (und damit auch noch der Küng'schen »Perennität« der Kirche in der Wahrheit) als auch insbesondere der Unfehlbarkeit des päpstlichen Lehramtes – sehe ich nicht, wo man im evangelisch-katholischen Gespräch wesentlich weitergekommen wäre. Es reicht für einen evangelischen Diskussionsteilnehmer offenbar bei weitem nicht aus, wenn man mit aller Akribie die Grenzen des päpstlichen Lehramtes (wenigstens de iure) absteckt und wenn man – wie jüngst mehrfach Karl Rahner – mit Nachdruck fordert, daß die katholische Theologie dem evangelischen Gesprächspartner noch viel mehr als bisher deutlich machen und erklären muß, was denn das Dogma von der päpstlichen Lehramts-Unfehlbarkeit *wirklich* und nicht nur angeblich besagt[120]. Der evangelische Theologe wird sich dadurch nicht

---

[118] Dafür sind charakteristisch die evangelischen (und orthodoxen) Beiträge in einer Reihe von Gemeinschaftsveröffentlichungen der letzten Jahre. Vgl. die in Anm. 94 verzeichneten Concilium-Hefte; ferner G. Denzler (Hg.), Das Papsttum in der Diskussion, Regensburg 1974; R. Groscurth (Hg.), Wandernde Horizonte auf dem Weg zu kirchlicher Einheit, Frankfurt a. M. 1974; H. Stirnimann/L. Vischer (Hg.), Papsttum und Petrusdienst, Frankfurt a. M. 1975; P. Meinhold, Das Amt der Einheit. Biblische, historische und ökumenische Perspektiven, Selbstverlag des Bundes für evangelisch-katholische Wiedervereinigung, 1975; H.-J. Mund (Hg.), Das Petrusamt in der gegenwärtigen theologischen Diskussion, Paderborn 1976; A. Brandenburg/H. J. Urban, Petrus und Papst. Evangelium, Einheit der Kirche, Papstdienst, Münster 1976; G. Békés/V. Vajta, Unitatis Redintegratio 1964–1974. Eine Bilanz der Auswirkungen des Ökumenismus-Dekrets, Frankfurt a. M. 1977; R. Frieling, Mit, nicht unter dem Papst. Eine Problemskizze über Papsttum und Ökumene, Materialdienst des Konfessionskundlichen Instituts 28 (1977) 52–60; J. Ratzinger (Hg.), Dienst an der Einheit. Zum Wesen und Auftrag des Petrusamtes, Düsseldorf 1978.

[119] Papsttum auf Zeit: H. Küng, in: Concilium 7 (1971) 234; der Papst zuerst Bischof von Rom: H.-M. Legrand, Römisches Amt und universales Amt des Papstes, in: Concilium 7 (1971) 531–538; R. La Valle, Das Engagement des Papstes als des Bischofs von Rom, a.a.O., 550–557, hier: 551f; Vischer, a.a.O. (s. Anm. 117), 48–50; kollektives Papsttum: K. Rahner, Vorfragen zu einem ökumenischen Amtsverständnis, Freiburg i. Br. 1974, 29–35; K. Walf, Kollegium mit Leitungsbefugnis, in: G. Denzler (Hg.), Papsttum heute und morgen. 57 Antworten auf eine Umfrage, Regensburg 1975, 213–216, hier: 215f.

[120] Vgl. etwa K. Rahner, Theologie des ökumenischen Gespräches, in: Schriften zur Theologie, IX (1970) 34–78, bes. 59–65; ders., Einheit der Kirche – Einheit der Menschheit, in: O. H. Pesch (Hg.), Einheit der Kirche – Einheit der Menschheit. Perspektiven aus Theologie, Ethik und Völkerrecht, Freiburg i. Br. 1978, 50–76, hier:

mehr mit dem I. Vatikanum befreunden – er wird höchstens gelegentlich einen Anflug von Neid empfinden über die zwar harte, aber eindeutige Art, wie in der katholischen Kirche Lehrdisziplin geübt wird, woraufhin ihm dann der katholische Theologe klarmachen muß, daß auch nach dem I. Vatikanum in der katholischen Kirche nur mit Wasser gekocht wird[121]. Der geschilderte Tatbestand hängt vermutlich damit zusammen, daß der evangelische Theologe an die Frage der Wahrheitsfindung in der Kirche von vornherein mit einem anderen Wahrheitsverständnis herangeht, das die Frage nach so etwas wie einem unfehlbaren Lehramt von vornherein gegenstandslos macht. An dieser Stelle ergibt sich von selbst der letzte Posten unserer Bilanz:

7. Perspektiven der Diskussion nach 1970

Hier nun hat der »Buchhalter« zunächst seine Kapitulation einzugestehen. Er hat weder Kraft noch Lust, der »kleinen« Bilanz der Unfehlbarkeitsdebatte in Concilium 9 (1973) Heft 3 und der »großen« Bilanz in »Fehlbar?

69–75. Einen Versuch dieser Art hat K. Rahner selbst unternommen in seinem Beitrag: Zum Begriff der Unfehlbarkeit in der katholischen Theologie (s. Anm. 65). – Wie wenig das trotz aller ernsthaften Auseinandersetzung auf evangelische Theologen Eindruck macht, kann man – eindrucksvoll – nachlesen etwa bei G. Maron, Hundert Jahre päpstliche Unfehlbarkeit. Materialdienst des konfessionskundlichen Institutes 21 (1970) 48–54, bes. 54; H. Geißer, Das römische Lehramt in protestantischer Erfahrung, in: FZPhTh 24 (1977) 23–52; vgl. ferner die auf evangelischer Seite vielbeachtete Monographie von H.-J. Urban, Bekenntnis, Dogma, Kirchliches Lehramt. Die Lehrautorität der Kirche in heutiger evangelischer Theologie, Wiesbaden 1972; F. Theunis (Hg.), Aspekte der Unfehlbarkeit. Hamburg 1975; und die in Anm. 118 genannten evangelischen Beiträge: Während man u. U. der Frage eines »Amtes der ökumenischen Einheit« (vgl. E. Schlink in diesem Band) positiv nähertritt, wird die Problematik der Unfehlbarkeit im günstigsten Fall ausgeklammert oder an den Rand gedrängt – nicht selten aber wird direkte Ablehnung ausgesprochen; vgl. auch die Voten evangelischer Theologen in den Diskussionsberichten in diesem Band. Wie schwerwiegend das ist, erhellt sofort, wenn wir uns erinnern, daß das I. Vatikanum die Unfehlbarkeit im Leitungsprimat des Papstes enthalten sieht und unmittelbar aus ihm ableitet (DS 3065). – Bemerkenswert ist in diesem Zusammenhang auch die sachlich und historisch faire evangelische Kritik am Unfehlbarkeitsdogma im Rahmen der neueren Entwicklung des katholischen Dogmenverständnisses bei B. Lohse, Epochen der Dogmengeschichte. Stuttgart ⁴1978, 197–213 – bemerkenswert deswegen, weil Lohse alles andere als eine dogmenfeindliche Position vertritt.
[121] Bemerkenswert ist aber, daß sich Hansjakob Stehle in seiner Besprechung von Haslers Buch (DIE ZEIT, Nr. 53/23. 12. 1977, 13) über Haslers Enttäuschung und Zorn mokiert, ihm ein befangenes Verhältnis zur Geschichte attestiert und fragt, ob Hasler denn wirklich der Meinung sei, in der Kirche dürfe nur »mit Weihwasser gekocht« werden.

Eine Bilanz« eine Steigerung gegenüberzustellen. Mag man über die dort ausgesprochenen Urteile dieser oder jener Meinung sein, Verlauf, Schwerpunkte und Tendenzen der Diskussion müssen und können hier als bekannt vorausgesetzt werden, vor allem, wenn man den Diskussionsband von Karl Rahner, »Zum Problem der Unfehlbarkeit«, hinzunimmt[122]. Ich fixiere also nur einige Punkte – in recht subjektiver Auswahl –, die mir nach wie vor von besonderer Bedeutung scheinen.

a) Nachdem sich der Pulverdampf der Diskussion um Küngs »Anfrage« etwas verzogen hat und die Stellungnahme zu Küng in das Stadium der theologischen Pflichtübungen eingetreten ist (Hasler beklagt bereits die völlige Wirkungslosigkeit dieser Diskussion!)[123], ist zunächst festzustellen: Die erregte Debatte hat keinen entscheidenden Konsens ergeben. Neben mancher – ohnehin vorsichtig formulierten – Zustimmung hat Küng unter allen Aspekten des Problems Widerspruch erfahren, von W. Brandmüller über A. Kolping, L. Scheffczyk bis hin zu H. Fries und K. Rahner[124]. Die Übereinstimmungen, die Küng in wichtigen Grundfragen zwischen sich und seinen Gegnern feststellt, haben gewiß ihr Gewicht, und man sollte alles tun, damit man dahinter nicht wieder zurückkann. Aber es sind

---

[122] Vgl. H. Küng, Kleine Bilanz der Unfehlbarkeitsdebatte, in: Concilium 9 (1973) 226–230 (vgl. auch 219–226); ders., Eine Bilanz der Unfehlbarkeitsdebatte, in: H. Küng (Hg.), Fehlbar? Eine Bilanz, Zürich 1973, 307–524 (mit Dokumenten und Bibliographie); K. Rahner (Hg.), Zum Problem Unfehlbarkeit. Antworten auf die Anfrage von Hans Küng, Freiburg i. Br. 1971 – Pater Congar verdanke ich den in Heidelberg gegebenen Hinweis, daß von Rom aus auch 1970 so wenig wie 1920 offiziell etwas in Richtung auf eine Jubiläumsfeier getan wurde. Es gab nur ein wissenschaftliches Symposion, in dessen Zusammenhang auch K. Rahners mehrfach erwähnter Aufsatz: Zum Begriff der Unfehlbarkeit in der katholischen Theologie (s. Anm. 65) erstmals vorgelegt wurde; die Dokumentation dieses Symposions liegt vor in: E. Castelli (Hg.), L'infallibilità. L'aspetto filosofico e teologico, Padua 1970; französisch unter dem Titel: L'infaillibilité. Son aspect philosophique et théologique, Paris 1970; deutsch = F. Theunis (Hg.), a.a.O. (s. Anm. 120). Das Schweigen des offiziellen Rom ist – wie 1920 – um so interessanter, als Pius XII. zum 100jährigen Jubiläum der Dogmatisierung der Unbefleckten Empfängnis Mariens 1953 die Enzyklika »Fulgens corona« schrieb (vgl. DS 3908–3910), für 1954 ein »marianisches Jahr« proklamierte und an dessen Ende durch die Enzyklika »Ad coeli Reginam« (vgl. DS 3913–3917) das Fest »Maria Königin« einführte – dies alles aus Anlaß der Jubiläumsfeiern für jenes Dogma, das aufgrund der Umstände seiner Verkündigung von allen Kommentatoren des I. Vatikanums, sei es im guten, sei es im bösen Sinne, als ein Vorgriff auf das Unfehlbarkeitsdogma angesehen wird.
[123] Vgl. Hasler, a.a.O., X; 537. Vgl. aber die korrigierenden Hinweise von P. Bläser in der Diskussion, w. u. S. 240f.
[124] Vgl. deren Beiträge bei Rahner (Hg.), a.a.O. (s. Anm. 122) sowie A. Kolping, Unfehlbar? Eine Antwort, Bergen-Enkheim bei Frankfurt 1971.

offenbar nicht die Punkte, wo es wirklich »wehtut« – und dort gibt es unveränderten Dissens, aus welchen Gründen auch immer.

b) Die in Abschnitt 6 nominierten Punkte und Perspektiven, die sich aus dem Gespräch mit der evangelischen Theologie ergeben, sind Perspektiven der Diskussion auch nach 1970. Zum Teil sind sie sogar von der Küng-Debatte beeinflußt. Sie sind hier also einzubeziehen und brauchen nicht wiederholt zu werden.

c) Es scheint, daß – auch unabhängig von der Küng-Debatte, die sich eher ihrerseits in diese Tendenz einordnet – in der katholischen Theologie zunehmend das Sprachproblem, genauer: das Verhältnis von Sache und Sprache und *beider* Geschichtlichkeit und Geschichte an Bedeutung gewinnt. Jedenfalls bleibt zu hoffen, daß die zunehmende Zahl von Veröffentlichungen zur Theologie des Wortes und der Sprache aus katholischer Feder (man denke an die jüngsten Veröffentlichungen etwa von B. Casper, E. Biser, W. de Pater, A. Grabner-Haider u. a.)[125] auf die Unfehlbarkeitsdiskussion und das Problem »irreformabler« Sätze durchschlägt.

d) In *diesem* Zusammenhang wird das schon »mittelalte« Problem des Verhältnisses von Lehramt und »Glaubenssinn der Gläubigen« (»sensus fidelium«) eine neue Dimension gewinnen. Ansätze dazu finden sich schon in dem genannten Beitrag von M. Seybold[126], der, und zwar entgegen dem klaren Wortlaut der einschlägigen Texte des II. Vatikanums[127], dem »Glau-

---

[125] Vgl. E. Biser, Theologische Sprachtheorie, Freiburg i. Br. 1970; R. Kösters, Dogma und Bekenntnis bei Gerhard Ebeling. Zur kontroverstheologischen Problematik des Begriffs der kirchlichen Lehre, in: Catholica 24 (1970), 51–66; E. Schillebeeckx, Glaubensinterpretation. Beiträge zu einer hermeneutischen und kritischen Theologie, Mainz 1971, bes. 9–47; O. H. Pesch, Besinnung auf die Sakramente. Historische und systematische Überlegungen und ihre pastoralen Konsequenzen, in: FZPhTh 18 (1971) 266–321, bes. 295–316; W. A. de Pater, Theologische Sprachlogik, München 1971; B. Casper, Sprache und Theologie. Eine philosophische Hinführung, Freiburg i. Br. 1975; A. Grabner-Haider, Glaubenssprache. Ihre Struktur und Anwendbarkeit in Verkündigung und Theologie, Freiburg i. Br. 1975. Die älteren katholischen Vorstöße in dieses lutherische Land sind durch die neueren Versuche keineswegs bedeutungslos geworden. Die wichtigsten von ihnen (u. a. von H. Fries, K. Rahner, O. Semmelroth, E. Schillebeeckx) sind verzeichnet bei O. H. Pesch, Theologie der Rechtfertigung (s. Anm. 59), 816, Anm. 6.

[126] Vgl. Anm. 114, hier: 110–120.

[127] Vgl. Kirchenkonstitution, Nr. 127: *unter der Leitung des Lehramtes* kann der Glaubenssinn der Gläubigen nicht irren. – Zum Thema Glaubenssinn vgl. M. Seckler, Glaubenssinn, LThK IV (1960) 945–948 (Lit. bis 1960); M. D. Koster, Der Glaubenssinn der Hirten und der Gläubigen, in: ders., Volk Gottes im Werden (s. Anm. 61), 131–150 (viele historische Hinweise); und die Aufsätze von K. Rahner betreffend den Dialog in der Kirche; wir heben hervor: Kleines Fragment »Über die kollektive Findung der Wahrheit«, in: Schriften zur Theologie VI (1965) 104–110; Der Glaube des Christen und die Lehre der Kirche, a.a.O. X (1972) 262–285.

benssinn« eine »pneumatisch-aktive« Rolle bei der Ausübung des Lehramtes zuerkennt.

e) Es scheint auch, daß die soziologische und politische Betrachtungsweise sowohl der vatikanischen Definition als auch der gegenwärtigen Fragen um das Papsttum mehr Bedeutung gewinnen, als in der Küng-Debatte absehbar war. Der Dissens zwischen Hasler, der die politischen Faktoren zugunsten einer Konzentration auf die Person Pius IX. gering halten möchte, und Pottmeyer, der die politischen Zusammenhänge eher zur verstehenden Erklärung der Definition veranschlagen möchte, ist da ein Signal[128]. Für die Gegenwart erhellt Georg Denzlers »Umfrage« die Szene: so wenig repräsentativ sie sein mag, bei den Nicht-Theologen unter den Respondenten kommen *theologische* Überlegungen kaum vor![129] Man vgl. weiterhin Concilium 7 und 9![130]

f) Endlich ist bereits der Hinweis in der Welt, daß wir in Sachen Primat und Unfehlbarkeit mit Spannung dem Einfluß der nicht-westlichen Kirchen entgegenzusehen haben[131]. Heute stellen sie, Lateinamerika eingerechnet, bereits die Mehrheit der Katholiken. Wie werden sie *auf die Dauer* mit einem Dogma umgehen, das wie wenige die Narben und Blutspuren westlicher Theologie, westlicher Kirchengeschichte, westlicher Denkvoraussetzungen (und zwar *vergangener* Denkvoraussetzungen) an sich trägt?

8. Einige Schlussfolgerungen - in Form von Thesen

Die hier aufgemachte Bilanz ist gewiß kritisch, und bei aller Bemühung um eine sachlich-nüchterne Formulierung war bisweilen ein Anflug von Ironie

---

[128] Vgl. H. J. Pottmeyer, Unfehlbarkeit und Souveränität. Die päpstliche Unfehlbarkeit im System der ultramontanen Ekklesiologie des 19. Jahrhunderts, Mainz 1975; »Auctoritas suprema ideoque infallibilis«. Das Mißverständnis der päpstlichen Unfehlbarkeit als Souveränität und seine historischen Bedingungen, in: G. Schwaiger (Hg.), Konzil und Papst. Historische Beiträge zur Frage der höchsten Gewalt in der Kirche. Festgabe für H. Tüchle, München/Paderborn 1975, 503–520. Dazu Hasler, a.a.O., 529.

[129] Vgl. G. Denzler (Hg.), Papsttum heute und morgen (s. Anm. 119).

[130] Vgl. insbesondere die Beiträge von V. Conzemius, J. Lynel und A. Greeley, in: Concilium 7 (1971) Heft 4; Beiträge von I. Fetscher und W. Dupré, in: Concilium 9 (1973) Heft 3. Ferner K. Walf, Die Katholische Kirche – eine »societas perfecta«? ThQ 157 (1977) 107–118; Concilium 14 (1978) Heft 1 (Kommunikation in der Kirche); Heft 8/9 (Finanzverwaltung in der Kirche).

[131] Vgl. J. Kerkhofs, Was die Christen der nicht-westlichen Kirchen in den achtziger Jahren vom Petrusdienst erwarten, in: Concilium 11 (1975) 573–580; auch L. Vischer, a.a.O. (s. Anm. 117) 45.

nicht zu unterdrücken. Nicht, um diesen Eindruck zu zerstreuen oder irgendetwas zurückzunehmen, wohl aber, um ihn zu ergänzen und auszubalancieren, möchte ich schlußfolgernd einige Thesen aufstellen.

1. Es kann nicht gelingen, die Sachfrage nach der Art und Weise, wie in der Kirche Wahrheitsfindung und Glaubenseinheit geschieht, auf sich beruhen zu lassen oder in ihrem Gewicht zu verringern. Gegenüber entsprechenden Versuchen auf evangelischer Seite wird die katholische Theologie immer offensiv sein müssen und dürfen[132].

2. Es wird nicht gelingen, die Frage nach einem legitimen Leitungsamt in der Kirche und auch nach einem obersten Leitungsamt als neutestamentlich irrelevant zu erweisen. Entsprechende Tendenzen in der evangelischen Theologie sind nur möglich im Windschatten einer bestimmten geschichtlichen Entwicklung eben dieses Leitungsamtes[133].

3. Gemessen an diesen Zukunftsaufgaben erscheint die Primats- und Unfehlbarkeitsdefinition des I. Vatikanums, wie auch immer beurteilt, als in jedem Falle *zu einfach* zur Bewältigung der anstehenden Probleme. Das geben auch Gegner Küngs unumwunden zu[134].

4. Mit These 3 nähere ich mich der Position Küngs, sofern der Kern seiner

---

[132] Erst jüngst hat J. Ratzinger darauf hingewiesen, daß ein »geistlicher Vorgang« einer Entscheidung in Richtung auf eine wie immer verstandene »Anerkennung« der Confessio Augustana von seiten der katholischen Kirche nicht zu erwarten steht, wenn das reformatorische Erbe, was an sich möglich sei, Entfaltungen auf der Linie einer absolutgesetzten religiösen Erfahrung erführe, die jede Institution sprengen müßte; vgl. J. Ratzinger, Anmerkungen zur Frage einer »Anerkennung« der Confessio Augustana durch die katholische Kirche, in: MThZ 29 (1978) 225–237. – Ich beziehe mich mit meiner These auf jene Tendenz in der (vorwiegend deutschen) lutherischen Theologie, die die eschatologische Gebrochenheit allen kirchlichen Bekenntnisses, das Richteramt des Rechtfertigungsartikels über jegliche Art kirchlicher Lehre, die Relativierung jeglicher Formel so sehr betonen, daß die positive Bedeutung von kirchlicher Lehrformulierung und Bekenntnis gar nicht mehr zur Sprache kommt und schon der Versuch, Glaubenswahrheit zu formulieren, fast als ein Unrecht erscheint. Tut man Unrecht, wenn man als Repräsentanten dieser Tendenz etwa K. G. Steck sowie den Kreis um das Konfessionskundliche Institut in Bensheim und seinen »Materialdienst« nennt? Vgl. von K. G. Steck etwa: Lehre und Kirche bei Luther, München 1963, bes. 214–226; Undogmatisches Christentum? München 1955; Kirche des Wortes oder Kirche des Lehramtes. Zürich 1962; Das römische Lehramt und die Heilige Schrift. München 1963; Die Christliche Wahrheit zwischen Häresie und Konfession. München 1974. Zur Sache vgl. auch die Auseinandersetzung von R. Kösters mit G. Ebeling (s. Anm. 125).

[133] Dies wäre eine Art »metakritischer« Rückfrage nach dem »erkenntnisleitenden Interesse« der Beiträge von Gräßer und Blank in diesem Band. Vgl. auch die Hinweise auf Congar in Anm. 117.

[134] Etwa K. Rahner, W. Kasper, K. Lehmann u. a. – selbst noch der in der Relation von Tonfall und Argumentation wohl härteste Küng-Kritiker: H. Mühlen.

»Anfrage« in der These besteht, das I. Vatikanum habe die eigentliche Sachproblematik, nämlich den vorausgesetzten zwingenden Zusammenhang von Bewahrtwerden in der Wahrheit und der Möglichkeit apriorisch unfehlbarer Sätze, gar nicht aufgegriffen, sondern umgangen[135]. Meine Vorbehalte gegen Küng sind andernorts aktenkundig[136].

5. In der Interpretation der Definition von 1870 hat sich die strikte Auslegung in der Theologie und (weitgehend) in der Kirchengeschichtsschreibung durchgesetzt, die maximalistische aber in der kurialen Theorie und Praxis und – in der öffentlichen Meinung, sogar der katholischen.

6. Es wird keinen Fortschritt in der Klärung der 1870 zur Debatte gestellten Fragen geben, wenn nicht die Dialektik zwischen »Glaubenssinn« und lehramtlicher Verkündigung angenommen wird, also zwischen päpstlicher (und bischöflicher!) Lehramtsausübung und dem »Sinn« jenes Glaubens, der unverfügbares Geschenk des Geistes ist[137].

7. Das bedeutet konkret: Lehramtsausübung ist in keinem Fall ein Geschehen auf einer Einbahnstraße (etwa von der »lehrenden Kirche« zur »hörenden Kirche«), sondern in jedem Fall ein dialogisches Geschehen. Übrigens braucht man nur die Kirchen- und Dogmengeschichte ernst zu nehmen, um diese These bejahen zu können[138].

8. Mit These 7 scheint der bedeutendste Schritt in Richtung auf einen Konsens mit den Konzeptionen evangelischer Theologie in Sachen Wahrheitsfindung in der Kirche getan. Denn »dialogische« Lehramtsausübung heißt, daß Wahrheit gefunden wird in vielseitiger *Diskussion* aus unverfügbarem Glauben, deren verbindlicher *Sprecher* der Lehramtsträger darum ist, weil *in* dieser Diskussion an das Wirken des Geistes geglaubt werden darf[139].

---

[135] Vgl. H. Küng, Unfehlbar?, 123.

[136] Vgl. O. H. Pesch, Kirchliche Lehrformulierung (s. Anm. 63), bes. 261–263; 275f.

[137] Dazu eingeschränkte, aber mühelos übertragbare und vor allem ganz praktische Vorschläge bei K. Lehmann, Zum Verhältnis zwischen kirchlichem Amt und Theologie, in: Begegnung (s. Anm. 18), 415–430. Die Problematik mündet hier ein in die seit einiger Zeit verstärkt sich anmeldende Frage nach dem Verhältnis von Glaube, Glaubenslehre und Erfahrung. Vgl. dazu Concilium 14 (1978) Heft 3 mit dem Thema »Offenbarung und Erfahrung«, darin vor allem den Beitrag von P. Eicher, Die verwaltete Offenbarung. Zum Verhältnis von Amtskirche und Erfahrung, a.a.O., 141–148.

[138] Bezeichnende Beispiele sind, wie schon erwähnt, die Entwicklung der Christologie und das Schicksal des Satzes »Außerhalb der Kirche kein Heil« (s. Anm. 62 und 64), aber auch etwa die Entwicklung der Sakramentenlehre, der Beurteilung der Ehe, der Anthropologie überhaupt, der Rechtfertigungs- und Gnadenlehre usw.

[139] So jedenfalls verstehe ich H. Ott in diesem Band (und schon in seinem Buch: Die Lehre des I. Vatikanischen Konzils, Basel 1963, bes. 162f); andernfalls müßte der Gedanke abstrakt bleiben. Vgl. auch schon K. Adam, w. o. (s. Anm. 31).

9. Die Bewahrung der Kirche in der Wahrheit besteht substantiell darin, daß die Kirche immer Kirche Jesu Christi bleibt.

10. Die Frage nach der Wahrheitsfindung in der Kirche und nach der Einheit im Glauben klärt sich, wenn erfolgreich beantwortet werden kann, was dazu gehört, daß die Kirche die Kirche Jesu Christi ist. Diese Antwort wird mit Gewißheit nicht nur auf die unumstößliche Annahme einer Reihe von Sätzen und überhaupt nicht nur auf Erkennen und Verstehen hinauskommen[140].

11. Was den Leitungsprimat des Papstes angeht, so wird es keinen Schritt vorwärts geben, ohne daß – nach historischen oder neuen Modellen – konkrete Dezentralisierung in Leben und Disziplin der Kirche zustandekommt[141].

12. Um an den Anfang zurückzukehren: Die Bilanz dürfte die Tatsache etwas verständlicher gemacht haben, daß das I. Vatikanum vor allem außerhalb der Kirche nie verstanden, im Gegenteil: immer gröblich mißverstanden wurde. Nach wie vor wird der päpstliche Lehr- und Jurisdiktionsprimat auf intellektuelles Übermenschentum, auf persönliche Unfähigkeit zur Sünde und auf ein diktatorisches System hin verstanden. Die katholische Theologie, vor allem aber die römische Kurie wird dieses Fehlverständnis wesentlich ernster nehmen müssen als bisher. Und sie wird daraus Konsequenzen ziehen müssen. Der Satz Pauls VI., er wisse, daß das Amt des Papstes das größte Hindernis auf dem Wege zur Einheit der Kirchen sei[142], muß größeres Gewicht bekommen als das einer Höflichkeit gegenüber Nicht-Katholiken.

13. Für die katholische Theologie wird die Frage unumgänglich sein, ob ein Dogma, das erwiesenermaßen dem Glauben so wenig dient und durch seine Fehlverständnisse so viel schadet, problemlos, aufgrund seiner bloßen Faktizität, stehen bleiben kann. »Wann war denn eine Lehrdefinition de Fide ein Luxus, den sich die Devotion leistet, und nicht ein furchtbares, schmerzliches Gebot der Not? Warum sollte einer angriffslustigen, unverschämten Sondergruppe erlaubt sein, ›die Herzen der Gerechten in Trauer zu versetzen, die nicht der Herr selber traurig gemacht hat‹? Warum kann man uns nicht in Ruhe lassen, wenn wir Frieden hielten und an kein Übel

---

[140] Was das bedeutet, habe ich zu skizzieren versucht in meinem Aufsatz: Vom Bleiben der Kirche in der Wahrheit, in: Klerusblatt (München) 51 (1971) 64–67.

[141] Vgl. O. H. Pesch, Einheit der Kirche – Einheit der Menschheit. Eine theologische Besinnung, in: O. H. Pesch (Hg.), Einheit der Kirche – Einheit der Menschheit (s. Anm. 120), 15–49, bes. 43ff.

[142] Rede Papst Pauls VI. vom 28. April 1967 an das Sekretariat für die Einheit der Christen. AAS 59 (1967) 418 – zitiert bei Hasler, a.a.O., IX, und bei Frieling, a.a.O. (s. Anm. 118), 52.

dachten?« So John Henry Newman am 28. 1. 1870 an Bischof Ulla-thorne[143].

Der katholische Theologe wird das Dogma von 1870 weder einfach bestrei-ten noch dem »ekklesiologischen Vergessen« anheimgeben. Es gehört in seiner *Sachproblematik* zur Geschichte des Ringens um das Evangelium in seiner Kirche. Gelegentlich mag er sogar dafür dankbar sein, daß ihn dieses Dogma dazu nötigt, den Fragen der Wahrheit in der Kirche nicht auszuwei-chen in einen bequemen Pluralismus der Standpunkte. Aber kann man es dem katholischen Theologen verdenken, wenn er dieser Sachproblematik lieber nachginge ohne die Last der *Worte* dieses Dogmas und vor allem ohne die praktischen kurialen Auswirkungen? Für diese Arbeit gilt jeden-falls, was Döllinger 1863 in seinem berühmten Vortrag auf der Gelehrten-versammlung in München gesagt hat: »Tiefer graben, emsiger, rastloser prüfen, und nicht etwa furchtsam zurückweichen, wo die Forschung zu unwillkommenen, mit vorgefaßten Urteilen und Lieblingsmeinungen nicht vereinbaren Ergebnissen führen möchte, das ist die Signatur des echten Theologen ... Jenen Wilden wird er doch nicht gleichen wollen, welche eine Eklipse nicht sehen können, ohne in Angst zu geraten für das Schicksal der Sonne ... Da wir gläubige Theologen sind, so wissen wir, daß auch die schärfste Prüfung nur immer wieder zur Bestätigung der richtig verstande-nen kirchlichen Lehre ausschlagen werde. Wir wissen auch, daß unsere Geistesarbeit für jene Kirche und in jener Kirche vollbracht wird, welcher der göttliche Geist sich niemals entzieht.«[144]

---

[143] Zitiert von Butler-Lang, Das Vatikanische Konzil, 169, hier übernommen aus Hasler, a.a.O., 529 – noch einmal ein Beleg dafür, wie Butler-Langs Material gegen dessen Absicht ausgewertet werden kann; vgl. w. o. Anm. 88. Kann man solche »Traurigkeit« und die ihr entspringenden kritischen Rückfragen und Gegenvorschlä-ge wirklich so verdächtigen und erledigen, wie H. U. von Balthasar es in seinen »Klarstellungen« tut (s. Anm. 91), zumal er doch selbst zum Hören des Amtes »nach unten« Beachtliches zu sagen weiß (a.a.O. 87–93)? Wem dient denn solche Kreuzes-theologie im Endergebnis tatsächlich?
[144] Rede über »Die Vergangenheit und Gegenwart der katholischen Theologie«. Abgedruckt bei J. Finsterhölzl, Ignaz von Döllinger, Graz 1969, 227–263, hier zitiert nach G. Schwaiger, Der Hintergrund des Konzils (s. Anm. 89), 24.
Nachbemerkung: Ich bin mir bewußt, wie fragmentarisch diese »Bilanz« ist, wie vieles übersehen, nicht hinreichend gewürdigt wurde, wie sehr auch die gesetzten Akzente im buchstäblichen Sinne frag-würdig bleiben. Wenn dieser Beitrag wenig-stens so etwas wie ein »Formblatt« einer Bilanz geworden ist, in das jeder, korrigie-rend und ergänzend, seine eigenen Daten eintragen kann, wäre dies ein gutes Ergebnis.

Heinrich Ott

BILANZ DER DISKUSSION UM DIE VATIKANISCHE PRIMATS- UND UNFEHLBARKEITSDEFINITION

Eine protestantische Stellungnahme

1. LEGITIMATION UND MOTIVATION EINES NICHTKATHOLISCHEN THEOLOGEN ZUR TEILNAHME AN DIESER DISKUSSION

Viele christliche Zeitgenossen werden die aktuelle Papsttums- und Unfehlbarkeitsdiskussion als ausgesprochen inner-katholische, inner-römische Angelegenheit empfinden. In der römischen Kirche und nur in ihr ist diese Thematik von vitaler kirchlicher und darum auch von essentieller theologischer Bedeutung. So mag es scheinen. Die Teilnahme nichtkatholischer Theologen an der Debatte – auch wenn sie faktisch schon vielfach und in kompetenter Weise erfolgt ist – bedarf darum einer besonderen Rechenschaft. Sollten wir unsern katholischen Brüdern gute Ratschläge erteilen, wie sie mit dem Problem, welches spätestens seit 1870 in bedrängender Weise das ihre ist, fertig werden sollen? Im Klima ökumenischer Solidarität, wie es sich – auch und gerade unter Vertretern der wissenschaftlichen Theologie – entwickelt hat, wäre auch ein solcher wohlwollender Versuch nicht als abwegig zu beurteilen. Wir nehmen als Protestanten ja auch gerne wohlwollende und kompetente Ratschläge katholischer Kollegen entgegen, zum Beispiel wie wir mit einem Phänomen wie der Bewegung »Kein anderes Evangelium« fertig werden könnten.

Indes greift die besondere Rechenschaft, wie sie hier nötig ist, weiter: Sie zielt auf *gemeinsame* Sachfragen und Erkenntnisinteressen. Wir haben analoge Schwierigkeiten und analoge Interessen. So mußte beispielsweise der Hinweis auf den »papierenen Papst« und die behauptete verbale bzw. propositionale Unfehlbarkeit der Heiligen Schrift, als ein dauerhaft virulentes innerprotestantisches Problem, zwangsläufig auch in dieser neueren Diskussion einmal auftauchen. – Die erforderliche spezielle Rechenschaft über die Legitimation und Motivation eines protestantischen Theologen zur Teilnahme an der katholischen Unfehlbarkeitsdebatte markiert den Rahmen eines bestimmten gemeinsamen Erkenntnisinteresses: *»How does [can] the Church teach authoritatively?«* – das in dieser Frage zusammengefaßte neue Studienprojekt von »Faith and Order« bezeichnet dieses Erkenntnisinteresse deutlich. Dazu N. A. Nissiotis in seinem Beitrag zur Einleitung der Faith and Order-Diskussion: »Darum kann nur eine ökumenische Studie uns helfen, den notwendigen Wandel sowohl im Verständnis kirchlicher Lehrautorität als auch in der Auswahl neuer Wege zu vollziehen, auf denen solche Autorität heute zum Ausdruck gebracht werden kann. In Tat und Wahrheit gehört diese Frage zu den Themen, die heute in ihrer Tiefendimension am wenigsten aufgehellt sind. Denn die konfessionelle Debatte darüber interessierte sich stets nur für den Mechanismus einer verantwortlichen und authentischen Interpretation von Schrift und Tradition und nahm nur ungenügend Bezug auf die neuen Verpflichtungen der Kirchen, gemeinsam über lebenswichtige ethische Fragen zu sprechen in einer ökumenischen Aera, einer Zeit der universalen, planetaren Geschichte und der Errichtung einer welt-weiten Gemeinschaft, die auf Freiheit und Gerechtigkeit beruhen soll.« Im gleichen Zusammenhang wird dann angedeutet, daß die Säkularisierung und die gegenwärtige Weltlage ein breiteres Konzept von kirchlicher Lehrautorität erforderten, bei dem es mehr auf die »Weisheit von Taten und Lehren« der Kirche ankommen müßte als auf institutionalisierte Formen, in denen sich Lehrautorität äußert.

Wie, in welcher Form oder welcher inneren Struktur von Äußerung, legt die Kirche als ganze, die Christenheit, in dieser Zeit ein »verbindliches«, glaubwürdiges Zeugnis für Gott in Christus vor der Welt ab? – So läßt sich die gemeinsame ökumenische Frage zusammenfassen, an der wir alle gemeinsam und gleichermaßen interessiert sind. Und so gestellt dürfte die Frage in der Tat in ihrer Tiefendimension noch wenig ergründet sein. Beispielsweise ist, so weit ich sehe, der Zusammenhang von »*Verbindlichkeit*« und »*Glaubwürdigkeit*« bisher noch kaum zureichend zum ausdrücklichen Thema einer Fragestellung gemacht worden.

Wenn nun im Horizont dieser weiteren, gemeinchristlichen Problematik der nichtkatholische Theologe an der Diskussion über das katholische Unfehlbarkeitsdogma teilnimmt, so wird er dies einerseits gewiß nicht in der Pose des außenstehenden Schiedsrichters tun dürfen; dies wäre unrealistisch. Andererseits kann er sich doch dispensieren von der Diskussion der Frage nach dem »theologischen Zirkel« (M. Löhrer) bzw. der Frage, ob die Kontroverse noch eine »innerkatholische« sei (K. Rahner gegenüber H. Küng). Dadurch wird das Gespräch mit ihm aber nicht weniger verbindlich. Es bleibt unter neuen Vorzeichen genau so verbindlich. Denn auch wenn wir von der Frage des gemeinsamen katholischen Bodens absehen, bleibt doch, ebenso dringlich, jenes gemeinchristliche Anliegen bestehen.

Der Stil der Gesprächsbeteiligung des Nichtkatholiken wird aber dementsprechend nicht durch definitive Stellungnahmen zur innerkatholischen Kontroverse geprägt sein, sondern durch ein behutsames Anfragen, was wohl die subtile katholische Unfehlbarkeitsdiskussion zur fruchtbaren

Weiterentwicklung jener weiträumigeren, gemeinsamen Problematik bei-
tragen möchte. Der Stil der Beteiligung wird also gekennzeichnet sein durch
das Stellen von Fragen, das Ausziehen von Linien und Aufzeigen möglicher
Konsequenzen, durch das Eröffnen von Perspektiven. In diesem Sinne soll
mein Beitrag einige Schwerpunkte im Gesamtspektrum der bisherigen
Diskussion hervorheben, die mir eines vertieften Nachdenkens zu bedürfen
scheinen. Dabei geht es mir um das Spektrum der *Sachfragen* und nicht
etwa darum, aus den bisher erfolgten nichtkatholischen Voten eine Art
Bilanz zu ziehen.

Ich bin überzeugt, daß wir aus der Unfehlbarkeitskontroverse gemeinsam
Wesentliches zu lernen haben, und zwar liegt das Schwergewicht auf
fundamentaltheologischer Ebene (im modernen Sinne von »Fundamentaltheologie«). Hier scheint mir überhaupt ein Grundvorgang in der Bewegung der ganzen Debatte feststellbar zu sein: eine Verlagerung des Brenn-
punktes von den kirchenrechtlichen und -politischen Formalfragen zu den
materiellen fundamentaltheologischen Grundproblemen. Die Frage etwa,
ob der Papst notfalls auch jederzeit »im Alleingang« gegen die Kirche
Dogmen definieren könne (vgl. z. B. H. Küng, Unfehlbar, 82f), oder die
kompromißlose Zurückweisung eines solchen Konzepts aus dem orthodoxen Glaubens- und Gemeinschaftsverständnis (z. B. S. Harkianakis, in:
Concilium [7](1971) 286) – solche Themen scheinen mir heute bereits außerhalb des Zentrums der Debatte zu liegen. (Man wird sich ja doch hier auch
schlicht politisch überlegen müssen, daß, was der Papst »kann« oder »nicht
kann«, nicht nur von einer theoretischen Definition, sondern von der
faktischen Realisierbarkeit im gesellschaftlich-geistigen Leben der Kirche
abhängt.) Darum verdient die fundamentaltheologische Problematik in der
Auseinandersetzung, nämlich das Verhältnis von Wahrheit und Aussagbar-
keit (»Satzwahrheit«), das primäre Interesse der theologischen Reflexion.
Dabei ist indessen auch dieses fundamentaltheologische Erkenntnisinteresse
noch einmal »politisch«, nämlich durch die Weltlage und die Lage der
Kirche in der Welt, bestimmt:

Die Christenheit muß sich in der einsgewordenen Menschheit mehr denn je
als Einheit zu verstehen suchen. Die Frage nach der einen Stimme, nach
dem einheitlichen Zeugnis der Christenheit in der Welt von heute ist
unausweichlich gestellt, und damit auch die Frage nach Diensten innerhalb
der Kirche, welche dem Zustandekommen dieses einmütigen Zeugnisses
förderlich sind. Gerade dahin zielt der heute von vielen bevorzugte Begriff
des »Petrusdienstes«. Zugleich und ineins damit aber ist die Frage aufgeworfen, ob und in welchem Maße solches einmütige Zeugnis sich auch
sprachlich einheitlich artikulieren müsse, m.a.W. das Problem des Verhältnisses von Glaubenserfahrung/Glaubenszeugnis und Glaubensaussage.

Wäre etwa angesichts des kulturellen und religiösen Pluralismus in der einsgewordenen Menschheit ein einmütiges Zeugnis der Christen auch unter sehr verschiedenen Ausdrucksformen denkbar? Äußert sich der Minimalkonsens »*in necessariis*« propositional oder möglicherweise primär anders?

In dieser durch die Lage der gesamten Christenheit in der Welt aufgegebenen Problematik liegt ein Motiv, welches die Teilnahme des Nichtkatholiken an der katholischen Unfehlbarkeitsdebatte nicht nur legitimiert, sondern fordert.

2. Anknüpfungspunkte protestantischer Theologie für eine Teilnahme an der Diskussion

Beteiligt sich protestantische Theologie an der Debatte, so geschieht dies auf dem Hintergrunde eines konfessionellen Erbes. Ohne Anspruch auf Vollständigkeit seien hier drei wichtige Linien aus der Denk-Tradition protestantischen Glaubensverständnisses genannt, welche für die Unfehlbarkeitsdebatte relevant sind. Sie sind spezifisch, wenn auch nicht exklusiv, protestantisch. Es geht dabei jedesmal um das Verständnis von »*Wahrheit*« – welcher Begriff sich bis heute bereits deutlich genug als der eigentliche Schlüsselbegriff der Diskussion herausgestellt hat.

2.1 Das prozessuale Wahrheitsverständnis

Für Luther ist Evangelium primär *viva vox*, »ein Predigt und Geschrei von der Gnad und Barmherzigkeit Gottes . . ., ein mündliche Predigt und ein lebendig Wort, und ein Stimm, die da in die ganze Welt erschallet und öffentlich wird ausgeschrien, daß mans überall höret . . .« (WA 12,259,8). Die schriftliche Gestalt des Wortes ist demgegenüber sekundär; sie ist instrumental, zuhanden der eigentlichen Gestalt des Evangeliums, des mündlichen Wertgeschehens. Die Ankunftsweise des Evangeliums ist ein Strom des mündlichen Zeugnisses, geschehend zwischen Person und Person. So impliziert dieses reformatorische Evangeliums-Verständnis ein »prozessuales« Verständnis von Wahrheit. Wahrheit ist nicht ein statisches System »wahrer Sätze« über Gott und seine Absichten, sondern ein komplex-dynamisches Geschehen. Indem der Mensch von diesem Geschehen ergriffen wird, wird er von der Wahrheit erreicht. – Dieselbe Implikation hat der berühmte Satz am Anfang der reformierten *Confessio Helvetica Posterior*: »*Praedicatio verbi Dei est verbum Dei.*« Dies kann ja nicht gut so verstanden werden, als ob jeder einzelne Aussagesatz, den ein Prediger in einer

Predigt macht, als solcher eine Aussage Gottes selbst und insofern unbe-
streitbar richtig wäre. Vielmehr ergeht *im Geschehen* des mündlichen
Zeugnisses der Predigt, sofern diese an das Zeugnis der Propheten und
Apostel angeschlossen ist, Gottes eigene, gegenwärtige Anrede an die
Menschen (*». . . et loquitur adhuc nobis . . .«*). Nicht in den einzelnen
Sätzen, sondern im *Geschehen als ganzem,* als einem Strom des sach- und
auftragsgebundenen Zeugnisses, besteht die Gestalt der Wahrheit.

2.2 Das personale Wahrheitsverständnis

Es liegt nun genau auf der Linie dieser gemeinreformatorischen Implikation
hinsichtlich des Wahrheitsverständnisses, wenn E. Brunner »Wahrheit als
Begegnung« als eine biblische und für den christlichen Glauben und alles
christliche Reden konstitutive Grundkategorie explizit herausstellt. »Der
Glaube bezieht sich nicht auf ›etwas Wahres‹ – und wäre dieses Wahre ein
von Gott Gesagtes –, sondern er bezieht sich auf Gott selbst, wie er sich in
seinem Wort uns offenbart, uns gegenwärtig ist, uns anredet und von uns
die Antwort des Vertrauensgehorsams fordert. Umgekehrt ist uns von der
Erkenntnis der biblischen Grundkategorie aus gerade auch das Wesen der
Offenbarung und des Glaubens, die Rechtfertigung des Sünders, nach
ihrem wirklichen biblischen Sinn und ohne die Belastungen der orthodoxen
Tradition deutlicher geworden« (Wahrheit als Begegnung, 130). Biblische
Grundkategorie ist in dieser Sicht die »personhafte Korrespondenz zwischen Gott und Mensch«. In solcher Korrespondenz ereignet sich primär
»Wahrheit«. Der biblische Wahrheitsbegriff versteht Wahrheit nicht (primär) als Gegenstand objektiven Wissens, sondern als ein Sein in existentiel-
ler Begegnung, in Liebe, in Hingabe, in Gehorsam, als Korrelation zwischen Offenbarung als Selbsthingabe Gottes und Glauben als Annahme
dieser Selbsthingabe, und somit als personale Gemeinschaft. Zwar wird der
Versuch unternommen, das so verstandene Wort der Wahrheit, das sich
vom objektiv Wißbaren grundsätzlich unterscheidet, nachträglich auch in
ein positives Verhältnis zum Wißbaren, zur »Lehre« und zum »Lehrglau-
ben«, zu setzen. Doch ist dies Brunner nicht zureichend gelungen. Hier
liegt ein Hauptproblem dieses ganzen Ansatzes – ein Problem, das sich,
unter neuen Vorzeichen, bis in die aktuelle Unfehlbarkeitsdebatte erstreckt.

2.3 Das hermeneutische Wahrheitsverständnis

Es ist, wenn ich recht sehe, das Verdienst E. Jüngels, die Kernfrage der
Unfehlbarkeitsdebatte, die Frage nach der Funktion der »Satzwahrheit«, im
Horizont derjenigen Thematik lokalisiert zu haben, die seit Jahrzehnten das

protestantische Denken geprägt hat und – trotz einiger Rückfälle – heute noch prägt, nämlich im Horizonte des hermeneutischen Problems (vgl. Irren ist menschlich. Zur Kontroverse um Hans Küngs Buch ›Unfehlbar? Eine Anfrage‹, in: Unterwegs zur Sache, 189ff). Jüngel zitiert Heidegger: »Wahrheit ist nicht ursprünglich im Satz beheimatet« (204), sowie E. Fuchs und G. Ebeling mit ihrer Kategorie des Sprachgeschehens bzw. Sprachereignisses, welche eine von der propositional aussagbaren Form grundlegend verschiedene Erscheinungsweise von Wahrheit signalisiert. In der Tat liegt das Wahrheitsverständnis, zu welchem ein Verfolgen des hermeneutischen Problems im weitesten Sinne hinführt, auf einer Linie mit dem »prozessualen« und dem »personalen«, wenn auch hier noch einmal ein neuer Ansatz des Denkens zugrunde liegt. Die drei aus der älteren und jüngeren protestantischen Tradition aufgeführten Perspektiven zielen alle letztlich auf dieselbe gefragte Sache, welche indessen auch bis heute noch nicht hinreichend aufgehellt ist. Hier wäre überdies noch an H.-G. Gadamer anzuknüpfen, der die hermeneutische Fragestellung über den in der Bultmann-Schule erreichten Stand hinaus gefördert hat. Der geschichtliche Charakter der Wahrheit (der Wahrheit *selbst* und nicht nur ihrer Erkenntnis), der schon in dem bekannten Bultmann'schen Satze anklingt: daß zum geschichtlichen Ereignis *selbst* immer auch noch dessen Zukunft gehöre . . . – dieser geschichtliche Charakter der Wahrheit wird bei Gadamer durch sein ganzes Werk hin einläßlich und immer erneut bedacht. Obschon Gadamers Überlegungen sachlich die Fortsetzung der bei Bultmann aufgeworfenen hermeneutischen Frage darstellen, welche die theologische Diskussion tief geprägt hat, sind Gadamers neue Ansätze doch bisher in der Theologie, so weit ich sehe, erst unzureichend aufgenommen worden. Von hier aus wäre aber gerade für das Problem der Unfehlbarkeit *sive* »Verbindlichkeit«, sei's in seiner akuten römisch-katholischen, sei's in seiner umfassenderen ökumenischen Gestalt, vermutlich Wesentliches zu lernen. Das folgende Zitat mag in unserem Zusammenhang genügen: »Das Erstaunlichste am Wesen der Sprache und des Gespräches aber ist, daß auch ich selber nicht an das, was ich meine, gebunden bin, wenn ich mit anderen über etwas spreche, daß keiner von uns die ganze Wahrheit in seinem Meinen umfaßt, daß aber gleichwohl die ganze Wahrheit uns beide in unserem einzelnen Meinen umfassen kann. Eine unserer geschichtlichen Existenz angemessene Hermeneutik würde die Aufgabe haben, diese Sinnbezüge von Sprache und Gespräch zu entfalten, die über uns hinwegspielen« (Gadamer, in: Was ist Wahrheit?, Kleinere Schriften I, 58). Die Perspektivität, wesenhafte Unverifizierbarkeit, Standortbezogenheit und Dialoggebundenheit als Charaktere der Wahrheit selbst – und nicht bloß als Defizienzmerkmale ihrer Erkennbarkeit *quoad nos* – müßten, im Anschluß an diesen neuen hermeneutischen Anlauf bei Gadamer, auch von der Fundamentaltheologie weitergedacht werden. Davon wären neue Einsichten für die Unfehlbarkeitsproblematik zu erwarten.

3. Die Primatsfrage: Charisma oder ius divinum?

Bevor ich auf der Linie dieser drei Ansätze protestantischer Denktradition an die Kernfrage der katholischen Unfehlbarkeitsdiskussion herantrete, muß ein anders gelagertes Problem mindestens kurz beleuchtet werden, dem ich zwar vom Gesichtspunkt der Grundlagenproblematik protestantischer und ökumenischer Theologie her nicht dasselbe Gewicht beimesse, das aber im Gespräch der ökumenischen Gremien den größeren Raum eingenommen hat: die Primatsfrage. Im Sinne einer »Bilanz« läßt sich für die Diskussionslage, wie sie hier besteht, die – gewiß die Verzweigtheit der einzelnen Gesichtspunkte vereinfachende – doppelte Kurzformel aufstellen: Es geht in der bisherigen Diskussion über den Primat a) um die Frage einer möglichen oder wünschbaren Transformation, einer Änderung des »Wie« der Ausübung und Erscheinungsform, des bestehenden Primats des römischen Bischofs, b) um die Frage, ob der Petrusdienst als ein der Kirche in bestimmten Situationen notwendiges oder förderliches und ihr geschenktes Charisma betrachtet werden darf, oder ob er als ein durch göttliches Recht gestiftetes Wesensmerkmal der wahren Kirche verstanden werden muß, ohne welches die Kirche zu keinem Zeitpunkt als Kirche Christi im Vollsinne gelten kann.

Auf diesen doppelten Nenner kann die bisherige Diskussion gebracht werden. Die historischen Erörterungen über das Werden des Papsttums, und hier insbesondere der auffällige Gestaltwandel in der Person und im Pontifikat Johannes' XXIII., zielen mehr auf den ersten Teilaspekt, die Transformation. Die Erörterungen über die neutestamentliche Begründung und die Überlegungen zur kirchensoziologischen Funktion des Petrusdienstes als Kommunikationszentrum in einer sich wandelnden Menschheit und Christenheit zielen mehr auf den zweiten Teilaspekt. Unter den römisch-katholischen Gesprächsteilnehmern ist ein Konsens im Wachsen: daß tiefgreifende Transformationen des Primates des Bischofs von Rom möglich, wünschbar, ja geboten seien. Unter den Gesprächsteilnehmern aus der übrigen Ökumene ist ein Konsens im Wachsen: daß in einer sich immer mehr zur Einheit verdichtenden Menschheit ein oberstes Leitungs- und vor allem Schlichtungsamt der Gesamtchristenheit denkbar und sinnvoll, ja durch die Situation vielleicht eines Tages notwendig sei.

So sieht z. B. der Reformierte L. Vischer einen künftigen Petrusdienst als

Dienst an der unabweislichen Aufgabe einer weltweiten »konziliaren Praxis« aller Kirchen. Der Orthodoxe P. Evdokimov spricht von einem »Universalprimat« als »Mittelpunkt der Einmütigkeit aller Kirchen, der tätigen Sorge für die Einheit des Glaubens«, der Anglikaner A. Allchin von einem »Mittelpunkt der Einheit . . ., um den sich alle sammeln können«. Der Lutheraner Harding Meyer spricht im Anschluß an Melanchthon von einer dem Worte Gottes unterstellten Primatsfunktion *iure humano*. Ich selber habe 1963 von der universalen Lehramtsfunktion als einem »regulativen Prinzip« im weltweiten theologischen Gespräch und vom Inhaber des Petrusdienstes als einem Hirten und »Seelsorger aller Theologen« gesprochen, der für den Prozeß des theologischen Gesprächs gewisse Richtlinien geben kann. In den Thesen der »Internationalen Altkatholischen Theologentagung zur Frage des Primats« ist die Rede von einem Petrusamt, das – ohne formelle Rechtskompetenz – durch eigene Initiativen in Entscheidungslagen gemeinsame Entscheidungen der Christen anbahnt. Besonders deutlich wird diese gemeinsame Tendenz bei O. Cullmann zum Ausdruck gebracht, welcher den Petrusdienst als einen charismatischen Dienst an der Einheit der Christenheit versteht, als Charisma der Respektierung und Bewahrung der Charismata der einzelnen Kirchen und der Verteidigung der Autonomie der Kirche gegen Unterwerfungstendenzen von seiten weltlicher Mächte (auch von Mächten, die als »Moden« der Säkularisierung aus dem Innern der sichtbaren Kirche selbst aufsteigen).

Natürlich hängen die beiden Frageaspekte auch wieder miteinander zusammen. Wenn von Nichtkatholiken konzediert werden kann, daß das Petrusamt als charismatischer und seelsorgerlicher Dienst in bestimmten geschichtlichen Epochen, wie der unsrigen, der Kirche nottut, so impliziert ja diese Konzession auch die Forderung nach einem Gestaltwandel dieses Amtes: nach einer radikalen Ersetzung monarchischer durch diakonische Züge. Hier kommt der sich anbahnende innerkatholische mit dem sich anbahnenden außerkatholischen Konsens zur Deckung. Unterscheidender Punkt bleibt schließlich noch die Frage des *ius divinum* – *ius humanum*. Der soeben zitierte Harding Meyer sieht, wie auch der bekannte Bericht über die lutherisch-katholischen Gespräche in den USA 1974, auch hier noch Möglichkeiten einer Überbrückung des Gegensatzes. Die Frage wird aufgeworfen: Sind *ius humanum* und *ius divinum* überhaupt brauchbare Kategorien für die Diskussion dieses Problems? Oder genügt es im Blick auf die Substanz der Sache, sich darauf zu einigen, daß es beim Petrusdienst einerseits nicht um eine Erfindung menschlicher Willkür, andererseits aber auch nicht um eine starre und dem geschichtlichen Wandel entzogene Rechtsnorm geht? So klingt auch dieser Gesprächssektor bisher in einer fundamentaltheologischen Kategorienproblematik aus. Trotz allen Konsensen und Konvergenzen dürfte von vorneherein und als Grenzlinie des ganzen Gesprächs feststehen: daß die nicht mit Rom verbundenen Kirchen sich ihre Identität als Kirche Jesu Christi, als Volk Gottes im vollen Sinne, nicht mit dem Argument streitig machen lassen, daß bei ihnen der Petrusdienst gefehlt habe und noch fehle. Sollen die sich anbahnenden Konvergenzen einst fruchtbar werden und zu realen kirchlichen Lösungen führen können, so gilt es theologisch eine Mittelkategorie zu finden, welche Verbindlichkeit ohne die Gestalt einer überzeitlich gültigen Rechtsnorm zu denken erlaubt.

4. Dreifacher Konsens in der Unfehlbarkeitsfrage

Schlüsselfrage der Infallibilitätsdebatte ist das fundamentaltheologische Problem: was der Begriff »Wahrheit« im theologischen Horizont bedeuten kann. Die Frage ist *mutatis mutandis* im protestantischen Denken nicht weniger brennend als im katholischen. Darum gilt es nun, die Ansätze aus protestantischer Denktradition, wie wir sie aufgezeigt haben, auf die katholische Debatte anzuwenden. Dies geschieht nicht in der Meinung, daß diese Ansätze katholischem Denken von Hause aus fremd wären. Tendenzen des Personalismus im neueren katholischen Denken zeigen das Gegenteil. Doch liegt hier zweifellos eine starke Verankerung in der protestantischen Überlieferung vor, und so gilt es denn, auf dieser Linie, die ein den Konfessionen gemeinsames Anliegen markiert, gemeinsam weiter zu denken. Denn die Linie ist noch nicht ausgezogen. Das »prozessuale«, personale und hermeneutische Wahrheitsverständnis ist noch nicht zu Ende gedacht. Und dies zeigt sich in gewissen Schwächen der bisherigen Unfehlbarkeitsdebatte.

Versuchen wir, weiter zu denken, so können wir auf den bereits bestehenden Konsensen aufbauen. Diese existieren trotz eines wesentlichen Dissenses und Strukturunterschieds zwischen katholischem und protestantischem Denken: Katholisches Denken ist gekennzeichnet durch das Prinzip des Weiterinterpretierens, protestantisches durch das Prinzip der Korrektur. Im katholischen Denken dominiert der Grundsatz der Irreformabilität: Die Tradition muß zwar entsprechend der hermeneutischen Aufgabe je neu interpretiert, sie darf aber nie widerrufen werden. Im protestantischen Denken dominiert der Grundsatz »Ecclesia semper reformanda«: Alle Tradition wird kritisch betrachtet im Rückgriff auf das letzte Kriterium, die Heilige Schrift. Damit soll nicht verwischt sein einerseits, daß der Grundsatz »Ecclesia semper reformanda« auch im katholischen Raum seinen Platz findet, wie H. Küng in einem frühen Vortrag dargetan hat, andererseits daß es auch im protestantischen Raum das Irreformable gibt, nämlich den

Kanonentscheid. Dennoch besteht, was das Verhältnis zur Tradition anbelangt, jener konfessionsspezifische (nicht notwendig konfessions-trennende!) Strukturunterschied. Was O. H. Pesch »das für ›Maximalisten‹ in Sachen unwiderrufliches Dogma wohl konsternierendste Beispiel« für einen Auslegungswandel nennt (Fehlbar?, 260), nämlich die Neuinterpretation des Grundsatzes »*Extra Ecclesiam nulla salus*« im Boston Heresy-Case und im II. Vatikanum, wäre nach protestantischem Stil des Umgangs mit der Tradition keine Neuinterpretation mehr, sondern schlicht ein Widerruf. (Und wenn H. Küng postuliert, daß in solchen Fällen ehrlicherweise eher von Irrtümern der Vergangenheit gesprochen werden müßte, so denkt er in diesem Punkte entsprechend dem protestantischen Muster.) – Trotz dieses Strukturunterschieds gibt es einen dreifachen Konsens:

4.1 Der Konsens hinsichtlich der Indefektibilität

Ein wichtiger Topos in der Unfehlbarkeitsdiskussion liegt im wiederholten Hinweis, daß laut der vatikanischen Definition die Unfehlbarkeit eigentlich primär der *Kirche als solcher* eigne. Über diesen Punkt besteht im katholischen Lager Einmütigkeit. Strittig ist nur die Art der Konkretisierung dieser Unfehlbarkeit der Kirche im Amt des Papstes. Doch darf man hinsichtlich der Infallibilität – in der Debatte häufig präzisiert als Indefektibilität – der Kirche als ganzer auch einen *ökumenischen* Konsens behaupten. Daß die Kirche im ganzen nie endgültig aus der ihr anvertrauten und aufgetragenen Wahrheit des Evangeliums fallen kann, ist ein Glaubenssatz. Dieser ist auch in einer protestantisch geprägten Glaubenshaltung impliziert. Es ist ja doch immer Gott selber, der sich die Hörer Seines Wortes erweckt. *Verbum Domini manet in aeternum:* aber das Wort ist nicht Wort ohne seinen Adressaten, den es tatsächlich erreicht und bei dem es zum Ziele kommt. Darum wird es immer eine Gemeinde der Gottes Wort wahrhaft Hörenden geben.

4.2 Der Konsens hinsichtlich der Geschichtlichkeit der Wahrheit

Daß auch da, wo die Kirche letztverbindlich und insofern »endgültig« die Wahrheit bezeugt, ihre Lehraussagen in die Geschichte eingebettet und insofern standortbedingt, unvollständig, möglicherweise von »Irrtümern« umgeben und auf jeden Fall der weiteren Interpretation bedürftig bleiben – dies dürfte auch in der innerkatholischen Diskussion der Theologen kaum von einem ernsthaften Gesprächsteilnehmer bestritten werden. Für protestantisches Problembewußtsein ist es selbstverständlich. Strittig bzw. fraglich bleibt, inwiefern, in welcher Form, sich inmitten solcher unvermeidlichen geschichtlichen Vieldeutigkeit Letztgültigkeit artikulieren kann.

4.3 Der Konsens hinsichtlich der Notwendigkeit letztverbindlichen Redens

H. Fries will das »mißverständliche Wort« Unfehlbarkeit durch Letztverbindlichkeit ersetzen. Von dieser neuen Bedeutungsnuance her sieht sich auch der Protestant unmittelbar angesprochen, und er kann sich seinerseits nicht um das Eingeständnis drücken: daß es ein letztverbindliches Reden der Kirche geben können muß. Dazu ein aktuelles Beispiel: Es zieht sich heute durch die Christenheit (verschiedener »Konfessionen«) eine große Front. Ich möchte sie – etwas vergröbernd – als den Gegensatz zwischen einem »inklusivistischen« und einem »exklusivistischen« Christentum verstehen. Es stehen auf der einen Seite die, welche – ohne den Ernst der Glaubensentscheidung zu verharmlosen – mit dem allgemeinen Heilswillen Gottes rechnen und aus diesem Grunde einen Dialog mit andersdenkenden Menschen für sinnvoll, ja geboten halten. Ihnen ist darum in der eschatologischen Perspektive auch die irdische Zukunft der Menschheitsfamilie ein unabdingbares Anliegen. Es stehen auf der andern Seite der Front diejenigen, welche sich im exklusiven Besitz der heilbringenden Wahrheit – in der Gestalt einer inerranten Schrift oder Tradition – wissen. Für sie wird der Dialog belanglos; sie ersetzen ihn durch die Forderung nach bedingungsloser Bekehrung. Konsequenterweise muß für sie die irdische Zukunft der Menschheit bedeutungslos werden vor dem als nahe erwarteten Gericht, als dem Zeitpunkt der Scheidung, wo die Zweiteilung der Menschheitsfamilie offenkundig wird.

Diese Front zwischen gegensätzlichen Grundhaltungen ist entscheidungsträchtig. Sie kann jederzeit und an jedem Ort zu einem akuten *status confessionis* führen, wo dann letztverbindlich gesagt werden muß, wie Jesus Christus verstanden wird, und welche Grundhaltung der Sache Jesu Christi entspricht, welche nicht. (Das II. Vatikanum hat auf seine Weise, nicht anathematisierend, sondern positiv explizierend, schon entschieden.) – Ich könnte nun auch als protestantischer Theologe nicht zugeben, daß solches letztverbindliche Reden im Namen der Kirche »fehlbar« sei, daß ich mich als Bekennender mit dem Hintergedanken tragen müsse, es könnte eventuell doch die Gegenseite recht haben oder die Kirche als ganze könne später der Gegenseite Recht geben.

Indes bleibt auch hier der Vorbehalt der Geschichtlichkeit. Man wird z. B. konzedieren, daß diese Entscheidungsfrage möglicherweise in früherer Zeit *so* nicht bestanden hat. Sie dürfte mit der Unifizierung der Menschheit zusammenhängen. Oder es mag ein zweites Beispiel als Kontrast veranschaulichen, daß die Pflicht zum letztverbindlichen Zeugnis geschichtsbedingt ist: Es gibt im protestantischen Raum nicht wenige Theologen, die an keine Existenz der menschlichen Person jenseits des Todes glauben. Im katholischen Raum wäre eine solche Position als klar häretisch zu bezeichnen (auch wenn andererseits gerade von katholischer Seite luzid dargetan wurde, daß die Existenz der Person jenseits des Todes nicht als zeitliches »Weiterexistieren« zu denken ist). Ich sehe nun aber gegenüber dieser Position heute keinen Anlaß zu einem letztverbindlichen Reden, zu einem Gegenbekenntnis, welches dann faktisch den Dialog mit bestimmten Theologen abbrechen würde. Insofern ist die Situation hier anders als beim ersten Beispiel. (Dies ist meine persönliche Beurteilung, und es dürfte sich hier eine signifikante Differenz zum üblichen katholischen Umgang mit »Häresien« zeigen.) Durch ein exklusivistisches Bekehrungschristentum wird die Sache Christi in unserer Weltstunde verraten oder doch entstellt; durch die Leugnung einer nachtödlichen Existenz noch nicht. Ich kann allerdings nicht vorgreifend ausschließen, daß auch das zweite Thema in einer von mir nicht absehbaren künftigen geschichtlichen Situation zum Gegenstand eines *status confessionis* werden könnte.

5. Die offene Frage: der ungeklärte Wahrheitsbegriff

Nicht dies ist nach dem Gesagten die vordringlichste Frage: wer denn nun zu solchem letztverbindlichen Reden, um das die Kirche zugestandenermaßen nicht herumkommt, befugt sei – der Papst, ein Konzil, eine regionale Synode, ein »überkonfessionelles« Gremium, eine freie Vereinigung von Christen oder auch ein einzelner Christ und Theologe. Nicht nach dem formalen Kriterium *a priori,* der formalen Kompetenz für solch letztverbindliches Reden muß zuerst gefragt werden. Vordringlich ist vielmehr die andere Frage: Sind solche Äußerungen eines letztverbindlichen Redens überhaupt *Aussagen?* Haben sie propositionalen Charakter? Sind sie »Sätze«, die im Prinzip wahr oder falsch sein können wie alle andern Sätze über alltägliche Dinge? – In der Tat liegt die Sprachform des Aussagesatzes vor. Und in der Tat gibt es im Raume solcher Sätze das »absolut Bejahbare« (Rahner) und auch Verneinbare.
Aber führt vielleicht die Sprachform hier in die Irre? Wenn mir Vertreter eines exklusivistischen Bekehrungschristentums den Satz entgegenhalten: »Das Jüngste Gericht steht bald bevor«, so gilt mein absolutes Verneinen nicht diesem Satz als solchem (dazu hätte ich von einem biblisch informierten Glauben her schon gar keinen Anlaß), sondern es gilt einem *komplexen*

Kontext von Grundhaltung, die sich z. B. in der Betonung gerade dieses Satzes in einer bestimmten Situation ausdrücken kann.

Die Schwerpunktfrage der bisherigen Unfehlbarkeitsdiskussion, nämlich wie sich das »Bleiben in der Wahrheit« zu den »Satzwahrheiten« verhalte, muß weitergezogen werden bis zu der Frage: *was für eine Art von Sätzen* denn diejenigen »absolut bejabaren oder verneinbaren« Sätze sind, die hier zweifellos müssen auftreten können, wenn in der Kirche letztverbindliches Reden möglich sein soll. Oder dasselbe anders ausgedrückt: um was für eine Art von *Wahrheit* geht es? Keineswegs genügen kann es, daß man bestimmte Arten von Wahrheit als von vorneherein gültig definiert voraussetzt (z. B. »Seinswahrheit« und »Satzwahrheit«) und die Frage dann darauf reduziert, das Verhältnis zwischen ihnen zu bestimmen (z. B.: daß »Seinswahrheit« ohne »Satzwahrheit« möglich sei oder aber nicht). Vielleicht liegt hier eine Schwäche der bisherigen Debatte, indem man sich zwar nachdrücklich um jene Verhältnisbestimmung bemüht, die umfassendere Frage nach dem Wesen der Wahrheit selbst indessen kaum gestellt hat. Dabei versteht sich von selbst, daß die theologische Auseinandersetzung um eine akute Frage wie die päpstliche Unfehlbarkeit nicht einfach zuwarten kann, bis auf die umfassendere philosophisch-fundamentaltheologische Frage eine klare und allgemein befriedigende Antwort gefunden ist ... Indessen könnten doch schon einige weitere Schritte auf dem Wege der Wesensfrage hilfreich sein, um die anstehenden theologischen Kontroversen weiter zu erhellen.

Besonders scharf scheint mir diese Situation bei K. Rahner erkannt zu sein, wo er feststellt, daß eine befriedigende »Theorie des Irrtums« bisher eigentlich fehle: »Nun muß man natürlich zugeben, daß eine der geschichtlichen Erkenntnis von heute und ihrer Problematik *wirklich genügende* Theorie darüber, wie Irrtum einerseits und geschichtliche Endlichkeit, Inadäquatheit und Mißverständlichkeit eines menschlichen Satzes anderseits genau unterschieden werden können, nicht zur Verfügung steht ...« Rahner spricht hier von einem »bedauerlichen Ungenügen theologischer Gnoseologie und Hermeneutik« (Zum Problem der Unfehlbarkeit. Antworten ..., 38f). Dazu dann Rahner selbst: Trotz solchen Ungenügens gibt es in der Kirche eben doch wahre Sätze. Und dazu Küng: Trotz solchen Ungenügens in gnoseologischer Hinsicht steht eben doch fest, daß es in der Kirche Irrtümer (auch im Dogma) gibt. Beide sehen das Schlüsselproblem, wollen es aber offenbar im gegenwärtigen Zusammenhang nicht weiter verfolgen.

Nun stellt der Begriff des Irrtums kein separates Problem dar. Das Problem des Wesens des Irrtums ist identisch mit dem des Wesens der Wahrheit. Ist nicht hinreichend aufgehellt, was mit Irrtum gemeint ist, so ist auch nicht hinreichend aufgehellt, was mit Wahrheit gemeint ist. Sätze wie über das »Bleiben der Kirche in der Wahrheit«, über die »Hierarchie der Wahrheiten« usw. hängen dann, so sehr »wahr« und nützlich sie instrumental und als Gedankenstufen sind, in einem letzten Sinne noch in der Luft. Sie bleiben in einem entscheidenden Punkte klärungs-, interpretationsbedürftig – und zwar dies *heute,* zuhanden der heute anstehenden Fragen (und nicht erst in Zukunft, in gewandelter Gesprächslage, in dem allgemeinen Sinne, wie eben *alle* Sätze zur Zukunft hin geöffnet und interpretationsbedürftig sind). Hier scheint mir der Punkt zu sein, wo die Diskussion vertieft weitergehen muß.

Und nun wird man hier den Verdacht nicht los, daß, trotz gelegentlicher gegenteiliger Beteuerungen, das die Auseinandersetzung leitende Verständnis von Wahrheit *de facto* immer noch der alte Begriff von »*adaequatio intellectus ad rem*« ist. Nicht ausdrücklich, aber faktisch den Gedankengang steuernd liegt dieses Verständnis zugrunde. Oder was soll der Irrtum sonst bedeuten, den es z. B. nach Küng trotz eines grundsätzlichen Bleibens in der Wahrheit in der Kirche eben doch gibt? Oder was die »Satzwahrheit«, die es z. B. nach Rahner trotz Irrtümern und Zweideutigkeiten etc. in der Kirche eben doch geben können muß, wenn die Kirche als ganze »in der Wahrheit bleiben« soll? Ein Beispiel: »Wie man von einer wahren ›ungegenständlichen‹ Gotteserfahrung sprechen kann, die sich unter Umständen in irrigen Sätzen objektiviert, so von einer wahren ›ungegenständlichen‹ ethischen Grundentscheidung, die sich in unter Umständen irrigen Sätzen durchhält« (Küng in der Auseinandersetzung mit Rahner; Fehlbar?, 45). Was sind hier »irrige Sätze«, in denen sich eine nichtsdestoweniger »wahre Erfahrung« ausspricht? Wie soll man diese Verwendung von »irrig« erklären außer durch ein stillschweigendes, unbewußtes Nachwirken der alten *adaequatio*-Definition? Das beiderseitige Anliegen, gewiß, ist verständlich: Es gibt in der Geschichte der Kirche Irrtümer, auch in schwerwiegenden Fragen, die man später in aller Ehrlichkeit als solche erkennen, bezeichnen und dann zurücknehmen sollte (so Küng). Und: Es gibt in der Kirche die Notwendigkeit, grundlegende Entscheidungen hinsichtlich der Sache Christi in Sätzen (wie denn sonst?) auszusprechen – Sätzen, von denen man nicht gleichzeitig sagen kann, sie könnten auch irrig, unwahr, sein (so Rahner). Aber wo ist ein neues Instrumentarium, um diese beiden Anliegen (die ich als protestantischer Theologe beide teilen kann) gleichzeitig zu wahren? Ein solches neues Instrumentarium, in Gestalt eines vertieften Wahrheitsbegriffs, scheint mir bisher in der Debatte noch nicht aufgetaucht zu sein, und stattdessen rekurriert man unausdrücklich auf die alte Definition, die indessen im Raume religiöser Wahrheiten niemals genügen kann. Mehr als das: Im Mechanismus des Unfehlbarkeitsbegriffs selbst scheint mir eine Neigung zur *adaequatio*-Definition zu liegen. Denn wer oder was ist eigentlich unfehlbar? Von Verschiedenen wurde betont: Nicht die Sätze als solche sind unfehlbar, sondern für die Instanz, welche die Sätze ausspricht, wird Unfehlbarkeit beansprucht. Wird gelegentlich gesagt, nur Gott allein bzw. nur die Wahrheit selbst sei unfehlbar, so mag dies an seinem Ort einen guten Sinn haben, liegt aber doch etwas ab von der mit der Unfehlbarkeitsdefinition berührten Problematik: In dieser geht es doch um eine menschliche Instanz, die aller menschlichen Irrtumsfähigkeit zum Trotz in bestimmten Fällen und mit bestimmten Sätzen unfehlbar das Richtige trifft. Die Äußerungen des außerordentlichen päpstlichen Lehramtes mögen wie alle menschlichen Aussagen unvollständig sein, später erneuter und weiterführender Erläuterungen bedürftig usw., aber sie sind keinesfalls unrichtig. Sie treffen nicht neben den »wahren Sachverhalt«. Der hier implizierte Wahrheitsbegriff versteht Wahrheit als Richtigkeit.

Nun dürfen wir wohl davon ausgehen, daß in der vatikanischen Unfehlbarkeitsdefinition kein philosophisches Wahrheitsverständnis zwingend mitdefiniert ist. Und so bleibt der Raum doch offen für Diskussionen, die ein andersgeartetes Wahrheitsverständnis anzielen.

6. Öffnungen in der Unfehlbarkeitsdiskussion selbst auf ein neues Wahrheitsverständnis hin

Die Unfehlbarkeitsdebatte ist somit einerseits noch untergründig von jenem landläufigen Wahrheitsverständnis beherrscht, andererseits aber ist in ihr schon ein Trend spürbar, von ihm loszukommen. Dafür gibt es Symptome und Belege in verschiedenen Voten, auf die ich noch hinweisen werde. Indessen liegt auch schon in der vatikanischen Definition selbst ein zentrales Element, das geeignet wäre, die Brücke zu einem neuen Wahrheitsverständnis zu schlagen. Es ist dies der Begriff *»irreformabilis«*, welcher die Spitze der ganzen Aussage bildet. Die Definitionen des Papstes *ex cathedra* sind irreformabel. Es muß nun zwar unterstellt werden, daß *»irreformabilis«* faktisch durch *»infallibilis«*, d. h. durch »infolge des dem Amte verheißenen göttlichen Beistandes zweifelsfrei *richtig«* interpretiert wurde. Der Wortlaut aber sagt nur: die Definitionen sind *unwiderruflich*, und zwar weil der Papst mit *derjenigen* Unfehlbarkeit ausgestattet ist, welche nach dem Willen des Erlösers die Kirche als solche kennzeichnen soll. Die *Art* dieser Unfehlbarkeit selber ist im Wortlaut nicht definiert. Heute scheint es *communis opinio* der Theologen zu sein, daß die Lehrentscheide des Papstes (»zweifelsfrei nicht in die Irre führend und daher unwiderruflich« – so weit dies konzediert wird) dennoch keineswegs »endgültig eindeutig *richtig«*

genannt werden können, sondern für neue Interpretationen und ein *besseres* Sagen dessen, was gesagt sein soll, offen bleiben. Dies dürfte auch von den Verteidigern der vatikanischen Definition akzeptiert sein. Damit sagt dieser Konsens m.a.W.: Die Unfehlbarkeit des Petrusamtes muß von der Unfehlbarkeit der Kirche her, nicht aber die Unfehlbarkeit der Kirche von einer vorwegnehmend auf die *adaequatio*-Definition festgelegten Unfehlbarkeit des Petrusamtes her verstanden und interpretiert werden. Weil nun aber die *Art* der Unfehlbarkeit der Kirche als ganzer noch eine offene Frage ist, darum muß sich von daher allmählich auch der Begriff der Unfehlbarkeit des Papstes aus der Umklammerung durch die traditionelle Wahrheitsdefinition lösen.

Nun ist zu bedenken, daß der Spitzenbegriff *»irreformabilis«* eigentlich eine Dialog-Anweisung signalisiert: *Man soll* im fortgehenden Dialog der Kirche und ihrer Theologie etwas Bestimmtes *nicht tun,* nämlich die Definitionen des obersten Lehramtes der Kirche widerrufen. Darum, wenn man all das offen läßt, was laut einem weitgehenden Konsens der katholischen Theologen tatsächlich offen ist, sagt die vatikanische Definition der Unfehlbarkeit das folgende: »Weil die – in ihrem Gehalt noch genauer zu klärende – Unfehlbarkeit der Kirche sich – in einer noch zu klärenden Weise – im päpstlichen Lehramt verdichtet, sollen bestimmte Äußerungen dieses Lehramtes nie widerrufen werden.«

So verstanden öffnet der Begriff *»irreformabilis«* einen neuen Horizont. Indem er eigentlich eine Dialog-Anweisung darstellt, verweist er uns auf den Bereich des Dialogs und bringt uns vor die Frage: ob nicht überhaupt der hier auf dem Spiel stehende Begriff der Wahrheit viel eher vom Phänomen des Dialogs her verstanden werden sollte als von der Konstruktion eines »wahren Sachverhalts« her, den der Intellekt sollte abbilden können. Genau hier ist nun m. E. auch der Punkt, wo protestantische Denktradition mit ihrem prozessualen, personalen und hermeneutischen Wahrheitsverständnis einfließen und sich mit dem Strom der neueren inner-katholischen Diskussion verbinden kann.

Unter den katholischen Gesprächsteilnehmern zeigen sich denn Anzeichen des Tendierens auf einen vom Dialogphänomen her zu verstehenden Wahrheitsbegriff. So wenn z. B. H. Fries »Unfehlbarkeit« durch »Letztverbindlichkeit« ersetzt. Letztverbindlich bedeutet eine bestimmte Art des Sprech-Aktes im Miteinander-Reden, im Dialog. Durch den Begriffsaustausch wird somit ein Horizontwechsel vollzogen vom traditionellen zu einem neuen Wahrheitsverständnis. Ähnliches gilt für die Äußerung M. Löhrers, wo er »das gemeinsame Grundanliegen dieser Theologen« (sc. die gegen H. Küng die Infallibilität verteidigen) so zusammenfaßt: ».. . daß die Grundausrichtung des früheren Dogmas auch in einer Neuformulierung zu bewahren ist, wenn die Aussage vom Bleiben der Kirche in der Wahrheit einen Sinn haben soll« (Fehlbar?, 96). Löhrer fügt dann sogleich bei: Worin solche »Grundausrichtung« im einzelnen Fall bestehe, bleibe dann immer noch eine offene, zu diskutierende Frage. Der Begriff »Grundausrichtung« suggeriert die Vorstellung eines *Vektors im dynamischen Prozeß* eines Dialogs, ganz im Unterschied zu »unfehlbarer Richtigkeit«, womit die Vorstellung eines *statischen Abbildes* nahegelegt wird. Das gleiche gilt wiederum für W. Kasper, der »die Wahrheit des einzelnen Satzes« nur im Zusammenhang der Geschichte, eines »lebendigen Interpretationsprozesses« aller dogmatischen Sätze sehen kann, in einem »Strom« der Geschichte, in welchem der einzelne Satz gleichsam »mitschwimmt«.

Die Beispiele wären zu vermehren. Es scheint, daß sich die katholischen Theologen, welche sich auf dieser Linie mit Küngs Anfrage auseinandersetzen, einerseits nicht begnügen mit einem *pauschalen* Reden von der Indefektibilität der Kirche in der Wahrheit im ganzen, sondern dieses »Bleiben« ausdifferenzieren und konkretisieren wollen bis ins Reden der Kirche im einzelnen hinein – welches Reden sich eben nicht anders denn in Sätzen vollziehen kann, Sätzen, die dann nicht ebenso gut wahr wie falsch sein können. Andererseits sind diese Theologen im Begriff, vom Verständnis der Wahrheit als Richtigkeit, welches tendenziell das Infallibilitätsdogma beherrscht, abzuspringen. Mit diesem Absprung modifizieren sie die Infallibilitätsdefinition, auch wenn sie sie explizit gegen Küng verteidigen.

Zur Verstärkung dieser Sicht kann vor allem auch das Modell des *Wahrheitszeugnisses der Bibel* dienen: Es dürfte allmählich Übereinstimmung darin herzustellen sein, daß die Bibel nicht in einzelnen Sätzen, unfehlbaren Lehren, die Wahrheit Gottes vorlegt (wobei dann ein großer Selektionsprozeß vonnöten wäre: Welche Aussagen der Bibel sind »unfehlbar«, sind »Gottes Wort«, welche sind es nicht?), sondern daß der Überlieferungsstrom als ganzer »spricht«, daß er als ganzer eine bestimmte, unverwechselbare »Aussage« macht, ein reich gegliedertes, aber doch in der Grundtendenz einheitliches Kerygma verkündet. Dieses Reden der Überlieferung als ganzer geschieht wohl in Sätzen, wobei es zentralere und peripherere Satzzusammenhänge gibt, aber es läßt sich doch nicht auf ein System von Sätzen fixieren. Das Reden des biblischen Überlieferungsstromes ergeht viel eher als ein spannungsreiches Zusammenklingen von Stimmen, die einander antworten, als ein komplexer Dialog. Diese Tatsache, daß die »Aussage« der Bibel nur in diesem Gesamtprozeß zu vernehmen ist, schließt aber doch nicht aus, daß im einzelnen oft mit letzter Entschiedenheit geredet wird.

Wahrheit, um die es im Glauben geht – wie auch überhaupt Wahrheit, um die es im Alltag des Existierens geht –, ist von solcher Art, daß sie sich überhaupt nicht als erkennbarer (oder doch in Annäherung erkennbarer) »wahrer Sachverhalt« fassen läßt. Sie läßt sich aber fassen als Dialog – »Dialog« verstanden im weitesten Sinne: als »Begegnung« (also nicht nur verbal). In der Idee des Dialogs sind beide Ebenen, die des Redens, der Sätze, und die des *Seins* in Begegnung, von vornherein miteinander verklammert. (»Seinswahrheit« und »Satzwahrheit« müssen also nicht noch künstlich addiert werden.)

Dies sei hier als Arbeitshypothese auf dem Hintergrund prozessualen, personalen und hermeneutischen Wahrheitsverständnisses in die Unfehlbarkeitskontroverse eingebracht. Ich stütze mich auf Perspektiven wie bei Gadamer: »Daß die praktische Lebenserfahrung eines jeden von uns diesen Rückgriff [sc. hinter die Art von Wissen und Wahrheit, mit welcher objektivierende Wissenschaft umgeht] ständig vollzieht, bedarf keiner Betonung. Man kann immer darauf hoffen, daß ein anderer das einsieht, was man für wahr hält, auch wenn man es nicht beweisen kann. Ja, man wird sogar nicht immer den Weg des Beweisens als den rechten Weg ansehen dürfen, wie man einen andern zur Einsicht bringt. Die Grenze der Objektivierbarkeit, an die die Aussage ihrer logischen Form nach gebunden ist, wird von uns allen je und je überschritten. Wir leben ständig in Mitteilungsformen für solches, was nicht objektivierbar ist, die uns die Sprache, auch die der Dichter, bereitstellt« (Was ist Wahrheit? in: Kleine Schriften I,51). Eine andere Erörterung, welche dieselbe Erfahrung mit Wahrheit zum Ausdruck bringt, ist das aus dem Konzilserlebnis entstandene »Kleine Fragment ›Über die kollektive Findung der Wahrheit‹« von K. Rahner (Schriften VI, 104ff). Rahner formuliert dort: daß (z. B.) in der exakten Wissenschaft »der Gegenstand nicht im Gespräch als solchem existiert«. Demgegenüber gilt (z. B.) für die Theologie: »daß es zu findende Wahrheiten gibt, die nur im Vorgang der kollektiven Wahrheitsfindung gegeben sind, nur hierin selbst zum Vorschein kommen«. »Denn das Gespräch, dessen Gegenstand hier gemeint ist, geht um den Menschen selbst.« Man muß auf dieser Linie noch weiter denken: Nicht nur kommt diese Art von Wahrheit ausschließlich im Prozeß des Dialogs zum Vorschein, sondern die Wahrheit, um die es geht, ist überhaupt nicht außerhalb des Gesprächs als ein »objektiver Sachverhalt« vorhanden. Gewiß ist Gott in der Fülle Seines Heilswillens nicht in unsern bewußt geführten zwischenmenschlichen Dialog konfiniert, aber außerhalb desselben ist Er nicht da als »objektiver Sachverhalt«, sondern als der seinerseits »dialogisch« (anredend) Begegnende. Die Wahrheit Gottes selbst ist also ein Begegnungs- und Dialoggeschehen, und unser theologischer Dialog, unser Reden in Dogmen und über Dogmen, ist nur ein kleiner Bereich des Dialogs innerhalb des größeren Raumes des Dialogs der Heilsgeschichte selber.

Auf der Linie einer neuen Verhältnisbestimmung von Wahrheit und Wahrheitserkenntnis mag auch das Modell des Kusaners nützlich sein von der Inkommensurabilität, die zwischen unserm endlichen Geiste und der unendlichen Wahrheit Gottes herrscht – Inkommensurabilität, die uns nur ein Erkennen der Wahrheit in »Konjekturen« erlaubt. Dabei sind die Cusanischen Konjekturen aber nicht etwa beliebige Vermutungen. Sie weisen sozusagen in die Richtung der unendlichen Wahrheit, bedeuten bereits Partizipation des endlichen Geistes an der Wahrheit. Sie sind wie angefangene Wege hin zur Wahrheit. Sie können weiterbeschritten, verbessert, vertieft werden. Konjekturen sind somit niemals »richtige Sätze«, aber sie zielen, insofern in ihnen Teilhabe an der Wahrheit ist, gewissermaßen in der rechten Richtung. In der Richtung nun nicht auf ein asymptotisch anzunäherndes präzises Erkennen des »wahren Sachverhalts«, das sich dann in einem endgültig richtigen Satz aussprechen ließe, sondern auf das lebendige (letztlich eschatologische) Begegnen mit der lebendigen Wahrheit Gottes selbst. In einer Richtung, so könnte man es wohl erläutern, die ein fruchtbares Weiterschreiten und vertiefendes Aneignen der begegnenden »Sache« gewährt.

Schließlich mag uns auf dem hier angetretenen Pfade auch eine Besinnung auf die beiden biblischen Worte für »Wahrheit« helfen: *aletheia* und *emeth*. *Aletheia*, wenn ich das Wort hier einmal nach Heidegger deuten darf, bedeutet Entbergung, das Hervortreten ins Unverborgene, ein plötzliches Aufdämmern, Aufleuchten, das Sich-Anbieten einer Einsicht. Dieses Wahrheitsverständnis wird uns konkret anschaulich, wenn wir uns die persönlichen Gesprächssituationen, wie Gadamer sie in dem zitierten Passus anvisiert, vor Augen halten: Im sachlichen Gespräch erfahren wir zuweilen, wie eine neue Einsicht uns gemeinsam aufdämmert, in einer Art Konsens der Gesprächsteilnehmer. Aber es ist nicht der Konsens als Willensakt, der die sich zeigende Einsicht konstituiert (dies wäre eine der Art dieser Erfahrung völlig äußerlich bleibende Betrachtungsweise). Sondern die ankommende, sich darbietende Einsicht selbst macht einen Konsens möglich. Solche Einsichten sind nicht »richtige« (oder für richtig gehaltene) Sätze. Oftmals fällt es sogar schwer, das Aufdämmernde in ein Satzgebilde zu fassen. Es handelt sich viel eher um eine Art Wink, eine Richtungsangabe, das Zeigen einer Richtung, in der weiterführende Fragen und Antworten zu suchen sind. Daß solches Aufdämmern geschichtlich, situationsgebunden, »relativ« ist, dürfte einleuchten. Das ändert nichts daran, daß diejenigen, die es erfahren, es nicht für beliebig, sondern eben für *Wahrheit* halten. – Auf der andern Seite bedeutet *emeth* das unbedingt Vertrauenswürdige, Zuverlässige, die Pistis Gottes, welche die Pistis des Menschen ermöglicht. Das unbedingte Vertrauen in das unbedingt Vertrauenswürdige ermöglicht und gebietet dann aber gegebenenfalls ein unbedingtes Bejahen oder Verneinen. Die an die beiden biblischen Worte angeknüpften Wahrheitsverständnisse schließen sich keineswegs aus, sondern gehören zusammen, indem es in beiden um ein Begegnen geht. Begegnen ist geschichtlich, immer in eine geschichtliche Konstellation hineingebunden; aber *in* der Geschichte kann auch das unbedingt Vertrauenswürdige begegnen.

8. Perspektiven eines dialogischen Wahrheitsverständnisses für die Diskussion über ein kirchliches Lehramt

Sätze wie »Gott ist Mensch geworden« oder »Christus ist auferstanden« sind keine »richtigen Sätze«, denen auf der andern Seite des Grabens der Subjekt-Objekt-Spaltung ein »wahrer Sachverhalt« genau entsprechen würde. Sie sind ihrerseits Konjekturen, Richtungsangaben. Doch sind solche Sätze für die katholische Theologie, wenngleich nicht formell definiert, zweifellos *de fide*. Gleiches gilt aber m. E. auch für ein im reformatorischen Glauben fundiertes Glaubensverständnis. Solche Sätze sind »unbedingt bejahbar« (Rahner), d. h. aber sie sind Richtungsangaben, denen in der Gemeinschaft der Kirche Folge geleistet werden soll.
Der Dialog in der Gemeinschaft und Geschichte der Kirche bleibt nun nicht sich selber überlassen. Obschon wir in der menschlichen Geschichte, die immer (auch) ein Fragen nach Wahrheit ist, über das Sichzeigen von Wahrheit nie verfügen, haben wir im Falle der Kirche das feste Vertrauen: daß das Thema, welches hier zur Sprache kommt oder eigentlich sich selbst zur Sprache bringt, nämlich Gott in Seiner Offenbarung in Christus, niemals gänzlich verdunkelt werden kann. Der Dialog kann nie endgültig eine gänzlich verfehlte Zielrichtung einschlagen und so für immer von seinem einen Thema abirren. Der Dialog, um den es hier geht, hat seine Selbstmächtigkeit, die ihn für immer bei der Sache bleiben läßt. Diese Selbstmächtigkeit oder eigene innere Steuerung des Dialogs wird theologisch das Walten des Heiligen Geistes genannt.
Daß dem so ist, kann nicht aus einer allgemeinen Phänomenologie des Dialogischen abgeleitet werden, sondern ist, in den Kategorien einer Phänomenologie des Dialogischen ausgedrückt, ein Glaubenssatz, als solcher freilich allen Kirchen gemeinsam, als eine notwendige Implikation des Bekenntnisses zu Christus.

Der Dialog der Kirche (mit der »Welt« und im Innern) ist ein umfassender Lebensprozeß. Und eben dieser Lebensprozeß hat die Qualifikation der Indefektibilität, des »Bleibens in der Wahrheit«. Diese Qualifikation schließt Irrtümer im einzelnen nicht aus. Doch was heißt, nach dem bisher Ausgeführten, noch »Irrtum«? Sicher nicht ein »Nichtübereinstimmen der Aussage mit dem objektiven Sachverhalt«. Eher müßte man sagen: Verdunkelungen, Vereinseitigungen, welche die Glaubwürdigkeit (und darin die Identität) der »Sache Christi« antasten. Es ist beispielsweise sachgemäß, von der Wiederkunft Christi zu reden. Wo aber dieser Aspekt so vereinseitigt wird, daß er die im Geiste Christi gebotene liebende Sorge für die Zukunft der Menschheitsfamilie verdunkelt, greift er die Identität des Evangeliums Christi an.

Im Prozeß des im ganzen indefektiblen Dialogs spielen nun zweifellos *Aussagen* eine Rolle. Ohne Aussagen kann sich die Indefektibilität ja nicht ins Werk setzen. Aber nun nicht »Aussagen« im landläufigen propositionalen Verständnis; sondern Aussagen, die hier in Betracht kommen, sind eher Richtungsangaben. Manche darunter wird man auch als Protestant mit gutem Gewissen als irreformabel betrachten. Daß z. B. Gott Mensch geworden ist oder daß Jesus Christus auferstanden ist, sind irreformable Sätze. Doch besteht Übereinstimmung darin, daß sie wieder der Interpretation bedürfen. Und es ist nicht durch eine Formel im voraus auszumachen, wo die Grenzen einer zulässigen Interpretation liegen. Durchaus denkbar und unter Umständen wünschbar ist indessen, wenn in einer gegebenen geschichtlichen Interpretations-Situation auf die inhärenten Gefahren gewisser Interpretationstendenzen deutlich hingewiesen wird, und es ist nach meiner Sicht auch nichts dagegen einzuwenden, wenn solche Warnungen nicht nur durch einzelne Theologen, sondern durch ein Amt, das repräsentativ für alle spricht, erfolgen. Damit bin ich wieder bei meiner 1963 vertretenen These: »Das Lehramt setzt der theologischen Diskussion in gewissem Sinne Schranken. Solche Schrankensetzung kann beengend sein. Sie kann aber auch befreiend sein, indem sie zum Wesentlichen freigibt und den Weg zum Wesenlosen versperrt ... Das Lehramt auferlegt so der Lehrentwicklung, der theologischen Arbeit, eine gewisse heilsame Disziplin. Wohl kann es auch einmal danebengreifen: eine Definition kann inopportun oder mangelhaft formuliert und unklar sein. Künftige Theologie wird sie dann zu verbessern trachten ...« (Die Lehre des I. Vatikanischen Konzils, 169f).

In der heutigen gesamtmenschheitlichen und gesamtchristlichen Lage kann hierbei sehr wohl an ein universales Lehramt gedacht werden, welches als ein Hilfsinstrument im Dienste der Indefektibilität des Dialogs der Christenheit im ganzen steht. Indessen wird unzweifelhaft keine mit Rom nicht verbundene Kirche konzedieren, daß wegen fehlender Verbindung mit dem Petrusamt des Bischofs von Rom ihr innerer Dialog der Qualität der Indefektibilität nicht teilhaft gewesen sei. Dabei muß man sich aber auch klar machen, daß sich heute der Blick in ökumenische Dimension weiten muß, daß der Dialogprozeß ein weltweiter ist und daß eine lehramtliche Funktion eigentlich nur noch in Wechselwirkung und Zusammenklang aller Kirchen erfaßt werden kann: Gewiß haben andere Kirchen durch die Lehrentwicklung der katholischen Kirche unter dem Lehramt des Papstes hilfreiche Impulse zum Vollzug der Indefektibilität (d. h. zur Korrektur von Abirrungen und Verdunkelungen und zu neuem Vorscheinen wesentlicher Dimensionen) empfangen (Vatikanum II!). Dasselbe gilt jedoch auch in umgekehrter Richtung.

Zum Schluß sei noch die Frage aufgegriffen, in welcher Weise ein Lehramt der Kirche »die Gewissen verpflichten« kann. Es kann m. E. keine Rede davon sein, daß einzelne Entscheide eines Lehramtes den einzelnen Christen, insbesondere den Theologen, durch Forderung blinder Unterwerfung unter ein Dogma partiell von der verantwortlichen und engagierten Teilnahme am Dialog dispensieren könnten. Vielmehr müßte eine Verlautbarung eines Lehramtes der Kirche, wie es hier gedacht wird, eine dringliche (und eben dadurch autoritative) *Einladung* an den Theologen darstellen, die Tradition der Kirche in ihren zentralen, repräsentativen Äußerungen stets liebevoll, *in bonam partem,* zu interpretieren – wissend, daß der Geist Gottes in der Bewegung des kirchlichen Dialogs als solcher zu allen Zeiten am Werke war.

Wird nun aber der Subjektivität des einzelnen Theologen zu viel zugetraut, wenn man auf die *ultima ratio* der blinden Unterwerfung im Konfliktfall unter ein objektiv redendes Lehramt verzichtet? Demgegenüber ist im Sinne des dialogischen Prinzips zu betonen: Über und jenseits sowohl der »Objektivität« eines Lehramtes, der man sich im Konfliktfall nur noch einfach unterwerfen kann, als auch der »Subjektivität« des nach dem eigenen bisherigen Erkenntnisstand entscheidenden Theologen steht (die Subjektivitäts-Objektivitäts-Spaltung überwindend!) die Forderung zur Fortsetzung des Dialogs in stets lernbereiter Verbindlichkeit.

DISKUSSION

Stirnimann: Aus dem Referat von Herrn Pesch geht hervor, daß die
Machtansprüche der römisch-katholischen Kirche in den letz-
ten Jahren eingegrenzt worden sind, wenn man an die Rezeption des I.
Vaticanums denkt.
Im Abschnitt 7 des Referates »Perspektiven der Diskussion nach 1970«
verweist er aber auch darauf, daß die Debatte um Hans Küng wirkungslos
geblieben sei. Er zitiert an dieser Stelle Hasler. Ich stimme Hasler zu, daß
die Debatte wirkungslos geblieben ist bei gewissen römischen Instanzen.
Im ganzen ist sie aber nicht wirkungslos geblieben. Ich denke etwa an das
Programm des Ökumenischen Rates der Kirchen über das Lehramt und an
Äußerungen von Lukas Vischer wie etwa: »Wir freuen uns über die Debatte
über die Unfehlbarkeit in der römisch-katholischen Kirche. Wir sind aber
auch etwas betroffen, weil dieses Problem nicht bei uns diskutiert wird.«
Das ist nun anders. Erst kürzlich wurde auf der Konsultation in Odessa zur
Frage: »Wie wird heute in den Kirchen verbindlich gelehrt?« dieses Thema
angeschnitten. Auch dies ist eine Frucht der Debatte um Küngs Buch auf
ökumenischer Ebene.
Das Buch von Hans Küng ist ausgelöst worden durch die Enzyklika
»Humanae vitae«. »Humanae vitae« hatte eine schwere Krise in der rö-
misch-katholischen Kirche ausgelöst, die noch verstärkt worden ist durch
das Papier über die Sexualethik und das über die Unmöglichkeit der
Ordination von Frauen.
Andererseits – und das ist auch klar zu sehen – hat die römisch-katholische
Kirche nicht so schlechte Dokumente, was die Sozialethik betrifft. Auch die
Hirtenschreiben einiger brasilianischer Bischöfe seien erwähnt und das
Schreiben der Bischöfe von Zaire, als Präsident Mobutu sein Programm der
Authentizität rücksichtslos durchführte. Auch an die Schreiben spanischer
Bischöfe lange vor Francos Tod sei erinnert. Ich möchte also sagen, daß
gerade zur politischen Bewußtseinsbildung auch einiges Positive geleistet
worden ist.
Küng: Ich stimme Herrn Stirnimann zu. Die Debatte war nicht wirkungslos. Ich möchte weiter den dreifachen Konsens von Herrn Ott
unterstreichen: 1. Wir sehen gemeinsam die Indefektibilität in der Wahrheit
als das Grundlegende an. 2. Übereinstimmung herrscht bezüglich der
Geschichtlichkeit der Formulierung dogmatischer Sätze. Erstaunliche Zu-
geständnisse finden sich da in »Mysterium ecclesiae«; es fehlt im Grund nur
ein Wort: »Irrtumsmöglichkeit«. 3. Übereinstimmung herrscht in der Not-

wendigkeit letztverbindlichen Redens. ›Letztverbindlich‹ ist allerdings nicht von vornherein ›unfehlbar‹.

In der eigenen Bilanz habe ich noch zwei Punkte hinzugefügt: Der eine Punkt ist das Faktum des irrenden Lehramts. Zumindest seit »Humanae vitae« herrscht über das Faktum des irrenden Lehramts, im Falle des magisterium ordinarium, Konsens. Der andere Punkt ist die Skepsis gegenüber dem Begriff ›unfehlbar‹. Positiv wird das Wort ›unfehlbar‹ beinahe nirgendwo mehr gebraucht.

Ich möchte schließlich darauf eingehen, inwiefern die Debatte im Augenblick steckengeblieben ist. Nun, man wird sagen müssen, daß die eigentlichen Sachprobleme von meinen Opponenten gar nicht angegangen wurden. Das gilt für die Probleme neutestamentlicher Exegese, für die historischen Fragen des I. Vatikanum, für die Auseinandersetzung mit L. Feeney (DS 3866ff). Aber auch kein einziger Theologe hat in den bisherigen Gesprächen den positiven Beweis für die Möglichkeit unfehlbarer Sätze führen können. Dieses sind, meiner Meinung nach, die Gründe für die Stagnation der Debatte, die allerdings wieder leicht in Gang gebracht werden kann.

Pesch: Zum Thema ›Wirkungslosigkeit‹ habe ich in meinem Referat Hasler zitiert. Ich habe Hasler so verstanden, daß er die Wirkungslosigkeit der Küngdebatte beklagt im Hinblick auf ausgebliebene institutionelle Veränderungen. Die Klage halte ich von der Sache her wohl für berechtigt, aber zugleich auch für illusorisch bei der fast zweitausendjährigen Geschichte der katholischen Kirche. Man kann nicht erwarten, daß sie sich aufgrund *eines* Buches in sieben Jahren von Grund auf verändert. Ich mache ferner einige Fragezeichen, was die Wirkung des Gesprächs innerhalb der römisch-katholischen Kirche betrifft. Wenn ich sage, daß die Debatte in das Stadium der Pflichtübung eingetreten ist, so hat das seinen Grund darin, daß ich einfach nicht weiß, wo es in der Debatte entscheidend neue Argumente gibt. Was nützen die fünf Konsenspunkte, die Herr Küng verzeichnet und die ich voll und ganz teile, wenn sich gleichzeitig die Kontrahenten gezwungen sehen, andere Konsequenzen als wir daraus zu ziehen. Ich rechne auch nicht mehr mit substantiell neuen Argumenten. Ich rechne allerdings damit, daß in der nächsten Generation Dinge selbstverständlich sind, die jetzt noch umstritten sind. Vergleichsweise . . .

Küng: Galilei

Pesch: Etwa – sofern die Antwort auf seinen »Fall« nicht *heute* schon selbstverständlich ist. Oder ein anderes Beispiel. Ich habe als Student in der Vorlesung über Einleitung zum Neuen Testament noch mit allergrößter Vorsicht geäußerte Andeutungen über die Zweiquellentheorie gehört; eine Generation später galt sie als Selbstverständlichkeit. Ich bin der Meinung, daß gewisse Wirkungen der Debatte im ökumenischen Raum und im Bewußtsein der römischen Katholiken *langfristig* reifen können. Das wäre denn doch eine echte Geschichtswirksamkeit der Debatte!

Hasler: Ich möchte daran erinnern, daß zur Zeit des I. Vatikanischen Konzils ein großer oder der größte Teil der Theologen gegen die päpstliche Unfehlbarkeit war. Die meisten Theologen in Deutschland waren davon überzeugt, daß die päpstliche Unfehlbarkeit unhaltbar sei; ich denke etwa an die Tübinger Fakultät. Wie war es trotzdem möglich, das Unfehlbarkeitsdogma damals zu definieren? Zweitens scheint mir nicht so sehr die theologische Argumentation von Wichtigkeit zu sein; andere Dinge kommen ins Spiel. Im Grund genommen war es eine kleine Gruppe, die glaubte, durch die Unfehlbarkeitsdefinition eine Tendenzwende in der ganzen Gesellschaft durchsetzen, die Autorität neu aufrichten, ja, den Kirchenstaat zurückgewinnen zu können. Es war eine Frage der Macht.

Lengsfeld: Ich habe den Eindruck, daß in unserem Gespräch noch ein Zusammenhang etwas zu kurz kommt; es ist wie eine unausgeleuchtete Ecke, an die wir alle nicht gern herangehen: der Zusammenhang zwischen Unfehlbarkeitsdogma und Jurisdiktionsprimat. Der Jurisdiktionsprimat ist nicht nur eine große Hypothek gegenüber den Kirchen des Ostens, sondern auch innerhalb des Westens ist er eine schwer durchleuchtbare Angelegenheit. Über die Genesis und über die Struktur des Jurisdiktionsprimates wissen wir noch nicht genug, und über sein Verhältnis zum Unfehlbarkeitsanspruch gibt es viele Unklarheiten.

Ich glaube nun, die Macht der römischen Behörden beruht zum großen Teil darauf, daß sich Jurisdiktion und Unfehlbarkeit vermischen. Für den Bereich der Jurisdiktion wird dann die Unfehlbarkeit immer mitgedacht, so daß jeder jurisdiktionelle Akt den Anspruch des Unfehlbaren mitbekommt. Ich möchte darauf hinweisen, daß Herr Pottmeyer die Entwicklung auf das I. Vatikanum hin mit dem weltlichen Souveränitätsdenken in Verbindung gebracht hat. Wenn man den Jurisdiktionsprimat in seinen Schattierungen, die er durch die laufenden Jahrhunderte gehabt hat, einmal mit dem jeweiligen staatsrechtlichen Denken, mit den Verwaltungstheorien usw. vergleichen würde, so glaube ich, daß wir eine Menge neuer Einblicke bekommen würden und damit auch mehr Lockerheit und Differenzierungsvermögen für die gedankliche Vorbereitung eines ökumenischen Papsttums.

Slenczka: Ich stehe in dieser Gesprächsphase vor der Schwierigkeit, inwieweit man das Sachlich-Historische vom Dogmatisch-Grundsätzlichen trennen kann. Bei den Referaten, die ja in der Tat eine interessante Zuordnung zeigen, läßt sich wieder einmal feststellen, wie sich die getrennten Brüder in gemeinsamen Aporien der Wahrheitsfrage begegnen. In der evangelischen Tradition gibt es etwas Ähnliches wie die Unfehlbarkeit, die durch Weiterinterpretation fortgesetzt wird, aber nicht durch Umkehr. Es ist vielleicht nicht zufällig, daß ein Orthodoxer aus dem vorigen Jahrhundert gerade im Hinblick auf solche Entwicklungen, die dann zur Definition der Unfehlbarkeit geführt haben, als Beobachter darauf hingewiesen hat, daß zwischen einer päpstlichen Unfehlbarkeit in der römisch-katholischen Kirche und einem professoralen Lehranspruch – ich darf das ja sagen – in der evangelischen Kirche kein prinzipieller Unterschied zu bestehen braucht.

Jetzt zwei Überlegungen. Die erste ist eine historische. Herr Hasler schnitt sie an. Wir sehen das I. Vatikanum jetzt im Rückblick, in dem Bestreben, die Konsequenzen einer dogmatischen Fehlentscheidung zu überwinden. Man muß einmal die Frage stellen, welches die Möglichkeit gewesen ist, durch die sich eine solche unmögliche dogmatische Definition durchsetzen konnte. Die Antwort, das seien bestimmte persönliche Eigenheiten und Machtstrukturen, ist ja nicht ausreichend. Man wird sich auch in Erinnerung rufen müssen, daß im I. Vatikanum nicht nur die Unfehlbarkeit definiert worden ist, sondern zugleich Abgrenzungen gegenüber bestimmten Zeitströmungen vollzogen worden sind: gegen Ontologismus, Agnostizismus, Naturalismus, also gegen Strömungen, bei denen man in der kirchlichen Lehre und Verkündigung die Gefahr sah, daß alles zugrunde und verloren gehe gegenüber der Wissenschaft, der Philosophie und der Kritik der damaligen Zeit. Das ist meines Erachtens deshalb wichtig, weil man hier eine Entscheidungsinstanz gesucht und auch akzeptiert hat, mit der man sich zu salvieren hoffte gegenüber Zerfallserscheinungen. Ich weise nun auf die Argumentationsform hin, die ja auch bei uns oft begegnet: Wie kommen wir zu einer Verkündigung, die die Auflösung der Kirche verhindert, die die Kirchen wieder füllt und die Kirche in der Gesellschaft glaubwürdig macht? Da haben wir eine ähnliche Zwangssituation, die zu solchen dogmatischen Fehlentscheidungen führt.

Die zweite Überlegung: In der bisherigen Diskussion zeigte sich, daß die Methodenfragen von Anfang an, also von den exegetischen Beiträgen über die historischen bis zu den systematischen, uns immer wieder beschäftigt haben. In unserem Programm ist eine spürbare Lücke: Die Ursache des Konflikts, den wir hier in der Gemeinschaft von katholischen und evangelischen Theologen besprechen, liegt ja nicht 1870, sondern 1517. Die Reformation, die ganze reformatorische Kontroverse ist bis jetzt abgeblendet. Im Rahmen eines Votums kann ich nun nicht alles vorführen. Aber für die Behandlung der Wahrheitsfrage und für die Frage nach der Instanz für die Wahrheitsentscheidung ist doch folgendes wichtig: Die damalige Debatte war nicht ein Protest gegen den Papst als Instanz, sondern sie war zunächst ein Protest, der auf der Gemeindeebene ansetzte in der Beurteilung und

Bestimmung dessen, was im Rahmen der Binde- und Lösegewalt in der Gemeinde zugesprochen wird bzw. vorenthalten wird. Im Grunde genommen ist es die Auseinandersetzung, die sich weniger um ein allgemeines Wahrheitsverständnis dreht, sondern um die Entscheidung, was die menschliche Macht, Autorität und Erkenntnis auf der einen Seite tut und was Gottes Handeln und Gabe auf der anderen Seite wirkt. Die Kritik am Papst läuft dann darauf hinaus, daß er sich eine Autorität anmaßt, daß Entscheidungen, Weisungen, Deutungen als heilsnotwendig angesehen werden, die es an sich nicht sind, und daß dadurch die Gabe Christi bzw. Tat Christi verstellt wird und die geängsteten Gewissen weiterhin in ihrer Angst gelassen werden und nicht den Freispruch des Evangeliums bekommen.

Meines Erachtens müßte diese Unterscheidung, was Handeln und Gabe Gottes ist, was also vom Geist gewirkt ist, einerseits und was menschliche Erkenntnis in Wahrheit und Irrtum ist andererseits, grundsätzlich bedacht werden. Es kann nicht darum gehen, eine Instanz, durch die die Wahrheit garantiert wird, zu verbinden mit der Frage, wie die Kirche vollmächtig werden kann. Ich halte diese Frage für problematisch. Es geht vielmehr darum, festzustellen, daß wir immer aposteriori – d. h. die Entscheidung, wo wird Evangelium verkündigt, zugesprochen, Evangelium, das heilsentscheidend ist, und wo geht es um die Geschichtsbedingtheit, Fehlerhaftigkeit und mögliche Wahrhaftigkeit menschlicher Erkenntnis – im Ringen um die Wahrheit stehen.

Stobbe: Ich möchte eine Frage aufwerfen im Anschluß an den ersten Absatz des Referates von Herrn Pesch. Da wurde auf eine gewisse Parallele hingewiesen zwischen Katholizismus und sowjetischem Marxismus. Die Kontroverse innerhalb der marxistischen Diskussion über die Legitimität des Stalinismus ist bekannt. L. Kolakowski hat in den letzten Tagen daran erinnert, daß die marxistischen Intellektuellen nach dem Zweiten Weltkrieg im Stalinismus zunächst eine bedauerliche Fehlentscheidung sahen, zugleich aber auch – im Hinblick auf die historische Situation – eine verständliche Entwicklung. Heute muß gesagt werden, daß diese Beurteilung falsch war.

Es stellt sich mir nun die Frage, ob das, was auf dem I. Vatikanum definiert wurde und was dann eine extensive Lehr- und Jurisdiktionspraxis legitimierte, wirklich eine Fehlentscheidung war oder eine konsequente Theorie, getragen von einer Minderheit.

Pesch: Mein kleiner Blickfang am Anfang meines Referates wurde da zu ernst genommen. Ich kann mich nicht in die Marxismus-Debatte einschalten, weil ich davon nichts verstehe. Ich kann nur im Blick auf die Fakten diese beängstigende formale Parallelität feststellen.

Ott: Ich möchte – auch ohne Kenner des Marxismus zu sein – den Marxismus für ein offeneres System halten, als wir es eben andeuten. Zum Gesamtkomplex des Marxismus gehören die verschiedenen Formen des Marxismus mit dem Revisionismus dazu. Und darum vermute ich – die Parallele wurde gezogen –, daß es beim römischen Katholizismus auch der Fall ist.

Geißer: Ich beziehe mich auf das Votum von Herrn Lengsfeld über das Verhältnis von Jurisdiktionsprimat und Unfehlbarkeit. Herr Blank hat schon darauf hingewiesen, daß in der Diskussion nach 1870 für die Protestanten das Problem der Unfehlbarkeit im Mittelpunkt stand; die beiden anderen Definitionen – Universalepiskopat und Jurisdiktionsprimat – erregten dort nicht die gleiche Aufmerksamkeit, obwohl sie aufs Ganze der Ökumene gesehen kaum einen geringeren Stein des Anstoßes darstellen. Meine Frage ist nun:

1. Wie sind die beiden Komplexe – Jurisdiktionsprimat (inklusive Universalepiskopat) einerseits und Unfehlbarkeit anderseits – im I. Vatikanum verbunden? Vom Text her ist es mir klar, daß die Unfehlbarkeit als Teilaspekt des Jurisdiktionsprimats bzw. des Universalepiskopats verstanden wurde. Doch wie eng ist dieses Junktim wirklich? Ließe es sich im Ernstfall auch lösen?

2. Wie sieht im Blick auf diese Koppelung der Dogmen des I. Vatikanum die Wirkungsgeschichte des Konzils aus? Gibt es Anhaltspunkte dafür, daß die beiden Hauptkomplexe getrennt wurden? Der Jurisdiktionsprimat bildet ja für die nichtprotestantische Christenheit das eigentliche Ärgernis. Für die Orthodoxen und Anglikaner besteht die *bischöfliche* Verfassung der Kirche iure divino – mehr nicht. Diese Lehre von der gottgewollten Struktur der Kirche läßt die Anerkennung eines monarchischen Amtes über den Bischöfen nicht zu. Für reformatorische Theologie gibt es eine ›episkopalistische Schwelle‹ in dieser Form nicht.

Neuner: Im katholischen Bereich wurden etwa bei der Entstehung der altkatholischen Kirche die beiden Komplexe getrennt. Der Vorwurf der Altkatholiken, die römisch-katholische Kirche sei häretisch geworden, beruht auf zwei Gründen: 1. Sie habe die altkirchlichen Strukturen der episkopalen Verfassung abgeschafft. 2. Sie habe die Glaubenslehre verändert. Jetzt gelte nicht mehr, was im Neuen Testament steht und was die alte Kirche gelehrt hat, sondern was der Papst jeweils zum Glauben vorschreibt.

Brosseder: Der eigentliche Stein des Anstoßes an der Definition des I. Vatikanums liegt meiner Meinung nach in der Definierung des Jurisdiktionsprimates und nicht in der Formulierung des Unfehlbarkeitsdogmas. Die innerkatholische Diskussion über das Problem der Unfehlbarkeit und die Arbeiten im Anschluß von Pottmeyer haben das Problem der Unfehlbarkeit in einer Weise erscheinen lassen, die den Konsens möglich macht. Wenn es stimmt, daß die Unfehlbarkeit letztlich nichts anderes zum Gegenstand hat als die absolutistische Fassung der Lehrverkündigung, eingefaßt in den allgemeinen Trend politischer Restauration, läßt sich eine Übereinstimmung finden. Wenn man sagt: vollamtliche Verkündigung – ja; ob diese absolutistisch durchgeführt wird, darüber wird man relativ schnell einen Konsens herstellen können.

Stirnimann: Die Definitionsform über die Unfehlbarkeit des Papstprimates bereitet mir viel weniger Schwierigkeiten als die Definition des Jurisdiktionsprimates. Beide Komplexe sind – wie auch Herr Pannenberg schon forderte – sachlich auseinander zu halten. Damit wird nicht bestritten, daß sie bei den Diskussionen um das I. Vatikanum eng verkoppelt waren. Aber das sind natürlich sehr diffizile Probleme.

Hasler: Beide Komplexe sind meiner Einsicht nach eng verbunden, weil es in der Unfehlbarkeitsdefinition auch um ein Machtproblem geht. Es ist nicht die Frage: unfehlbar oder nicht unfehlbar; die Frage ging dahin, ob die Bischöfe und der Papst zusammen unfehlbar sind oder der Papst allein. Das ist ein eindeutiges Machtproblem. Darum war auch der Widerstand auf dem I. Vatikanum gegen die Unfehlbarkeitsdefinition größer als gegen den Jurisdiktionsprimat.

Stirnimann: Ich meine, daß man aus der Unfehlbarkeitsfrage wohl eine Machtfrage machen kann; ich glaube aber zugleich, daß man beide Probleme auch auseinander halten kann. Das ist ein sehr diffiziles Thema. Man müßte es genau für das I. Vatikanum verfolgen.

Bläser: Ich möchte kurz dazu Stellung nehmen, daß das Gespräch in die Sackgasse geraten ist, so daß keine neuen Aspekte gekommen sind. Ich verweise auf das gemeinsame Papier der anglikanisch-römisch-katholischen Gesprächspartner. In diesem Papier gibt es ganz entscheidende neue Ansätze zur Beantwortung der Fragen, die hier gestellt worden sind; zur Frage des Jurisdiktionsprimates und auch der Unfehlbarkeit. Hier wird der Primat gerade nicht gesehen als eine Machtdemonstration, wie Herr Hasler meint; es wird ausdrücklich von beiden Seiten gesagt, daß er eine Hilfe für die Bischöfe ist, die Katholizität in ihren Kirchen zu bewahren. Es scheint mir wichtig zu sein, was hier über den Primat gesagt wird.

Bei unserem Nachdenken über die Modalitäten eines zukünftigen Primats und ein Unfehlbarkeitsverständnis in der Zukunft sollten wir auch folgendes mitbedenken: das Unfehlbarkeitsdogma ist nicht vom Tisch gefallen; es ist Praxis gewesen und wurde dann an einer Stelle – sei es zu Recht oder zu Unrecht – laut verkündet. Man kann nun eine Sache verändern, indem man sie nicht praktiziert. Was nicht praktiziert wird, verschwindet aus dem

Gedächtnis. Das gilt auch für den Unfehlbarkeitsprimat. In dem Gespräch mit den Altkatholiken wurde z. B. der Vorschlag gemacht, ob die römisch-katholische Kirche nicht darauf verzichten sollte, unfehlbare Lehräußerungen zu verkünden. Ich meine, daß auch bei den Gesprächen zwischen den Anglikanern und den römischen Katholiken diese Absicht im Hintergrund steht. Und ich meine, daß auch in den Gesprächen mit dem Lutherischen Weltbund dieses Problem nicht theoretisch zu lösen ist.

Zugleich aber sind auch projektierende Überlegungen anzustellen, wie das modellhaft in den Gesprächen zwischen Anglikanern und römischen Katholiken geschah.

Blank: Ich möchte zum einen noch nachtragen, daß in einer bestimmten römischen Sicht Dogmen gerade als Rechtssätze proklamiert werden. Hiervon ist aber der Jurisdiktionsprimat nicht zu trennen. Beides ist miteinander verbunden. Zum anderen möchte ich auf die Frage von Herrn Küng eingehen, warum sich die Exegeten so wenig an der Unfehlbarkeitsdebatte beteiligen. Ein Grund ist der, daß ich keinen besonderen Gewinn darin sehe. Ich möchte es an einem Bild veranschaulichen: Die Unfehlbarkeitsaussage steht im Hinblick auf Exegese so in der Landschaft wie ein Bunker der alten Maginotlinie oder des alten Westwalls. Da renne ich nicht drauflos, ich gehe daran vorbei. Ich will damit sagen, daß das Unfehlbarkeitsdogma zu einem alten Verteidigungssystem gehört, das heute nicht mehr in die strategische Konzeption hineinpaßt. Sachlich ausgedrückt: Was trägt das Unfehlbarkeitsdogma eigentlich bei, um heutige Probleme der theologischen Wissenschaft oder der kirchlichen Praxis zu lösen? Ich stelle fest, daß es nicht funktionsgerecht ist, zumeist ein gerechtes und besseres Funktionieren sogar behindert.

Hierzu kommt die Veränderung im Wahrheitsverständnis. Unser Wahrheitsverständnis ist geprägt durch das naturwissenschaftliche und geschichtliche Verständnis moderner Anthropologie und durch die Perspektiven in der Sprachphilosophie und der Linguistik. Wer das grundlegende Werk der Linguistik, Saussures Linguistique générale, gelesen hat, der weiß, daß die Aussage eines unfehlbaren Satzes und unfehlbare Sätze Nonsens sind. So etwas gibt es nicht. Zudem ist die Bedeutungsebene dauernden sprachlichen Wandlungen unterworfen, die ich nicht festmachen kann, die auch durch keine Instanz in den Griff genommen werden kann. Wird es trotzdem versucht, kommt es zu fixierten Sprachregelungen, die meistens Ideologiecharakter gewinnen. Nur unter Verzicht auf die Behauptung von unfehlbaren Sätzen und unter Heranziehen der verschiedenen Komponenten, der linguistischen, soziologischen und ideologiekritischen Seite, kann für die theologische Wahrheitsaussage ein neuer Stellenwert gewonnen werden.

Nissiotis: Ich bin Ihnen sehr dankbar, was Sie zur Wahrheitsaussage geäußert haben; hier liegt, wie ich meine, das Hauptproblem. Für die östliche Kirche war die größte Schwierigkeit, daß mit dem urchristlichen Dogma ein dualistisches Wahrheitsverständnis in die Theologie eingeführt wurde. Mit dualistischer Wahrheitsaussage meine ich die Distinktion zwischen individueller Wahrheitsaussage und Gemeinschaftsaussage: ex sese oder ex consensu. Ex sese setzt ein Prinzip der Wahrheitsaussage voraus, das für die ganze Kirche in aller Welt in allen Zeiten unannehmbar ist. Die große Schwierigkeit eines dualistischen Wahrheitsverständnisses ist die Selbstverleugnung der Wahrheit. Das Dogma ist keine ewiggültige Wahrheitsaussage; das Dogma ist der Versuch, die Wahrheit adäquat auszudrükken, adäquat d. h.: für die Zeit, für das Jetzt. Darum braucht das Dogma die Gemeinschaft eines Konzils, und das Konzil braucht immer die innere Rezeption der Kirche, denn die Kategorie des Lebens und der gelebten Wirklichkeit ist das Hauptmoment der Wahrheitsaussage.

Ich denke, daß beide, West und Ost, zusammen Verantwortung tragen angesichts der Unfehlbarkeitsdefinition. Es handelt sich um keine typisch römisch-katholische Wahrheitsaussage; es handelt sich vielmehr um eine Versuchung der Theologie, sich selbst zu genügen, sich selbstgefällig zu betrachten. Das ex sese existiert überall.

Ich verstehe nun aber in keiner Weise, daß es sich, wie z. B. bei den Sakramenten, auch bei der Unfehlbarkeitsentscheidung um eine Wahrheitsaussage handeln soll. Nein! Die Sakramente stellen das Leben und die Gemeinschaft der Kirche dar; beim ex sese aber handelt es sich um eine Wahrheitsaussage, die rein individuellen Charakter trägt.

Das Problem geht aber noch tiefer. Hans Küng hat in seinem ersten Buch gegen die Orthodoxen gesagt, daß sie die Unfehlbarkeit der Kirche annehmen und diese kirchlichen Aussagen interpretieren. Das ist wohl richtig. Dennoch genügt keine Interpretation. Und ich persönlich habe darum – auch von den patristischen Forschungen her – nie gesagt, daß die Kirche unfehlbar sei. Die Kirche kann es mit der Wahrheit nur probieren; es handelt sich um die Wahrheit im Prozeß des Lebens. Die Lebenskategorie ist ja eine viel tiefere Dimension der Wahrheitsaussage als die in Worte gefaßte.

Congar: Zuerst möchte ich gerne Pater de Vries fragen, ob mein Eindruck richtig ist. Es scheint mir, daß in der Geschichte der alten Kirche die Idee der Unfehlbarkeit der Kirche Roms größeres Gewicht hatte als die Idee von einem Jurisdiktionsprimat. Mir scheint das so zu sein.

Schon vor der Veröffentlichung des Buches von Küng habe ich selbst einen Aufsatz veröffentlicht, in dem ich sagte, man muß zwischen der Vorstellung der Indefektibilität und der der Unfehlbarkeit unterscheiden. Indefektibilität bezieht sich auf das Leben der Kirche in der Geschichte; sie ist eine umfassende Sache. Dagegen kann sich Unfehlbarkeit nur auf bestimmte Akte beziehen und nicht direkt auf »Sätze«, Formeln, Meinungen, sondern auf Urteile. Darum würde ich wünschen, daß man in unsere katholische Theologie die evangelische Konzeption des »status confessionis« aufnimmt, die mir eine äußerst interessante Konzeption zu sein scheint.

Die Kirche kann imstande sein, in einem bestimmten Augenblick ihren Glauben zu bekennen, und dann ist ihr ein Beistand des Heiligen Geistes verheißen. Ein Beispiel: Barmen 1934. Die Kirche ist imstande, die Königsmacht, die einzigartige Herrschaft Jesu Christi zu bekennen.

Im evangelischen Denken ist das Bekenntnis des Glaubens »zeitbedingt«. Es ist an die historischen Begleitumstände gebunden. Aber das ist das Dogma ebenfalls. Damit kann ein gewisser Charakter von Reversibilität verbunden sein. Ist diese Reversibilität der Glaubensformulierung identisch mit der Möglichkeit des Irrtums?

Hier sind zwei Beispiele anzuführen. Nämlich: »Extra ecclesiam nulla salus« ist als Formel in dieser Gestalt heute aufgegeben. Die sogenannte Affäre Feeney ist dafür ein Zeichen. Mein zweites Beispiel ist die Enzyklika »Mortalium animos« (6. 1. 1928), die auf der ganzen Linie das »par cum pari« verwirft, während das Konzil vom »par cum pari« spricht.

Nun, ich meine, daß in beiden Fällen ein Prinzip, eine bestimmte Idee festgehalten, aber auf andere Weise hochgehalten und ausgedrückt werden muß. Zum Beispiel im »Extra ecclesiam nulla salus« die Idee, daß die Kirche wahrhaft eine Institution für das Heil der ganzen Welt ist, in »Mortalium animos« die Idee, daß es eine Kirche und eine einzige Kirche Christi gibt – aber das muß auf andere Weise festgehalten werden, und das hat das Konzil auch getan. Das heißt nicht, daß es ein Irrtum war. Es bedeutet, daß die Formulierung revidierbar ist und anders wiedergegeben werden muß. Damit kommt man – und das ist mein dritter Punkt – zur Notwendigkeit der Anerkennung der Rolle der Rezeption.

Was geschieht in der Rezeption? Es handelt sich nicht darum, daß die Kirche nach einer offiziellen Erklärung des Lehramts – wenn man diesen Begriff annimmt – daß die Kirche einen juristischen Akt setzt, sondern daß die Kirche ihren Nutzen erkennt, daß sie erkennt, daß ein Akt der Autorität ihr nützt oder auch nichts nützt. Und ich meine, nach meiner Überzeugung, daß sich das vor allem bei »Humanae vitae« und nach dem I. Vatikanum zugetragen hat. Bei »Humanae vitae« sind wir heute in einer Situation der Rezeption und der Nicht-Rezeption, dabei hat die Nicht-Rezeption mehr Gewicht als die Rezeption. Bezüglich des I. Vatikanums sind wir in der Situation der Re-Rezeption. Denn historische Studien haben Licht auf die sehr beengten Bedingungen des Konzils geworfen, es gibt historische Untersuchungen über die Entwicklung der päpstlichen Gewalt, es gibt den Ökumenismus, das Dekret »Unitatis redintegratio« . . . All dies ruft nach einer Re-Rezeption: nicht einer Verwerfung, sondern einer »Relecture«, bei der die Akzente anders gesetzt werden, 1870 vergessenen oder verdrängten Aspekten neue Aufmerksamkeit geschenkt wird: eine Arbeit, die z. B. G. Thils vorentwirft. Nach dem I. Vatikanum gab es eine Inflation des »magisterium ordinarium«. Man ordnete ihm praktisch das zu, was das Konzil von seinem »magisterium extraordinarium« gesagt hatte. Wie Möhler und vor allem Newman richtig erkannt hatten, wurde die übergroße Bedeutung des päpstlichen Lehramtes offensichtlich durch die geistige Lage des 19. Jahrhunderts hervorgerufen: durch Zweifel, manchmal in die Irre gegangene Forschungen, durch die Sozialisation des Unglaubens. All dieser Unsicherheit mußte man ein sicheres Wort entgegenstellen. Aber man hat das Amt überhöht, man hat es auf seinem hohen Sockel zu sehr isoliert.

De Vries: Ich antworte auf Pater Congars Fragen an mich. Die alte Kirche war sowohl für den Unfehlbarkeitsgedanken als auch für den Jurisdiktionsprimat sehr unzugänglich. Als Beweis führe ich die Tatsache an, daß die Konzilien, angefangen in Ephesus, regelmäßig eine Vorentscheidung Roms, die die Sache schon endgültig entscheiden sollte, scharf abgelehnt haben. So z. B. die Entscheidung von Ephesus gegen Nestorius. Die Frage wurde neu zur Diskussion gestellt, und das Konzil hat in eigener Machtvollkommenheit Nestorius verurteilt, jedoch nicht die päpstliche Entscheidung einfach angenommen. So auch in Chalcedon. Papst Leo verlangte, daß der Tomus Leonis diskussionslos angenommen wurde. Der Tomus ist zur Diskussion gestellt worden. Und es ist in der Diskussion zu heftigen Auslassungen gegen Rom gekommen. Von seiten der Kommission des Anatolius und anderer Bischöfe – Anatolius war Erzbischof von Konstantinopel – war ein Schema, wie wir heute sagen, herausgearbeitet worden, in dem der Tomus Leonis nicht enthalten war. Dieses Schema wurde von fast allen Bischöfen akklamiert mit Ausnahme des römischen und einiger orientalischen. Man hörte Zurufe wie: »Wer dieses Schema nicht annimmt, der ist ein Nestorianer und soll nach Rom gehen.« Das ist nachzulesen bei Eduard Schwarz über die 5. Sessio. Das war die wahre Stimmung. Nur unter dem Druck des Kaisers, der die Väter vor die Wahl stellte: Seid ihr für Dioskorus oder für Leo? – Dioskorus sagte »ek«, aus zwei Naturen, und Leo sagte: »en«, in zwei Naturen: es ging also um einen Buchstaben –, bekannten sie sich für Leo; für Dioskorus konnten sie auch nicht sein, weil Dioskorus bereits verurteilt war. Es blieb ihnen keine andere Wahl.

Das war der Hintergrund des gefeierten Konzils von Chalcedon.

Lessing: Ich möchte noch zwei Fragen an Herrn Ott stellen. Sie haben gelegentlich in Ihrem Papier den Gedanken der Unifizierung der Menschheit geäußert und in eine enge Beziehung mit der Frage des Papsttums gebracht. Meine Frage ist, ob es ausreicht, diesen Gedanken einseitig in den Blick zu fassen oder ob es nicht notwendig ist zu sehen, daß dort, wo Einheit besteht, zugleich auch immer divergierende Tendenzen auftreten, so daß zusammen mit der Frage nach der Einheit sich das Problem der Vielfältigkeit stellt. Wenn das der Fall ist, so scheint es mir notwendig zu sein, die Frage nach der Einheit zu bedenken im Zusammenhang der Struktur der Kirchen. Es ist in dieser Frage von Ihnen noch nicht direkt etwas gesagt worden, und es interessiert mich, wie Sie dieses Problem beurteilen.

Sie plädieren ferner dafür, den Begriff der Letztverbindlichkeit zu gebrauchen. Wenn ich recht sehe, ist der Grund dafür, daß für Sie dieser Begriff Dialogcharakter hat oder wenigstens in Beziehung zur Möglichkeit eines Dialogs steht. Das ist mir ein nicht ohne weiteres einsichtiger Gedanke. Ist es nicht so, daß im Begriff der Letztverbindlichkeit der Gedanke des Dialogs gerade nicht liegt? Warum sprechen Sie von Letztverbindlichkeit?

Stobbe: Ich möchte noch die Bitte nachtragen an die protestantischen Theologen, uns Katholiken nicht aus der Pflicht zu entlassen, uns mit diesem Dogma, das ja mit dem gleichen Verpflichtungsgrad verkündet worden ist wie alle anderen Dogmen, zu befassen und der Praxis, die mit diesem Dogma gerechtfertigt ist.

Pannenberg: Im großen und ganzen hat unser heutiges Gespräch nicht eine Richtung eingeschlagen, die das Referat von Herrn Ott nahegelegt hätte, nämlich eine Diskussion über den Wahrheitsbegriff zu werden. Unsere Scheu, in diese Richtung zu gehen, ist sicherlich wohl begründet; wir würden in ein uferloses Meer geraten. Allerdings ist das nicht zu umgehen, wenn über Unfehlbarkeit diskutiert wird. Herr Nissiotis hatte das Thema direkt angesprochen. Und seinen Gesichtspunkt der Einheit in der Wahrheit – den entscheidenden Gesichtspunkt – möchte ich aufnehmen. Herr Nissiotis hatte diesen Gesichtspunkt in Hinsicht auf das Verhältnis von einzelnen und Gemeinschaft geltend gemacht. Ich möchte ihn in Hinblick auf das Verhältnis von Gemeinschaftsaspekt, wobei einzelne und Gemeinschaft in Wechselbeziehung zueinander stehen, und Satzwahrheit geltend machen.

Der Gesichtspunkt der Einheit der Wahrheit ist darum so wichtig, weil er sowohl philosophisch evident zu erfassen ist als auch jene über die Satzwahrheit hinausgehende Dimension des Wahrheitsbegriffes einbringt. Wenn man nun aber, wie es Herr Ott zu tun scheint, ein Reden von Wahrheit entwickelt, das der Satzwahrheit entgegengesetzt ist, dann wird der Wahrheitsbegriff selber an zentraler Stelle gesprengt. Die Einheit der Wahrheit geht verloren. Es geht dann auch verloren, woran gerade die protestantische Tradition besonders interessiert sein muß: die Satzwahrheit als kritische Instanz gegen Gemeinschaftsprozesse, Konventionalismen usw. In den lebendigen Interpretationsprozessen gibt es dann keine Kritik mehr; der Dialog wird zu dem, was wir einen gruppendynamischen Prozeß nennen. Es scheint mir also höchst wichtig, das Element der Satzwahrheit in die Einheit der Wahrheit mit aufzunehmen. Dann haben wir Einheit und Differenz, worauf Herr Lessing Wert legte, beieinander.

Der Begriff einer unfehlbaren Satzwahrheit, also eines unfehlbaren Behauptungssatzes, ist nun allerdings ein Widerspruch in sich selbst. Insofern ist die Kritik an der Satzwahrheit im Zusammenhang mit dem Unfehlbarkeitsdogma berechtigt. Ein unfehlbarer Behauptungssatz ist ein Widerspruch in sich; nicht nur die linguistischen Arbeiten Saussures, sondern auch die sprachanalytischen Arbeiten zur Wahrheitstheorie zeigen das. Eine Behauptung ist eine Feststellung, die wahr oder falsch sein kann, die nur sinnvoll ist, wenn sie überprüfbar ist. Wenn sie von vornherein mit dem Anspruch auf Unfehlbarkeit auftritt, ist sie nicht mehr überprüfbar; dann aber ist sie auch keine Behauptung mehr, das Wesen der Behauptung ist aufgehoben. Insofern gibt es so etwas wie unfehlbare Behauptungssätze nicht.

Die Aufgabe, die Kirche und ihre Glieder in der Einheit der Wahrheit zu bewahren, d. h. in der Einheit des apostolischen Ursprungs – und zwar in der Ebene der Gleichzeitigkeit und in der Ebene der Zeitlinie – diese Aufgabe kann nicht durch unfehlbare Behauptungssätze wahrgenommen werden.

Die Aufgabe, die kirchliche Einheit zu wahren, ist dabei auf die Satzwahrheit angewiesen, und zwar als Kritikinstanz. Eine Instanz, die die Bewahrung der Kirche in der Wahrheit, also die Einheit in der Wahrheit zur Aufgabe hätte, wäre also immer dieser Kritik ausgesetzt: Das müssen wir für den Zusammenhang der Unfehlbarkeitsdiskussion mitberücksichtigen.

May: Ich möchte noch einen Aspekt hinzufügen zu dem Gedanken, daß Sätze unfehlbar seien. Herrn Ott habe ich dahingehend verstanden, daß das theologische Wahrheitsverständnis dann für die Theologie geeignet ist, wenn es die Fragen heutigen Wissenschaftsverständnisses aufnimmt. Ich mache darauf aufmerksam, daß in der heutigen Wissenschaftstheorie ein Streit ausgebrochen ist um die Angebrachtheit einer Korrespondenztheorie oder einer Konsenstheorie. Ich meine, wir müßten in der Theologie einen analogen Streit ausfechten zwischen einer Korrespondenztheorie und einer Konsenstheorie dessen, was unter Wahrheit verstanden wird. Es fehlt den Theologen bis jetzt noch an den Formulierungsmöglichkeiten, den Streit zwischen den beiden konkurrierenden Theorien wirklich auszutragen. Andererseits kommen wir, meiner Meinung nach, nicht um diese Auseinandersetzung herum.

Jüngel: Ich möchte nachdrücklich unterstreichen, was Herr Pannenberg sagte. Unfehlbare Sätze kann es nicht geben. Die Frage nach der Vermittlung durch eine unfehlbare Institution bleibt allerdings bestehen und muß weiter diskutiert werden. Meine Bitte geht dahin, auf die Wahrheitsfrage heute nachmittag noch weiter einzugehen.

De Vries: An unser vorausgehendes Gespräch möchte ich die Frage stellen, wieviele päpstliche Cathedra-Entscheidungen es eigentlich gibt. Es sind zwei: die beiden Mariendogmen. Sie waren gewiß nicht notwendig, um die Kirche zu retten; sie waren eine Dekoration für die Marienverehrung. So frage ich mich, warum man um die ganze Angelegenheit so viel Lärm macht. Wenn die Kirche durch Häresien in Gefahr war, dann ist sie nicht durch unfehlbare Lehrentscheidungen eines Mannes gerettet worden, sondern durch Konzilien. Es gab sogar ein Konzil, das zweite von Konstantinopel 553, das erklärte: Ein einzelner kann niemals eine Entscheidung in Glaubensfragen geben.

Ott: Es ist richtig, was Herr Pannenberg sagte: wir haben für die Wahrheitsfrage in diesem Gespräch zu wenig Zeit gehabt. Er hat dann die Frage in Angriff genommen: er möchte infallible Sätze nicht ablehnen, sondern nur sagen, daß Sätze nicht an sich infallibel sind, sondern für eine Instanz, die Infallibilität beansprucht, ihre Sätze unfehlbar sind.

Pannenberg: Ja, aber da liegt das Problem. Wenn eine Instanz, für die Infallibilität vorausgesetzt wird, unfehlbare Sätze äußert, so erhalten diese den Sinn von Behauptungen. Solche unfehlbaren Sätze sind aber ihrem Wesen nach keine Behauptungen.

Ott: Ich möchte mich abgrenzen von der pauschalen Weise, wie über Wahrheit geredet wird, so daß ihr die Satzwahrheit gegenübergestellt wird. Man muß nach dem Modus der Satzwahrheit fragen. Satzwahrheit heißt ja nicht, einen objektiven Sachverhalt ausgeben – gibt es denn den objektiven Sachverhalt der Heilsgeschichte? Ist nicht die Heilsgeschichte per definitionem das, was auf uns übergegriffen hat? In Sätzen ist sie auszusagen; Sätze können Wahrheit enthalten, aber Sätze bilden nicht einen objektiven Heilszusammenhang.

Nun zur Frage von Satzwahrheiten als Rekursinstanz. Es gibt keine Rekursinstanz außerhalb des wortgebundenen Dialogs; das ist das Bemühen einer Gemeinschaft um Wahrheit im Dialog.

Mit Herrn Lessing bin ich der Meinung, daß Unifizierung der Menschheit zugleich heißt, daß gewaltige Spannungen im Lebensraum der Menschheit bestehen, daß weltweite Differenzen in der Schicksalsgemeinschaft der

Menschen bestehen. Und gerade das stellt uns vor die Frage des authentischen und vollmächtigen Lehrens der christlichen Botschaft.

Wenn ich den Begriff H. Fries', Letztverbindlichkeit statt Unfehlbarkeit, mit einiger Zustimmung zitiert habe, so aus dem Grund, weil er in den Raum des Dialogs verweist. Letztverbindlich ist eine Haltung wie das reformabilis. Als Protestant unterschreibe ich nicht das irreformabilis, konstatiere aber zugleich mit Befriedigung, daß der Begriff irreformabilis uns einen Stimulus gibt, uns in den Dialog einzulassen.

Wichtig sind mir die beiden Hinweise von Herrn Nissiotis und von Pater Congar.

Die Wahrheit tritt in Erscheinung in der Gemeinschaft, im Konsens, im Dialog. Für den Satz, der einfach richtig ist, weil er mit dem wahren Sachverhalt übereinstimmt, ist es gleichgültig, ob ihn nur ein einzelner oder eine Gemeinschaft sagt. Wird die Wahrheit beheimatet im Dialogprozeß, so wird das auch schon Gesagte verändert. Pater Congars Hinweis, daß der Begriff status confessionis in die römisch-katholische Theologie eingeführt werden müßte, finde ich weiterführend. Dieser Begriff verbindet meiner Meinung nach die Ebene der Indefektibilität als Lebensprozeß der Kirche und die Ebene der Infallibilität als Ebene der einzelnen Äußerungen miteinander.

Schließlich möchte ich eine Gesprächsäußerung erwähnen, daß man gewisse Dinge wohl nicht mehr mit vollziehen kann, das Anliegen, das dahintersteht, gleichwohl in einer neuen Form aufnehmen kann, ja, sogar das Gegenteil von dem, was früher geäußert wurde.

Küng: Würden Sie das Irrtum nennen? Oder ist es wieder Wahrheit?

Ott: Wenn ein Mensch heute sagt: »Extra ecclesiam nulla salus«, wie man es früher gesagt hat, so lehne ich das als das absolut Verneinbare ab.

Verneinbare ab.

Küng: L. Feeney hatte das getan. Hat er recht oder unrecht? Ist es wahr oder falsch?

Ott: Ich erinnere Sie an die Kontroversen zwischen H. Küng und K. Rahner. Eine Theorie des Irrtums gibt es nicht!

Küng: Aber es gibt Irrtum.

Ott: Zu dem alten Axiom: »Extra ecclesiam nulla salus«, in der alten Form als heutiger Satz formuliert, sage ich: Nein. Sie sagen, daß es ein Irrtum ist. Ich würde da zurückfragen: »Was ist ein Irrtum?« Dabei sind wir dann wieder bei dem Rahner-Problem.

Küng: Ich könnte schon darauf antworten, darf es jetzt aber nicht.

Pesch: Mein Schlußwort kann ebenso wie das von Herrn Ott nur darin bestehen, einige Fragepunkte der Diskussion noch einmal festzunageln, die mich in besonderer Weise an- und aufgeregt haben. Es sind vier:

1. Wir müssen gewiß zwischen Jurisdiktionsprimat und Unfehlbarkeit = Lehrprimat unterscheiden, ja wir müssen aus sachlichen Gründen diese Unterscheidung geradezu einhämmern, weil nur unter dieser Bedingung überhaupt aus den Texten des I. Vatikanums die *authentische* und unverdrängbare Frage nach der Einheit der Wahrheit herauszuhören ist – hier meine volle Zustimmung zu Herrn Pannenberg. Für eine Bilanz der *Wirkungsgeschichte* dieser Texte ist aber ebenso unerläßlich zu beachten, wie sich Jurisdiktionsprimat und Unfehlbarkeit in der lehramtlichen Praxis verschmolzen haben, und zwar von Anfang an, und gestützt auf die Texte. Ich erinnere daran: Nicht die Sätze sind unfehlbar, sondern die Instanz – die Sätze sind *irreformabel*. Das heißt: Der Papst als oberster Bischof und Gesetzgeber der Kirche ist bei feierlichen Lehrentscheidungen unfehlbar – *deshalb* sind diese unabänderlich und bedürfen keiner Ratifikation. Die oberste, inappellable Jurisdiktion garantiert vermöge der Unfehlbarkeit die rechtliche Unangreifbarkeit der Lehrsätze – das ist die Sachstruktur in den Texten, und so ist es damals sofort von Freund und Feind verstanden worden. Nun braucht man nur die Grenzen des Gegenstandsbereiches der Unfehlbarkeit unscharf zu halten, was ja schon Scheeben beklagte, dann und nur dann wird verständlich, wieso jahrzehntelang jeder Theologe zittern mußte, der Bedenken gegen Aussagen einer Papstansprache oder einer römischen Behördenerklärung äußerte, wenn und sofern doch Ansprache oder Erklärung im »Gesetzes- und Verordnungsblatt« der Kurie, in den »Acta Apostolicae Sedis« veröffentlicht wurden. Wir müssen, noch einmal sei es betont, diese Verschmelzung überwinden, aber sie als Realität verkennen heißt sich der Möglichkeit begeben, die entstandenen Konfliktsituationen in ihrer Schärfe überhaupt zu verstehen und letzten Endes die Unfehlbarkeitsfrage zu einem akademischen Disput über den Wahrheitsbegriff zu entwirklichen.

2. Ist die »Küng-Debatte« wirkungslos geblieben? Ja und Nein! *Nein*, denn sie hat wie lange nicht mehr die Federn der Theologen in Bewegung gesetzt, quer durch die Konfessionen hindurch und quer durch die »Schulen« innerhalb der Konfessionen – und was dabei herausgekommen ist, wird langfristig nicht mehr zu verdrängen sein. *Ja*, denn viele andere, vorwiegend katholische Theologen – die hier keinen Vertreter unter uns haben! – haben auf die »Küng-Debatte« mit perfekter Abriegelung reagiert. Und Rom hat die Debatte kaum als Gewissensfrage zur Kenntnis genommen, sondern nur als Frage nach den geeigneten »Maßnahmen«.

3. Eine Frage an Herrn Ott und Herrn Pannenberg zugleich: Ich teile das Unbehagen gegenüber der Aussicht, daß der Ort der Wahrheit eines Tages, statt im Satz, im als »Dialog« etikettierten gruppendynamischen Prozeß liegen könnte. Da nun aber das Wesen von Wahrheit mit Gewißheit nicht

als bloße Satzwahrheit vereinseitigt werden darf und da anderseits der dialogische Charakter aus dem biblisch-christlichen Wahrheitsverständnis gar nicht herausgehalten werden kann und dabei auch gruppendynamische Vorgänge einkalkuliert werden müssen, möchte ich unter Überspringung aller anderen Probleme bis zur endgültigen Klärung (das heißt: möglicherweise bis zum Jüngsten Tag?) wenigstens eine Faustregel ableiten: Wir werden uns theoretisch und praktisch daran gewöhnen müssen, daß es Phasen geben kann, in denen hinsichtlich einer bestimmten Frage die Wahrheit undeutlich ist und Verwirrung die Gemüter beherrscht – weil der Dialogprozeß noch in Bewegung ist. Die geschichtliche Erfahrung lehrt hundertfältig, daß sich die Dinge nach einer gewissen Zeit offenherziger, kontroverser, auch provokanter Diskussion wieder »einpendeln« und das solide Ergebnis einer Debatte, fern allen Radikalismen, zum ruhigen und glücklichen Besitz des Glaubensbewußtseins wird. Selbst die Theologiegeschichte der letzten Jahrzehnte liefert dazu einige bezeichnende Beispiele (Diskussionen um »Tod Gottes«, um die Eucharistie, um Gebet und Engagement, usw.). Wenn wir irgendwo Anlaß haben, an die nichtobjektivierbare, aber wirkliche »assistentia Spiritus Sancti« zu glauben, dann doch mitten in diesem dialogischen Wahrheitsfindungsprozeß. Ihn aus Ängstlichkeit abwürgen oder vorzeitig »entscheiden« zu wollen, *könnte* auch ein Akt des Unglaubens sein. Den wirklichen »status confessionis« immer ausgenommen – aber der ergibt sich nicht jeden Tag und auch nicht in jeder kontroversen Diskussion.

4. Mit dem alten Kaiser Wilhelm II. gefragt: »War alles falsch?« Ich möchte die Schlußbemerkungen meines Referates selbstkritisch verschärfen. Haben die Kritiker des I. Vatikanums die Befürworter immer genügend ernst genommen? Hat man die Motive der *Mehrheit* auf dem Konzil an sich herangelassen – oder hat man sie im Grunde als verblendete Emigranten aus ihrer eigenen Zeit abgetan? Hat man sich nirgends einer Schwarz-Weiß-Malerei schuldig gemacht? Man – ich – kann, anders als andere Zeitgenossen, das I. Vatikanum und Pius IX. nicht lieben. Aber ich kann auch Innozenz III. nicht lieben. Und wer kann Cyrill von Alexandrien und seinen Fanatismus gegen Nestorius, wer kann Leo I. lieben? Und doch waren es Männer, die providentielle Entscheidungen für die Kirche gefällt haben. Was wäre im 19. Jahrhundert – und im 20.! – aus der Kirche geworden ohne das I. Vatikanum und die Bewegung, die in ihm kulminierte? So sicher bin ich nicht, daß hier nichts providentiell gewesen sein kann – ohne im geringsten den Schaden abzuschwächen. So kann uns – ich wiederhole es mit P. Congar und Herrn Stobbe – nichts und niemand aus der Pflicht entlassen, das I. Vatikanum dadurch ernst zu nehmen, daß wir uns in Theorie und Praxis an seiner Sachfrage nicht vorbeidrücken.

Jürgen Moltmann

EIN ÖKUMENISCHES PAPSTTUM?

»Wir sind uns vollkommen bewußt, daß der Papst das größte Hindernis auf dem Weg zum Ökumenismus ist«, hat Paul VI. 1967 erklärt. Die katholisch-lutherische Dialoggruppe in den USA faßte dagegen 1974 ihr Ergebnis in die These zusammen, »daß der päpstliche Primat, erneuert im Licht des Evangeliums, kein Hindernis für die Versöhnung zu sein braucht«.
Theologische Überlegungen zu einem Papsttum, das kein Hindernis für die Ökumene mehr darstellt, sondern der Gemeinschaft der ganzen Christenheit auf Erden dient, weil es im Licht des Evangeliums erneuert ist, greifen weit in die Zukunft voraus und bleiben solange im Bereich prospektiver Theorie, bis Personen auftreten, die ein solches Amt im Namen des Evangeliums und für alle Gläubigen ausüben. Damit aber so etwas möglich wird, ist es sinnvoll, die theologischen Hindernisse durch Kritik im Licht des Evangeliums aus dem Weg zu räumen und der Zukunft durch einen theologischen Entwurf den Weg zu bereiten.
Mit »ökumenisch« meinen wir hier »die ganze Christenheit auf Erden«, mit »Papsttum« den »Dienst an der Gemeinschaft«, an der Christenheit, also das, was sonst auch als »Petrusdienst« bezeichnet wird.
Weil durch die Veranstalter für diese Überlegungen nicht die Form der Erklärung, sondern der Diskussion gewählt wurde, stellen wir diese Überlegungen in Form von Thesen an. Daß sie nicht dogmatikos, sondern gymnastikos gemeint sind, versteht sich von selbst.

I.

1. *Theologie und Institution des »monarchischen Episkopats« stehen in der Nähe der Häresie des Monotheismus. Durch die Ausbildung der Trinitätslehre im Gottesbegriff ist sowohl der politische wie der kirchliche Monotheismus im Prinzip überwunden. Die kirchliche Gemeinschaft muß dem trinitarischen Leben Gottes entsprechen, weil sie Gemeinschaft mit dem dreifaltigen Gott ist*[1].

---

[1] Mit »Monotheismus« meinen wir hier nicht jedwede Verehrung des Einen Gottes, sondern die antitrinitarische *Theologie des Absolutismus*. Nach ihr ist Gott das himmlische Urbild des irdischen Herrschers, welcher gottentsprechend mit absoluter Souveränität, Nichtrechenschaftspflichtigkeit seiner Beschlüsse und also unbegrenz-

Die »politische Theologie« des Monotheismus deduzierte die politische Macht aus der Hierarchie »ein Gott – ein Nomos – ein Kaiser – ein Reich« und legitimierte sie damit. E. Peterson hat in seinem Aufsatz »Monotheismus als politisches Problem« (1935) nachgewiesen, daß »die Lehre von der göttlichen Monarchie am trinitarischen Dogma und die Interpretation der Pax Augusta (als Pax Christi, J. M.) an der christlichen Eschatologie scheitern mußte« (Theologische Traktate, 1951, 104). Er hat es jedoch versäumt, die ganz parallele Erscheinung der kirchlichen Theologie des Monotheismus zu kritisieren, die kirchliche Herrschaft aus der Hierarchie »ein Gott – ein Christus – ein Petrus – ein Papst – eine Kirche« deduziert, um sie zu legitimieren. Sind aber seine Argumente gegen die »politische Theologie« des Monotheismus stringent, dann scheitern auch die kirchliche Lehre vom monarchischen Episkopat am trinitarischen Dogma und die damit verbundene chiliastische Interpretation der kirchlichen Herrschaft als Reich Christi an der christlichen Eschatologie. Will man das absolutistische Verständnis des Papstamtes überwinden, dann muß man auch seine geistige Grundlage, die Theologie des Absolutismus, überwinden. Dem absolutistischen Monotheismus entspricht in der neuzeitlichen Theologie des Westens

ten Vollmachten ausgerüstet ist. Dieser Herrscher ist »verfassungstranszendent«. Sein Wille ist Gesetz. Auctoritas (non veritas) facit legem. Vgl. dazu die Arbeiten zum Souveränitätsbegriff von C. Schmitt, Die Diktatur. Von den Anfängen des modernen Souveränitätsgedankens bis zum proletarischen Klassenkampf, ²1928; Politische Theologie II. Die Legende von der Erledigung jeder Politischen Theologie, 1970. C. Schmitt hat auf die Entsprechungen zwischen Weltverständnis und politischer Organisation, also zwischen Metaphysik und Politik, bis in die Neuzeit hinein hingewiesen. Solche Entsprechungen gibt es auch zwischen politischer Verfassung und seelischer Verfassung, denn die verschiedenen Bereiche des Lebens gehören schließlich in die eine Lebenswelt der Menschen und ihrer Gesellschaft. Die kirchlichen Verfassungen sind davon nicht ausgenommen. Vgl. dazu die Kritik von A. N. Whitehead an der »theistischen Philosophie« in: Process and Reality, New York 1960, 520 f. Er kritisiert die Idolatrie: »God in the image of an imperial ruler, God in the image of a personification of moral energy, God in the image of an ultimate philosophical principle« und beklagt: »The Church gave unto God the attributes which belonged exclusively to Caesar.« Er verweist dagegen auf den »Galiläischen Ursprung« des Christentums: »There is, however, in the Galilean origin of Christianity yet another suggestion which does not fit very well with any of the three main strands of thought. It does not emphasize the ruling Caesar, or the ruthless moralist, or the unmoved mover. It dweels upon the tender elements in the world, which slowly and in quietness operate by love.« In dieser Richtung ist die Überwindung des Absolutismus in Kirche, Gesellschaft und Lebensauffassung zu suchen: kirchliches Amt in der Nachfolge des irdischen Jesus, Gesellschaft in der Gemeinschaft gegenseitiger Anerkennung, Entfaltung einer vom Patriarchalismus durch Liebe befreiten Verfassung der Seelen.

der bewußt oder unbewußt praktizierte Arianismus in der Christologie. Weil bis in die Formulierungen des I. Vatikanum hinein das monarchische Prinzip bewußt oder unbewußt vorherrschend geblieben ist, ist es sinnvoll, zu seiner Veränderung im Blick auf die heutige ökumenische Situation den biblisch-historischen Begründungszusammenhang aus Mt 16 um den biblisch-trinitarischen Begründungszusammenhang aus Joh 17 wenigstens zu ergänzen. Während Mt 16 – wie immer es damit exegetisch bestellt sein mag – als Legitimation des universalen Amtes immer historisch-heilsgeschichtlich und darin monistisch verwendet wird – »ein Christus – ein Petrus – ein Papst – eine Kirche« (woraus die Formel »ubi Petrus, ibi Ecclesia« folgt) –, verweist nach Joh 17 das hohepriesterliche Gebet Jesu die Einheit der Kirche auf die trinitarische Einheit Gottes selbst: » . . . auf daß sie alle eins seien, gleichwie Du, Vater, in mir und ich in Dir, daß sie auch in uns seien; damit die Welt glaube, Du habest mich gesandt.«[2] Die Einheit der Kirche ist Einheit *mit* der Trinität Gottes und Einheit *in* der göttlichen Trinität. Sie ist trinitarische Einheit in jener Liebe, die den Vater mit dem Sohn kraft des Heiligen Geistes verbindet. Sie ist Einheit als Gemeinschaft. Eine theologisch offene Frage ist hier: Wie verhalten sich die Lehre von der Trinität und die Lehre von der Gottesherrschaft zueinander? Wird die Trinität um der göttlichen Monarchie willen gedacht, dann ist die Trinitätslehre im Grunde nichts anderes als »christlicher Monotheismus«[3]. Die Struktur der Kirche bleibt dann monarchistisch. Legt umgekehrt die Gottesherrschaft das innere Leben der göttlichen Trinität aus, was ergibt sich dann?[4]

---

[2] Vgl. dazu Stylianos Harkianakis: »Dabei kommt diesem Wort (scil. Joh 17,20f) eine vielleicht noch größere Bedeutung zu, wenn man bedenkt, daß gerade diese vorbildliche Seinsweise der innertrinitarischen Einheit die tiefere Voraussetzung auch aller erwünschten ekklesiologischen Einheit darstellt« (Concilium 7 [1971] 285), und Paul Evdokomov: »Das trinitarische Prinzip Macht durch das der Übereinstimmung« (L'Orthodoxie, 1965, 131). Ich habe das aufgenommen in: Welche Einheit? Der Dialog zwischen den Traditionen des Ostens und des Westens, Lausanne 1977, Ökumenische Rundschau 26 (1977) 287–297.

[3] Vgl. K. Barth, Kirchliche Dogmatik, I,1,1932, 374. Dazu kritisch jetzt L. Oeing-Hanhoff, Hegels Trinitätslehre, in: Theologie und Philosophie, 52 (1977) 378–407, bes. 395ff.

[4] Ich verweise hier vorerst auf meinen Aufsatz »Gedanken zur ›trinitarischen Geschichte Gottes‹«, EvTh 35 (1975) 208–224.

2. Einheit mit und in der göttlichen Trinität wird besser als »Gemeinschaft« und nicht als »Einheit« bezeichnet. Entsprechend ist der »Dienst der Einheit« in der Kirche als »Dienst an der Gemeinschaft« zu verstehen. Denn das Wesen kirchlicher Einheit ist koinonia, nicht Herrschaft.

Ohne auf die philosophische Geschichte des Begriffs der Einheit einzugehen, wird man in diesem Zusammenhang mit Tertullian davon ausgehen, daß es sich nicht um numerische Einheit (unio), sondern um organische Einheit (unitas), also um das Ergebnis von Vereinigung handelt[5]. Es scheint mir Mißverständnisse auszuscheiden, wenn man Einheit hier als Gemeinschaft versteht und im Deutschen von »Gemeinschaft« statt von »Einheit« spricht, wenn es um Kirche geht. Das Gegenteil von Einheit ist Vielheit, das Gegenteil von Gemeinschaft Trennung. Und wo es sich um Personen handelt, respektiert der Begriff Gemeinschaft die Freiheit und Würde der Person, was der Begriff »Einheit« nicht notwendigerweise tut, wie seine ideologische und politische Verwendung in »Einheitsparteien« zeigt.

Im »Amt der Einheit« wird sprachlich wie sachlich nur zu leicht das Eine (monas) des absolutistischen Monotheismus weitergeführt. Es scheint mir unausweichlich zu sein, damit Herrschaftsfunktionen und Herrschaftsansprüche wie Primat, Priorität, Jurisdiktion, Lehrautorität, Infallibilität, Kirchliches Strafrecht etc. zu verbinden.

Ein »Dienst an der Gemeinschaft«, der sich an der trinitarischen Wesensgemeinschaft Gottes ausrichtet, wird sich dagegen in der Atmosphäre der Kollegialität, der Brüderlichkeit und Schwesterlichkeit bewegen und auf Übereinstimmung in Freiheit ausgerichtet sein[6]. Das Prinzip Gemeinschaft ersetzt dann das Prinzip Herrschaft. An die Stelle von Auctoritas und Gehorsam treten der vernünftige Dialog und der freie Consensus. Kontrolle wird soweit wie möglich durch Vertrauen ersetzt. Das meinen die Stichworte der Ökumene von der Kirche als »konziliarer Gemeinschaft«, als »versöhnter Mannigfaltigkeit« und das interkonfessionelle Vereinigungsmodell der »Koinonia«.

---

[5] Vgl. den Artikel von E. Heintel »Eine (das), Einheit«, Historisches Wörterbuch der Philosophie, ed. J. Ritter, II, 1972, 361–383. Leonard Hodgson, The Doctrine of the Trinity, New York 1944, 85ff, unterschied mit Recht den Begriff »organic unity« von dem Begriff »mathematical unity«; um sagen zu können, »that the Divine unity is a dynamic unity actively unifying in the one Divine life the lives of the three Divine persons« (95).

[6] Dazu K. Chr. Felmy, Petrusamt und Primat in der modernen orthodoxen Theologie, in: Das Petrusamt in der gegenwärtigen theologischen Diskussion, ed. H.-J. Mund, Paderborn 1976, 85–99.

3. Der »Dienst an der Gemeinschaft« steht im funktionalen Zusammenhang mit der Sammlung und der Sendung der Gemeinde Christi. Alle verschiedenen Dienste in der Gemeinde haben ihren Grund im gemeinsamen Dienst der Gemeinde am Reich Gottes. Die Berufung aller und jedes Christen bezeichnet durch die Taufe das universale Amt der ganzen Kirche. Wie die anderen Ämter, Dienste oder Aufträge, so wird auch der »Dienst an der Gemeinschaft« von der Gemeinde, vor der Gemeinde im Namen Christi ausgeübt.

Von den »Diensten« in der Gemeinde kann immer nur im Zusammenhang mit der *Taufe* gesprochen werden. Die *Berufung* der Gemeinde und die Berufe in der Gemeinde stehen in einem genetischen Zusammenhang: keine Gemeinde ohne besondere Dienste, keine Dienste ohne Gemeinde. Sofern mit der Taufe die Geistbegabung verbunden ist, geht die Präsenz Christi in seiner Gemeinde sachlich seiner Präsenz in den besonderen Diensten voraus. Es wäre darum sinnvoll, bei der Beschreibung eines »ökumenischen Papsttums« mit dem Primat der Taufe zu beginnen.

Die *Rechtfertigung* der Sünder ist die andere Seite der Berufung, die durch die Taufe zum Ausdruck gebracht wird. Darum gehören Rechtfertigungsglaube und die Annahme der Berufung zum allgemeinen Priestertum aller Gläubigen zusammen. Der rechtfertigende Glaube geht den verschiedenen Diensten in der Gemeinde voran. Es ist darum sinnvoll, ein »ökumenisches Papsttum« aus der Rechtfertigungslehre zu begründen.

Das Verhältnis des besonderen »Dienstes an der Gemeinschaft« zur Gemeinde Christi als ganzer kann kein anderes sein als das Verhältnis, das in jedem anderen Dienst auch erkennbar ist: Die durch Berufung Beauftragten kommen *aus* der Gemeinde. Sie treten *vor* die Gemeinde. Sie handeln ihr gegenüber im Namen Christi[7]. In diesem Verhältnis von Solidarität und Differenz kommen Geist und Herrschaft Christi zur Geltung. Die Dienste rechtfertigen keine Klassenherrschaft in der Gemeinde. Sie repräsentieren aber auch nicht nur die Gemeinde. Kein Prediger ist nur ein »Sprecher« der Gemeinde. Er ist ein Verkündiger des Evangeliums. Keine Gemeinde Christi ist nur das Auditorium eines Pastors. Sie ist die Versammlung der Zeugen des Evangeliums. Kein Pfarrer ist nur Diskussionsleiter der Gemeinde. Keine Gemeinde ist nur der Bezirk eines Pfarrherrn. So kann auch ein ökumenischer Papst weder ein »absoluter Monarch« sein noch nur ein »Generalsekretär«, denn er ist weder nur repräsentativ noch schon ex se

---

[7] Dazu ausführlicher J. Moltmann, Kirche in der Kraft des Geistes, München 1975, VI § 2. Der Auftrag der Gemeinde und die Aufträge in der Gemeinde, 327ff.

konstitutiv für die Gemeinde Christi. Weil sich Christi Geist und Herrschaft in der Kirche nur durch die Gemeinschaft und das Gegenüber von Gemeinde und Diensten, nämlich von gemeinsamer Taufe und differenten Diensten, zur Geltung bringen läßt, wird auch eine ökumenisch vereinigte Christenheit einen besonderen »Dienst der Gemeinschaft« – aus sich – sich gegenüber – im Namen Christi – brauchen.

Die Anerkennung des Primats der Taufe sollte ein ausgewogenes, der Trinitätslehre entsprechendes Verhältnis von Kollegialität und Autorität, von Konzil und Papst, ermöglichen, zu dem die verschiedenen kirchlichen Traditionen ihren Beitrag leisten können. Für die evangelischen Kirchen bedeutet das den Zugang zum »ökumenischen Papsttum« von Rechtfertigungsglauben und dem allgemeinen Priestertum her. Für die orthodoxen Kirchen kann das den Zugang von der Geistgemeinschaft und dem einen Amt der ganzen Kirche her bedeuten. Für die römisch-katholische Kirche mag das eine Fortsetzung des Weges des II. Vatikanum in Richtung auf die weitere Ausbildung des, das Papsttum ergänzenden presbyterial-synodalen Prinzips bedeuten: Gemeinderäte, Synoden, Bischofskollegien, weitere Konzile.

II.

In einer zweiten Reihe von Thesen sollen notwendige und deshalb wünschenswerte Funktionen eines »ökumenischen, im Lichte des Evangeliums erneuerten Papsttums« erörtert werden: Vollständigkeit ist nicht beabsichtigt, wohl aber die Wichtigkeit (in evangelischen Augen).

4. Die Gemeinde Christi braucht den »Dienst der Gemeinschaft«, um in ihren Konflikten die Freiheit des Glaubens zu erfahren, das Evangelium zu bezeugen und den Dienst am Reich Gottes auszurichten.

Wie Universalität, Heiligkeit und Apostolizität ist auch »Einheit« eine geglaubte und bekannte Eigenschaft der Kirche. Wie durch ihre Universalität und Apostolizität bezeugt die Kirche auch durch ihre Einheit den dreieinigen Gott und sein kommendes Reich.

Die *una sancta* ist mehr als ein Zweckbündnis, aber auch etwas anderes als Uniformität. Sie ist *Einheit in der Freiheit* des Glaubens und wird in der durch das Evangelium und die Sakramente versammelten Gemeinde erfahren. Sie ist Einheit im Heiligen Geist und wird darum in der produktiven Freisetzung der vielen verschiedenen Charismata erfahren. Der »Dienst der Gemeinschaft« muß darauf achten, daß Einheit in der Freiheit praktiziert wird. Er muß die »überschwengliche Fülle« der Geistesgaben erwecken und darf den Geist nicht »dämpfen«.

Die una sancta ist umgekehrt aber auch *Freiheit in der Gemeinschaft.* Freiheit in Christus besteht in der Liebe und ist gegenseitige Anerkennung und Annahme. Diese Gemeinschaft wird nicht durch die Verschiedenartigkeit der Personen oder Gruppen gefährdet, sondern allein durch Angst voreinander und Herrschaftsansprüche gegeneinander. Wo alte Feindschaften in der Gemeinde wieder aufleben, wo die eigenen Erkenntnisse anderen zum Gesetz gemacht werden, wo die eigene Moral anderen zur Auflage gemacht wird, wird nicht nur die Gemeinschaft untereinander, sondern auch die Gemeinschaft mit Gott und in Gott bedroht. Durch solche Herrschaftsansprüche wird »Christus zerteilt« (1 Kor 1,13).

Der »Dienst an der Gemeinschaft« bewahrt die Einheit der Kirche nur, wenn er auf den Abbau von Herrschaftsansprüchen, gesetzlichen Auflagen und Privilegien in der Gemeinde ausgerichtet ist. Das wird noch nicht durch die Umbenennung von »Papstherrschaft« in »Petrusdienst« erreicht. Der »Dienst an der Gemeinschaft« ist also ein Dienst zur Eliminierung von Herrschaft und Privileg in der Gemeinde und kann darum nicht selbst Herrschaft und Privileg sein. Es ist eine schwierige, aber mögliche Aufgabe, zu »herrschen, als herrsche man nicht«, und durch Abbau von Herrschaft der Gemeinschaft in Freiheit zu dienen. Es ist die Kunst einer Machtausübung gegen Herrschaft und Privileg, die mit der ständigen Selbstaufhebung zugunsten der Freiheit in Gemeinschaft verbunden ist. Kirchliche »Macht« ist eine Art »Antimacht« zur Überwindung von Herrschaft und Unterdrückung der Gemeinde. Sonst ist sie wohl nicht »Hierarchie«, d. h. durch Christi Selbsterniedrigung und Kreuz »geheiligte Macht«. Das klingt im Blick auf die Historie des Papsttums zwar etwas paradox. Es steckt darin gleichwohl ein allgemeines Problem messianischen Handelns in der Geschichte. Wie kann man durch Machtausübung befreien und dem Reich gewaltfreier Brüderlichkeit dienen? – Das Problem, das mit dem Stichwort »ökumenisches Papsttum« bezeichnet wird, hat also säkulare Implikationen, und seine Lösung kann universale Bedeutung gewinnen.

5. Die Gemeinde Christi braucht den »Dienst an der Gemeinschaft« für ihre Gemeinschaft im Raum und in der Zeit.

Der ökumenische Gedanke seit Neu-Delhi 1961 heißt: »Alle an einem Ort«. Dieser Ausgangspunkt für ökumenische Gemeinschaft an der Basis ist unaufgebbar, denn Gemeinde wird dort sichtbar, wo sie sich an bestimmten Orten zu bestimmten Zeiten versammelt. Der »Dienst der Gemeinschaft« wird darum an der ökumenischen Versammlung aller christlichen Gemeinden an einem Ort zuerst lebendig werden müssen. Es folgt dann seine Ausweitung in engeren und weiteren Regionen. Dabei wird die Gemeinschaft zwischen verschiedenen christlichen Gemeinden wiederum keine andere Gemeinschaft sein können als die Gemeinschaft der Gemeinde Christi selbst, also keine Superorganisation und keine Vereinheitlichung.

Gerade das ökumenische Bewußtsein, das sich auf das Ganze der Kirche Jesu Christi erstreckt, führt auch zur anspruchslosen Anerkennung des Eigenen. Ökumenische Gemeinschaft führt gerade nicht zur »Katholisierung« der evangelischen und zur »Protestantisierung« der katholischen Kirche, sondern zur Anerkennung der verschiedenen Charismata und verschiedenen Traditionen in der größeren Gemeinschaft.

Der »Dienst der Gemeinschaft« ist dabei immer der Dienst an den Versammlungen der Christenheit. Das reicht von den örtlichen, sonntäglichen Versammlungen bis zu den Konzilien und Generalversammlungen und darum auch zu einem zukünftigen »allchristlichen Konzil«. Ohne Gemeinschaft kein »Dienst an der Gemeinschaft«, darum ohne ökumenisches Konzil auch kein »ökumenisches Papsttum«. Dafür ist dann auch die Umkehrung wahr: ohne den »Dienst der Gemeinschaft« kommt keine versammelte Gemeinde zustande. Darum ohne »ökumenisches Papsttum« auch kein ökumenisches Konzil.

Die Gemeinschaft der Gemeinde Christi umfaßt nicht nur alle Christen in einer Zeit an verschiedenen Orten, sondern auch alle zu verschiedenen Zeiten der Geschichte. Sie ist auch eine Gemeinschaft durch die Geschichte. Zur Gemeinschaft im Raum gehört auch die Gemeinschaft in der Zeit, zur Universalität auch die Apostolizität. Diese Wahrheit wurde durch den Gedanken der *apostolischen Sukzession* ausgedrückt, sei es die apostolische Sukzession der Verkündigung des Evangeliums, der Bischöfe oder der Gemeinden. Für ein »ökumenisches, im Licht des Evangeliums erneuertes Papsttum« wird man die Gemeinschaft in der Zeit durch den Gedanken der apostolischen Sukzession ausdrücken müssen, den Begriff aber aus seinen Verengungen auf die Sukzession der Bischöfe befreien und wieder weit fassen müssen, um die Gemeinschaft der ganzen Christenheit mit Auftrag und Botschaft der Apostel zum Ausdruck zu bringen. In dieser Gemeinschaft steht die Gemeinde als ganze kraft der Taufe, stehen alle Dienste in der Gemeinde, steht besonders der »Dienst der Gemeinschaft«, weil er ein Dienst an dieser apostolischen Gemeinschaft in der Zeit ist[8].

Die Gemeinschaft in der Zeit ist dabei eine geschichtliche. Sie ist Gemeinschaft in der Freiheit desselben Glaubens. Sie kann weder durch sklavische

---

[8] Dazu ausführlicher J. Moltmann, ebd. 335ff.

Wiederholung früher Ausdrucksformen christlichen Denkens und Lebens oder ihre nur spekulative Umdeutung und Anpassung an die veränderte Gegenwart dargestellt werden noch durch geschichtslose Totalkritik. Das Verhältnis zu den »Vätern und Müttern« ist kein anderes als das zu den »Brüdern und Schwestern«. Auch die Gemeinschaft in der Zeit ist eine charismatische Gemeinschaft, in der jeder das Seine erfährt und alle miteinander dem kommenden Reich dienen.

6. Die Gemeinde Christi braucht den »Dienst an der Gemeinschaft« für ihre Gemeinschaft in den Konflikten der Gesellschaft, in denen sie existiert.

Das andere ökumenische Problem ist nicht die konfessionelle Spaltung der Kirchen, sondern ihre ökonomische und politische Zerrissenheit. Für viele ist die aktive oder willenlose Teilnahme der Christen an der Trennung der Menschheit in Arme und Reiche, Unterdrücker und Unterdrückte, ein größerer Skandal als die Trennung der Christen in verschiedene Traditionen und Konfessionen. Diese ökonomische und politische Gespaltenheit wird in allen Kirchen, gleich welcher Tradition und Konfession, immer härter erfahren. Wenn die Armen sich in der Gemeinde nicht zu Hause fühlen, ist das Evangelium vom Reich an die Armen von der Gemeinde nicht ausgerichtet worden. Wenn die »Sünder und Zöllner« sich von der Kirche abwenden, ist die Liebe Christi in der Kirche offenbar nicht mehr zu spüren. Wenn die Seligpreisungen nicht mehr die innere Gewißheit der Christenheit sind, wendet sich das Volk ab.

In vielen Gesellschaften wirken die sozialen und politischen Konflikte in die Gemeinden hinein, ohne daß auch nur der Versuch gemacht wird, sie wenigstens hier durch die Gemeinschaft Christi zu überwinden. *Rassentrennung* wird politisch auch am Tisch des Herrn erzwungen. *Klassentrennung* wird in Mittelstandskirchen gedankenlos praktiziert. Für vermeintliche missionarische Chancen und religiöse Privilegien werden oft genug die konkreten Spaltungen und Feindschaften in der Kirche verschwiegen oder die Kirche selbst kompromittiert. Es ist nicht nötig, den Skandal weiter zu schildern.

Ein »ökumenisches Papsttum« als »Dienst an der Gemeinschaft« wird an diesen Konflikten zu einer *politischen Aufgabe.* Durch ihre Gemeinschaft in der Kraft des Heiligen Geistes muß die Gemeinde die religiösen, kulturellen, politischen, sozialen und ökonomischen Spaltungen der leidenden Menschheit in sich selbst überwinden. Ein »ökumenisches Papsttum« wird glaubwürdig, wenn seine Aufgabe an der Gemeinschaft in dem Glauben gründet: »Hier ist nicht Jude noch Grieche, nicht Knecht noch Freier, nicht

Mann noch Frau«, sie sind »alle eins in Christus« und »nach der Verheißung Erben« (Gal 3,28.29). Der »Dienst an der Gemeinschaft« wird dann zuerst der Dienst an der Gemeinschaft der Verlassenen, Verachteten, Erniedrigten und Unterdrückten sein[9].

7. *Die Gemeinde Christi braucht den »Dienst an der Gemeinschaft«, um ihre Freiheit von sozialer Pression und politischer Unterdrückung zu gewinnen.*

Wir müssen hier in die Geschichte des Papsttums zurückgreifen. Die Entwicklung eines starken Papsttums stammt aus dem Kampf um die *libertas Ecclesiae* vom Kaiser im Mittelalter. Die Entwicklung des Papalismus im 19. Jahrhundert war gleichfalls gegen staatliche Vereinnahmung und Reglementierung der Kirche gerichtet. Ohne das Papsttum wäre die Kirche im frühen Mittelalter vermutlich als Staats-, Reichs- und Eigenkirche zur »politischen Religion« der jeweiligen Herrschaft verkommen. Die politische Bedeutung des Papsttums und des sonst viel beklagten »Ultramontanismus« für die Freiheit der Kirche von Staat und Gesellschaft ist auch im 19. Jahrhundert nicht zu unterschätzen.
Nur eine starke ökumenische Gemeinschaft und ein beständiger Dienst an der Freiheit der Kirche hindert es, daß Nationalkirchen (Gallikanismus, Anglikanismus), Landeskirchen mit Landesfürsten als sogenannten »Notbischöfen«, Rassen-, Kasten- und Klassenkirchen entstehen. Man muß sich auf die größere Gemeinschaft der *ecclesia universalis* verlassen können, wenn man um des Evangeliums willen zu einem »Fremden im eigenen Land« werden muß. Die Katholizität der Kirche verschafft diese Freiheit gegenüber dem sozialen, politischen und ideologischen Druck in einer Gesellschaft. Darum ist der »Dienst an der Gemeinschaft« immer auch ein *Dienst an der Freiheit.* Ein »ökumenisches, im Licht des Evangeliums erneuertes Papsttum« hat diese große Aufgabe: *Libertas Ecclesiae!* Diese

---

[9] Dies ist kein politisches oder gar revolutionäres Postulat, sondern eine alltägliche Erfahrung von Bischöfen und Pastoren in den Rassenkämpfen Südafrikas und in den Klassenkämpfen Lateinamerikas. Wie kann der Dienst an der Gemeinschaft in Situationen anders aussehen, in denen reformierte Christen schwarze Christen diskriminieren, in denen katholische Großgrundbesitzer christliche Kleinbauern mit brutaler Gewalt vom Land vertreiben? Christliche Parteinahme für die Schwachen ist nicht ideologischer Partikularismus, sondern das Zeugnis des Universalismus des Evangeliums in einer gespaltenen und unterdrückten Welt. Sie muß allerdings auch als eben dieses Zeugnis – und nichts anderes – vertreten werden.

Aufgabe entsteht vor allem im Blick auf Kirche in Gesellschaften mit Einheitsideologien und Staatsreligionen, gleichermaßen aber auch im Blick auf die antitrinitarische Häresie unserer Zeit, den Kapitalismus, diese Negation der Gemeinschaft, der Brüderlichkeit[10].

---

[10] Damit diese letzte Bemerkung nicht ein ärgerliches Stichwort bleibt, verweise ich auf H. Gollwitzer, Die kapitalistische Revolution, München 1974; E. Cardenal, Das Buch von der Liebe, deutsch 1971; Geevarghese Mar Osthathios, Theology of a Classless Society, London 1978, und auf Martin Luther, Großer Katechismus, das erste Gebot: »Du sollst nicht andere Götter haben. Das ist, du sollst mich allein für deinen Gott halten. Was ist das gesagt und wie versteht man's? Was heißt: einen Gott haben, oder was ist Gott? Antwort: Ein Gott heißt das, dazu man sich versehen soll alles Guten und Zuflucht haben in allen Nöten, also daß einen Gott haben nichts anderes ist, denn ihm von Herzen trauen und glauben; wie ich oft gesagt habe, daß allein das Trauen und Glauben des Herzens macht beide, Gott und Abgott ... Es ist mancher, der meint, er habe Gott und alles genug, wenn er Geld und Gut hat, verläßt und brüstet sich darauf so steif und sicher, daß er auf niemand nichts gibt. Siehe, dieser hat auch einen Gott, der heißt *Mammon*, das ist, Geld und Gut, darauf er alle sein Herz setzt, welches auch der allergemeinste *Abgott ist auf Erden*. Wer Geld und Gut hat, der weiß sich sicher, ist fröhlich und unerschrocken, als sitze er mitten im Paradies. Und wiederum, wer keines hat, der zweifelt und zagt, als wisse er von keinem Gott. Denn man wird ihrer gar wenig finden, die gutes Muts sind und nicht trauern noch klagen, wenn sie den Mammon nicht haben; es klebt und hängt der Natur an bis in die Grube.«

Heinrich Stirnimann

ÖKUMENISCHES PAPSTTUM - ÖKUMENISCHER PETRUSDIENST

10 Thesen*

Seit zirka zehn Jahren wird die Frage nach einem universalen Dienst in der Kirche neu gestellt[1]. In orthodoxen und in evangelischen Kreisen scheint man dem »Papsttum« gegenüber als einem Dienst für die Gemeinschaft aller Kirchen weniger Bedenken zu haben als gegenüber der petrinischen Begründung eines solchen Dienstes. Ein »ökumenisches Papsttum« wird schon jetzt als etwas Mögliches betrachtet. »Petrusdienst« hingegen ist eine Bezeichnung, deren Sinn noch genauer geklärt werden müßte. Auf katholischer Seite läßt sich eine entgegengesetzte Entwicklung feststellen. Mühe

---

* Die Thesen wurden für das »ökumenische Symposion« in Heidelberg redigiert. Der Leser der folgenden Ausführungen möge *diesen* Kontext – die dort vorausgehend vorgetragenen und diskutierten Referate über biblische, patristische und dogmatische Aspekte des Papsttums – im Auge behalten.

[1] Zur Literatur bis 1975 vgl. H. Stirnimann/L. Vischer, Papsttum und Petrusdienst. Mit Beiträgen von G. Gassmann, H. Meyer, D. Papandreou, K. Stalder, A. Stoecklin und Dokumenten, Frankfurt a. M. 1975 (Ökumenische Perspektiven, 7). Dabei handelt es sich um folgende offizielle Stellungnahmen:

1969: »Thesen zur Frage des Primates«, Internationale Altkatholische Theologentagung 1969 in Bonn (a.a.O., 144f).

1970: »Der Primat in der Kirche«, Erklärung der Altkatholischen Bischöfe zum 18. Juli 1970 (a.a.O., 141–144).

1974: »Amt und universale Kirche, Unterschiedliche Einstellungen zum päpstlichen Primat«, Bericht der offiziellen Lutherisch/römisch-katholischen Gesprächskommission in den USA vom Mai 1974 (a.a.O., 91–140).

1976: »Authority in the Church«, Agreed Statement of the Anglican-Roman Catholic International Commission, Venice 1976; vgl. E. J. Yarnold/H. Chadwick, Truth and Authority. A commentary on the Agreed Statement . . ., London, SPCK 1977.

Aus dem umfangreichen Schrifttum zur Frage seien angeführt: Int. Kirchl. Zeitschr. 60 (1970) H. 2, mit Beiträgen von O. Gilg, Y. Congar, M. Farantos, W. Küppers, U. Küry; u. H. 4, Beitrag von E. Kemp. H. J. Mund [Hg.], Das Petrusamt in der gegenwärtigen theologischen Diskussion, Paderborn 1976 (mit Beiträgen von J. Ries, H. Echternach, G. Kretschmar, K. C. Felmy)., J.-J. von Allmen, La primauté de l'Eglise de Pierre et de Paul. Remarques d'un protestant, Freiburg/Schw. 1977 (Ökumenische Beihefte, 10); A. Brandenburg u. H. J. Urban [Hg.], Petrus und

hat man mit dem späteren, durch mannigfache geschichtliche Erscheinungen belasteten Ausdruck »Papsttum«. Man zieht es vor, von »Petrusamt« oder »Petrusdienst« zu sprechen, und möchte damit auf den evangelischen Anspruch eines allgemeinen Dienstes für die »Communio« der Kirchen hinweisen. Wenn wir im Titel beide Termini kombinierten, so wollten wir dadurch die verschiedenen Akzente der neu aufgebrochenen Diskussion über einen ökumenischen Einheitsdienst signalisieren. Zugleich sollte zum Ausdruck gebracht werden, daß das Stichwort »Petrusdienst« eine kritische Funktion zu erfüllen hat, soll es wirklich zu einem erneuerten und ökumenisch anerkannten »Papsttum« kommen[2].

1. Das Papsttum ist heute kaum »das größte Hindernis« auf dem Weg zur Verwirklichung einer ökumenischen Gemeinschaft der Kirchen.

Auf der zweiten Sitzungsperiode des II. Vatikanischen Konzils verlangte Patriarch Maximos IV. von Antiochien, daß die römisch-katholische Kirche sich von »mißbräuchlichen Interpretationen« des römischen Primates distanziere, damit dieses Dogma nicht mehr eine »petra scandali«, bzw. »der größte Stein des Anstoßens« auf dem Weg zur christlichen Einheit sei[3]. 1967 nahm Paul VI. dieses Wort auf und sagte, er wisse, daß der Papst, bzw. das Papsttum, »das schwerwiegendste Hindernis« sei »auf dem Weg des Ökumenismus«[4]. Das Wort des Maximos war bestimmt berechtigt (besonders aus der Sicht der orientalischen Kirchen) und hatte, in der Vatikanischen Aula ausgesprochen, eine klar situierbare geschichts- und dogmenkritische Spitze. Ebenso darf man für die Äußerung Pauls VI. dankbar sein, brachte sie doch, an die Mitglieder des Einheitssekretariates gerichtet, zum Ausdruck, daß selbst in Rom die Problematik des Papsttums anerkannt wird, und dies zu einem Zeitpunkt, wo die ökumenische Bewegung schon eine beträchtliche Wegstrecke zurückgelegt hat und bereits konkrete Fragen

---

Papst. Evangelium – Einheit der Kirche – Papstdienst, Beiträge und Notizen, Münster/Westf. 1977 (mit Beiträgen von H. Zimmermann, R. Schnackenburg, H. Wagner, G. Gassmann, P. Misner, J. Madey u. a.); Catholica 32 (1978) H. 1 (mit Beiträgen von W. Kasper, F. Heyer, H. J. Urban u. a.); F. W. Kantzenbach, Aktion und Reaktion. Katholizismus der Gegenwart evangelisch gesehen, Stuttgart 1978, 57–71 (über das Papsttum).

[2] Vgl. dazu unseren Beitrag: Papsttum und Petrusdienst. Kritische Erwägungen, in: H. Stirnimann/L. Vischer, Papsttum und Petrusdienst, 13–34.

[3] Vgl. Y. Congar/H. Küng/D. O'Hanlon [Hg.], Konzilsreden, Einsiedeln 1964, 55–57.

[4] AAS 59 (1967) N. 7, 498: »Le Pape, Nous le savons, est sans doute l'obstacle le plus grave sur la route de l'oecuménisme.«

der Strukturierung einer ökumenischen Kirchengemeinschaft ins Auge gefaßt werden. Als allgemeine Aussage aber ist der Satz, der Papst sei »das größte Hindernis« auf dem Weg zur christlichen Einheit, eine Übertreibung.

Der Verlust der kirchlichen Einheit war in den entscheidenden Phasen – vom 4.–5., vom 8.–12. und vom 14.–16. Jahrhundert – stets ein komplexer, von verschiedenen sozialen kulturellen und politischen Faktoren vehikulierter Vorgang. Auf die Konstituierung selbständiger Kirchen folgte die Bildung von getrennten Traditionen mit gegensätzlichen Theologien, kontrastierenden Gemeinschaftsformen, divergierenden Mentalitäten usw. Die Wiederfindung der Einheit kann nur innerhalb eines breiten geschichtlichen Prozesses konkrete Gestalt annehmen. Gegenwärtig fehlt es nicht an ökumenischer Theologie, auch nicht an ökumenischer Haltung bei den Verantwortlichen der Kirchenleitung. Die Schwierigkeiten kommen von entgegengesetzten Tendenzen an der Basis der kirchlichen Gemeinden (auf die sich dann die Verantwortlichen der Kirchen mit einem »Non possumus ultra« berufen). Den einen geht die Ökumene zu rasch, den anderen zu langsam. Neben Anzeichen einer völligen Dissolidarisierung von historisch-konfessionellen Bezugspunkten stehen (zumindest seit 1968) verkrampfte Bemühungen um eine Rückkehr zum alten »Konfessionalismus«.[4a] In dieser Situation der Nicht-Rezeption einer kirchlich-solidarisch gelebten Ökumene liegt zur Zeit das »Haupthindernis« für die Verwirklichung der so dringend geforderten christlichen Einheit. Welches auch immer der Anteil des Papsttums bei der Entstehung der historischen Risse durch die Christenheit war, auf jeden Fall kann man nicht sagen, das Papsttum stehe *heute* als »das größte Hindernis« der Wiederherstellung der Einheit unter den Christen entgegen. Aus zwei Gründen läßt sich eine solche, die tatsächliche Situation ignorierende Behauptung nicht aufrecht erhalten:

1. weil durch die Lokalisierung der Hauptschwierigkeit in einer Frage des »Amtes« der globale Charakter der Bemühungen um die Wiedervereinigung der Kirchen verkannt wird, und

2. weil dadurch die Verantwortung für die Verzögerung der Sichtbarwerdung der Einheit einseitig der römisch-katholischen Kirche zugeschrieben wird und die anderen Kirchen ein komfortables Alibi erhalten.

[4a] Vgl. dazu unseren Art.: Ökumene solidarisch – oder Rückkehr zum »Konfessionalismus«? in: Schweiz. Kirchenzeitung 147 (1979) Nr. 3 (18. 1.) 33–36.

2. Die Motive, die zur gegenwärtigen Diskussion über ein »ökumenisches Papsttum« geführt haben, sind Zeichen einer neuen Situation; die daraus sich ergebenden Imperative sind zu bedenken.

Lange Zeit wurde das heikle und affektbeladene Thema »Papsttum« oder »Rom« umgangen, von der Traktandenliste ökumenischer Gespräche und Beratungen ausgeklammert. Was hat dazu geführt, diesen Zustand zu überwinden und das wohl letzte ökumenische Tabu zu brechen? Dafür mag es verschiedene Gründe geben. Wenigstens drei davon seien kurz skizziert. Erstens geht es um die innere Dynamik, welche der ökumenische Dialog auf lokaler, regionaler und internationaler Ebene in den letzten dreizehn Jahren entfaltet hat. Die Hauptthemen dieses Dialogs sind bekannt: »Taufe« – »Eucharistie« – »kirchliches Amt«[5]. Die größte Überraschung waren die auf gründlichen biblischen, dogmengeschichtlichen und liturgischen Studien beruhenden positiven Resultate bezüglich des Eucharistieverständnisses. Ein ökumenischer Konsens ließ sich artikulieren, der alle Erwartungen übertraf. Schwieriger ist die Frage nach den wesentlichen Komponenten des kirchlichen Amtes (Ordination, apostolische Nachfolge, presbyterale oder episkopale Struktur). Ein Konsens zwischen »evangelischer« und »katholischer« (orthodoxer, altkatholischer und römisch-katholischer) Tradition ist zur Zeit noch nicht erreicht, doch fehlt es nicht an Elementen für eine Überwindung der säkularen Differenzen. Inzwischen ging die Diskussion weiter: vom kirchlichen Amt auf lokaler und regionaler Ebene zu einem kirchlichen Dienst für die Gesamtheit der Kirchen. Damit kam auch das Papsttum in Sicht, bzw. die Frage nach einer möglichen Funktion des Bischofs von Rom in einer ökumenisch strukturierten Chri-

---

[5] Vgl. dazu die drei Konsens-Erklärungen, die von der Kommission für Glauben und Kirchenverfassung in Accra (Ghana) 1974 entgegengenommen und den Kirchen zur Stellungnahme empfohlen wurden: Eine Taufe – Eine Eucharistie – Ein Amt, hg. von G. Müller-Fahrenholz, Einleitung von L. Vischer, Frankfurt a. M. ²1976 (Sonderdruck aus Beiheft Nr. 27 zur Ökumenischen Rundschau); die Erklärungen der Lutherisch/römisch--katholischen Gesprächskommission in den USA: One Baptism for the Remission of Sins. Lutherans and Catholics in Dialogue II, New York 1967; u. Eucharist and Ministry, Lutherans and Catholics in Dialogue IV, New York 1970; die von der Evangelisch/römisch-katholischen und der Christkatholisch (altkatholisch)/römisch-katholischen Gesprächskommission der Schweiz erarbeiteten Dokumente: Zur Frage der Taufe heute (Studiendokument), Schweiz. Kirchenzeitung 141 (1973) Nr. 30, 465–469, Gegenseitige Anerkennung der Taufe durch die Landeskirchen, a.a.O., 474, Für ein gemeinsames eucharistisches Zeugnis der Kirchen (Studiendokument), a.a.O. Nr. 41, 629–638; und G. Gassmann [Hg.], Um Amt und Herrenmahl, Dokumente zum evangelisch-römisch-katholischen Gespräch, Frankfurt a. M. 1974 (Ökumenische Dokumentation, 1).

stenheit. Daß darüber und über damit zusammenhängende Probleme ohne Vorurteile und Ressentiments gesprochen werden kann, ist ein Zeichen, daß der Geist der Ökumene keine Restriktionen kennt.

Ein zweiter Faktor, der das Gespräch über ein »ökumenisches Papsttum« begünstigt hat, ist das durch das konziliare Geschehen veränderte Kirchenbewußtsein innerhalb der römisch-katholischen Gemeinschaft. Zwar ist die nachkonziliare Entwicklung im römisch-katholischen Raum nicht eindeutig. Schwankungen, ja Widersprüche fehlen nicht. Zu den kaum wieder rückgängig zu machenden Resultaten indessen gehört: eine starke Sensibilisierung für die Mobilität der Geschichte. Und dies nicht nur bezüglich disziplinärer und liturgischer Belange, sondern auch bezüglich der Glaubensüberlieferung und des Glaubensverständnisses. Insbesondere wird Kirche als »Volk Gottes« nicht nur als geschichtliche Realität neu gesehen, sondern auch als ein in einer sich wandelnden Welt stets neu zu verwirklichender Auftrag erfahren. Apologetische oder gar triumphalistische Kirchengeschichtsschreibung ist vorbei. Dies schafft günstige Voraussetzungen für ein kritisches und realistisches ökumenisches Gespräch über vergangene und in Zukunft mögliche Funktionen des Bischofs von Rom.

Als dritter Faktor ist zu erwähnen: die Erfahrungen innerhalb der gegenwärtigen ökumenischen Strukturen. Auf fast allen Stufen bestehen ökumenische Gremien: Arbeitsgemeinschaften, Gesprächskommissionen, Christenräte, der Ökumenische Rat der Kirchen und die Kommission für Zusammenarbeit Ökumenischer Rat – römisch-katholische Kirche. Was in diesen Organen erfahren wird, ist ein außerordentlicher Einsatz von gutem Willen, oft auch von großer sachlicher Kompetenz. Doch stellt man sich Fragen bezüglich der Effizienz der geleisteten Arbeit. Erreichen die Resultate die Basis? Genügen gemeinsame Erklärungen, Stellungnahmen und Aufrufe? Tragen die erarbeiteten Dokumente nicht oft zu sehr die Spuren von Bürokratie oder Diplomatie? Entfalten sie jene dynamische Kraft, welche die ökumenische Bewegung braucht, um »in Bewegung« zu bleiben? Hinzu kommt die Forderung nach personalisierten Gesten und Symbolen, nach vereinfachter, glaubwürdiger und verbindlicher Repräsentanz. So fragt man sich, ob denn der Bischof von Rom, der »Sedes Petri et Pauli«, nicht, wenigstens für gewisse, klar umschriebene Anliegen, auch als Sprecher jener Kirchen fungieren könnte, die nicht zur römisch-katholischen Gemeinschaft gehören.

Schon aus diesen wenigen und gedrängten Hinweisen erhellt, daß die gegenwärtige Situation im Vergleich zur bisherigen Geschichte der Christenheit nicht nur neu ist, sondern auch einzigartige Möglichkeiten eröffnet, ein ökumenisches Gespräch über das Papsttum aufzunehmen. Von den daraus sich ergebenden Imperativen seien genannt:

1. Der Dialog über das Papsttum ist auf verschiedenen Ebenen und unter Berücksichtigung der besonderen Gegebenheiten der einzelnen Glaubensgemeinschaften von Kirche zu Kirche aufzunehmen. Bekanntlich hat ja keine der historisch von Rom getrennten Gemeinschaften ein auch die Zukunft einschließendes peremptorisches Urteil über das Papsttum gefällt.

2. Die zu erörternden Fragen sind unter Anerkennung der Priorität der geschichtlichen Aspekte aufzugreifen. Bezüglich der Problematik des Papsttums kann weder die Exegese noch die Dogmatik eine befriedigende Antwort geben, wenn nicht vorgängig die historischen Tatsachen – auch die der Dogmengeschichte – gebührend zur Kenntnis genommen und theologisch reflektiert werden.

3. Bei der Diskussion um ein »ökumenisches Papsttum« sind auch die Vor- und Nachteile der Alternativen, der bestehenden wie der pragmatisch möglichen, zu bedenken. Auf jeden Fall sollte in der gegenwärtigen Situation – sowohl der Kirchen wie des ökumenischen Dialogs – ein resigniertes Sichabfinden mit dem »Status quo« vermieden werden.

3. Die »Katholizität« als Leitbild verlangt die Überwindung aller Formen des Partikularismus in den Kirchen.

Nach K. Barth ist »ökumenisch« nur eine Dimension des Begriffes des »Katholischen«. Im Fortgang der Einheitsbestrebungen scheint sich, schreibt der Autor der »Kirchlichen Dogmatik«, zu zeigen, »daß der weitere Begriff des ›Katholischen‹ jenen engeren Begriff des ›Ökumenischen‹ zu füllen bzw. zu sprengen in vollem Zuge ist«[6]. Seit den zwanziger Jahren ist in der evangelischen Theologie eine Aufwertung des Begriffes »katholisch« vollzogen worden[7]. Bekannt ist die von F. Heiler geprägte Wortverbindung »evangelische Katholizität«. Am weitesten vorgedrungen in der Analyse des Begriffes »katholisch« sind die Verfasser eines Vorbereitungstextes für die IV. Weltkonferenz für »Glauben und Kirchenverfassung« 1963 in Montreal[8]. »Katholizität« wird im Bericht »Christus und die Kirche« als Leitbild verstanden, das von der »Fülle der Wahrheit in

---

[6] K. Barth, Kirchliche Dogmatik IV/1, Zürich 1953, 785.
[7] Vgl. dazu unseren Aufsatz: »Katholisch« und »ökumenisch«, in: Forschung und Bildung. Aufgaben einer katholischen Universität, hg. von N. A. Luyten, Freiburg/Schweiz 1965, 102–124; »Catholic« and »Ecumenical«, in: Ecumenical Review 18 (1966) No 3, 293–309.
[8] Christus und die Kirche, Berichte der Theologischen Kommission über Christus und die Kirchen an die Vierte Weltkonferenz für Glauben und Kirchenverfassung Montreal, Kanada (1963), Zürich 1963, 7–39 (= Bericht der nordamerikanischen Sektion), bes. 10–17.

Christus« ausgeht und auf die Erfüllung des missionarischen Auftrages an die *gesamte* Menschheit ausgerichtet ist. Im Zentrum steht die an alle Völker gerichtete Verheißung des Geistes Christi und die dynamische Kraft der »guten Botschaft«, alle Kulturen und alle Bereiche des menschlichen Lebens zu durchdringen, Gemeinschaft zu stiften und jede Art von Trennung und Isolierung zu überwinden. »Katholizität« ist Verheißung, Gabe und Auftrag zugleich. »Wir können aber die Gabe der Katholizität nur suchen und empfangen«, heißt es im Schlußbericht von Montreal, »wenn wir uns der Ganzheit des Leibes Christi bewußt werden und für diese Ganzheit Sorge tragen . . .«[9]. Was also die »Katholizität« als Leitbild verlangt, ist klar: die Überwindung aller Formen des Partikularismus in den Kirchen.

Partikularismus kann es auch in einer universalen Kirche geben. Wenn das »Römische« ultramontan praktiziert wird, die Einheit die Vielfalt absorbiert und die »Lehre« über die Botschaft gestellt wird, steht die Katholizität des *Evangeliums* in Gefahr. Doch gibt es auch andere Formen des Partikularismus. Wenn die »reine Lehre« elitär wird und weite Bereiche des menschlichen Lebens (z. B. der nicht-verbalen Kommunikation) ignoriert, ein landesherrliches Regiment zu Abkapselung, Provinzialismus und Immobilismus führt und ethnische, politische und nationale Faktoren die Erfüllung des universalen Auftrages der Verkündigung beeinträchtigen, dann wird die Katholizität der *Kirche* in Frage gestellt. Von Partikularismus kann indessen nicht die Rede sein, wenn es sich um legitime Ansprüche auf Eigenart und Eigenständigkeit handelt. Katholizität beruht auf viel- und mannigfacher Repräsentation des Ganzen. Insbesondere geht es darum, die radikalen Forderungen des Evangeliums mit der Weite des Verkündigungsauftrages zu verbinden und in ökumenischer Gemeinschaft zu leben und zu bezeugen. Gewiß kann eine einzige Person die Verwirklichung einer solchen »evangelischen Katholizität« nicht garantieren. Doch ist zu fragen, ob die Wiederherstellung der »Communio« mit dem Bischof von Rom nicht ein solches Verständnis der Katholizität – für *alle* Beteiligten – fördern und begünstigen könnte. Selbstverständlich dürfte die »Communio« mit Rom für die orientalischen und für die evangelischen Kirchen nicht die Übernahme eines »Systems« bedeuten, sondern Gemeinschaft im Rahmen einer Vereinbarung, welche die Legitimität sowohl der Wahrung wie der Förderung der spezifisch orientalischen, reformatorischen und römisch-katholischen Traditionen sicherstellt.

---

[9] Montreal 1963, Berichtsband, Zürich 1964, 51.

4. Gestützt auf die heutige Exegese, besteht kein Grund, einen biblisch fundierten »Petrusdienst« im Rahmen einer ökumenischen Gemeinschaft der Kirchen auszuschließen.

Rückblickend ist zu sagen, daß von römisch-katholischer Seite die neutestamentlichen Petrus-Texte oft überbewertet wurden. Man wollte zu sehr das Ergebnis einer späteren Entwicklung mit biblischen Zitaten untermauern. Gegen diese Tendenz einer maximalistischen Interpretation ist festzuhalten, daß z. B. Mt 16,18 (»Du bist Petrus, der Fels . . .«) in der frühchristlichen Kirche nur eine geringe Rolle spielte, sehr wahrscheinlich das erste Mal um die Mitte des 3. Jahrhunderts von einem römischen Bischof zitiert wurde (Stephan I. gegen Cyprian), vom 5.–6. Jahrhundert für die Begründung der Vorrangstellung der »Sedes apostolica Petri et Pauli« innerhalb der »Communio« der apostolischen Kirchen verwendet wurde (Leo I.–Gregor I.) und vom 7.–11. Jahrhundert (Synode von Whitby – »Dictatus Papae« Gregors VII.) an oft als Stütze der mittelalterlichen Theorie von »Sacerdotium« und »Imperium« angeführt wurde[10]. Auf evangelischer und auf orthodoxer Seite herrschte lange Zeit eine entgegengesetzte Tendenz vor. Die neutestamentlichen Petrus-Stellen wurden umgangen oder minimalistisch interpretiert. Dem gegenüber wird heute allgemein anerkannt, daß das Gewicht der Petrus-Worte im Neuen Testament bedeutend ist, daß in allen Überlieferungsschichten von Petrus berichtet wird und daß Simon-Kephas in der Zeit der Gründung der Kirche durch die Apostel zweifellos eine besondere, ja hervorragende Rolle spielte.

Die neuere Petrus-Exegese wurde durch das Buch von O. Cullmann »Petrus, Jünger – Apostel – Märtyrer«[11] inauguriert. Repräsentative ökumenische Zeugnisse des Fortganges dieser Forschung sind in den Anmerkungen zu den Petrus-Stellen der französischen »Ökumenischen Übersetzung der Bibel«[12] und im Buch »Der Petrus der Bibel«[13] zu finden. Man ist

---

[10] Zur Synode von Whitby (664) und zum Anteil Englands an der Entstehung des sog. »Papalismus« vgl. G. Kretschmar, Erwägungen eines lutherischen Theologen zum »Petrusamt«, in: H.-J. Mund [Hg.], Das Petrusamt (s. Anm. 1) 57–84, bes. 60–68.

[11] O. Cullmann, Petrus, Jünger – Apostel – Märtyrer. Das historische und das theologische Petrusproblem, Zürich 1952 u. 1962 (= 2. umgearbeitete und ergänzte Aufl.).

[12] Traduction Oecuménique de la Bible, Edition intégrale, Nouveau Testament, Paris 1972.

[13] Der Petrus der Bibel. Eine ökumenische Untersuchung, hg. von R. E. Brown, K. P. Donfried u. J. Reumann, eingel. von F. Hahn u. R. Schnackenburg, Stuttgart 1976 (»Grundlagenpapier« für das Gespräch über das Papsttum der Lutherisch/römisch-katholischen Gesprächskommission in den USA, vgl. Anm. 1).

sich bewußt, daß viele Fragen zum Problem des »historischen Petrus« nur hypothetisch beantwortet werden können. Übereinstimmung besteht über folgende als historisch gesichert betrachtete Punkte: Kephas gehörte zu den »Säulen« der Jerusalemer Urgemeinde, begann dann seine Tätigkeit als Apostel-Missionar und beschloß seine apostolischen Reisen in derselben Stadt wie Paulus, mit dem Blutzeugnis in Rom. Bezüglich des in den neutestamentlichen Schriften überlieferten »Petrus-Bildes« wird der Einfluß verschiedener Tendenzen (Spannungen zu Jakobus-, Paulus- und Johannestraditionen) nicht relativiert und, entgegen früheren Unterstellungen, anerkannt, daß die wichtigsten überlieferten Jesus-Worte an den »Sohn des Jonas« kaum Spuren »römischer« Interessen verraten. Als bedeutsam wird erachtet, daß »Petrus« in der neutestamentlichen Überlieferung nicht nur als markantes Mitglied des »Zwölferkreises« und als »Apostel« und Missionar der Botschaft Jesu bezeugt wird, sondern auch als »Mitältester« und als »Hirt« der Kirche Jesu Christi erscheint, und daß »Kirche« oder »Herde« in diesem Kontext nicht eine Einzelgemeinde, sondern die Gesamtheit der christlichen Gemeinden bedeutet. Dieser biblische »Typos« eines kirchlichen »Petrus-« oder »Einheitsdienstes« wird – welches auch immer die Rolle war, die »Kephas« bei der Gründung der urchristlichen Gemeinden tatsächlich spielte – als für die Glaubensgeschichte relevant betrachtet und dem ökumenischen Dialog zur Diskussion überwiesen. Dazu noch folgende Klarstellung: Der »Felsen Petri« kann nicht Grund für weltliche und politische Ansprüche sein. Autokratische Formen des Verständnisses und der Ausübung der päpstlichen »Vollmacht« lassen sich nicht durch die bloße Berufung auf den »petrinischen Auftrag« als mit dem Neuen Testament in Einklang stehend ausweisen. Ähnliches ist allerdings auch zum institutionalisierten Protest gegen »Rom« zu sagen. Auf welche neutestamentlichen Stellen könnte man sich abstützen, um zu begründen, daß die letzte kirchliche Entscheidungsinstanz das Organ einer »Landeskirche« sein müßte? Auch dafür fehlt eine biblische Basis.

Die eigentliche Entscheidung über einen »biblisch *fundierten* Petrusdienst« muß der Geschichte überlassen werden. Zum gegenwärtigen Zeitpunkt genügt der als biblisch anerkannte »Typos« des »Petrusdienstes«, um mit guten Gründen das Gespräch über eine ökumenische Funktion des Bischofs von Rom »im Rahmen einer ökumenischen Gemeinschaft der Kirchen« aufzunehmen. Gestützt auf das Neue Testament ist indessen zu betonen, daß ein solcher »Petrusdienst«, soll er wirklich mit der »Frohbotschaft« übereinstimmen, nie zur Herrschaft *über* die Kirchen werden darf, sondern glaubhaft Dienst oder »Diakonia« *innerhalb* der Gemeinschaft oder »Koinonia« der Kirchen zum Ausdruck zu bringen hat.

5. Die Übernahme des »Petrusdienstes« durch den Bischof von Rom ist insofern im Evangelium begründet, als dadurch Verantwortung für die Gemeinschaft der Kirchen und für die Erfüllung des missionarischen Auftrages bezeugt wird.

Aus dem zu These 4 Ausgeführten ist klar geworden, daß die entscheidenden Fragen zum Problem des »Papsttums« nicht exegetischer, sondern kirchen- und dogmengeschichtlicher Art sind. (Im bisherigen ökumenischen Dialog ist allgemein ein Übergewicht von Exegese und Gegenwartsfragen, und eine ungenügende Berücksichtigung der Kirchen- und Dogmengeschichte festzustellen.) These 5 möchte eine rein positivistische Rechtfertigung der Verbindung »Petrusdienst« – Rom als geschichtlich inadäquate Begründung zurückweisen. Dabei erheben sich zwei zentrale Probleme: der Stellenwert der Lehre von der »apostolischen Nachfolge« und die Berufung auf ein »ius divinum«.

Bezüglich der Lehre von der »apostolischen Nachfolge« besteht ein expliziter Konsens zwischen den orientalischen Kirchen, den altkatholischen Kirchen und der römisch-katholischen Kirche. (Die diesbezüglichen Auffassungen in den anglikanischen Kirchen und in der lutherischen Kirche Schwedens stehen der altkirchlichen Lehre sehr nahe.) Die evangelischen Kirchen haben sich bisher von dieser Lehre distanziert. Doch ist in den letzten Jahrzehnten eine Veränderung eingetreten. Die »Apostolizität« der Kirche wird nicht mehr exklusiv als Übereinstimmung mit der »Lehre« der Apostel verstanden. Zum apostolischen Charakter gehört auch, so wird zunehmend betont, die Verwirklichung des *Auftrages* an die Apostel durch einen apostolischen *Dienst* in der Kirche. Dadurch sind die Chancen für eine ökumenische Verständigung bedeutend gewachsen. Dies um so mehr, als auch die römisch-katholische Ekklesiologie die Lehre von der »Nachfolge« der Apostel differenzierter als bislang artikuliert. Seit dem II. Vatikanum wird die »successio« kaum mehr »individualistisch« verstanden und die »Analogie« (d. h. Ähnlichkeit, nicht Identität) zwischen dem »collegium« der Apostel und dem »collegium« der Bischöfe herausgestellt[14]. Damit sind gewiß noch nicht *alle* Schwierigkeiten behoben. Aus der Sicht der »katholischen« Kirche setzt eine ökumenische Einigung bezüglich des »Papsttums« ein mit den »evangelischen« Kirchen erreichtes gemeinsames Verständnis des apostolischen Dienstes oder Amtes in der Kirche voraus. Doch soll damit nicht gesagt sein, daß nicht schon vor einem solchen

---

[14] Vgl. dazu unseren Beitrag: Der kirchliche Dienst. Zur Entwicklung der ökumenischen Problematik – eine Interpretation der Texte des Vatikanums II, in: FZPhTh 20 (1973) 37–66.

expliziten Konsens zwischen »katholischem« und »evangelischem« Amtsverständnis auf pragmatischer Basis dem Bischof von Rom gewisse Funktionen in bezug auf die »Oikumene« der Kirchen zuerkannt werden
könnten.

Der eigentlich »harte Kern« der Problematik ist die Begründung einer
Sonderstellung der »Sedes apostolica Petri« durch die Berufung auf ein
»göttliches Recht«, ein »ius divinum«. Darauf hat H. Ott in seinem
ökumenischen Kommentar zur dogmatischen Konstitution »Pastor aeternus« (über die Kirche) des I. Vatikanischen Konzils hingewiesen[15]. Aus
katholischer Sicht hat K. Rahner das Problem der Verwendung des Begriffes »göttliches Recht« in der Ekklesiologie und Sakramentologie unter
Einbeziehung der historischen Forschung neu aufgerollt[16]. Immer mehr
wird anerkannt, daß der *eine* Auftrag für den Dienst in der Kirche, den die
Apostel gemeinsam vom Herrn empfangen, beim Übergang von der apostolischen zur nachapostolischen Zeit aufgefächert wurde[17]. Göttliche Stiftung schließt menschliche Initiative in eigener Verantwortung nicht aus.
Das gilt auch für die Verwirklichung des »Petrusdienstes«. Der Auftrag
stammt vom Herrn der Kirche, die Wahrnehmung des Auftrages ist dem
Glaubenssinn und dem Verantwortungsbewußtsein in der Kirche überge-
ben. Die Kirche in Rom berief sich zunächst auf Petrus und Paulus zur
Begründung ihres apostolischen Ursprunges. Für das Bewußtsein eines
besonderen, im Evangelium *begründeten* »Petrusdienstes« und für die
Anerkennung eines solchen durch die Gesamtheit der christlichen Kirchen
brauchte es Jahrhunderte.

Daß man am Ende des 2. Jahrhunderts gegen dissidente Gruppen zum
Ausweis der in der »Catholica« bewahrten Kontinuität mit der apostoli-

---

[15] H. Ott, Die Lehre des I. Vatikanischen Konzils. Ein evangelischer Kommentar,
Basel 1963 (Begegnung, 4), 144–155. Vgl. dazu auch H. Meyer, Das Papsttum in
lutherischer Sicht, in: H. Stirnimann/L. Vischer, Papsttum und Petrusdienst (Anm.
1), 73–90, bes. 84–90.

[16] K. Rahner, Über den Begriff des »Jus divinum« im katholischen Verständnis, in:
Schriften zur Theologie V, Einsiedeln ²1964, 249–277. Vgl. dazu auch die Beiträge
von C. Peter, Dimension of *Jus Divinum* in Roman Cahtolic Theologie, u. A. C.
Piepkorn, *Jus Divinum* and *Adiapharon* in Relation to Structural Problems in the
Church. The position of the Lutheran Symbolical Books, u. G. A. Lindbeck, Papacy
and *Jus Divinum.* A Lutheran View, in: Lutherans and Catholic in Dialogue V, New
York 1974.

[17] Vgl. II. Vat. Konzil, Dogmat. Konst. über die Kirche »Lumen gentium«, Nr. 28,1:
»Christus . . . consecrationis missionisque suae per Apostolos suos, erorum successo-
res, videlicet Episcopos, participes effecit, qui munus ministerii sui, *vario gradu,*
variis subiectis in Ecclesia legitime tradiderunt. Sic ministerium ecclesiasticum divini-
tus institutum *diversis ordinibus* exercetur . . .«

schen Kirche an die »ununterbrochene Reihe legitimer Hirten« im Sinne einer »praescriptio iuris« (Tertullian) appellieren konnte, ist verständlich. Sich nach nahezu 2000 Jahren zum Ausweis der »Wahrheit« der Kirche auf eine rechtlich intakte Sukzession von »Nachfolgern Petri« stützen zu wollen, stößt auf erhebliche biblische, kriteriologische und historische Schwierigkeiten. Eine solche »Rechtfertigung« kann, als Beweggrund zur »Communio« mit »Rom«, vor allem Kirchen gegenüber nicht geltend gemacht werden, die in den tatsächlich kritischen Momenten der Geschichte kaum die Gelegenheit hatten, dem authentischen Ausdruck eines biblisch fundierten »Petrusdienstes« zu begegnen. Neben der »Historia calamitatum« gibt es aber auch Lichtpunkte in der Geschichte des »Papsttums«. Als Beispiele dafür sei auf Leo I. und Gregor I. verwiesen. Was die Tätigkeit beider auszeichnete: Sorge für die Einheit in der Gemeinschaft der Kirchen, Initiativen für Reform und Vertiefung des christlichen Lebens, entschiedene Schritte zum Schutz der Unterdrückten, zur Hebung der Bildung, zur Rettung und Wahrung des Friedens, Impulse zur Evangelisation schon christlicher und zur Missionierung noch nicht christlicher Völker. Welches auch immer der Regierungsstil dieser Päpste am Ende der Spätantike war, die von ihnen in einer Zeit tiefgreifender gesellschaftlicher und politischer Umschichtung entfaltete »sollicitudo omnium ecclesiarum« dürfte sich als historisch bedeutsame und hilfreiche Referenz dazu eignen, die Erstellung des Modelles eines »ökumenischen Papsttums« zu inspirieren und zu stimulieren.

Allgemein ist zu sagen, daß, wo immer von den Bischöfen der »Sedes Petri et Pauli« katholische Einheit in der Gemeinschaft der Kirchen gefördert, zur Erneuerung des Geistes in der Nachfolge Jesu Reformen eingeleitet und zur Erfüllung des missionarischen Auftrages Initiativen ergriffen werden, ein »Petrusdienst« bezeugt wird, der, mehr als nur Ausdruck bloß menschlichen Unternehmungsgeistes, sich auf das *Evangelium* berufen und auf den Willen des *Auferstandenen* stützen kann. Würde die Übernahme einer solchen Verantwortung für die Gemeinschaft der Kirchen im Rahmen einer ökumenischen Vereinbarung dem Bischof von Rom zuerkannt, so könnte es sein, daß ein so strukturierter »Petrusdienst« auch nicht mehr die von Melanchthon dem Papsttum des 16. Jahrhunderts gegenüber erhobenen Vorbehalte –»so er [der Bapst] das Evangelium wollte zulassen« und »jure humano«[18] als notwendig erscheinen lassen müßte. Mit diesen Überlegun-

---

[18] Melanchthon, Unterzeichnung der Schmalkaldischen Artikel, in: Die Bekenntnisschriften der evangelisch-lutherischen Kirche, Göttingen 1950, 463–464. – In den »Überlegungen der lutherischen Teilnehmer« zum Gespräch über das Papsttum in den USA heißt es Nr. 42: »In unserem Gespräch sind wir jedoch durch eine Reihe

gen wird nur, allerdings in einem zentralen Punkt, die Richtung für eine die Kirchen- und Dogmengeschichte nicht übergehende Lösung der Frage nach einem »ökumenischen Petrusdienst« angezeigt. Wie viele weitere Probleme noch zu klären wären, wird dem Kenner der von der römisch-katholischen Kirche vor etwas mehr als hundert Jahren definierten Lehre bezüglich des »Papsttums« kaum entgehen können.

6. Die »Kollegialität« als Ausdruck der christlichen Brüderlichkeit hat das kirchliche Handeln auf allen Stufen zu prägen; episkopē und Synodalität sind komplementär; »monarchische« Ansprüche widersprechen der Nachfolge Jesu.

Der Leitgedanke »Kollegialität« ist bald nach der Ankündigung des II. Vatikanischen Konzils von führenden Theologen (bes. Y. Congar und K. Rahner) zur Diskussion gestellt worden. Die diesbezüglichen Formulierungen im Schema zur dogmatischen Konstitution über die Kirche haben auf der dritten Sessionsperiode eine Debatte ausgelöst, die zu den heftigsten des ganzen Konzils gehörte. Das Entscheidende sind indessen nicht die theologischen Nuancierungen, die man anzubringen sich verpflichtet fühlte, um nicht mit den dogmatischen Aussagen des I. Vatikanums über das Papsttum in Konflikt zu geraten, sondern das Faktum, daß mit dem Terminus »Kollegialität« (»collegium«, »collegialis«, »actus collegialis« usw.) ein Wort aufgenommen wurde, das tief in der christlichen Tradition verwurzelt ist und sich vorzüglich für die Artikulierung eines kirchlichen »Leitbildes« eignet. Auch hat man es nicht unterlassen, auf die christliche »Brüderlichkeit« als Basis und Grundlage dieses Leitbildes hinzuweisen: Die »Laien« haben auch jene, welche in der Kirche einen »heiligen Dienst« ausüben, »zu Brüdern erhalten . . ., damit das neue Gebot der Liebe von allen erfüllt werde«[19]. »Unter allen [in der Kirche] herrscht eine wahre Gleichheit in

---

gründlicher historischer Untersuchungen zu dem Schluß gekommen, daß die traditionelle Unterscheidung zwischen ›de iure humano‹ und ›de iure divino‹ keine brauchbaren Kategorien für die heutige Diskussion über das Papsttum liefert«; Text in: H. Stirnimann/L. Vischer, Papsttum und Petrusdienst (Anm. 1), 123. Doch wird unmittelbar daran anschließend von den lutherischen Theologen gesagt, sie wollen »die Ausübung des universalen Amtes [in der Kirche] nicht als etwas verstehen, was man tun oder lassen kann. Es ist Gottes Wille, daß die Kirche die institutionellen Mittel besitzt, die zur Förderung der Einheit im Evangelium nötig sind«, a.a.O.

[19] Dogmat. Konst. über die Kirche »Lumen gentium« 32,4: »Laici igitur sicut ex divina dignatione fratrem habent Christum, qui cum sit Dominus omnium, venit tamen non ministrari sed ministrare (cf. Matth. 20,28), ita etiam fratres habent eos,

bezug auf die allen gemeinsame Würde und Tätigkeit zur Auferbauung des Leibes Christi.«[20]

»Kollegialität« im prägnanten Sinn meint die brüderliche Zusammenarbeit der Bischöfe untereinander und mit den beratenden Organen, zu denen auch »Laien« gehören. Zu lange ist der Episkopat als »Monepiskopat« verstanden worden. Gegen personalisierte Autorität in der Kirche ist bestimmt nichts einzuwenden, wenn zugleich auch die Kollegialität und die christliche Brüderlichkeit wirksam zum Zuge kommen. Aus Geschichte und Gegenwart ist bekannt, daß »charismatische« Gruppen oft zur Bildung von »Hierarchien« neigen und daß Kirchen, die eine »demokratische« Struktur der Gemeinde betonen, von »Klerikalismus« und »autoritären« Regierungsformen nicht verschont bleiben. Wird personale Verantwortung im Sinne der *episkopē* (wie sie nun auch vermehrt von evangelischen Theologen als Verwirklichung eines »apostolischen Auftrages« verstanden wird) mit der Praxis der Kollegialität und Synodalität verbunden, so wird damit nicht nur ein von den frühesten Quellen über das christliche Gemeindeleben bezeugtes Modell aktualisiert, sondern auch eine Strukturierung der Zusammenarbeit vollzogen, welche durch verschiedene Funktionen und Dienste in der Kirche die Beteiligung *aller* an der »Auferbauung des Leibes Christi« in angemessener Weise ermöglicht. Nicht nur zuviel Strukturen, auch zuwenig Strukturen können zu Passivität und mangelndem Interesse führen. Zu den zweifellos positiven Resultaten des II. Vatikanums gehört, daß Brüderlichkeit, Kollegialität und Synodalität vermehrt auf den verschiedenen Stufen des kirchlichen Lebens gepflegt werden; angefangen von den Pfarreien (Seelsorger und Seelsorgeräte) und Diözesen (Bischof, Priesterräte, Seelsorgeräte, Synoden) bis zu regionalen und überregionalen Verbänden (nationale Bischofskonferenzen, regionale und kontinentale Bischofsversammlungen). Anläßlich der Arbeit für eine differenzierte Verwirklichung der vom Konzil erlassenen Richtlinien und Weisungen durch kollegiale Organe (bes. die Synoden) hat sich ein neuer Stil der Leitung und Mitverantwortung in der römisch-katholischen Kirche herausgebildet, der kaum wieder rückgängig zu machen ist. Der *episkopos* ist nicht mehr allein, er hat kritische Berater und für verantwortungsvolle Aufgaben bereite Mitschwestern und Mitbrüder.

---

qui in sacro ministerio positi, auctoritate Christi docendo et sanctificando et regendo familiam Dei ita pascunt, ut mandatum novum caritatis ab omnibus impleatur.«
[20] »Lumen gentium« 32,3: »Etsi quidam ex voluntate Christi ut doctores, mysteriorum dispensatores et pastores pro aliis constituuntur, vera tamen inter omnes viget aequalitas quoad dignitatem et actionem cunctis fidelibus communem circa aedificationem Corporis Christi.«

Dies alles kann kaum ohne Auswirkung auf die Ausübung des »Petrusdienstes« sein. »Monarchische« Ansprüche widersprechen der Nachfolge Jesu[21], besonders wenn sie auf »absolutistische« und »restaurative« Theorien zurückzuführen sind. Für die Praxis der »Kollegialität« auf höchster Ebene hat das Konzil auch besondere Organe vorgesehen, die dem Bischof von Rom zu einer den verschiedenen Bedürfnissen der einzelnen Kirchen entsprechenden Erfüllung seiner Aufgabe beratend und mitverantwortend zur Seite zu stehen haben. Das wichtigste dieser Organe ist die römische Bischofssynode. Die diesbezüglichen konziliaren Äußerungen lassen die Möglichkeit verschiedener Zusammensetzung der Mitglieder offen: Präsidenten oder Delegierte der nationalen Bischofskonferenzen (die bisher verwirklichte Form), Bischöfe einer bestimmten Region, Bischöfe als Experten für besondere Fragen. Das Entscheidende ist, daß bei wichtigen Angelegenheiten der Bischof von Rom nicht im Alleingang handelt, sondern ein »wahrhaft kollegialer Akt zustande kommt«[22], der den Kontakt mit der »Basis« wahrt und auf Mitverantwortung von »Kollegen« beruht. Das alles ist von höchster Bedeutung für ein »ökumenisches Papsttum«. Man könnte sich vorstellen, daß solche Synoden auch mit Verantwortlichen von Kirchen stattfinden, die bisher nicht oder nur implizit in »Communio« mit dem Bischof von Rom standen.

Mit den Erwägungen zu dieser These wollten wir nicht theoretische oder lehrmäßige Fragen lösen, sondern darauf hinweisen, daß gelebte Gemeinschaft in der Kirche grundlegend ist, daß dafür – mehr als politisch gefärbte Termini (»demokratisch« oder anachronistisch »monarchisch«) – »Brüderlichkeit« und »Kollegialität« Leitbilder und Grundprinzipien bilden und daß seit dem II. Vatikanischen Konzil in der römisch-katholischen Kirche ein »Lernprozeß« begonnen hat, der die Möglichkeit nicht ausschließt, zu von der Basis getragenen, ökumenisch akzeptierbaren Formen der Ausübung des »Petrusdienstes« zu führen.

---

[21] Vgl. z. B. Mt 20,25–28 (Mk 10,42–45; Lk 22,25–27); Mt 23,8–12; 1 Petr 5,2–3. – In den »Überlegungen der katholischen Teilnehmer« am Gespräch über das Papsttum in den USA ist Nr. 57 zu lesen: »Monarchischer Absolutismus in der Kirche würde eine Verletzung des Gebotes Christi bedeuten«, Text in: H. Stirnimann/L. Vischer, Papsttum und Petrusdienst (Anm. 1), 131 (im III. Teil des Berichtes »Amt und universale Kirche« der Lutherisch/römisch-katholischen Gesprächskommission in den USA aus dem Jahre 1974).

[22] »Lumen gentium« 22,2: »Eadem potestas collegialis una cum Papa exerceri potest ab Episcopis in orbe terrarum degentibus, dummodo Caput Collegii eos ad actionem collegialem vocet, vel saltem Episcoporum dispersorum unitam actionem approbet vel libere recipiat, ita ut verus actus collegialis efficiatur.« Vgl. 23,4: »Simili ratione Coetus Episcopales hodie multiplicem atque fecundam opem conferre possunt, ut collegialis affectus ad concretam applicationem perducatur.«

7. Ein ökumenischer Petrusdienst hat sich als »Struktur der Freiheit« im Gehorsam gegenüber dem Evangelium auszuweisen.

Aus der Geschichte ließen sich manche Beispiele anführen, die zeigen, daß der Bischof von Rom die Rechte sowohl einzelner Christen wie ganzer kirchlicher Verbände zu schützen wußte und gegen Mißbräuche politischer Machthaber seine Stimme erhob. Indessen hat sich als größte Belastung für einen solchen »Freiheitsdienst« in der Vergangenheit die Schaffung eines »Kirchenstaates« – gestützt auf das »Patrimonium Petri« – ausgewirkt. Dabei wäre zu fragen, von wann an eine solche staatliche Basis der Independenz für die Ausübung eines universalen kirchlichen Dienstes ihre relative Berechtigung hatte (etwa vom 10. bis zum beginnenden 12. Jahrhundert) und von wann an eine solche Stütze problematisch wurde und das Zeugnis für die »Frohbotschaft« schwerwiegend zu beeinträchtigen begann. Ein anderes Problem ist die aus den politischen Ereignissen des 19. Jahrhunderts (»Restauration« und »Kulturkampf«) hervorgegangene Gestalt des Kirchenverständnisses, nach dem die Anerkennung des römischen »Primates« und die »Unterwerfung« unter den Papst zu den dominierenden Merkmalen des »römischen Katholizismus« wurden. Heute sind wir, auch wenn die Spuren jener Konzeption noch nicht ganz und noch nicht alle verschwunden sind, in einer anderen Situation. Seit Johannes XXIII.[23] und dem II. Vatikanischen Konzil wird vermehrt die Vielfalt in der Einheit betont und den lokalen und regionalen »Autoritäten« (Bischöfen, Synoden, Bischofskonferenzen) mehr Spielraum und mehr Eigenverantwortung zuerkannt. Zu erwähnen ist ferner, daß durch die konziliare Wandlung das Verantwortungsbewußtsein für das gesellschaftliche und politische Geschehen zugenommen hat. »Pacem in terris«, »Gaudium et spes« und das Rundschreiben Pauls VI. »Populorum progressio« haben, besonders bei den Christen der Dritten Welt, ein namhaftes Echo gefunden. Diese Dokumente, maßvoll und abgewogen im Stil, machen mit Entschiedenheit Grundrechte geltend, ohne deren Anerkennung es keinen Weg zu echter »Befreiung« gibt. Allgemein darf gesagt werden, daß das Bewußtsein, in der an die Apostel Petrus und Paulus appellierenden Kirche einen sichtbaren Ort der Einheit zu haben – welches auch immer die damit verbundenen Vorstellungen waren –, die Bildung und Wahrung einer die nationalen und ethnischen Grenzen übersteigenden und damit »Freiheit« bezeugenden Gemeinschaft der Kirchen gefördert und gestärkt hat.

---

[23] Vgl. dazu »die wohl ausführlichste, eingehendste und umfassendste« Würdigung von Leben und Werk des Papa Roncalli von Nikodim, Metropolit von Leningrad und Nowgorod: Johannes XXIII., hg. von R. Hotz, Mit einem Geleitwort von Franz Kardinal König, Zürich/Einsiedeln/Köln 1978.

Daß man sich bei sämtlichen Konflikten mit der Machtposition »Rom« auf die christliche »Freiheit« berief, ist verständlich. Die Ereignisse, die zur Gründung »romfreier« Kirchen führten, werden heute von den römisch-katholischen Forschern durchwegs »ökumenisch« interpretiert. Ein anderes Problem sind die kirchliche Praxis und die kirchlichen Strukturen, die sich in der Folgezeit in den von Rom »befreiten« Kirchen eingebürgert haben. An Stelle des »Kirchenstaates« trat nicht selten das »Staatskirchentum« unter dem »Summespikopat« der christlichen Fürsten, an Stelle der Referenz zur »Sedes apostolica Petri et Pauli« die Konzentration auf die autochthone »Tradition«. Gewiß sind diese Hinweise viel zu summarisch, um den mannigfachen authentischen Bemühungen zur Wahrung der christlichen »Freiheit« und zur Bewahrung des legitimen christlichen »Erbes« gerecht zu werden. Gewiß hat auch der Ökumenische Rat der Kirchen viel dazu beigetragen, um seit Jahrhunderten in konfessioneller Abgeschlossenheit lebende Kirchen zu einer brüderlichen Gemeinschaft zu führen und »Freiheit« sowohl in der Begegnung der Kirchen wie bezüglich des gemeinsamen Auftrages für Frieden und Versöhnung in der Welt zu fördern. Indessen wird von nicht Unerfahrenen in diesen Bemühungen die Frage gestellt, ob die Zeit nicht gekommen sei, einen für die Gemeinschaft der Kirchen verbindlichen Dienst – besonders im Blick auf gesellschaftliche Verantwortung – ins Auge zu fassen[24].

Ein »ökumenischer Petrusdienst« müßte sich als »Struktur der Freiheit« – »im Gehorsam gegenüber dem Evangelium« ausweisen. Er müßte zum Ausdruck bringen, daß das Evangelium *befreit,* und daß das Evangelium *eint,* daß weder Menschen noch Strukturen allein jene Freiheit zu bringen und jene Einheit zu schaffen und zu erhalten vermögen, die Jesus Christus seiner Kirche verheißen hat. Man kann sich aber fragen, ob es realistisch sei, einen solchen evangelischen Freiheits- und Einheitsdienst, auch nur hypothetisch, mit dem Dienst eines römisch-katholischen Bischofs verbinden zu wollen. Über die Angemessenheit oder Unangemessenheit eines solchen Planes haben nicht römisch-katholische Christen zu befinden. Wenn wir trotzdem dazu einige Gedanken zu äußern wagen, so geschieht dies im Bewußtsein der – Belastung der Problematik »Papsttum« – »Befreiung« und »Freiheit«.

Zu bezweifeln ist kaum, daß die römisch-katholische Kirche in den letzten zwanzig Jahren den Versuch unternahm, eine dem Evangelium gemäße Reform durchzuführen. Ob dies gelingt und zu einer Erneuerung im Geiste

---

[24] Vgl. dazu z. B. W. Pannenberg, Die Bestimmung des Menschen, Göttingen 1978, 23–40 (= »Die gesellschaftliche Bestimmung des Menschen und die Kirche«), bes. 37.

der Nachfolge Jesu führt, kann zur Zeit noch niemand mit Bestimmtheit sagen. Tatsache ist, daß durch entschiedene liturgische, disziplinäre und doktrinäre Reformbestrebungen die römisch-katholische Gemeinschaft sich einer schweren inneren Belastungsprobe ausgesetzt hat, und daß man es zur Bewältigung dieser Krise bis zur Zeit vermieden hat, zu vorkonziliaren Methoden zurückzukehren. Der »Index« scheint für immer aufgehoben, »Exkommunikationen« wurden keine ausgesprochen, weder gegen »ultrareaktionäre« noch gegen »ultraprogressistische« Tendenzen. Hinzu kommt der explizit von Johannes XXIII. geäußerte und von Paul VI. respektierte Wille, kein »neues Dogma« zu verkünden. Der Sinn einer solchen Bestimmung scheint nicht zuletzt doch der zu sein, den ökumenischen Bestrebungen kein neues Hindernis entgegenzustellen, zur Lösung etwaiger aus Vergangenheit und Gegenwart anstehender Fragen den Dialog offen zu halten, um, wenn möglich, zu einer auch von anderen Kirchen mitgetragenen und mitverantworteten Artikulierung des »gemeinsamen apostolischen Glaubens«[25] zu gelangen.

Ein weiterer Aspekt der Problematik: Das Papsttum ist nicht isoliert zu betrachten. Oft spiegelt sich auf höchster Ebene, was auch auf anderen Stufen praktiziert wird. So seien den obigen Bemerkungen noch zwei Hinweise, welche das Leben an der Basis betreffen, beigefügt: Anläßlich innerprotestantischer Kontroversen (z. B. hier Bultmann – hier Barth) hat sich gezeigt, daß nicht selten römisch-katholische Theologen nuanciertere Positionen vertreten und eine versöhnlichere Haltung einnehmen als die Exponenten der im Streite liegenden Parteien. Das zweite Beispiel: Schon etliche Male ist es vorgekommen, daß evangelische Christen sich spontan mit von römisch-katholischen Christen ergriffenen Initiativen für politische »Befreiung« (z. B. in El Savador und in Guatemala) solidarisierten. Solche und ähnliche Phänomene sind Symptome für ein neues Klima. Es ist anzunehmen, daß sie sich in Zukunft häufen werden. Auf jeden Fall sind sie von dem, was auf höchster Ebene geschieht, nicht zu trennen. Beim Gedanken eines »ökumenischen Papsttums« geht es um die Glaubwürdigkeit der ganzen römisch-katholischen Kirche, bzw. um die Glaubwürdigkeit ihres Bestrebens, »im Gehorsam gegenüber dem Evangelium« Strukturen zur Wahrung der Freiheit in der Begegnung, zur Sichtbarwerdung der Einheit unter Christen und zur Förderung von Gerechtigkeit und Frieden auszubilden und wirksam werden zu lassen.

---

[25] So die am Schluß des II. Vatikanischen Konzils vom »Phanar« und von »Rom« gemeinsam angekündigten Zielvorstellung, vgl. dazu unseren Bericht: Rom – Konstantinopel. Aufhebung der Exkommunikation, Schweiz. Kirchenzeitung 133 (1965) Nr. 52, 682–683.

Mit diesen Überlegungen soll jedoch nicht der Eindruck erweckt werden, die Initiative läge allein auf römisch-katholischer Seite. Die neuere Diskussion über »Petrus der Bibel« und »Papsttum« ist nicht von römisch-katholischen Theologen ausgegangen. Wieviel es brauchte, um über alle historischen Schwierigkeiten hinaus im Blick auf gegenwärtige und zukünftige Fragen die biblische Basis für einen »ökumenischen Petrusdienst« neu aufzunehmen und das heikle Thema »Papsttum« in ökumenischer Sprache zu artikulieren, dies zu ermessen und entsprechend zu bewerten, ist nur fähig, wer die Macht der Geschichte kennt und die Kraft des evangelischen Geistes in historisch »romfreien« Kirchen anerkennt.

Einen Einheits- oder Petrusdienst »im Gehorsam gegenüber dem Evangelium« und als »Struktur der Freiheit« anzustreben, ist keine leichte Aufgabe. Sie ruft nach einer konkreten Gestalt »evangelischer Katholizität« in der Gemeinschaft der Kirchen.

8. *Ein ökumenischer Petrusdienst ist nur dann theologisch zu verantworten, wenn die Ekklesiologie weder einseitig »christologisch« noch einseitig »pneumatologisch« konzipiert wird.*

Mit dieser These soll auf den theologischen Hintergrund der historischen Kontroverse über das Papsttum aufmerksam gemacht werden. Wo immer man mit den Ansprüchen »Roms« in Konflikt kam, berief man sich auf den Heiligen Geist als den eigentlichen Begründer und Vollender der Einheit der Kirche. Nach orientalischer Auffassung ist die »Symphonie« der Kirchen das Werk des göttlichen Pneumas und der christlichen Agape. In reformatorischer Tradition stützt man sich auf das »testimonium Spiritus Sancti«, um die Worte Jesu »wo zwei oder drei in meinem Namen versammelt sind . . .« als Begründung für das eigentliche Kirche-sein auszulegen. Demgegenüber wurde die römisch-katholische Lehre von der Kirche lange Zeit vom Gedanken der Sendung: Vater – Sohn, Christus – Apostel, Petrus – Papst beherrscht (und die Sendung des Geistes mit der genannten »hierarchischen« Sendungslinie identifiziert). Es liegt auf der Hand, daß diese verschiedenen Ekklesiologien nicht unabhängig vom geschichtlichen Kontext der entsprechenden Kirchen und »kirchlichen Familien« entwickelt wurden. »Rom« rechtfertigte seinen »Primat« mit einer vorwiegend christologisch akzentuierten Ekklesiologie (und damit verbundenen »monarchischen« Vorstellungen), die orientalischen und die reformatorischen Kirchen ihre Distanzierung von »Rom« mit einer vorwiegend pneumatologisch ausgerichteten Ekklesiologie (und damit verbundenen »patriarchalischen« oder »demokratischen« Modellen).

Wenn wir in These 3 zum Leitbild »Katholizität« von der Notwendigkeit einer »mannigfachen« Repräsentation des »Ganzen« und der zu wahrenden »Vielfalt« in der »Einheit« des Glaubens sprachen, so war das nicht als Konzession im Sinne einer bloßen Respektierung »legitimer Ansprüche« gemeint, sondern als Einladung zur freudigen und dankbaren Anerkennung des vielfachen Wirkens des Heiligen Geistes und des Reichtums verschiedener geistlicher Gaben in der Gemeinschaft der Kirchen. Auch was wir in These 6 zum Thema »Kollegialität« und »Brüderlichkeit« ausführten, darf nicht nur anhand der Kategorie »Mitverantwortung« ausgelegt werden, sondern ist auch und mehr noch als Aufforderung zu großzügiger Bejahung und Förderung des Zusammenwirkens mannigfacher Geistesgaben zur »Auferbauung des Leibes Christi« zu verstehen[26]. Ebenso hatte das in These 7 zu »Freiheit«, »Befreiung« und »Freiheitsstrukturen« zur Sprache Gebrachte nicht einen bloß soziologischen »Demokratisierungsprozeß« im Auge, sondern die im Geiste Jesu verheißene »Freiheit der Kinder Gottes«. »Katholizität«, »Brüderlichkeit« und »Freiheit« haben mit der Gegenwart des Geistes in der Gemeinschaft der Glaubenden zu tun. »Einheit« in der Kirche kann es nur als »Mit-teilen« des Geistes des Auferstandenen geben, der »Gemeinschaft« *(koinonia – communicatio)* schafft und ist[27].

Ein »ökumenischer Petrusdienst« ist theologisch durch die Erarbeitung einer »ökumenischen Ekklesiologie« zu verantworten. Eine solche hat die im Laufe der Geschichte als Gegensätze herausgestellten Momente zu versöhnen und in ein vertieftes und umfassendes Verständnis von Kirche zu integrieren. Der Ansatz darf weder einseitig christologisch noch einseitig pneumatologisch sein. M.a.W. eine ökumenische Ekklesiologie hat von einem *trinitarischen* Verständnis der Kirche auszugehen und die Lehre von der Gemeinschaft der Glaubenden trinitarisch zu artikulieren. In patristischer Zeit wurde die Kirche nicht nur als »Leib Christi« und als »Tempel des Heiligen Geistes«, sondern auch als »corpus Trinitatis« verstanden. Von besonderer Bedeutung in diesem Zusammenhang ist die Erweiterung der

---

[26] Die äußere »soziale Struktur« der Kirche ist, »wenn sie mit den [inneren] geistlichen Gaben verglichen wird«, »etwas von gänzlich untergeordnetem Rang«, Enzyklika »Mystici Corporis Christi« Nr. 61: »socialis christianae rei publicae structura, quamvis divini Architecti sui sapientiam praedicet, aliquid tamen inferioris omnino ordinis est, ubi cum spiritualibus donis comparatur, quibus eadem ornatur ac vivit, cum erorum divino fonte«, AAS 35 (1943) 223.

[27] Vgl. dazu den Doppelsinn von *koinonia tou hagiou pneumatos* 2 Kor 13,13: Gemeinschaft, die der Heilige Geist bewirkt (*tou hagiou pneumatos* als genitivus subiecti), und Gemeinschaft, die der Heilige Geist selber ist (*tou hagiou pneumatos* als genitivus obiecti); was expliziert etwa folgendermaßen wiedergegeben werden kann: Gemeinschaft, die der Heilige Geist *unter* und zwischen den an Jesus Glaubenden bewirkt, und Gemeinschaft im Heiligen Geist *mit* Christus und dem Vater.

Basis-Formel des Ökumenischen Rates der Kirchen: von der Anerkennung »unseres Herrn Jesus Christus als Gott und Erlöser« (Amsterdam 1948) – zu »zur Ehre Gottes, des Vaters, des Sohnes und des Heiligen Geistes« (New Delhi 1961). Diese Explizitierung des trinitarischen Glaubens hat – wie bekannt ist – mit der verstärkten Repräsentation orthodoxer Kirchen im Ökumenischen Rat zu tun. Sie impliziert aber auch das theologische Programm, die Lehre von der Gemeinschaft der Glaubenden nach den trinitarischen Aspekten des Heilsgeschehens zu entfalten. Schöpfung, Erlösung und Heiligung (Versöhnung) sind drei Dimensionen des Wirkens Gottes, die das Sein der Kirche bestimmen. Nur unter Anerkennung dieser Dimensionen wird es möglich werden, den alten Begriff der »ecclesia universalis« wieder zur Geltung zu bringen (der Verlust kirchlicher Einheit wurde stets von einer Verengung des Kirchenbegriffes begleitet).

Der bisher wohl beachtenswerteste Versuch, die Grundlinien einer ökumenischen und trinitarischen Theologie der Kirche zu entwerfen, ist der schon angeführte Bericht »Christus und die Kirche« an die IV. Weltkonferenz für Glauben und Kirchenverfassung[28]. Die von den Autoren dieses Entwurfes entwickelte »katholische Methode« bedeutet konkret, nicht »trennen« zu wollen, »was Gott selber zusammengefügt hat«[29]. So bemüht man sich, die in der Lehre von der Kirche oft als Gegensätze verwendeten Begriffe »Ereignis« und »Institution« als sich ergänzende Kategorien wieder zusammenzubringen[30]. »Wir finden die Gegenüberstellung« – heißt es im Bericht – »in *jedem* Aspekt des göttlichen Wirkens wieder. Allenthalben lassen sich Ereignis *und* Institution feststellen – ob als Freiheit *und* Bindung oder als Vielfalt *und* Ordnung oder als Dynamik *und* festes Gefüge.«[31] In Makro- und Mikrokosmos gibt es »Flüssiges« und »Festes«, im menschlichen Zusammensein sind »Freiheit« und »Ordnung« unentbehrlich; Menschwerdung bedeutet »Ereignis« und »feste Form« (konkrete Menschheit), Erlösung »Hingabe« und »Aufforderung« zur Nachfolge; Heiligung besagt »freies Wirken« des Heiligen Geistes und für bestimmte Funktionen verliehene »Gaben«, Gemeinschaft »Leben« und Kommunikations-»Strukturen«. In einer so konzipierten Lehre von der Gemeinschaft der Glaubenden

---

[28] Vgl. den Bericht der nordamerikanischen Sektion in: »Christus und die Kirche« (s. Anm. 8), 7–39.

[29] A.a.O. 13; vgl. dazu die ganzen Ausführungen zu »Ansatz« und »Methode« der Studie, 10–17.

[30] A.a.O. 30–36. Vgl. dazu auch J.-L. Leuba, Institution und Ereignis, Gemeinsamkeiten und Unterschiede der beiden Arten von Gottes Wirken nach dem Neuen Testament, Göttingen 1957; und ders.: A la découverte de l'espace oecuménique, Neuchâtel 1967.

[31] A.a.O., 30–31.

dürfte auch ein Ausgleich zwischen den mit den Namen dreier Apostel bezeichneten Modellen möglich werden: dem »Petrinischen«, dem »Paulinischen« und dem »Johanneischen«. Das Petrinische wäre dann nicht mehr ein exklusives Prinzip, das Paulinische und das Johanneische würden das Petrinische einschließen. Die Gemeinschaft könnte wohl einen *sichtbaren* Ort der Einheit haben, wenn zugleich anerkannt wird, daß jede Kirche *unmittelbar* vom Geist Gemeinschaft empfängt mit dem Erhöhten »zur Rechten des Vaters«. In einer solchen ökumenischen, von der göttlichen »oikonomia« ausgehenden Theologie der Kirche würde zum Ausdruck kommen, daß der Vater, der Sohn und der Heilige Geist *gemeinsam* »Herr« der Kirche sind; daß Amt, Kerygma und Agape Momente des einen »Dienstes« in der Kirche und für die Kirche bilden; daß »ökumenisch«, »evangelisch« und »katholisch« als sich ergänzende Leitbilder der einen Kirche zu betrachten sind; und daß Kirche nicht einen Sonderzötus bedeutet, sondern durch Jesus mit Gott »versöhnte Welt«[32].

9. Ein ökumenischer Petrusdienst verlangt von der römisch-katholischen Kirche die Erneuerung des Papsttums »im Lichte des Evangeliums«.

Wiederherstellung der Einheit kann es nur durch Erneuerung des evangelischen Lebens in den Kirchen geben. Kenner der Geschichte weisen darauf hin, daß, hätten Päpste wie Leo XIII. und seine Nachfolger zu Beginn des 16. Jahrhunderts gelebt, es in der abendländischen Christenheit nicht zu einem Bruch mit »Rom« gekommen wäre. Seit Johannes XXIII. sind die Hoffnungen auf Wiedervereinigung von seiten der orientalischen Kirchen wie von seiten der reformatorischen Kirchen gestiegen. Doch haben die Bemühungen um eine »konziliare Gemeinschaft aller Kirchen« weiterzugehen: um eine Gemeinschaft, in der – wie die altkatholischen Bischöfe sich ausdrücken – »der ursprüngliche Petrusdienst des Primates eine neue Erfüllung finden wird«[33].

---

[32] Dazu a.a.O., 11–12: »Wir meinen, daß das Denken [über die Kirche] eine Reflexion über das Werk Gottes als ganzes vom Anfang bis zum Ende werden muß, daß es teil hat an der Fülle des göttlichen Planes, nach dem alle Dinge in Christus zusammengefaßt werden sollen, daß es von der Kirche in ihrer Gesamtheit handelt – von ihrer Gliedschaft im Himmel und auf Erden, die aus allen Völkern und Zungen versammelt wird, von ihrem gemeinsamen Erbe aus allen Zeitaltern, von ihrer apostolischen Sendung an alle Völker, von ihrer immer neuen Befreiung aus der Gefangenschaft im Provinziellen und Einseitigen, von ihrer Haushalterschaft der Wahrheit und Heiligkeit, die Gott ihr verliehen hat.«
[33] Erklärung der Altkatholischen Bischöfe zum 18. Juli 1970, Text in: H. Stirnimann/L. Vischer, Papsttum und Petrusdienst (Anm. 1), 144.

Bei der Reform des Papsttums spielen theoretische Fragen nur eine untergeordnete Rolle[34]. Im Vordergrund stehen die Forderungen nach einer neuen Praxis und einer neuen konkreten Gestalt der Ausübung des Petrusdienstes. Vor einigen Jahren hat G. Alberigo unter dem Titel »Für ein zum Dienst an der Kirche erneuertes Papsttum« die Erwartungen an die Nachfolger Pauls VI. nach dem Muster der zu früheren Zeiten üblichen »Papstspiegel« zusammengefaßt[35]. Davon seien hier wenigstens die für die Zukunft entscheidenden »Orientierungskriterien« genannt:

1. »Die Option für ein Papsttum, das sich bewußt ist, ein Dienst *an* der Gemeinschaft und Einheit *zwischen* den Kirchen und somit eine innerkirchliche und *nicht* – theoretisch oder tatsächlich – eine *über*kirchliche Wirklichkeit zu sein. Der Entscheid für einen Papst, der sich in erster Linie als Bischof von Rom, als Hirte der pilgernden Kirche zu Rom versteht, im Bewußtsein, daß jedes andere Amt, jeder weitere Dienst [in der Kirche] nur insoweit fruchtbar werden kann, als er nicht die Unterordnung oder, schlimmer noch, den Verzicht auf eigene Verantwortung zugunsten des römischen Pontifikates einschließt, sondern ein aus diesem erfließender Dienst ist.«

2. »Die Option für ein Papsttum, das sich durch die Prärogativen des Primates und der Unfehlbarkeit für weder voll definiert noch erschöpfend zum Ausdruck gebracht hält und noch weniger durch die besonderen Interpretationen, die diese [Prärogativen] in der ›römischen Theologie‹ des letzten Jahrhunderts erhalten haben, sondern [ein Papsttum], das glaubt, daß es bedeutende Änderungen erfahren kann und befähigt ist, *neue* Seinsformen anzunehmen.«

3. »Die Option für ein Papsttum, das darauf verzichtet, sich als großes geistiges Zentrum in Konkurrenz und damit auf gleicher Ebene wie die großen *Macht*zentren (UNO, moderne Großstaaten, ideologische Zentralen usw.) darzustellen.«

4. »Die Option schließlich für ein Papsttum, das zu einer sich in die Tat umsetzenden ständigen *Kollegialität* bereit ist, was den Dienst an der Gemeinschaft [der Kirchen] und Einheit betrifft.« Anschließend wird ein »Programm« für die nächsten Pontifikate entworfen und die Bedeutung folgender Punkte hervorgehoben: der »Papst als Bischof von Rom«, »Papsttum und Armut«, »Dienst an der Communio«, »Kollegiale Autori-

---

[34] In den klassischen Studien zur Geschichte des Papsttums haben katholische Autoren, wie z. B. P. Batiffol und L. Duchesne, stets den Vorrang der Praxis vor der Theorie betont.

[35] G. Alberigo: Für ein zum Dienst an der Kirche erneuertes Papsttum, in: Concilium 11 (1975) 513–524.

tät«, »Wahl der Bischöfe« und »Dienst an der Einheit«. Werden solche und ähnliche, mit keinem »katholischen Dogma« in Widerspruch stehenden Erwartungen erfüllt, so ist nicht zu bezweifeln, daß ein solches Papsttum, »erneuert im Lichte des Evangeliums«[36], die Wiederfindung der christlichen Einheit in einer ökumenischen Gemeinschaft der Kirchen beschleunigen wird.

Eine sichtbare Wiederherstellung der »Communio« mit dem Bischof von Rom kann aber nur zustande kommen, wenn auch die doktrinären Fragen, die sich von der römisch-katholischen Dogmengeschichte her stellen, nicht übergangen werden. Dabei geht es vor allem um die Klärung bzw. Richtigstellung der Interpretation der dogmatischen Aussagen des I. Vatikanums über das Papsttum. Als größtes »Skandalon« gilt nach weitverbreiteter Vorstellung das Dogma von der »Unfehlbarkeit«. Doch bereitet die diesbezügliche dogmatische Formulierung theologisch weit weniger Schwierigkeiten als die Aussagen über den »Jurisdiktionsprimat«. »Unfehlbar« ist bestimmt ein zu Mißverständnissen Anlaß gebendes Wort. Die Aussage indessen, daß dem Bischof von Rom, *wenn* er im Namen der Gesamtkirche und für diese in bezug auf Fragen des Glaubens und der christlichen Sitten verbindlich (»ex cathedra«) spricht, jener Beistand des Geistes zukomme, den Jesus seiner Kirche für das »Bleiben in der Wahrheit«[37] verheißen hat, ist – wie es uns scheint – nicht so artikuliert, daß sie eine ökumenische Verständigung mit orientalischen und evangelischen Christen völlig ausschließen müßte. Anders verhält es sich mit der Definitionsformel bezüglich des »Jurisdiktionsprimates«. Im Text werden – im Unterschied zur Definition der Infallibilität – keine Eingrenzungen gemacht: Der Bischof von Rom »besitzt« die Fülle der Gewalt *über* die Gesamtkirche (sowohl die einzelnen Christen wie die Verantwortlichen lokaler und regionaler Gemeinden), und dies nicht nur bezüglich Fragen des Glaubens und der christlichen Sitten, sondern auch bezüglich der »Disziplin«. Diese *inkonditionelle* Formulierung ist der »Stein des Anstoßes«, der den Christen sowohl der orientalischen wie der reformatorischen Kirchen keine Möglichkeit offen läßt, ihre Skepsis gegenüber den Ansprüchen »Roms« zu überwinden. In diesem präzisen Punkt müßte der »Primat« von »seinen

---

[36] Vgl. die »Gemeinsame Erklärung« im Bericht »Amt und universale Kirche« der Lutherisch/römisch-katholischen Gesprächskommission in den USA aus dem Jahre 1974, Nr. 32, Text in: H. Stirnimann/L. Vischer, Papsttum und Petrusdienst (Anm. 1) 109.
[37] Vgl. dazu unseren Aufsatz: »Bleiben in der Wahrheit« im Bereich der Sprache. Zum Buch von Hans Küng »Unfehlbar? Eine Anfrage«, in: FZPhTh 18 (1971) 475–498.

Übertreibungen in Lehre und Praxis« befreit werden[38]. D. h. es müßte geklärt werden, *wann* und bezüglich *welcher* Fragen der Bischof von Rom einen im Evangelium *begründeten* Petrusdienst auszuüben berufen ist, und welches die Funktionen sind, die ihm im Laufe der Geschichte innerhalb der römisch-katholischen Gemeinschaft übertragen wurden (es ist ja nicht so, daß die Bestrebungen zu vermehrter Vollmacht stets nur von »Rom« ausgingen). Doch ist festzuhalten, daß sowohl orientalische wie evangelische Christen für eine Wiederaufnahme der »Communio« mit »Rom« nicht die »Widerrufung« der Vatikanischen Dogmen verlangen[39], und daß gründliche dogmengeschichtliche Untersuchungen zeigen, daß selbst die Definitionen von 1870 – korrekt, und nicht extensiv interpretiert – ein Gespräch über mögliche Formen eines zukünftigen »ökumenischen Papsttums« erlauben[40].

Schließlich ist noch ein letzter Punkt zu erwähnen, der in den ökumenischen Dokumenten zur Frage des Papsttums im Blick auf die römisch-katholische Kirche angesprochen wird: die Erstellung von konkreten Modellen zur Wiederaufnahme der Gemeinschaft mit »Rom«[41]. Es wäre sowohl für orientalische wie für reformatorische Kirchen nützlich, Vorschläge diskutieren zu können, welche konkrete Wege aufzeigen, wie und innerhalb welcher Strukturen die »Communio« mit dem Bischof von Rom eine ökumenische Verwirklichung finden könnte. Die gegenwärtigen »internen Schwierigkeiten«, die vom Konzil gewünschten Reformen innerhalb der römisch-katholischen Kirche wirksam werden zu lassen, sind kein Grund, sich auf sich selbst zu konzentrieren und die Erwartungen jener brach

---

[38] So Maximos IV, Patriarch von Antiochien, in der Anm. 3. zit. Rede, 57.

[39] So z. B. der Metropolit Damaskinos Papandreou, »Überlegungen zur Primatsfrage, in: H. Stirnimann/L. Vischer, Papsttum und Petrusdienst (Anm. 1), 51–56, 55; und in der »Gemeinsamen Erklärung« der Lutherisch/römisch-katholischen Gesprächskommission in den USA »Amt und universale Kirche«, Nr. 27, a.a.O., 107.

[40] Zur Unfehlbarkeit vgl. A. W. J. Houtepen, Onfeilbaarheid en Hermeneutick, Brügge 1973; zum Jurisdiktionsprimat vgl. die neueste Untersuchung von R. Minnerath, Le Pape, évêque universel ou premier des évêques?, Paris 1978.

[41] Vgl. die »Gemeinsame Erklärung« der Lutherisch/römisch-katholischen Gesprächskommission in den USA, Nr. 33: Wir fragen »die Römisch-katholische Kirche . . ., ob sie willens ist, Gespräche über mögliche Strukturen für eine Versöhnung zu eröffnen, die die legitimen Traditionen der lutherischen Gemeinschaften schützen und deren geistliches Erbe achten würden; ob sie bereit ist, die Möglichkeit einer Versöhnung ins Auge zu fassen, die die eigene Leitung der lutherischen Kirchen innerhalb einer weltweiten Gemeinschaft anerkennen würden; . . .« (a.a.O., 110); und in den »Überlegungen der katholischen Teilnehmer« Nr. 62: »Doch wir schlagen . . . vor, daß ein klarer kanonischer Status entwickelt wird, der es den Lutheranern ermöglicht, offizielle Gemeinschaft mit der Kirche von Rom zu haben« (a.a.O., 133).

liegen zu lassen, welche schon jetzt die »Möglichkeit«, ja »Wünschbarkeit des päpstlichen Amtes« nicht ohne Hoffnung auf konkrete Verwirklichung aussprechen[42].

Der wichtigste und unentbehrliche Beitrag für einen ökumenischen Petrusdienst von seiten der römisch-katholischen Kirche ist die Ernennung des Papsttums »im Lichte des Evangeliums«. Jeder Schritt in dieser Richtung wird nicht nur den Reformwillen des II. Vatikanums verdeutlichen, sondern auch eine authentische Interpretation und Klarstellung der Aussagen des I. Vatikanums über das Papsttum mit sich bringen, ja eigentlich konstituieren. Wird dies erreicht, so dürfte es auch möglich sein, annehmbare Strukturmodelle für eine ökumenische Gemeinschaft mit dem Bischof von Rom zu erstellen.

10. Die Verwirklichung eines ökumenischen Petrusdienstes setzt voraus, daß alle Kirchen »im Lichte des Evangeliums« an der Erneuerung des Papsttums teilnehmen.

Dieser These ist nicht viel beizufügen. Aus inneren Gründen ist evident, daß die Verwirklichung eines »ökumenischen Petrusdienstes« die aktive Beteiligung von Christen aus allen Kirchen verlangt. Als besonderes Motiv für diese Zusammenarbeit könnte auf folgenden Sachverhalt hingewiesen werden: die »Verhärtungen« im Verständnis des »Primates« innerhalb der römisch-katholischen Kirche (bes. im 19. Jahrhundert) sind nicht ohne Zusammenhang mit gewissen Erscheinungen entstanden, die in der nicht römisch-katholischen Christenheit mit dem Einheitsgedanken kontrastierten (und dort zu den ersten Anfängen der ökumenischen Bewegung Anlaß gegeben haben). Wenn aber die »Verhärtungen« nicht allein die Folge einer rein römisch-katholischen Entwicklung waren, so wird auch die Überwindung der »Einseitigkeiten« nicht auf die Mitarbeit von Christen anderer Kirchen verzichten können. Hinzu kommt das Faktum, daß bei der Wiederentdeckung des »Typos« eines biblischen Einheits- und Petrusdienstes nur wenige an die Errichtung einer neuen Institution denken. Die überwiegende Mehrheit ist der Ansicht, daß als möglicher Träger eines ökumenischen Petrusdienstes nur der Bischof der »Sedes Petri et Pauli« in Frage kommt[43]. So fehlt es denn nicht an Zeugnissen der Bereitschaft, »im Lichte des Evangeliums« an der Erneuerung des Papsttums mitzuarbeiten. An erster Stelle sind die »Beobachter« auf dem II. Vatikanischen Konzil zu

---

[42] Vgl. die angeführte »Gemeinsame Erklärung« Nr. 33 (a.a.O., 110).
[43] Vgl. dazu z. B. die angeführte »Gemeinsame Erklärung« Nr. 4 (S. 95), Nr. 28 (S. 108) und die »Überlegungen der lutherischen Teilnehmer« Nr. 47 (S. 126).

nennen, deren Einfluß bekanntlich weit über den von bloßen Informatoren hinausging. An zahlreichen Beratungen haben sie teilgenommen, konstruktive Vorschläge gemacht (die meistens auch berücksichtigt wurden) und ihrer Überzeugung in der Aula Ausdruck gegeben. Die Begeisterung, welche die Botschaft des Ökumenischen Patriarchen, vom Metropoliten Meliton in der Schlußsitzung überbracht, auslöste, war wohl die eindrucksvollste des ganzen Konzils[44]. Aber auch die Beiträge evangelischer Christen während und nach dem Konzil[45], zur Klärung theologischer und pastoraler Fragen, zur Überwindung der bei der Verwirklichung der konziliaren Richtlinien sich einstellenden Schwierigkeiten, in Gesprächskommissionen, Arbeitsgemeinschaften, Bischofskonferenzen und auf Synoden dürften nicht ohne Auswirkung auf das Programm eines ökumenischen Papsttums sein. Im Blick auf eine ökumenische Gestalt des Petrusdienstes ist schließlich auf den kurzen Pontifikat Johannes Pauls I. hinzuweisen. Sein Wille zu evangelischem Dienst war nicht in Frage zu stellen, auch nicht sein Sinn für Einfachheit und evangelische Armut. Bei seinem Tod ist deutlich geworden, daß die Christen der evangelischen und der orientalischen Kirchen auf *diesen* Papst keine geringeren Erwartungen und Hoffnungen gesetzt hatten als die Christen der römisch-katholischen Kirche. Ein Zeugnis schon verwirklichter ökumenischer Solidarität mit dem Bischof von Rom!

---

[44] Vgl. dazu den Dokumentarband: TOMOS AGAPES, Vatican-Phanar (1958–1970), Rome/Istanbul 1971.
[45] Vgl. dazu z. B. K. Barth, Ad limina apostolorum, Zürich 1967.

DISKUSSION

Pesch: Ich habe zwei Fragen an Herrn Moltmann:

1. Wie sehen konkret die nächsten Schritte in Richtung auf ein ökumenisches Papsttum aus?

2. Warum versuchen Sie, das ökumenische Papsttum mit der Trinitätslehre zu begründen? Kann man eine solche Begründung nicht besser erreichen, wenn man diese *nicht* heranzieht? Die Trinitätslehre kann genauso gut zur Begründung des monarchischen Episkopats verwendet werden! Sie ist dogmengeschichtlich und sachlich ein viel zu empfindliches Gebilde, als daß es ratsam wäre, sie in diesen Zusammenhang einzubeziehen.

Jüngel: Der Begriff der Einheit wird schon in Eph 4,4–6 entfaltet. Deshalb muß man Moltmann fragen, ob wir es hier mit dem Beginn einer kapitalistischen Häresie zu tun haben.

Moltmann: Es kann kein Zweifel bestehen, daß der für die ökumenische Bewegung grundlegende Text von Joh 17 trinitarisch gemeint ist. Deshalb ist die trinitarische Begründung eines ökumenischen Papsttums eine ganz selbstverständliche Angelegenheit. Ohnehin ist ja die Trinitätslehre das Zentrum christlicher Rede. Es wäre deshalb mißlich, bei den Überlegungen zu einem ökumenischen Papsttum von ihr abzusehen. Was die nächsten Schritte anbelangt, so müßte die evangelische Kirche sich fragen lassen, ob es nicht für sie an der Zeit wäre, sich aus der babylonischen Gefangenschaft der Landeskirche zu befreien.

De Vries: Ich bin skeptisch, ob der Monotheismus die politischen Auswirkungen hat, die man ihm oft nachsagt. Zeichnet sich wirklich im politischen Bereich der Katholizismus durch größere Unabhängigkeit aus als der Protestantismus? Man braucht nur an die vatikanische Ostpolitik zu denken, um Zweifel an dieser These zu bekommen. Muß sich nicht Wyszynski mehr gegen den Vatikan verteidigen als gegen den eigenen Staat?

Brunner: Ausgehend von Moltmanns These Nr. 2 (Einheit mit und in der göttlichen Trinität wird besser als »Gemeinschaft« und nicht als »Einheit« bezeichnet) muß gefragt werden, wie sich dieses Verständnis von Einheit zum Gebrauch von ›una‹ im Apostolikum verhält. Liegt hier nicht eine andere Interpretation des Begriffs der Einheit vor, die aufgenommen werden müßte? Weiter stellt sich das Problem, ob der in These 6 vorgeschlagene Dienst nicht eine Rückkehr ins mittelalterliche Papsttum bedeutet.

Brosseder: Moltmanns These 1 ist abzulehnen, da die Ableitung des ökumenischen Papsttums von der Trinitätslehre und die Entgegensetzung zur angeblichen Häresie des Monotheismus nicht überzeugen.
Demgegenüber ist der These 7, welche die politische Bedeutung eines
ökumenischen Papsttums umreißt, zuzustimmen.

Moltmann: Es geht darum, von der Gemeinschaft aus zu verstehen, was
mit der Einheit gemeint sein kann. Mit einer solchen Auslegung läßt sich auch die Verwendung des Begriffs im Apostolikum begreifen. Ich bin zwar auch nicht mit der vatikanischen Ostpolitik einverstanden; das scheint mir aber kein grundsätzliches Argument gegen die von mir
vertretenen Thesen zu sein. Es kommt darauf an, den mittelalterlichen
Begriff der ›libertas ecclesiae‹ in der Gegenwart positiv aufzunehmen. Die
Teilnahme am göttlichen Leben muß eine Entsprechung im menschlichen
Leben haben. Diese Entsprechung schließt aber kein Abbildungsverhältnis
ein; deshalb wird auch nicht die Forderung nach drei Päpsten erhoben.

Stirnimann: Moltmann hat recht, wenn er einen vorsichtigen Gebrauch des
Terminus »Einheit« empfiehlt. Andererseits meine ich, daß
man nicht ganz auf diesen Begriff verzichten darf.

Slenczka: Nun zurück zu unserem Thema. Ich hatte heute morgen hier den
Eindruck gehabt, daß wir einen Konsens in den Aporien erreicht
haben. Der ist zweifellos auch bestehen geblieben. Denn dieses Thema, das
wir angeschnitten haben, haben wir ja auch nicht annähernd zu Gesicht
bekommen. Bei den beiden Beiträgen heute nachmittag habe ich den
Eindruck, wir kommen nun in einen Konsensus der Utopie, der sich
allerdings im Laufe des Gesprächs nun weitgehend aufgelöst hat, und ich
muß auch sagen, daß ich von vornherein doch Bedenken habe, überhaupt
einen Petrusdienst in dieser Weise für die Einheit der Kirche in Erwägung
zu ziehen. Auch der Ausgangspunkt unserer Tagung bei den beiden neutestamentlichen Referaten läßt Bedenken aufkommen. Beide Referenten verweisen uns darauf, daß wir hier vom Neuen Testament her die Überlegungen anstellen sollten und auch auf dieser Basis zu einer Verständigung
kommen müßten, nicht in dem Entwurf irgendwelcher Organisationsmo-
delle. Und dazu ein Punkt, den ich gerne einbringen möchte, weil mir
scheint, daß das ein ganzer Bereich ist, der bei uns vielleicht überhaupt in
dem Gesprächsgang fehlt: Mt 16. Diese berühmte und umstrittene Primats-
stelle wird ja in der Diskussion um einen Petrusdienst immer nur bis zu
einem bestimmten Punkt herangezogen, nämlich der Beauftragung. Und
was dann abgeblendet ist, das ist die Verheißung und die eschatologische
Dimension. Also das »auf diesem Fels will ich meine Kirche bauen«, da
bleibt ja der Herr das Subjekt, und die Verheißung lautet dann, daß eben
auch die Pforten der Hölle sie nicht überwinden werden, und dann kommt

das Wort vom Binden und Lösen. Ist es nicht notwendig, bevor wir jetzt irgendwelche Modelle für die Gestaltung der Einheit hier entwickeln, uns darüber Klarheit zu verschaffen, daß diese ecclesia Heilsgemeinde ist, die die Erfüllung ihrer Einheit nicht hier findet, sondern immer in der Anfechtung gegenüber Irrtum, gegenüber den Mächten der Hölle – um diesen vollen Ausdruck hier einmal zu verwenden – zu bestehen hat, also hier ecclesia in via ist, in der Weise, daß sie auf die ihr bestimmte Vollendung zugeht? Daß sie in der Verheißung das Ziel hat, das ihr bestimmt ist? Infolgedessen müßten dann ja auch alle Überlegungen über die Einheit der Kirche und die Wahrheit ihrer Verkündigung doch hinzielen auf diese eschatologische Dimension, und das bedeutet das gemeinsame Bestehen dieser berufenen Gemeinde im Gericht. Ich glaube, wenn wir das nicht tun, dann bleiben wir hier in der Immanenz, in den guten oder problematischen Erwägungen ekklesiologischer Modelle. Aber wir verlieren dann die Dimension der Kirche bzw. ihr Wesen aus dem Blick, nach dem sie eben die berufene, ausgewählte, ausgesonderte Heilsgemeinde ist, die durch das Gericht Gottes zum ewigen Heil kommen soll.

Küng: Ich darf vielleicht zuerst etwas zu Herrn Moltmann sagen und dann anschließend zu Herrn Stirnimann. Ich würde die Bedenken von Herrn Moltmann teilen bezüglich der Urbild-Abbild-Konstruktion. Ich glaube, diese Urbild-Abbild-Konstruktion läßt sich faktisch in allen möglichen Weisen durchführen. Wir können vom Vater die Theologie des Heiligen Vaters ableiten, vom Sohn den ›vicarius Christi‹ und vom Heiligen Geist schließlich die ganze Ideologie der ›assistentia spiritus sancti‹, die für die Unfehlbarkeitstheorie so grundlegend ist. Ich sehe das Problem so, daß in all diesen Fällen eine Identifikation des Amtsträgers stattfindet: also eine Identifikation mit Gott oder mit Christus oder mit dem Heiligen Geist oder mit der Trinität. Das eigentlich Gefährliche besteht darin, daß der Unterschied schließlich nicht mehr gesehen wird. Deshalb würde ich die Lösung vorziehen, daß man nicht frontal auf die Trinitätslehre zugeht, sondern auf die vorhandenen konkreten neutestamentlichen Bezüge eingeht und jedenfalls ausgeht vom Jesus der Evangelien.

Man müßte folglich den Begriff der Nachfolge grundsätzlich ansetzen, wenn vom Petrusdienst geredet werden soll, und dann die spezifischen Funktionen, die erst in verschiedenen Gemeinden diesem – mag sein – symbolischen Petrus zugeschrieben wurden, berücksichtigen. Das ließe sich in diesem Sinne funktional auch heute begründen. Wenn ich Herrn Moltmann richtig verstanden habe, meinte er ja auch einen Papst, der im Sinne des Stärkens der Brüder handeln würde und dabei nicht nur die spezifisch römisch-katholischen Interessen im Auge hätte, sondern wirklich für die ganze Ökumene sprechen würde. Johannes XXIII. ist es zum Teil gelungen, und bei ihm würde ich das ›Stärke meine Brüder‹ oder gar, was in Johannestexten vom ›Weiden der Schafe‹ gemeint ist, in dieser Weise vom Neuen Testament her verstanden finden.

Noch ein Wort zu Herrn Stirnimann: Schwierigkeiten habe ich mit der Konstruktion, das Papstamt sei auf die ursprüngliche Funktion des Bischofs von Rom zurückzunehmen, die von der Zeitschrift »Concilium« (Kirchliche Erneuerung und Petrusamt am Ende des 20. Jahrhunderts, 10/1975) vorgelegt wurde. Gegen eine solche Reduktion hätte ich starke Einwände zur Geltung zu bringen. Die Konzeption verstehe ich natürlich. Ich bin auch der Meinung, daß hier das Evangelische, das eben bei Johannes XXIII. das Wichtigste war, mehr zum Durchbruch kommen soll. Wenn der Papst Bischof von Rom ist und sich um die Gemeinde von Rom kümmert, kommt es natürlich mehr zum Vorschein. Aber wir brauchen mehr. Es wäre uns damit gar nicht geholfen, wenn wir jetzt einen ›pastor bonus‹ in Rom hätten, aber die Funktion der internationalen universalen Ökumene nicht genügend beachtet würde.

Ich halte diese Konstruktion nun erstens für utopisch, denn es sieht nicht so aus, als ob wir eine solche Entwicklung erleben würden. Ich glaube aber zweitens, sie ist anachronistisch: sie nimmt irgendeine historische Phase auf. In diesem Sinne wird sie drittens auch dogmatisch, weil jetzt doch wieder eine bestimmte Epoche des römischen Bischofsamtes zur Norm genommen wird, nämlich jene, in der er Gemeindebischof war. Im Grunde wird nicht an die Funktion des Petrus im Neuen Testament angeknüpft. Das schiene mir überzeugender zu sein. Ich bin nun wirklich nicht im Geruch, für eine päpstliche Machtausweitung zu sein. Dennoch sehe ich, wie Herr Moltmann, die Aufgabe des Papstes in einem universalen Auftrag der Verkündigung, der Versöhnung, der Vermittlung – vor allem der Vermittlung zwischen den Kirchen. Der Papst sollte als Sprecher der Christenheit auftreten: Wir wären sehr froh, wenn wir einen solchen Sprecher hätten.

Pannenberg: Ebenso wie Herr Küng scheint mir das, was eigentlich kritikwürdig ist in der Richtung, in der Herr Moltmann seine Angriffe geführt hat, die Anwendung des Urbild-Abbild-Verhältnisses (sei es im trinitarischen, sei es im monotheistischen Gottesgedanken) auf entsprechende menschliche Einrichtungen zu sein, genauer gesagt, die Umsetzung der eschatologischen Differenz zwischen ›schon‹ und ›noch nicht‹ der noch ausstehenden Zukunft in ein Urbild-Abbild-Verhältnis, weil mit dieser Umsetzung meistens ein Verlust der Kontrollmöglichkeit verbunden ist, bis es zu jener Identifikation kommt, von der Sie sprechen. Dagegen bin ich, soviel auch ich von Peterson gelernt habe, gerade mit dem Schluß von Petersons berühmter Abhandlung gar nicht einverstanden; er scheint mir nicht zu folgen aus seinen Darlegungen; schließlich ist es ja Konstantin gewesen, der das Homousios eingeführt hat, und die Herrschaft des Kaisers ist im Namen des erhöhten Christus ausgeübt worden; also es fallen hier viele Differenzierungen unter den Tisch, die zu beachten wären bei dieser Konstruktion, die das byzantinische Kaisertum so einfach mit dem Arianismus verbindet. Man wird auch berücksichtigen müssen, daß der Kaiser, sofern und solange er seine Aufgabe verstanden hat als ein Amt in der Christenheit, selber als Träger eines Amtes der Einheit der Christenheit verstanden wurde. Wenn man einmal die Bilanz aufmachen würde, was in der Kirchengeschichte der Kaiser für die Einheit getan hat und was der römische Papst für die Einheit getan hat, dann bin ich nicht sicher, ob das Ergebnis zugunsten Roms ausgehen würde. Wenn man nur an die Bemühungen der byzantinischen Kaiser vom 5. Jahrhundert ab um die Einheit denkt, die eben durch die chalkedonensische Orthodoxie ja gefährdet war – und in dieser Richtung ließen sich viele andere Beispiele nennen, gerade auch in der Reformationszeit –, sind, wenn irgend jemand, dann doch wohl am ehesten der Kaiser und nicht die damaligen Päpste bemüht gewesen, die Einheit, die Überwindung des konfessionellen Streites zu erreichen – das dürfen wir nicht vergessen.

Das führt mich nun auf ein anderes. Ich meine, daß man es nicht hinnehmen darf, daß die Begriffe Macht und Herrschaft einfach zu Negativbegriffen umgewandelt werden. Es sind ja Begriffe, die einen von Max Weber her in der Soziologie und Politologie gut definierten Sinn haben, wo sie nicht in ideologisierter Weise verwendet werden. Wir sind natürlich heute alle sehr sensibilisiert im Hinblick auf Herrschaft. Das bedeutet, wenn wir Herrschaft hören, denken wir sofort an Unterdrückung und sehr leicht nimmt Herrschaft ja diese Form der Unterdrückung an, aber dabei übersieht man dann doch, daß Macht eben in allen menschlichen Beziehungen vorkommt. Wenn wir von der Liebe sprechen, hat ja die Rede von der Macht der Liebe auch ihren guten Sinn. Bei Herrschaft handelt es sich im Sinne der Definition Max Webers um legitimierte Machtausübung, d. h. eine Machtausübung, die im Namen derjenigen Gesamtheit ausgeübt wird, durch die sie legitimiert ist, und Herrschaft in diesem Sinne muß überall wahrgenommen werden, wo die Interessen der Individuen auseinanderstreben und miteinander koordiniert werden müssen. Ob man das dann Dienst nennt, gut, das kann man tun, aber dann müssen wir uns doch darüber klar bleiben, daß es dabei um Ausübung von Herrschaft geht, sonst täuschen wir uns selbst. Eine andere Folge einer solchen Negativierung und Diffamierung der Begriffe von Macht und Herrschaft scheint mir zu sein, daß dann die Anarchie das einzig Humane wird. Und diese Wirkung eines solchen ausschließlich polemischen Gebrauchs der Begriffe Macht und Herrschaft halte ich für das bedenklichste Ergebnis einer solchen Sprechweise.

Plathow: Bei der Diskussion über das ökumenische Papsttum wird m. E. der soteriologische Aspekt zu wenig beachtet. Bedeutet der Dienst an der Versöhnung nicht noch mehr als der Dienst an der Gemeinschaft?

Gräßer: Eine Frage an Herrn Stirnimann zu These 4, aber zunächst an Herrn Moltmann, obwohl ich zögere, das Thema anzuschneiden, denn das wäre Stoff für eine ganze Tagung. Ich sehe große Schwierigkeiten, Herr Moltmann, wenn der erst noch zu findende Papst der geeinten Christenheit nun auch in der Weise mit einer politischen Aufgabe ausgestattet sein soll, wie Sie das in Ihrer These 6 anvisieren. Allein schon die große Strittigkeit der politischen Theologie bringt ja in diese Perspektiven ungeheuer viel Zündstoff. Wenn ich das an einem einzigen Punkt verdeutlichen darf, wo ich meinerseits größte Hemmungen hätte, das in dieser Weise zu machen, dann ist das die Art und Weise, wie Sie Gal 3,28 und 29 zitieren. Da heißt es: »Ein ›ökumenisches Papsttum‹ wird glaubwürdig, wenn seine Aufgabe an der Gemeinschaft im Glauben gründet«. Dann kommt Gal 3,28 und von Vers 29 nur der Vers b. Gal 3,28f ist doch im Kontext jedenfalls der Indikativ des Heils. Die Getauften, die ihre Taufe bekennen, wissen dies so. Hier ist ein Heilsangebot Gottes gemacht für die Getauften, das ist nicht allgemein verbindlich zu machen. Es ist ganz deutlich, welchen heilsgeschichtlichen Gedanken Paulus hier verfolgt. Ich habe Schwierigkeiten, das so kurzschlüssig ins Politische zu transformieren, wie das dann am Ende Ihrer These 6 heißt: »Der ›Dienst der Gemeinschaft‹ wird dann zuerst der Dienst an der Gemeinschaft der Verlassenen, Verachteten, Erniedrigten und Unterdrückten sein.«

Herr Stirnimann, bei These 4 verstehe ich nicht recht, was Sie meinen. In welchem Sinn sprechen Sie hier vom Willen des Auferstandenen?

Jüngel: Ich habe über die These 4 geschrieben: Warum muß es der Bischof von Rom sein, warum nicht der Bischof von Magdeburg, der mich ordiniert hat?

Blank: Ich möchte zuerst sagen, daß von Herrn Moltmann ein Anliegen aufgegriffen worden ist, das wichtig ist, vor allem mit der Frage nach einer trinitarischen Begründung von Einheit. Da ist einmal festzustellen, daß auch ich ein Unbehagen habe im Gebrauch des Begriffs »Einheit«, weil ich weiß, daß Einheit eben ein komplexer und kein einfacher Begriff ist. Denn unter Einheit kann man alles Mögliche verstehen. Und gerade im Zusammenhang auch mit dem Papsttum, da haben sich zwei Dinge im Mittelalter verhängnisvoll ausgewirkt, einmal, daß man Einheit als politische Größe verstanden hat, und zweitens, daß man dazu ein Herrschaftsmodell herbeigeholt hat, nämlich in Gestalt der kirchlichen Hierarchie.

Einheit ist etwas, was oben ansetzt an der Spitze und dann nach unten geht. Dieses Modell bestimmt ja praktisch das mittelalterliche Weltbild; es kann nur eine Spitze geben, und deswegen streiten sich Papst und Kaiser darum, wer diese Spitze einnehmen soll. Das führte neben anderem damals auch zum Investiturstreit. Aber das ist ein Verständnis von Einheit, das als solches im katholischen Kirchenbild bis heute nachwirkt und damit auch den Begriff der Einheit für mich fragwürdig macht. Und demgegenüber meine ich, ist gerade der Gedanke der Einheit Gottes, wie er in der Bibel verstanden wird, für mich sofort zu verbinden mit dem Begriff der unverfügbaren Einheit, die in sich also Fülle ist, die aber gerade nicht in irgendeiner Form organisatorisch in den Griff zu nehmen ist. Das ist der eine Punkt.

Dann das zweite ist das Problem der Einheit der Kirche im Neuen Testament. Interessant ist, daß bei Paulus auf der Ebene der paulinischen Briefe in der Frühzeit ja Einheit als Begriff nicht vorkommt, nur als Faktum. Es ist die Rede von einem Leib, und gemeint ist zunächst die Einheit der Ortsgemeinde. Das ist zunächst einmal der entscheidende Punkt. Paulinisch wird das Bild im 1. Korintherbrief so eingeführt, daß hier eben von der Spaltung innerhalb der Ortsgemeinde die Rede ist. Erst in einer zweiten Stufe, wo anscheinend in einem weiteren Sinn Spaltungen in größerem Umfang auftreten, vielleicht auf überregionaler Art, im Epheserbrief vor allem, und im Zusammenhang mit wahrscheinlich gnostischen Denkvorstellungen wird dann von der Einheit der einen Kirche geredet. Gerade in Johannes 17 wird die Einheit tatsächlich begründet. Ich finde es bezeichnend, daß hier Einheit verstanden ist einmal vom Theologischen her, von der Trinität her, dann zweitens, daß sie eben nicht als organisatorische Einheit zu fassen ist. Das scheint mir außerordentlich wichtig zu sein, und ich sehe darin nicht etwa nur meine Formulierung, hier wird klar, daß Einheit der Gemeinde, Einheit der Kirche zunächst einmal eine geistliche Größe darstellt, eine theologische Größe, so daß wir unsere Einheitsbemühungen nachher auf diesem Hintergrund sehen müssen. Für mich ist im Grunde genommen auf dieser Ebene seit dem Kommen Christi und seines Geistes gerade die eine Kirche nie auseinandergebrochen, hier war sie immer vorhanden, und unsere Aufgabe besteht so gesehen immer nur darin, diese Einheit in historischer Konkretheit und Sichtbarkeit wieder zurückzugewinnen, sie auch sichtbar darzustellen. Das scheint mir sehr wichtig zu sein. Und interessant ist, daß im weiteren Fortbestand, wo dann Einheit dokumentiert wird im äußeren Bereich, daß man nun auf einmal nach bestimmten Einheitsmomenten in der Organisation sucht. Wichtigster Fall zuerst Ignatius von Antiochien; dort wird nicht mehr von dieser Ebene her argumentiert, sondern dort ist es jetzt so: Einheit der Kirche besteht primär in der Einheit mit dem Bischof. Eine der theologisch problematischsten Schriften ist für mich »De ecclesiae unitate« von Cyprian. Hier soll etwas erst hergestellt werden, was im Grunde schon immer als Gabe von Gott her in Jesus Christus vorgegeben ist. Diese Überlegungen sind gerade für die Einordnung, für ein neues Verständnisbild des Petrusamtes außerordentlich wichtig. Der Papst gehört in die Ordnung der Zeichen, und wenn er etwas Gutes macht, dann bezeugt er genau die bereits vorgegebene Einheit.

Nissiotis: Moltmanns Aufnahme des Trinitätsbegriffs ist positiv zu bewerten. Die Trinität ist die Basis des Lebens in der Kirche. Paulus zeigt, daß man nicht eine universale, sondern eine lokalkirchliche Ekklesiologie bevorzugen sollte. – Frage zu Stirnimanns These 4: Ist die Verbindung dieser Momente (Übernahme des Petrusdienstes durch den Bischof von Rom und Wille des Auferstandenen) wirklich notwendig?

Ott: Ich möchte meine Fragen auch zurückstellen. Ich möchte nur fortlaufend auf eins hinweisen. Wir haben die Frage Unfehlbarkeit, Wahrheit usw. nur angetippt. Wir sind da noch nicht einmal in der Formulierung der Problematik so weit vorgestoßen, daß wir gemeinsam wüßten, wo das Problem steckt. Diese Sache ist meines Erachtens fundamental wichtig für die Gesamtfragestellung. Und eine andere Frage ist auch noch nicht wirklich behandelt, auch nicht durch den allgemeinen Begriff der Gemeinschaft wirklich gelöst, wo wir aber meines Erachtens zumindest verschiedene Denkmodelle aus der Geschichte und auch für unsere Diskussion entwerfen müßten: Wie verhält sich das Amt einer Gesamtleitung zum Konzil, zu der Gesamtheit der Gemeinden? Das Problem der Rezeption ist noch nicht erörtert worden, das Problem der Kollegialität ist noch nicht wirklich behandelt worden. Es gibt ja aus der Geschichte verschiedene Modelle, die man aber auch wirklich miteinander konfrontieren muß, wo uns Allgemeinbegriffe, sei es nun monarchischer Primat oder Gemeinschaft, noch gar nicht weiterhelfen. Es geht hier um ganz konkrete innerkirchliche Relationen, die in jeder Kirche vorhanden sind, die aber in den einzelnen Kirchen verschieden im einzelnen einander zugeordnet sind. Diese zwei Probleme möchte ich nennen.

Brunner: Ich möchte nur eine Bemerkung machen zu den Thesen von Herrn Stirnimann. Und zwar möchte ich ausgehen von der ersten These, wo gefragt wird, ob wirklich das Papstproblem das größte Hindernis sei. Ich habe eine Vermutung, warum diese Formel »Was ist das größte Hindernis?« entstanden ist. Es besteht ja eine weit verbreitete Überzeugung, daß weder die Rechtfertigungslehre noch die Lehre von der Eucharistie, ja nicht einmal mehr die Lehre vom Amt im allgemeinen eine wirklich kirchentrennende Bedeutung besitzen. Wenn also überhaupt noch etwas trennt, dann ist es der Papst. So scheint diese Formulierung entstanden zu sein. Mir scheint das aber doch sehr problematisch zu sein, daß man hier das größte Hindernis findet. Und in dieser Beziehung ist natürlich das I. Vatikanum für Reformationskirchen eine Unmöglichkeit. Es ist ausgeschlossen, das so, wie es da steht, zu übernehmen. Das muß man einmal aussprechen dürfen. Welches sind nun aber wirklich die eigentlichen Gründe, die uns hier Schwierigkeiten, und zwar erhebliche, bereiten? Ich möchte vermuten, daß die eigentlichen Schwierigkeiten darin liegen, daß der Maßstab für eine dem Evangelium entsprechende Gestalt dieses Petrusamtes nicht deutlich ist. So lange die Wahrheitsfrage nicht geklärt ist, bleiben alle diese Überlegungen über eine schöne neue Form des Petrusdienstes rein futurisch.

Und lassen Sie mich noch etwas sagen. Wenn man fragt, welches ist der Weg zur echten Einheit der Kirche, dann müßte man doch sagen, es darf keine Trennung, keine Spaltung sein. Wir sind aber bis jetzt ja doch tatsächlich dadurch getrennte Kirchen, daß wir keine Abendmahlsgemeinschaft haben, und an diesem Punkt wird die Frage nach dem Amt ja ausschlaggebend. Ich bin der Überzeugung, daß die katholische Kirche als Kirche nicht erklären kann, im Augenblick, daß wir Evangelischen hier Abendmahl halten und den wahren Leib und das wahre Blut Jesu Christi empfangen. Das kann die katholische Kirche als Kirche heute nicht sagen, denn wir haben ja nicht das rechte Amt. Wir haben in unseren Ämtern, nach der offiziellen Überzeugung, nicht das Vermögen, das herbeizuführen. Es ist doch so. So lange das nicht feststeht, ist jede Diskussion über diese zukünftige Entwicklung rein futurisch. Da müßten wir ansetzen und da müßten wir jetzt zu einer Entscheidung kommen.

Schlußvoten

EIN ÖKUMENISCHES PAPSTTUM?

J. Moltmann: Aus der Diskussion ist mir klar geworden, daß der Begriff Einheit geklärt werden muß: Was ist Einheit? Welche Einheit? Einheit in was wird gesucht in der Ökumene, in der Kirche? Wir haben einfache Einheit und komplexe Einheit unterschieden (J. Blank). Einheit habe ich in diesem Zusammenhang als Gemeinschaft interpretiert. Einheit in Freiheit ist gemeint. Am meisten umstritten war die Frage, in was eigentlich dieser Dienst der Einheit oder der Kirche gesucht wird: in der Lehre, im Sakrament, im Leben.

Der Dienst der Einheit: Meine Ausführungen waren manchmal als utopisch verstanden worden. Ein ökumenisches Papsttum?, das mag im Bereich der Utopie liegen. Dann sind eben die Möglichkeiten zu erkunden und die Aufgaben zu beschreiben. Das kann jetzt schon geschehen, auch wenn die Realisierung noch aussteht. Als eine solche Aufgabenbeschreibung waren meine Ausführungen gemeint.

Die christologische Begründung des Papsttums aus der historisch-heilsgeschichtlichen Linie: Jesus – Petrus – Papst – Kirche war durch die uns vorgetragene Exegese eigentlich unmöglich gemacht worden. Die pneumatologische Begründung aus dem Geist und den Geistesgaben und den vielen Ämtern in der Gemeinde läßt offen, wessen Geistes es ist. Aus diesem Konflikt zwischen der christologischen Herleitung – die nicht möglich ist – und der pneumatologischen – bei der man nicht weiß, ob das Papsttum noch christlich ist – ergibt sich die Frage nach einer trinitarischen Begründung eigentlich aus der Entwicklung dieser verschiedenen theologischen Denkformen. Ich habe die trinitarische Begründung aus Joh 17 aufgenommen: a) um die Orthodoxie mit ins Gespräch zu bringen, denn das ist die Begründung für kirchliche Einheit in der orthodoxen Theologie, und b) aus sachlichen Gründen, denn welche Einheit kann die Kirche bestimmen, wenn nicht die Einheit Gottes und die Einheit mit Gott, mit Gott und in Gott. Das ist diese trinitarische Einheit, von der Joh 17 spricht. Sie bedeutet noch nicht organisatorische Einheit, muß sich dann aber wohl auch im Organisatorischen darstellen lassen.

Zuletzt beschäftigten sich viele Fragen mit der politischen Aufgabenbestimmung des Dienstes der Gemeinschaft oder des Dienstes der Einheit: Soll nun hier die umstrittene politische Theologie wieder eingeführt werden (E. Gräßer)? Die politische Aufgabe stellt sich ganz einfach: Was soll ein

Bischof in einer Kirche in Brasilien tun, wenn die einen Christen die andern mit Waffengewalt von ihrem Land vertreiben? Wie kann er den Dienst der Einheit ausrichten, wenn die Kleinbauern durch die großen Landbesitzer massenweise und mit Gewalt vertrieben werden? Kann er da die Einheit noch aufrecht erhalten? Muß er da Partei ergreifen? Die Erklärungen einiger lateinamerikanischer Bischöfe zu diesen Fragen sprechen eine sehr deutliche Sprache, und die persönlichen Leiden, die sie auf sich nehmen, um diesen Dienst der Einheit auszuüben, auch.

Oder: In einer Gemeinde treten nicht nur Spaltungen auf, weil ihre Glieder verschiedener Meinung sind, sondern weil sie verschiedener Rasse sind. Die Weißen schließen die Schwarzen vom Abendmahl aus und verlangen eine rein weiße Kirche. Die Schwarzen werden in Tochterkirchen abgedrängt. Wie soll der Dienst der Einheit hier geschehen? So sind das Problem Arm–Reich, das Problem Schwarz–Weiß – ähnliche Probleme ließen sich auch aus unseren Bereichen anführen – Machtkämpfe in der Gemeinde. Der Dienst an der Gemeinschaft, der Dienst der Einheit muß da, in diesem Bereich, ausgeübt werden. Gal 3,28 äußert im Blick auf solche Konflikte: »Die sind alle eins in Christus.« Diesen Satz habe ich zur Devise erhoben, nicht um aus einem Indikativ einen Imperativ zu machen, sondern um aus einem Indikativ – »Sie sind alle eins in Christus« – den Imperativ für den Dienst der Einheit herauszustellen. So war also meine Aussage in diesem Zusammenhang zu verstehen. Die Rückblicke auf die Geschichte der Kirche – wo also und wie ein solcher Dienst der Kirche zur Gemeinschaft und zur Freiheit gegenüber politischer Pression verhilft – waren nicht als Ausbalancierung der Geschichte des Papsttums oder des christlichen Kaisertums gemeint, sondern auf unsere Gegenwart bezogen; und historische Urteile – so oder so – waren damit nicht verbunden. Es ist klar, daß gelegentlich ein Kaiser mehr für die Einheit der Kirche getan hat als ein Papst, wenngleich wohl immer nur in seinem Reich und nicht darüber hinaus. Da wir keine christlichen Kaiser haben, die Ökumene beibringen können, müssen wir ja wohl selber zur Einheit finden, und infolgedessen brauchen wir einen Dienst der Einheit, der Gemeinschaft, welcher über das historische Papsttum und den christlichen Kaiser als Apostel für die andern hinausgeht.

H. Stirnimann: Zunächst zur Frage zum Verhältnis von Evangelium und Wahrheit. Bei gewissen Voten hörte ich beim Gebrauch des Wortes »Wahrheit« eine gewisse Äquivalenz zu reiner Lehre heraus, die ich nicht mitvollziehen kann. Man kann von hier aus die Frage des Amtes nicht ohne weiteres beurteilen. Ich meine, zur Wahrheit des Evangeliums gehört das Leben der Kirche: Ist sie eine verantwortungsvolle Gemeinschaft oder nicht, wer hat die Verantwortung, wie wird sie ausgeübt? Das ist ein

Kriterium der Evangelizität, der Wahrheit, der Kirche. Das müßte man mitbedenken.

Dabei betont P. Brunner, die entscheidende Frage sei die Abendmahlsgemeinschaft. Ich bin vollständig mit ihm einverstanden. Wir müssen uns aber bewußt sein, welche Relativierung der vatikanischen Dogmen das II. Vatikanum vollzogen hat, indem es in der Erklärung gegenüber der Orthodoxie zum Ausdruck bringt: auch ohne Anerkennung des Papstes sei die gemeinsame Eucharistiefeier grundsätzlich möglich, falls die orthodoxen Kirchen selber eine solche Gemeinschaft in der Eucharistie wollen.

Was nun die Frage der Gemeinschaft mit den evangelischen Kirchen betrifft, bereitet nach meinem Empfinden nicht die Frage des Amtes, sondern die Frage der eucharistischen Praxis die größten Schwierigkeiten: das heißt, welche ekklesiologischen Implikationen hat die Feier der Eucharistie und was bedeutet das: Kommunizieren? Bedenken habe ich hier deswegen, weil gewisse Tendenzen auf eine Privatisierung der Kommunion hindeuten. Kommunion ist kein Bekenntnis mehr, sondern Christus lädt ein und alle sind herzlich willkommen. Ist diese Praxis richtig?

Zu den Fragen von N. A. Nissiotis und E. Gräßer betreffend These 4 meines Referates – Übernahme des Petrusdienstes durch den Bischof von Rom –: Ich meine durchaus nicht, daß der Bischof von Rom exklusiv den Petrusdienst ausüben kann. Es gibt verschiedene Petrusdienste. Ich beabsichtigte mit dieser These nicht eine exegetische oder neutestamentliche Begründung des Papsttums, sondern wollte nur festhalten, daß in wichtigen kirchengeschichtlichen Momenten, in denen der Bischof von Rom effektiv für eine katholische Katholizität der kirchlichen Gemeinschaft gearbeitet hat, er sich für diese Momente auf gewisse Petrusworte stützen *konnte*. Das meinte ich und nichts anderes.

Schließlich noch zu H. Küng: Über die Koppelung Papst–Bischof von Rom kann man durchaus unterschiedlicher Auffassung sein. Ich meinte auch den Verzicht des Papstes auf gewisse Funktionen, die er ausüben könnte. Aber in erster Linie wollte ich klarstellen, was es bedeuten würde, wenn er wirklich wieder Bischof von Rom wäre, wie N. A. Nissiotis vorschlägt. Es ginge also um die Abschirmung des Papsttums gegen eine kirchliche Superzentrale oder Verwaltungsmacht. Die kritische Spitze ist: Wie wird diese Kirche verwaltet, und wie verstehen die Instanzen in Rom ihre Aufgabe. Das ist ein Punkt, der anzuvisieren wäre. Darüber, scheint mir, sind wir uns völlig einig.

E. Schlink: Die Leitung des Symposiums hat mich gebeten, den Ertrag der bisherigen Sitzungen zusammenzufassen und einen Themenvorschlag für die Diskussion der Schlußsitzung zu machen. Ich will das versuchen, indem ich anhand des Fragenkataloges meines Eingangsreferates prüfe, was wir an Fragen bearbeitet oder gar beantwortet haben, und was offen geblieben oder womöglich gar nicht bearbeitet worden ist.

Ich hatte in meinem Referat drei Grundfragen gestellt: 1. Welches ist der gegenwärtige Stand des ökumenischen Gespräches über das päpstliche Amt als Amt der ökumenischen Einheit? 2. Welche methodischen Möglichkeiten bestehen für die Weiterführung des ökumenischen Gesprächs über dieses Thema? 3. Welcher Rang kommt dem päpstlichen Amt im Ganzen des ökumenischen Gespräches zu? – Die zweite Frage kann ich übergehen, sie ist nicht weiter diskutiert worden. Auf die dritte Frage komme ich zum Schluß meiner Ausführungen zurück; darin scheint sich mir ein gewisser Konsensus abgezeichnet zu haben.

Zunächst hatte ich nach gemeinsamen neutestamentlichen Ergebnissen und ihrer systematischen Relevanz gefragt. Ich finde, daß wir in dieser Frage ein ganzes Stück weitergekommen sind. Ich hielt es im Rückblick auf den Bericht der offiziellen lutherisch-römisch-katholischen Dialoggruppe in den USA von 1973 durchaus für möglich, daß evangelische und katholische Exegeten noch zu präziseren gemeinsamen Formulierungen kommen können. Das ist in den Referaten von E. Gräßer und J. Blank geschehen – wenngleich eingeschränkt werden muß: wir hörten zwar zwei evangelische Neutestamentler, aber nur ein katholischer Neutestamentler hat sich geäußert. Ich könnte mir denken, daß ein anderer katholischer Neutestamentler vielleicht noch andere Aspekte hätte zur Geltung bringen können.

Ich hatte sodann darauf hingewiesen, daß die Begriffe »Sprecher«, »Lehrer«, »Leiter« usw. der Präzision bedürfen. Diese Begriffe waren von der amerikanischen Dialoggruppe verwendet worden. In diesem Vorgang der Begriffsklärung sind wir nicht wesentlich weiter gekommen. Ich halte es aber für möglich, daß man mit modernen soziologischen, speziell religionssoziologischen, und auch differenzierten rechtlichen Begriffen hier noch weiterkommen kann.

Ein Konsens schien mir darüber zu bestehen, daß das päpstliche Amt nicht aus einem nachweisbaren Auftrag Jesu zur Fortsetzung des Amtes des Petrus abgeleitet werden kann. Aber damit ist die Frage, ob das Papstamt auf dem ius divinum oder dem ius humanum gründe, weder nach der einen noch nach der anderen Seite in befriedigender Weise beantwortet. Vielmehr bedürfen beide Begriffe einer neuen Fassung. Sie sind in gewisser Hinsicht auch enthalten in der Problematik des Einmaligen und des Erstmaligen im Dienst der Apostel.

Im übrigen zeigte sich eine gewisse Einigkeit darin: Auch wenn ein ausdrücklicher Befehl zur Fortsetzung des Amtes des Petrus nicht vorliegt, bleibt doch Petrus ein Urbild oder ein Typos, der im Verlauf der Geschichte der Kirche bei der den Ämtern und den Kirchen aufgegebenen Verpflichtung zur Einheit immer irgendwie vor Augen steht (ob nun diese Funktion von einem einzelnen oder wie in den ersten Jahrhunderten von einer Gemeinschaft von Leitenden wahrgenommen wird, ist eine andere Frage). Insofern meine ich, daß diese Vorstellung des leitenden Urbildes ernstzunehmen ist, selbst wenn der Begriff ius divinum im bisherigen Sinne hier nicht verwendbar ist.

Eine Fortsetzung des Gesprächs über die Entwicklung des Petrusamtes in der alten Kirche hat die Dialoggruppe in den USA noch nicht veröffentlicht. Wir hatten zu diesem Thema das Referat von Pater W. de Vries. Es schien mir in der Exegese der bekannten strittigen Texte so sorgfältig zu sein und so wirklich historisch gedacht, unter Eliminierung vorgefaßter dogmatischer Leitbilder, daß wir seine Ergebnisse meines Erachtens durchaus bejahen können – abgesehen von der Einleitung und dem letzten Absatz, wo eine Entwicklung angedeutet war, über deren Notwendigkeit kein Konsensus besteht. Darüber wurde hier ja erheblich diskutiert. – Wegen der Zuverlässigkeit des Referats von de Vries habe ich das evangelische Korreferat nicht einmal sonderlich vermißt.

Eine große Informationslücke für unsere Diskussion bestand hingegen darin, daß die Neuerungen, die bei Leo I. hervortraten – daß die Umbrüche, die im frühen Mittelalter eingetreten sind, daß vor allem die Papstproblematik des späten Mittealters, auf der die Antichristurteile der Reformationszeit gründen –, hier nicht zur Sprache kamen. Sie wurden auch – abgesehen von einigen historischen Hinweisen, die einige Teilnehmer zur alten Kirche gegeben haben – nicht diskutiert.

Als eine Lücke in unserer Arbeit empfinde ich sodann, daß die Texte des I. Vatikanums nicht sorgfältig nach allen Varianten von Auslegungsmöglichkeiten durchgesprochen wurden. Dennoch war der Überblick von O. H. Pesch über die Wirkungsgeschichte dieses Konzils ein wichtiger Schritt in diese Richtung. Wir haben uns also um die Auslegungsgeschichte gekümmert. Das war in der amerikanischen Gesprächsgruppe und auch in den meisten bisherigen Symposien zu unserer Frage noch nicht geschehen.

Der amerikanische Bericht hatte das Unfehlbarkeitsdogma übergangen und zurückgestellt. Wir haben es bewußt in unser Gespräch einbezogen. H. Ott ist in seinem Referat auf die hier zugrundeliegende Frage wahrer Sätze im Verhältnis zu *der* Wahrheit eingegangen mit seinem Konzept des dialogischen Denkens und Sprechens. Hier mußten viele Fragen offen bleiben. Wir hatten zu diesem Thema kein katholisches systematisches Korreferat. So wurde die Klärung der Begriffe: »unfehlbar«, »irreformabel«, »wahr«, »verpflichtend«, »verbindlich« oder »irrig«, »unverständlich«, »interpretationsbedürftig« von katholischer Seite aus nicht wirklich deutlich.

Es wäre auch noch zu klären, wie sich die Kirche oder eine Person oder bestimmte Akte einer Person zur Unfehlbarkeit proklamierter Sätze verhalten und wie sich die Aussage über die *Eigenschaft* der Kirche oder einer Person als unfehlbar zu der *Verheißung* des bewahrenden Handelns Gottes an der Kirche verhält. Hier liegt die Hauptschwierigkeit. Es wurde deutlich, daß sprachanalytische Klärungen nötig wären, und zwar im Hinblick darauf, welches bleibend verpflichtende Worte und Sätze sind, die eine gewisse Konstantenbedeutung im Leben der Kirche haben, und welche Sätze notwendigerweise variabel bleiben müssen. Hier blieb zu viel offen, als daß es möglich wäre, diese Fragen heute morgen noch zu klären. Ich würde deshalb vorschlagen, diese Fragen nicht zum Gegenstand des abschließenden Gesprächs zu machen.

Schließlich ist die wichtige ökumenische Frage, die zwischen den Kirchen steht, nicht wirklich erörtert worden, wie lehramtliche Autorität zustande kommt: durch ein Konzil, durch ein leitendes Amt, durch die Gesamtkirche? Wie verhalten sich diese Größen zueinander?

Wir haben die Thematik im Auge gehabt, die auch im amerikanischen Bericht hervortritt in den Ausführungen über Konvergenzen in der Verhältnisbestimmung von Petrusamt und Amt der ökumenischen Einheit. In dieselbe Richtung gingen die Ausführungen von H. Stirnimann und J. Moltmann. Sehr deutlich herausgestellt wurde der Begriff der Gemeinschaft. Was die Gesprächsgruppe in den USA an Prinzipien über eine legitime Mannigfaltigkeit, das Prinzip der Kollegialität und der Subsidiarität gesagt hat, scheinen Moltmann und Stirnimann durchaus positiv aufzunehmen. Dagegen fehlen uns noch die konkreten Vorstellungen, wie etwa leitendes Amt, Kollegialität, Konzil und Rezeption durch die Gemeinden einander zuzuordnen wären.

Es wurde auch die Frage nicht erörtert, die in der ökumenischen Diskussion zweifellos eine Rolle spielt, nämlich, ob das Amt der Einheit notwendig dem Bischof von Rom zukommen muß oder ob es nicht ebenso von dem Inhaber eines Amtes wahrgenommen werden kann, der in der Tradition der Orthodoxen oder einer reformatorischen Kirche steht? Ferner, ob das Amt der Einheit notwendig von *einer* Person oder nicht auch von einer Gemeinschaft mehrerer Personen aus verschiedenen Traditionen wahrgenommen werden kann, wobei dann der einzelne beschränkte Rechte hätte? Trotzdem würde ich meinen, daß sich im großen Ganzen ein doch ziemlich weitgehender Konsens unter uns herausgestellt hat. Ich denke z. B. an die These von H. Stirnimann, die das episkopale und das synodale Moment in jedem Fall einander zuordnen will, wenn auch die Rechtskonstruktion noch nicht näher beschrieben ist.

Nur knapp berührt haben wir die Frage nach dem Verhältnis von höchster Jurisdiktionsgewalt und Unfehlbarkeit. Meines Erachtens liegen hier noch viele Fragen offen, die einer Klärung bedürfen. Zweifellos hängen das Kirchenrecht und der Zuspruch der Wahrheit in der Wurzel so eng zusammen, daß sie überhaupt nicht von einander gelöst werden können, etwa im Akt der Absolution, der ein eminent rechtlicher Akt ist – er beansprucht ja sogar Gültigkeit im göttlichen Urteil im Jüngsten Gericht und ist zugleich Zuspruch der Wahrheit, nämlich des für uns gekreuzigten Christus. Aber wie dieser Zusammenhang im Verlauf der Kirchengeschichte gelöst, dann wieder neu zusammengesetzt und mit einem ganz anderen Akzent, dem der Unfehlbarkeit, versehen wurde, das haben wir nicht geklärt.

Ich komme nun zur Frage des Themas für das noch vor uns liegende heutige Gespräch. So würde ich vorschlagen, daß wir uns bei dieser Schlußdiskussion darauf beschränken, einerseits den Dialog über die Referate von H. Stirnimann und J. Moltmann fortzusetzen, und zwar über die Frage: ob oder wie eine Präzisierung der Gestalt des Amtes der Einheit in positiver Hinsicht noch weiter möglich wäre, und andererseits der Frage noch ein wenig Raum zu geben, die Y. Congar und P. Bläser angeschnitten haben: nämlich der Erörterung des Weges, wie das päpstliche Amt zum ökumenischen Amt der Einheit werden könnte, oder wie die Enge gewisser Aussagen des I. Vatikanums überwunden werden könnte. Y. Congar sprach – wenn ich recht verstanden habe – von einer Rezeption durch Neuinterpretation. P. Bläser sprach von einem wünschenswerten Nicht-Praktizieren der Unfehlbarkeit für längere Zeit, so daß dann die ganze Frage in einem anderen Licht erörtert werden könnte. Andere wiederum meinen, daß eine Einigung der Kirche auf keinen Fall möglich ist ohne gewisse ausdrückliche Korrekturen, die über bloße Uminterpretation oder Erklärung von Mißverständnissen hinausgehen müßten. Manche Anathematismen des Tridentinums etwa trafen doch nachweislich die lutherische Lehre nicht, wenngleich die Konzilsväter meinten, sie zu treffen. –

Als drittes nenne ich noch die öfters aufgeworfene Frage: Was können wir tun, um zum Amt der Einheit zu kommen? Hier schien mir ein gewisser Konsens über die Hierarchie der Wahrheiten oder Lehrsätze zu bestehen. Ich würde meinen, daß um des Zieles willen ein indirekter Weg im Augenblick wichtiger ist als der direkte Ansturm auf das päpstliche Amt. Denn das gemeinsame Evangelium, die gemeinsame Botschaft vom Reiche Gottes, das gemeinsame Verständnis von Reich Gottes, Kirche und Welt, des Dienstes der Kirche an den Leidenden und Unterdrückten ist viel elementarer. In diesem Zusammenhang sind meines Erachtens noch viele Fragen ungeklärt. Dies wurde auch deutlich aus der Frage, die E. Gräßer an J. Moltmann gerichtet hat. Natürlich kann unser ganzes Unternehmen nur ein Fragment sein, das seinen Wert in der Begegnung, in den Aussprachen und vor allem in den Referaten hat, die den Aussprachen zugrunde lagen. – Noch eine Bemerkung zum Schluß: Man muß vielleicht berücksichtigen, daß wir Evangelischen und unsere katholischen Brüder in dieser Diskussion verschiedene Ausgangspunkte haben, in verschiedenen Situationen leben. Den katholischen Kollegen geht es um eine größere Freiheit von der potestas im Sinne des I. Vatikanum und vom Unfehlbarkeitsdogma. Wir Evangelischen sind frei von diesem päpstlichen Primat, aber diese Freiheit konnte auch zum Verlust von gemeinsamen elementaren Erkenntnissen führen, die im sechzehnten Jahrhundert unsere Kirchen noch verbanden. So ist bei uns ein gegenläufiges Anliegen wirksam, nämlich zu einer stärkeren Bindung zu kommen. Die Bemühungen um das Amt der Einheit begegnen sich also von verschiedenen Ausgangspunkten her. Dabei können wir unseren katholischen Brüdern nicht ein einheitliches evangelisches Modell vor Augen stellen, das wesentlich besser wäre, weil die Ordnung des Ökumenischen Rates und auch die Selbständigkeit der einzelnen Landeskirchen zweifellos große Mängel aufweist. Keine Frage: Der Konsens in der Lehre wird von den evangelischen Kirchenleitungen oft weniger ernst genommen als in der römisch-katholischen Kirche. Aber man war in der Jurisdiktion manchmal sogar autoritärer als dort. Darauf hat H. Stirnimann hingewiesen. Darum blicken wir Evangelischen, jedenfalls ich, manchmal mit Sorge auf junge katholische Theologen, die in ihrem Freiheitsdrang nicht nur vom Papst loskommen wollen, sondern auch von elementaren christlichen, altkirchlichen Wahrheiten. Dem gegenüber möchte ich doch ausdrücklich sagen: Wenngleich ich vieles, was in der neueren katholischen Dogmenentwicklung geschehen ist – besonders auch im I. Vatikanum –, nicht bejahen kann, so anerkenne ich doch, daß unter mancherlei, was ich, was wir Evangelischen als dogmatische Wucherungen empfinden, doch der altkirchliche Kern bewahrt worden ist.

H. Küng: Ich danke Ihnen sehr herzlich, Herr Schlink. Mit Ihrer Bestandsaufnahme haben Sie in einer außerordentlich hilfreichen Weise für unsere Diskussion herausgestellt, was wirklich schon positiv geklärt und zugleich auch, was offen geblieben ist.

Des Fragmentarischen unseres Bemühens hier waren wir uns bei der Programmgestaltung bewußt:

Wir haben angenommen, das 11. wie auch das 16. Jahrhundert, obwohl hier gewichtige Entwicklungen stattgefunden haben, ausklammern zu dürfen, weil wir uns in der Kritik an den damaligen Weichenstellungen eigentlich weithin einig sind. Niemand will heute mehr das Papsttum des Hochmittelalters oder das Papsttum des 16. Jahrhunderts, mit dem es Luther zu tun hatte, verteidigen. Natürlich könnte man bei einer anderen Tagung auch diese Zeiträume aufarbeiten, aber unsere Diskussion hat, meine ich, doch ergeben, daß die eigentlichen Entscheidungen im Neuen Testament fallen. Wir waren uns einig: So etwas wie einen historischen formal-rechtlichen Sukzessionsgedanken im Petrusamt zu begründen, ist nicht möglich. Daß es aber möglich ist, für eine in anderer Weise begründete funktionale Nachfolge einen Anhalt im Neuen Testament zu finden, darin hat sich ein Konsens immerhin abgezeichnet.

Einen zweiten Schwerpunkt setzten wir in der Geschichte der frühen Kirche, weil uns die Frage wichtig schien, ob nun da im Sinne einer juridischen Sukzession historische Kontinuität festzustellen sei. Die historischen Schwierigkeiten sind nicht zu übersehen. Insofern sind wohl die Voraussetzungen doch gegeben, jetzt über die Zukunft des Papstamtes vor allem etwas zu sagen.

Herr Schlink verweist uns vor allem auf die Fragen, die im Zusammenhang der beiden Referate von H. Stirnimann und J. Moltmann wichtig wurden und seine erste und dritte Frage betreffen. Ich möchte diesen Vorschlag sehr gerne aufnehmen und vorschlagen, daß wir uns jetzt zunächst auf die Frage konzentrieren, wie das päpstliche Amt zum Amt der Einheit werden könnte. – Hier könnten noch Ergänzungen zu den Referaten von H. Stirnimann und J. Moltmann angebracht werden. – In der zweiten Hälfte unseres Gesprächs würden wir versuchen, konstruktiv auszudrücken, was wir tun können, um zu einem ökumenischen Amt der Einheit zu gelangen.

W. Pannenberg: Mir schiene es gut, wenn wir unsere Beiträge zu den vorgeschlagenen zwei Fragen an dem orientierten, was unter den Mängeln unserer Arbeit – im Sinne des nicht Behandelten, der Lücken, die E. Schlink genannt hat – mir eigentlich das Wichtigste war: nämlich an der Tatsache, daß eine Diskussion der Auslegungsmöglichkeiten des Textes des I. Vatikanums bei uns ausgeblieben ist. E. Schlink hat eine ganze Reihe von Gesichtspunkten dazu genannt. Das sollte nicht völlig ausgeklammert werden in unserer Diskussion. Unser Gespräch würde an innerem Zusammenhang gewinnen, wenn wir bei der Frage nach einer gegenwärtigen, möglichen Gestalt des Dienstes der Einheit wie auch nach Wegen, wie wir dahin kommen können, ständig die Aussagen des I. Vatikanum, ihre Interpretation und Einschränkung im Blick behielten.

H. Küng: Dieser Gesichtspunkt ist durchaus in E. Schlinks Fragestellung mit eingeschlossen. Ich möchte nur davor warnen, hier eine lange Interpretationsdebatte über die Beschlüsse des I. Vatikanum zu führen, in der wir uns sehr leicht verlieren würden. Wir sollten uns daran halten, *wie* das päpstliche Amt zum Amt der Einheit werden könnte. Hier wäre wohl ein guter Ausgangspunkt.

M. Löhrer: Ich möchte eine Vorbemerkung zur Frage des Konsenses anbringen: Es liegen noch keine Resolutionstexte vor, über deren

Formulierung man diskutieren und die man verabschieden könnte. Ich glaube zwar, daß bei der Frage römischer Papst – Neues Testament die Aussagen der Neutestamentler materiell sehr eindeutig ausgefallen sind und W. de Vries – was die historischen Fakten angeht – auch ungefähr auf derselben Linie liegt. Wir haben aber gesehen: Sowohl Einleitung und Schluß des Referates von E. Gräßer wie auch desjenigen von W. de Vries waren in der Diskussion doch sehr kontrovers. Man muß wohl zugeben, daß diese Frage nicht genügend ausdiskutiert worden ist, so daß man hier nicht vorschnell von einem Konsens reden darf. Ich bitte also das Wort »Konsens« nur mit Vorsicht zu gebrauchen.

W. de Vries: Ich habe Bedenken anzumelden gegenüber dem exegetischen Teil unserer Tagung. Ich bin bei meinem Referat ausgegangen von den Statements der lutherisch-katholischen Gespräche in den USA. Dort wird gesagt: Es sind Ansätze zu einer Primatsentwicklung im Neuen Testament vorhanden. Darauf stützen sich die hier stark umstrittenen Sätze am Anfang und Ende meines Referates. Ich zweifle daran, ob die hier gegebene katholische Exegese der Petrustexte des Neuen Testamentes für die katholische Exegese dieser Texte schlechthin repräsentativ ist. Es kam hier nur *ein* katholischer Referent zu Wort gegenüber zwei protestantischen. Das betonte ja auch E. Schlink. Damit halte ich den bei dieser Tagung erreichten Konsens in dieser Frage für sehr problematisch. Man kann daraus meines Erachtens nicht schließen auf einen allgemeinen Konsens zwischen katholischer und evangelischer Exegese in dieser Frage.

J. Blank: Zum Votum von W. de Vries habe ich folgendes zu bemerken: Natürlich habe ich den Bericht der lutherisch-katholischen Dialoggruppe in den USA über den Petrusdienst auch gelesen. Ich möchte gerade im Vergleich zu diesem Buch es für mein Referat darauf ankommen lassen, nachzuprüfen, wie groß hier wirklich die Differenzen sind: Zumindest im methodischen Ausgangspunkt, aber weitgehend auch in der methodischen Durchführung sind die Differenzen nicht sehr groß.

Seitdem A. Vögtle 1958 in seinem Aufsatz über Mt 16,18 in der Biblischen Zeitschrift (BZ 1958, 85–103) für die katholische Theologie zum ersten Mal herausgearbeitet hat, daß eben dieses Besondere an Petrus bei Mattäus nicht ursprünglich ist, wurde in der katholischen Exegese diese Frage lebhaft diskutiert. Inzwischen ist eine ganze Reihe sehr verschiedener Aufsätze erschienen, die im Unmittelbaren doch eine ähnliche Tendenz aufweisen. Ich kann Ihnen genau angeben, wo der Dissens liegt. Die Exegeten sind sich darüber uneins, ob eine Berufung auf ein spezielles Petrusamt im Sinne des Neuen Testaments legitim ist oder ob Petrus hier – das ist meine Auffassung – als Typos des »kirchlichen Amtes« steht. Ich führte über diese Frage in diesem Jahr eine Kontroverse mit dem Buch: Petrus und Paulus – Pole der

Einheit von F. Mussner (Freiburg/Basel/Wien 1976 = Quaestiones Disputatae 76). Die Meinungen sind gewiß nicht ganz einhellig, aber ich meine, immerhin wurde eines wirklich klar: Mt 16,18 ist für eine direkte Ableitung des römischen Papsttums nicht zu gebrauchen.

W. de Vries: Das ist nur *ein* Punkt!

J. Blank: Gewiß! Aber ein sehr wichtiger Punkt. Ich zweifle nicht daran, daß die katholischen Exegeten – auch die Verfasser der amerikanischen Erklärung oder die Exegeten hier –, wenn sie sich zusammensetzten, heute durchaus zu einer einheitlichen Meinung kommen würden. Ich halte diese Feststellung für sehr wichtig. Die Frage ist natürlich – hier kommt die Interpretation hinein –, ob man im Neuen Testament keimhafte Anlagen für spätere Entwicklungen annehmen will. Ich bin diesem Schema gegenüber ziemlich skeptisch. – Aber das sind Dinge, die man prüfen kann und worüber man diskutieren muß.

W. de Vries: Damit bin ich einverstanden. Wir haben also keinen Konsens.

J. Blank: Keinen Konsens, aber eine Konvergenz! Konvergenz würde ich auf jeden Fall behaupten.

W. Pannenberg: In der eben von mir genannten Richtung möchte ich zunächst festhalten: Das päpstliche Amt ist als Amt der Einheit für die Kirche als Gesamtkirche wesentlich. Ein solches Amt der Einheit scheint mir heute nicht mehr unter die Alternative ius divinum – ius humanum zu fallen. Die Einheit der Kirche ist sicher in die göttliche Konstitution der Kirche einzubeziehen und damit auch implizit diejenigen institutionellen Ausprägungen – auch wenn sie erst später hervorgetreten sind –, die zur Bewahrung solcher Einheit erforderlich sind. Man hat im 16. Jahrhundert, als es deswegen zu einer Kontroverse kam, auf protestantischer Seite besonders den Begriff ius divinum sehr eng genommen und in einem schriftpositivistischen Sinne nur das gelten lassen wollen, was aus der Schrift unmittelbar ableitbar ist. Auch wenn wir keinen vollen Konsens erreicht haben, wie eben gesagt wurde, gibt es hier doch eine sehr weit gehende Verständigung darüber, daß eine solche Ableitbarkeit für das päpstliche Amt nicht vorliegt. Dennoch müssen wir zugestehen, daß das, was um der Einheit willen erforderlich ist, auch göttlich legitimiert und nicht einfach menschliche Einrichtung ist, die dem Belieben offen stünde. Zu einem solchen Dienst der Einheit gehört sicherlich eine Lehrfunktion: Sie ist freilich in der Form, wie sie die Unfehlbarkeitsaussage des I. Vatikanum umschreibt, für andere Christen, die nicht Glieder der römisch-katholischen Kirche sind, nicht ohne weiteres annehmbar. Doch in der Sache gehört eine solche Lehrfunktion dazu, in der sich die Sorge um das Bleiben in der Wahrheit im biblischen Sinn, um die bleibende Einheit der Gesamtchristenheit in ihren unterschiedlichen Tendenzen und Entwicklungsstadien mit dem apostolischen Ursprung artikulieren kann; insofern auch eine lehramtliche Tätigkeit, die ausspricht, was für das Bleiben in der Wahrheit erforderlich ist. – Wie sie ausgeübt werden soll, ist eine andere Frage. –

Lehramtliche Tätigkeit muß diese Wahrheit ausdrücken. Aber solche Aussagen können, wollen sie als Behauptung überhaupt ernst genommen werden, nicht von vornherein der Diskussion entzogen werden: etwa mit der problematischen Feststellung, sie seien von vornherein unfehlbar. Meine Kritik berührt, wie mir scheint, nicht notwendig die These des I. Vatikanum, die feierliche Lehraussagen »ex sese« für unfehlbar hält. Ist es möglich, sie in einem nicht juristischen Sinn zu interpretieren? Das zu entscheiden, ist Sache der katholischen Theologie. Wird die Formel in einem nicht juristischen Sinne genommen, erscheint sie ohne weiteres verständlich: denn wenn eine Aussage wahr ist, dann ist sie es »ex sese«, nicht nur »ex consensu«. Hier sehe ich das Wahrheitsmoment in dieser so kontroversen These. Die Frage ist: Kann man ihr Wahrheitsmoment von den juristischen Intentionen, die das I. Vatikanum mit ihm verbunden hatte, befreien? Nur unter der Voraussetzung, daß diese absolutistisch-kirchenrechtlichen Tendenzen korrigiert werden können, ist es möglich, das im Text Gesagte zu rezipieren. Das gilt mehr und mehr ja selbst für die katholische Theologie.

Läßt sich eine ähnliche Interpretation auch für die Aussagen des I. Vatikanums über den Jurisdiktionsprimat finden? Wenn man von der kirchenjuristischen und absolutistischen Sprache des Lehrtextes absieht, dann wird eigentlich zum Ausdruck gebracht: jeder christliche Bischof steht in unmittelbarer Beziehung zum Bischof von Rom. In früheren Perioden der Geschichte hatte dieses Verhältnis die Gestalt eines Appellationsrechtes jedes christlichen Bischofs an den Bischof von Rom und umgekehrt einer Unmittelbarkeit des Bischofs von Rom zu jeder Kirchenleitung. In der Tat ist es für ein Amt der Einheit erforderlich, daß es von sich aus an jede örtliche oder regionale Kirchenleitung in der Welt herantreten kann; wie auch umgekehrt jede örtliche oder regionale Kirchenleitung ohne umständlichen Dienstweg sich in Fragen der gesamtkirchlichen Einheit an eine solche Instanz wenden können muß. Selbstverständlich muß das Amt der Einheit in seiner Leitung über das Schema Befehl und Gehorsam hinauskommen. Müßte in dieser Weise nicht etwas von dem Anliegen des I. Vatikanums auch in bezug auf den Jurisdiktionsprimat in jede neue Gestalt eines Amtes der Einheit eingehen – freilich gelöst von allen absolutistisch-kirchenrechtlichen Formulierungen?

N. A. Nissiotis: Nachdem wir in unserem heutigen Gespräch bisher überwiegend theologisch debattiert haben, möchte ich meine

Aufmerksamkeit mehr einigen praktischen Fragen zuwenden. Irgendwie, scheint mir, brauchen wir eine Praxisvorstellung, und sei sie im Augenblick noch so utopisch. Wie versteht man den Primat des Papstes heute? Wie kann dieser Primat ausgeübt werden? Ich hatte den Eindruck, daß wir zu einem Einverständnis in den folgenden Punkten gekommen seien:

Der Papst ist der erste Bischof der allgemeinen, katholischen und apostolischen Kirche, im Sinne eines Vorsitzenden in Liebe und Ehre. Das heißt: er ist nicht Bischof für die allgemeine katholische Weltkirche, wie wenn diese eine weltweite Diözese darstellte. So darf man den Petrusdienst und den Dienst der Einheit nicht verstehen. Rom hat den Primat aus der gemeinsamen apostolischen Herkunft. Wenn der Papst der Bischof der allgemeinen ökumenischen Kirche wäre, würde dies bedeuten, daß wir eine Verdoppelung des Bischofsamtes in jeder Lokalkirche hätten, die in der Kirche vermieden werden muß.

Vorsitzender in der Liebe und Ehre: Darunter ist zu verstehen, daß der Papst Initiativen im Dienst der Einheit an der Gesamtkirche ergreifen kann, nachdem er mit den anderen Leitern der Kirche die Art und Weise dieser Initiativen diskutiert hat. Er kann also in außerordentlichen Situationen im Namen der ganzen Christenheit sprechen, aber er muß zuerst den Konsens aller anderen kirchlichen Leitungen gesichert haben.

Der Papst ist an den ökumenischen Konzilien, direkt oder durch Stellvertreter, als einer der Bischöfe der katholischen Kirche beteiligt. Er steht nicht neben oder über dem Konzil, und die Dekrete der Konzilien erhalten nicht nur oder erst a posteriori ihre Validität durch seine Zustimmung. Ich bestreite nicht, daß ohne seine Unterschrift Konzilien und ihre Entscheidungen noch nicht weltweit gültig sind, aber erforderlich ist seine Unterschrift als jene des Bischofs der katholischen Kirche in Rom, nicht als die eines Bischofs über die katholische Weltkirche. Letzteres war der Fall nach dem II. Vatikanum. Für einen Titel »Bischof der Weltkirche« gibt es allerdings keine Tradition. Alle Lokalkirchen übermitteln der Kirche von Rom die Namen der neuordinierten Bischöfe zum Zeichen ihrer Verbundenheit mit dem ersten Bischof in der katholischen Kirche. Das heißt nichts anderes, als daß der Papst auf sein Recht, Bischöfe für die Lokalkirchen von Rom aus zu ernennen und sie in die Diözesen zu senden, verzichten muß.

Lateinische Bischöfe in Städten, die traditionsgemäß orthodoxe Bischofssitze sind, sollen von Rom zurückgerufen werden. Die unierten Kirchen sollen wieder in die Lokalkirche integriert werden.

Der Ehrenprimat kann sich selbstverständlich nur zwischen solchen Kirchen auswirken, die ein Bischofsamt im Sinne der katholischen Kirche überhaupt akzeptieren, nämlich als ein Amt, das wie jener auf den Petrusprimat gegründet ist.

So versuche ich als Orthodoxer das Ergebnis unserer Debatte zu interpretieren.

O. H. Pesch: Ich möchte mich zu W. Pannenberg und im Anschluß an die Frage nach praktischen Vorschlägen im Sinne von E. Schlink äußern.

Zu W. Pannenberg: Ich halte es, wenn es methodisch mit rechten Dingen zugeht, für schlechterdings unmöglich, die Aussagen des I. Vatikanums in einer nicht-juridischen Weise zu interpretieren. Das nimmt uns ein redlicher Historiker nicht ab: weil nicht nur sofort nach dem I. Vatikanum die entsprechenden Canones auch in einer juridischen Terminologie interpretiert und anwendbar gemacht wurden, sondern weil bis heute, bis Pius XII. und Paul VI., das lehramtliche Modell vom Verhältnis zwischen Lehramt, Theologie und Glauben der Kirche in diesen Rechtskategorien ausgedrückt wird. Es ist ein Unterschied, zu sagen, in der Wirkungsgeschichte des I. Vatikanums stellte sich uns heute die Problematik, daß wir die Frage von Lehramtsausübung und Lehrkonsens in der Kirche in nicht-juridischer Weise bedenken müssen. Das sollen wir selbstverständlich. Aber wir verrennen uns, wenn wir in irgendeiner Form den Texten des I. Vatikanums unseren heutigen Problemstand unterlegen oder in ihnen als Intention auffinden wollen.

Noch einmal auf die terminologische Unterscheidung Jurisdiktionsprimat – Lehrprimat zugespitzt: Mich hat G. Ebeling einmal frontal gefragt: »Können Sie sich vorstellen, daß der Papst zum Kirchenpräsidenten wird?« Natürlich kann ich mir das vorstellen. Ich wünschte es mir sogar. Faktisch entwickelt sich manches in Rom in dieser Richtung. Allerdings kann die Verbindung von Jurisdiktionsprimat und Unfehlbarkeit nur dann getrennt werden, wenn der Jurisdiktionsprimat sich lediglich auf Verwaltungsdinge bezüge – meinetwegen bis in die Ordnung der Liturgie hinein. Aber in Wahrheit verhält es sich nach der Intention des I. Vatikanums und nach der bis heute durchgehaltenen kirchenamtlichen Position so, daß der Jurisdiktionsprimat beansprucht, die Gewissen zu binden. Er fordert nicht nur äußeren Gehorsam, sondern innere Zustimmung, und zwar deswegen, weil päpstliche Aussagen durchaus einen gesetzlichen, zumindest juridischen Charakter haben. Darum bindet der Papst die Gewissen nicht nur zu äußerem Gehorsam, sondern zu innerer Zustimmung, und zwar auf rechtliche Weise. Hier liegt der Kern des Problems!

Wenn wir ihn als Ausgangspunkt akzeptieren, weil eben in Rom so gedacht wird, dann sind Jurisdiktionsprimat und Infallibilität nicht trennbar. Von einem Interpretationsmodell, das die Lösbarkeit dieser Verbindung voraussetzt, können wir uns nichts versprechen. Ich sage das so hart, gerade weil ich in der Sachproblematik mit Herrn Pannenberg einig gehe. Wir kommen bei einer solchen Interpretation nicht an der Frage vorbei, wie wir methodisch mit den Texten des I. Vatikanums umzugehen haben.

Jetzt zur Frage nach praktischen Vorschlägen. Folgendes muß in der katholischen Kirche geschehen, damit Fortschritte erzielt werden können: verstärkte öffentliche Bewußtseinsbildung – im Eingeständnis der Schwierigkeiten. Die Hoffnung ist ja wohl illusorisch, daß wir Theologen mit großen Erklärungen auf Rom Eindruck machen. Aber wenn wir im ehrlichen Eingeständnis, daß der Konflikt nach wie vor und auch auf noch unabsehbare Zeit nicht ausgestanden ist, in der Öffentlichkeit ein Bewußtsein zu bilden versuchen, dann können einseitige Positionen in der einen oder andern Richtung, ökumenische Illusionen ebenso wie naive Romgläubigkeit, allmählich aufgelockert werden. Schon eine solche Lockerung für sich ist ein »politischer« Faktor, der in Rom aufhorchen ließe.

Dann müßte versucht werden, Formen der Auseinandersetzung und auch der Innovation zu entwickeln, die geeignet sind, die auf der Gegenseite vorhandenen latenten oder offenen Ängste vor einem Zusammenbruch der Kirche zu zerstreuen. Einiges ist ja schon durch manche Ereignisse auf dem II. Vatikanischen Konzil ins Bewußtsein gelangt. Man kann sich heute vieles vorstellen, was vor zwanzig Jahren nicht vorstellbar war. Ein solches angstaufhebendes und faires Verfahren denen gegenüber, die jetzt die Kontrahenten und Andersdenkenden sind, scheint mir sehr notwendig.

Es wird wahrscheinlich nicht gehen, ohne daß in kluger, aggressionsfreier Weise auch bestimmte außertheologische, sprich politische und psychologische Mittel eingesetzt werden, um für die Entwicklung neuer Modelle einen Freiraum zu schaffen. Was in den letzten Jahren sich verändert hat und an Freiräumen erkämpft wurde, ist mit diesen Mitteln durchgesetzt worden. Auch das hat mit Theologie zu tun, und wir sollten keine Angst davor haben.

W. Pannenberg: Es ging mir selbstverständlich nicht darum, den Texten des I. Vatikanums einen historischen Sinn zu unterlegen, der sich mit historischer Gewissenhaftigkeit nicht vereinbaren läßt. Ich habe ausdrücklich die juristische Intention hervorgehoben. Ich habe in Ihrer Erwiderung, Herr Pesch, nur vermißt, daß Sie die Unterscheidung der zeitbedingten Form – in der ein dogmatischer Gehalt zur Aussage gebracht wird – und der Frage nach dem – was darin das eigentlich Auszusagende ist – auf die Texte des I. Vatikanums nicht angewendet haben, was sonst in der Dogmenhermeneutik der katholischen Theologie heute weitgehend üblich ist. Ich meine, diese Unterscheidung muß auf die Texte des I. Vatikanums angewendet werden, dann wäre es doch möglich, zu erwägen, ob nicht diese juristische Intention, die historisch zweifellos im Vordergrund stand, eben zur zeitgemäßen Form gehört.

J. Moltmann: Ich nehme den Gedanken von E. Schlink auf, daß die Veränderung des römischen Papsttums in ein ökumenisches Papsttum sicher nicht im direkten Ansturm – ich hoffe nicht der Barbaren – auf Rom, sondern nur indirekt geschehen kann. Überraschend fand ich mich mit H. Stirnimann in seiner These 6 einer Meinung, die ausdrückt, Episkopat und Synodalität seien komplementär. Genau dasselbe habe ich auch behauptet. Das hieße, der Weg zu einem ökumenischen Papsttum angesichts des römischen Papsttums ginge über den Aufbau presbyterial-synodaler Elemente: ökumenischer Kirchenräte, ökumenischer Konzilien usw. Wenn dieses Element gestärkt wird, das zweifellos im historischen Erscheinungsbild in Rom sich nicht komplementär zeigt, dann wäre hier ein Weg eröffnet, der auch den nicht römisch-katholischen Kirchen ermöglichte, sich an der Erneuerung des Petrusdienstes – im Sinne der These 10 von H. Stirnimann – zu beteiligen. Die Auflösung von Angst ist sicher wichtig, aber sie muß Hand in Hand gehen, mit einer Umverteilung der Macht, und diese kann geschehen, indem der Aufbau des presbyterial-synodalen oder konziliaren Elements gestärkt wird. Dann käme man zu einem nicht-absolutistischen Papsttum und könnte die Interpretation, die W. Pannenberg vorschlägt, wohl aufnehmen, dann könnte es einmal zu einer ökumenischen Papstwahl kommen. Anders, als daß die nicht-römischen Kirchen an der Wahl beteiligt werden, ist eine Anerkennung kaum zu erwarten.

Noch eine Bemerkung im Blick auf den Jurisdiktionsprimat: Dieser bezieht sich nicht auf die Lehre, sondern auch auf den Bereich der Sittlichkeit. Mein Interpretationsvorschlag war es, dieses Sittliche nicht auf das Privatmoralische und etwa noch die Geburtenkontrolle zu beschränken, sondern eben die politischen Fragen, an denen Gemeinden zerbrechen, einzubeziehen. Ich will dem Papst kein politisches Mandat geben, keineswegs, aber er muß die Einheit bewahren können, wenn Machtkämpfe in den Gemeinden ausbrechen, die ihr Überleben gefährden.

H. Geißer: Ich stimme dem, was O. H. Pesch zu den für uns aktuellen Konzilstexten in drei Punkten gesagt hat, sehr zu. Ich meine, daß einige von den Schwierigkeiten, auf die er aufmerksam macht, in der öffentlichen Bewußtseinsbildung klargestellt werden müßten.

Auf der ökumenischen Szene scheint es in der Frage der Annahme eines Papsttums und seines Dienstes an der Einheit im wesentlichen zwei Hauptpositionen zu geben; sie sind uns eben in symptomatischer Weise in den beiden Voten von N. A. Nissiotis und W. Pannenberg entgegengetreten: Es gibt zunächst eine episkopalistische Position. – Sie kann natürlich auch maximalistisch gegen das jetzige Papsttum ins Feld geführt werden und bereitet dann Schwierigkeiten bei der Entwicklung des Papstamtes zu einem

Einheitsdienst. – Auf der anderen Seite ist in den evangelischen Kirchen diese episkopalistische Schwelle nicht vorhanden. Das hat das Votum von W. Pannenberg gezeigt. Unbeschadet der kritischen Einwände von O. H. Pesch zeigt sich doch – unter Voraussetzung der genannten Interpretationsmöglichkeiten und konkreten Entwicklungen natürlich –, daß sowohl Jurisdiktionsprimat wie sogar auch Unfehlbarkeit hier akzeptiert werden könnten.

Eine andere Sache, in welche die Diskussion allmählich Klarheit bringen müßte, ist: Wie soll das Symbol des Petrus und des Petrusdienstes psychologisch und theologiepolitisch, im Blick auf ein kommendes Pontifikat, als wirksames Argument eingesetzt werden? – Alberigo hat schon 1975 darauf hingewiesen, daß alle Diskussionen im Zeichen eines bevorstehenden Papstwechsels stehen. –

Zwei Aspekte scheinen mir in ihrem Verhältnis zueinander nicht klar zu sein:

Einerseits das gegebene Symbol mit seiner psychologisch-emotionell wirksamen Komponente. Es hat schon einen potentiellen Träger, den Papst. Nur stimmt der jetzt mit diesem Kriterium nicht überein, aber wir legen es an ihn an. H. Stirnimann sagt: Petrusdienst ja, Papstamt nein. Das ist die eine Möglichkeit, die mir sehr wichtig zu sein scheint.

Andererseits – darauf hat N. A. Nissiotis und ferner L. Vischer (im Vorwort zu dem mit H. Stirnimann gemeinsam herausgegebenen Band 7 der ökumenischen Perspektiven) aufmerksam gemacht – könnte das Symbol und Kriterium des Petrusdienstes eine Umgestaltung des Papstamtes auch blockieren, weil es den Papst überfordert. Jeder Papst ist heute schon durch seine Funktion innerhalb der römisch-katholischen Kirche überfordert. Wenn ihm noch das Riesenbild eines Petrusdienstes auferlegt wird, kann er ihm nicht entsprechen. Irgendwie müßte man dieses Mißverhältnis in den Implikationen des Petrussymboles klären.

E. Schlink: Ich stimme N. Nissiotis im wesentlichen zu, nicht nur aus ekklesiologischen und dogmatischen Gründen, sondern aus einer praktischen Erwägung heraus, die schon H. Geißer kurz angesprochen hatte. Erst durch das II. Vatikanum konnte ich mir eine Vorstellung darüber bilden, wie sich die Häufung der verschiedenen, ja eigentlich aller Leitungsfunktionen der Kirche auf eine Person auswirkt. Ich erinnere mich an das Erstaunen von Konzilsvätern und -beobachtern, als plötzlich eine Enzyklika erschien, die sich vehement für die Erhaltung der lateinischen Sprache in der Kirche einsetzte, während in der Konzilsaula über die Einführung der Volkssprache in die Liturgie beraten wurde. Ich erhielt damals die Auskunft, daß Papst Johannes XXIII. diesen Text wohl ohne genauere Prüfung unterschrieben habe. Wie viel geschieht im Namen des

Papstes, das er nicht selbst voll durchdenken kann, weil seine Kräfte ihre Grenzen haben? Nach dem Neuen Testament gibt es keine Verheißung, daß alle Charismen auf einen Menschen konzentriert sind. Der Papst trägt eine Last, die für *einen* Menschen eigentlich gar nicht zu tragen ist. Ich vermag mir schlechterdings nicht vorzustellen, wie etwa eine anglikanische Kirche mit besonderen Riten und besonderer Rechtsordnung oder eine lutherische Kirche oder eine reformierte Kirche auch noch seinem Primat unterstellt werden könnte, wenn sich dessen Struktur nicht erheblich wandeln würde. Eine entscheidende Entlastung, wie sie etwa von N. Nissiotis vorgeschlagen wird, muß eintreten, wenn ein Zusammenschluß verwirklicht werden soll.

H. Stirnimann: Einige Anmerkungen zum Jurisdiktionsprimat, wie er in der ersten Hälfte von »pastor aeternus« umschrieben ist: Das eigentliche Problem ist die Maßlosigkeit der Ansprüche, wobei zugleich die sogenannte »höhere Autorität« völlig zweideutig bleibt. Wir sollten diejenigen Diskussionen und Probleme wieder aufgreifen, die durch das vatikanische Dogma unterdrückt wurden. Ich denke hier nicht an die damals unbeantwortet gebliebene historische Frage nach dem häretischen Papst. Mich interessieren andere Unterscheidungen, die damals in den Diskussionen durchaus geläufig waren, z. B.: Was ist ein »casus maior«, was ein »casus minor«? Welche Dinge betreffen wirklich die Einheit der Kirche, welche sind bloß taktische Fragen? – Man sollte einmal einen Katalog aufstellen über Lehrstreitigkeiten, die man innerhalb der römisch-katholischen Einheit regeln kann. –

Wenn die römisch-katholischen Bischöfe Rom diese oder jene Rechte übertragen haben, so mag diese Praxis für sie in Geltung bleiben, aber man sollte diese Rechtsverhältnisse den Orthodoxen und evangelischen Kirchen nicht aufbürden. Dadurch würde das Dogma ja nicht in Gefahr gebracht.

E. Lessing: Das Problem ist in der Tat das Problem der Maßlosigkeit. Das darf uns aber – meine ich – nicht von der Frage entbinden, positiv zu fragen, welchen Sinn und welche Bedeutung wir dem Recht in der Kirche zuschreiben. Wir gebrauchen hier ständig juristische Begriffe. Ich erinnere nur an den Begriff Verbindlichkeit, dessen juridische Dimension uns noch nicht wirklich deutlich ist. Ich empfand es als größte Lücke in unserem Gespräch, daß über die Bedeutung des Juridischen in der Kirche keine Klarheit gewonnen worden ist. Es zeichnet sich auch nicht ab, wie wir über dieses Problem zureichend sprechen können.

M. Löhrer: W. Pannenberg hat die Frage nach dem »ex sese non autem ex consensu ecclesiae« aufgeworfen. Das ist eine Formel, die zumindest höchst problematisch und mißverständlich scheint. Ich sehe nicht, wie die katholische Kirche diese Problematik ausräumen könnte, ohne hier effektiv eine Revision vorzunehmen. Als Beispiel können wir den schon von O. H. Pesch zitierten Satz »extra ecclesiam nulla salus« betrachten. So wie der Wandel von der ganz harten Formulierung des Florentinums zu jener offenen des II. Vatikanums innerhalb der katholischen Kirche möglich war, müßte es doch auch möglich sein, diese Formel zu revidieren. Man mag sie vielleicht zeitgeschichtlich verstehen, etwa auf dem Hintergrund des Kampfes gegen den Gallikanismus, man kann sagen, im Pastoralprimat müsse auch ein Moment der Jurisdiktion enthalten sein, aber ich glaube, von der Formel müßte man wegkommen. Soweit sehe ich das Anliegen von H. Küng berechtigt. Ich bin nicht gegen eine Interpretation, aber eine Kirche muß unter Umständen auch den Mut haben, Fehler einzugestehen. Das ist bisher leider zu selten geschehen.

Es wäre für uns wichtig, von gewissen Tendenzen eines »lehramtlichen Fundamentalismus« wegzukommen. Ich habe den Eindruck, daß die erwähnte Definition wie auch andere Sätze des I. Vatikanums in diese Richtung gehen. Bereits auf dem II. Vatikanum sehe ich hier einen gewissen Fortschritt: In der Frage der Irrtumslosigkeit der Schrift war man dort ursprünglich noch von einem ganz starren Begriff der Inerranz ausgegangen und nachher zu dem viel positiveren Begriff einer »veritas quam Deus nostrae salutis causa consignari voluit« gekommen. So kann man heute freier und offener reden, was die Wahrheit der Schrift angeht. Wenn sich die gleiche hermeneutische Entwicklung bezüglich lehramtlicher Aussagen vollziehen würde, käme man ein gutes Stück voran. Deshalb sollten wir vor allem hier weiterarbeiten.

P. Lengsfeld: Ich knüpfe an den Gedanken von Y. Congar an, daß wir eine Re-rezeption des I. Vatikanums versuchen sollten. Dabei will ich nicht auf einzelne Texte, sondern auf den Interpretationsrahmen eingehen, der sich in den letzten hundert Jahren wohl sehr verändert hat. Ich nenne drei Momente der Veränderung:

Die Menschheit wird sich ihrer Einheit zunehmend bewußt: H. Ott hat dieses Ereignis als Unifikation beschrieben. Hier zeigt sich ein ganz wesentlicher Unterschied zur historischen Situation des 19. Jahrhunderts. Die Entwicklung der Nationalstaaten und der Souveränitätsgedanke hatten damals Einfluß auf die Vorstellungen, die man in Rom von Primat und Unfehlbarkeit entwickelte.

Die weite Ausbreitung der ökumenischen Bewegung in diesem Jahrhundert verändert schon als Faktum auch die Rolle des Papstes in der Christenheit: Dieser Vorgang wird sichtbar im jeweils anderen Verhalten der Päpste gegenüber der ökumenischen Bewegung in den einzelnen historischen Phasen: 1927/28, 1948, zu Beginn des Konzils und heute. Die breite Strömung der Zusammenschlüsse in der nicht-katholischen Christenheit hat das Selbstverständnis des Papsttums laufend verändert. Eine Interpretation des I. Vatikanums, dessen Wirkungsgeschichte von O. H. Pesch sozusagen erst einmal »binnenkatholisch« dargestellt wurde, müßte deshalb jetzt ökumenisch im Blick auf die gesamte Christenheit und deren heutige Situation geleistet werden.

Das Recht und das Rechtsdenken hat sich in den letzten hundert Jahren gewandelt und damit auch die Beurteilung des Stellenwerts juristischer Formulierungen, wie sie im I. Vatikanum gebraucht wurden: Im 19. Jahrhundert waren Recht und rechtliche Normen immer auch ein Instrument der Herrschaft von oben nach unten. Kodifiziert wurde, was der Herrscher, der souveräne Staat, der Nationalstaat in seinem eigenen Bereich durchsetzen wollte. Heute haben wir zu diesem Recht, das primär der Binnenverwaltung des Staates dient, ein anderes Verhältnis dadurch gewonnen, daß Recht international gedacht wird: Es wird das Recht der Völker, das Recht des Humanum zur Geltung gebracht. Recht zielt immer mehr auf eine Verankerung in den Menschenrechten ab. Von daher kann auch die juristische Sprache des I. Vatikanums neue Aspekte gewinnen, die für eine heutige Interpretation und Weiterentwicklung wichtig sind.

Die Schwierigkeiten im protestantischen Raum für die Rechtfertigungslehre eine zukunftsorientierte Interpretation anzubieten, könnten mit dem römischen Rechtsdenken und dessen zuendekommender Gültigkeit oder Geltungskraft irgendwo zusammenhängen. Dieser Zusammenhang gründet darin, daß wir am Ende einer Kulturepoche stehen, die sich patriarchalisch gebärdete, deren Verhältnis zum Recht deshalb auch Einseitigkeiten aufwies. Hier würde es sich lohnen, weiterzuforschen.

P. Bläser: P. Lengsfeld hat die Bedeutung der ökumenischen Bewegung für die Idee des Papsttums herausgestellt. Ich möchte einige Überlegungen anstellen, auf welche Weise das ökumenische Papsttum praktisch irgendwie näher kommen könnte. Es kann keinen ökumenischen Papst ohne ökumenisches Kirchenvolk und ohne ökumenisches Konzil geben. Das hat auch J. Moltmann hervorgehoben. Es ist der große Schritt, den man im Auge haben muß. Aber vor diesem großen Schritt muß Konzil im kleinen geschehen, permanent, in actu, überall. Das geschieht auch tatsächlich auf den verschiedensten Ebenen, wo zwar nicht im vollen Sinne Konzil gehalten werden kann, aber doch das synodale Prinzip lebendig ist. So wäre es mein Vorschlag, das Synodalprinzip auf allen Begegnungsebenen zu realisieren. Vieles ließe sich aufzählen: ökumenische Arbeitsgemeinschaften, unsere gegenwärtigen Gespräche, die Arbeitsgemeinschaft christlicher Kirchen, Weltkirchenrat usw.

E. Schweizer: Es gibt im Neuen Testament eine Konzeption der Einheit, die meiner Meinung nach nicht genügt. Sie liegt in der Tendenz der johanneischen Konzeption einer extrem spiritualistisch verstandenen Ekklesiologie. In der Bildsprache des Johannes ist immer nur der einzelne mit Christus verbunden, ohne Zwischenverbindung: Jedes Schaf hat den einen Hirten; kein Schaf hilft dem andern. Das ist johanneische Ekklesiologie in ihrer gefährlichen Tendenz. Darum kann auch durchaus im Kapitel 21 zugegeben werden, daß Petrus dieses Hirtenamt hat, weil ja doch der Jünger, den Jesus lieb hatte, der eigentlich entscheidende ist in der Kirche. Darum stehen sie beide nebeneinander, ohne daß die Differenz im Grunde ausgetragen ist.

Eine ganz andere Konzeption von Einheit vertritt Paulus mit seiner Idee vom Leibe Christi. Da sind nicht nur alle getragen und genährt von dem einen Christus, sondern so getragen und genährt, daß ein Glied dem andern helfen muß. Das bedeutet darum auch für Paulus, daß er den Dialog mit den andern nicht bloß fakultativ durchführt, sondern obligatorisch. Darum muß er auch nach Jerusalem und muß die Sache austragen. Nun ist es offenbar so, daß in Gal 2,1–10 Paulus in der Auseinandersetzung mit Petrus sich durchsetzt, in Gal 2,11–21 aber vermutlich Petrus, denn Paulus verließ in der Folge seine Missionsbasis Antiochia. Aber der Dialog bricht nicht ab, wie wir in 1 Kor sehen, wo Petrus durchaus neben Paulus steht.

Darum könnte ich die Lösung nur so sehen, wie sie N. Nissiotis und E. Schlink angedeutet haben, daß nämlich das Amt der Einheit die Funktion hat, dafür zu sorgen, daß der Dialog zwischen den verschiedenen Gruppen obligatorisch wird. Es gibt Fragen, die im Moment nicht gelöst werden können. Trotzdem muß der Dialog weitergehen. Ich kann mir eine Einigung nur vorstellen, wenn die Gesprächspartner gleichberechtigt sind und sich verpflichtet wissen, diesen Dialog auch dann weiterzuführen, wenn eine Einigungsformel nicht gefunden werden kann. Paulus ist nicht nach Jerusalem gegangen, unter der Voraussetzung, daß selbstverständlich Petrus recht haben wird. Beide mußten vielmehr als selbständig nebeneinanderstehende Dialogpartner die Sache der Einheit führen. Solange nicht ein Glied dem andern helfen kann, ist etwas krank am Leibe Christi.

Y. Congar: Ich halte derzeit am Ökumenischen Institut von Paris eine Reihe von Lehrveranstaltungen über das Papsttum und betreue einige Dissertationen in dieser Richtung. Eine Forschungsarbeit befaßt sich mit der Unterscheidung von ius divinum und ius humanum bei Melanchthon. Ich selbst habe mich in einem Artikel mit der Frage des ius divinum beschäftigt. In diesem Zusammenhang hat mich die Tatsache ebensosehr beeindruckt, daß Christus zwar den Anfang der Kirche begründet, der heilige Geist aber die Kirche in ihrer ganzen Geschichte fortgründet, wie die Erkenntnis, daß das ius divinum ständig durch die ganze Geschichte aktualisiert wird in einem ius humanum, einem ius ecclesiasticum.

Alle diese Probleme werden derzeit unter historischen, theologischen und selbst kanonistischen Gesichtspunkten erforscht. Ich habe mich bemüht, das Recht vom Sakrament her zu überdenken: in Kritik an Rudolf Sohm, aber auch auf der Linie, die Sohm für ein sakramentales Recht der Kirche eröffnet hat. Wir befinden uns also im Stadium der Forschung. Darum, glaube ich, können wir uns zwar der Forschung anschließen, aber wir können sie nicht abschließen. Schließlich scheint mir ein Element in unserem Kreis zu fehlen. Wir alle sind Theologen und Historiker, aber wir haben kein »gewöhnliches« Glied des Volkes Gottes unter uns. Die kleinen Leute fehlen. Wir sollten bedenken, was das Papsttum für das Gefühl der Gläubigen bedeutet, auch in Afrika, Südamerika, Asien. Man sollte meiner Meinung nach dieses Symbol der Einheit, wenn es schon existiert, respektieren.

H. Ott: Eine Bemerkung zur Methode: E. Schlink hat schon in seinem Vortrag zur Eröffnung unserer Tagung einen anregenden Vorschlag geäußert, wie unser Thema methodisch angegangen werden sollte. »remoto papa« müßte man es durchdenken. Ekklesiologie ist eine pragmatische Wissenschaft, das heißt sie ist Theorie einer Praxis. Ekklesiologie hat nicht mit ewigen Wesenheiten zu tun, sondern mit dem, was getan werden müßte. Das gilt auch, wenn wir vom ökumenischen Papsttum sprechen. Vielleicht gestatten Sie mir eine Parallele zur marxistischen Theorie: Gegenüber den utopistischen Sozialisten, die einfach der Wirklichkeit ein Idealbild gegenüberstellen, das dann verwirklicht werden soll, wird von den sogenannten wissenschaftlichen Marxisten eine Antithese behauptet. Wir müssen, wenn wir vom ökumenischen Papsttum reden, darauf achten, daß wir nicht utopistisch reden. Wir müssen also mehr im Sinne des wissenschaftlichen Marxismus denken. Das heißt umgesetzt auf unser Thema: Wir müssen die Schritte, die Möglichkeiten oder Strategien der Verwirklichung mit zum Bestandteil der theologischen Theorie werden lassen. Die theologische Theorie beschränkt sich nicht auf das Ideal eines ökumenischen Papsttums mit seinen wünschbaren Zügen, sondern erstreckt sich auch auf den Weg, die kleinen Schritte, die wir dorthin zu gehen haben. Diese Pragmatik ist schon ein Stück der ekklesiologischen Methode, die wir hier anzuwenden haben.

E. Gräßer: Zur Kontroverse zwischen W. de Vries und J. Blank: Welchen Rang, welches Gewicht hat das Neue Testament in dieser Debatte? Weswegen beziehen wir uns auf das Neue Testament zurück, wenn wir prospektiv ein Papstamt als das Amt der geeinten Christenheit ansehen? Den Begriff einer Entwicklung aus dem Neuen Testament kann man – meine ich – außer acht lassen. Es geht hier um etwas anderes. Alle Texte des Neuen Testamentes haben eine ganz bestimmte Wirkungsgeschichte. Wenn wir heute Texte exegisieren, können wir nicht von dieser

Wirkungsgeschichte abstrahieren. Wir können uns nicht mit einem Sprung ins 1. Jahrhundert zurückkatapultieren und so tun, als hätten diese Texte keine Geschichte gemacht, die uns alle in irgendeiner Weise geprägt hat. Darum muß das Ergebnis der Wirkungsgeschichte, zum Beispiel von Mt 16,18f, bei der heutigen Exegese von Mt 16,18f mitberücksichtigt werden. Möglich, daß Mt 16,18 auf Grund der Wirkungsgeschichte heute besser verstanden werden kann als vor vier-, fünf-, sechshundert Jahren. Es kann auch sein, daß wir feststellen, daß der Text eine Wirkung gehabt hat, die er von sich aus nie freigesetzt hätte. Das ist es, was ich einen qualitativen Sprung genannt habe. Aber grundsätzlich ist diese Methode berechtigt. Man darf auf Grund von Wirkungen, die Texte gehabt haben, auch wieder zurückblicken. Exegese ist keine Einbahnstraße von damals zu heute, sondern immer auch die Retourstraße von heute zu damals.

J. Blank: F. Mußner hat in seinem Buch »Petrus und Paulus – Pole der
Einheit« die Überordnung des Evangeliums über Petrus auf Grund des antiochenischen Zwischenfalls (Gal 2,10–17) zur Diskussion gestellt. Es müßte in unserer Theologie eingehend bedacht werden, was es heißt, daß Paulus dort gegen Petrus argumentiert, weil er nicht gemäß der Wahrheit des Evangeliums handelt. Wenn das prinzipiell deutlich würde, dann wäre schon ein ganz wesentlicher, entscheidender Punkt in dieser Frage gewonnen. Das Evangelium als ein dem Amt übergeordnetes Kriterium ist ja seit eh und je ein grundevangelisches Anliegen. Diese Wertung hat zur Konsequenz, daß auch die Gestaltung und Praxis dieses Amtes bestimmten neutestamentlichen Kriterien unterliegt. Das ist in der katholischen Theologie ein noch junger Gedanke, der allerdings in Zusammenhang mit dem II. Vatikanum große Bedeutung erlangte. Kirchliches Amt muß grundsätzlich der Kritik des Evangeliums unterstehen. Deshalb ist es einfach nicht möglich, päpstliche Äußerungen als schlechterdings authentische Auslegungen des Neuen Testamentes anzusehen.

J. Moltmann sprach gestern das Problem der »libertas ecclesiae« an. Dazu ist folgendes zu sagen: Libertas ecclesiae im mittelalterlichen Kirchenstreit heißt nicht Freiheit der Gesamtkirche, einschließlich des Kirchenvolkes, sondern zunächst nur Freiheit der Papstkirche, der Bischofskirche, der Herrschaftskirche. Zur libertas ecclesiae müßte aber an sich folgerichtig die Freiheit des Christenmenschen gehören. Sobald die Freiheit des Christenmenschen wirklich zur Sprache kommt und wahrgenommen wird, wird sie von sich aus ein starkes Gegengewicht gegen das Mißverständnis der Kirche als Amtskirche bilden. Daß dieser notwendige Prozeß in Gang kommt, ist für mich eins der anzustrebenden Ziele auch im Sinn des Ämtermemorandums. Hier liegt auch die Chance für die Entwicklung eines anderen Amtsverständnisses. Das metaphysisch-ontologische Amtsverständnis ist meiner Meinung nach dem Neuen Testament nicht angemessen. Das Neue Testament zeigt vor allem ein funktional-dialogisches Amtsverständnis. Daran müssen wir uns halten, wenn wir eine Zwei-Klassen-Kirche in Zukunft vermeiden wollen. Entscheidend wichtig scheint es mir schließlich, daß die zentralen Probleme des Glaubens – z. B. Rechtfertigung allein aus Glauben, die Frage, was Jesus eigentlich gewollt hat – zum zentralen Gesprächsgegenstand unter Christen werden. Die Rolle des Papsttums dürfte sich dann von selber relativieren. Deswegen – meine ich – ist es prinzipiell der richtige Weg, Aufklärung vom Evangelium her zu treiben.

A. Hasler: Unsere Diskussion darüber, wie ein ökumenisches Papsttum aussehen müßte, läuft – wenn ich richtig sehe – darauf hinaus, daß der Papst weitgehende Machtbefugnisse abgeben müßte. Wie soll ein solcher Prozeß vor sich gehen? Ich suche in der Geschichte nach überzeugenden Beispielen für einen freiwilligen Verzicht auf Macht, aber es will mir weder für die Kirche noch für andere Institutionen eines einfallen. Weiter wäre zu fragen, ob man dieses Papsttum wirklich umbauen kann. Soll man nicht besser etwas Neues aufbauen? Es ist mir zudem nicht einsichtig, warum dieses Amt nur von einer Person ausgeübt werden soll.

H. Küng: Erinnern wir uns an das Votum von Y. Congar. Gleich ihm halte ich es für illusorisch, an die Stelle des Papstamtes etwas schlechthin Neues stellen zu wollen. Damit sind grundlegende Veränderungen, die nach unserer einhelligen Meinung stattfinden sollten, keineswegs ausgeschlossen. Es gibt durchaus historische Beispiele kontinuierlicher Machtumschichtungen, aber das ist für mich nicht entscheidend, sondern ich meine, daß ich als Glaubender nicht ausschließen kann, daß einmal ein Papst kommt, der sich die Gedanken, die hier geäußert wurden, zu eigen macht. Es ist immerhin ein unübersehbares Zeichen, daß Papst Johannes XXIII. aus originär christlichen Impulsen heraus tatsächlich Macht abgegeben hat. Manches, was er getan hat, bedeutet einen solchen kirchengeschichtlichen Einbruch, daß weitere Veränderungen für die Zukunft durchaus im Bereich des Möglichen liegen. Wir haben keinen Grund zu Euphorie, aber auch nicht zu übertriebenem Pessimismus.

Unsere Diskussion unterstrich: Eine exakte redliche Interpretation der Konzilstexte, nicht nur des I. Vatikanums, sondern auch des II. Vatikanums, ist notwendig. In der Tat erklärt etwa das dritte Kapitel der Kirchenkonstitution des II. Vatikanums im Abschnitt über die Unfehlbarkeit das magisterium ordinarium in einer Weise als unfehlbar, die schließlich die dogmatische Begründung für eine Enzyklika wie »Humanae vitae« liefert. Wir finden dort die Auffassung, auch der Konsens der Bischöfe könne unfehlbar sein.

Unsere Interpretation muß also sehr exakt sein. Es scheint mir zum Beispiel unmöglich, in der Interpretation etwa das »irreformabile« gegen das »infallibile« auszuspielen. Ich habe in der Bilanz zur Unfehlbarkeitsdebatte ausgeführt, daß nach dem Text der großen Glaubensdeputation des Referenten Gasser (zum Abschluß der Unfehlbarkeitsdebatte auf dem I. Vatikanum) ganz eindeutig ist: die Irreformabilität ist eine klare Konsequenz der Infallibilität. Es war geradezu als Verschärfung empfunden worden, als in einer relativ späten Phase noch das Wort »irreformabile« in den Lehrtext eingeführt wurde. Es hilft uns nicht weiter, wenn die Dinge hier leicht gemacht werden. Wir müssen uns, wie M. Löhrer betont, den Texten stellen. Dennoch ist ein Weiterschreiten durchaus möglich. Selbst das II. Vatikanum hat Texte des Konzils von Trient revidiert. Die Aussage etwa über die Firmung im Hinblick auf die Ostkirchen ist eindeutig eine Korrektur des entsprechenden Kanons von Trient. Ist also zunächst eine Korrektur de facto möglich, so halte ich es auch für möglich, daß eine Korrektur de iure geschieht. In diesem Sinne kann ein kommender Papst durchaus zur Einsicht kommen: ein Ehrenprimat sei zwar unzureichend, der Jurisdiktionsprimat andererseits eine Engführung – und sich für den Pastoralprimat entscheiden.

Der harte Kern der Diskussion bleibt nach wie vor die Unfehlbarkeitsfrage. Darum muß die Bewußtseinsveränderung, die heute im Gange ist, konsequent theologisch weiterverfolgt werden. Ich sehe ähnlich wie O. H. Pesch, daß Angst in dieser Frage eine Rolle spielt. Man müßte also deutlich machen, wie das Lehramt des Papstes oder der Konzilien, wie die Schrift in der Verkündigung zur Geltung gebracht werden kann, ohne daß man behauptet, jeder Satz sei wahr. Warum sollte, was für die historisch-kritische Auslegung der Schrift und der Konzilien gilt, nicht auch auf das Lehramt des Papstes angewendet werden? Hier müßte, wie M. Löhrer richtig sagt, die Frage der Inerranz der Schrift auf die Frage der Inerranz oder Infallibilität von konziliaren oder päpstlichen Dokumenten appliziert werden.

Weiterhin müßten die Grundfragen, vor allem das Verständnis des Begriffs Wahrheit, sehr gründlich behandelt werden. Ich sehe nicht notwendig eine Ausschließlichkeit zwischen einem – wie H. Ott es mit Recht nennt – mehr prozessualen, personalen, hermeneutischen Wahrheitsverständnis und einem Wahrheitsverständnis, das sich zugleich an der Wirklichkeit orientiert. Eine Abbildtheorie ist hier nicht gemeint, sondern beide Denkrichtungen müßten gleichzeitig überlegt werden. Die Frage ist, wie wir auch das theologische Wahrheitsverständnis an der Wirklichkeit orientieren können. Theologische Aussagen müssen an der geschichtlichen Wirklichkeit verifiziert werden. Eine Theorie der Wahrheit im Sinne des Konsenses kommt letztlich nicht durch, ohne irgendwo auch nach der Korrespondenz mit der

Wirklichkeit zu fragen. Aber auch eine Korrespondenztheorie der Wahrheit muß damit rechnen, daß Wahrheit in einem Konsens, im Dialog usw. durchgesetzt, beziehungsweise zu einem Konsens gebracht werden muß. Ich meine also, daß wir in dieser Frage eine Synthese anstreben sollten. Verschiedentlich wurde auch die Frage Gesellschaft – politische Theologie angesprochen. Es ist sicher nicht möglich, Ökumenismus zu treiben – oder den Petrusdienst zu leben –, ohne die gesellschaftlichen Probleme von heute miteinzubeziehen. Aber gleichzeitig müssen wir uns entschieden dagegen wehren, daß die gemeinsame ökumenische Aktion in Fragen der Gesellschaft, der Dritten Welt etwa gegen die innerkirchliche oder theologische Ökumene ausgespielt wird. Man bedenke, daß beispielsweise das Problem der Bevölkerungsexplosion in Südamerika ganz direkt zusammenhängt mit den Fragen des Lehramtes, genau gesagt mit der Unfehlbarkeit der Enzyklika »Humanae vitae«. So sollten wir, glaube ich, doch beide Aspekte zusammenhalten. Mancher südamerikanische Politiker wäre wegen der Bevölkerungsprobleme froh, wenn die Frage um Humanae vitae theologisch richtig aufgearbeitet worden wäre.

Zu überlegen ist schließlich – wie O. H. Pesch vor allem betonte – die Beachtung und zugleich der Einsatz psychologischer und politischer Faktoren in und durch unsere Theologie selber. Für einen Fortschritt schiene mir das Entscheidende, daß es uns gelingt, die römische Kurie und ihre verschiedenen Kommissionen und Kongregationen mehr für eine kompetente Theologie zu gewinnen. Es ist deshalb wichtig, daß jene Theologen, die sich in der Kurie oft mit wenig Erfolg um Öffnung und Ausgleich bemühen, mit unserem Verständnis rechnen können. Hier sollten wir mehr die Übereinstimmung in den Zielen suchen. Freilich darf man sich nicht durch Illusionen vom Handeln abhalten lassen: Wir müssen entschieden und auch öffentlich dafür plädieren, daß vor allem die Glaubenskongregation ihre theologische Linie ändert. Die öffentliche Meinung ist dafür ein taugliches Mittel. Insofern sind wir darauf angewiesen, daß die Diskussionen auch in die Öffentlichkeit getragen werden und immer mehr die notwendige Bewußtseinsänderung erreicht wird. Mit der Zeit wird so manches selbstverständlich, wie etwa das motu proprio zur Mischehenfrage zeigte. Grundsätzlich aber müßten wir die Verwirklichungsstrategie besser überlegen.

H. Ott: Ich darf kurz eingehen auf die Diskussion um das »irreformabile« und »ex sese«. Der Juridismus ist von Votanten beider Konfessionen beklagt worden. Wenn wir uns schon auf dem Boden des juristischen Denkens bewegen müssen, dann dürfen wir immerhin auch den folgenden Grundsatz der juristischen Hermeneutik ins Spiel bringen: Die Gesetzesmaterialien sind nicht maßgebend für die Gesetzesauslegung der Gerichte. Der Wortlaut des Textes wird in der Rechtsergänzung der Gerichte in freier

Würdigung dessen, was im Moment das Rechtsbewußtsein ist, ausgelegt. So wird das Recht durch die Gerichte weiterentwickelt. In unserer speziellen Frage können wir wohl nicht realistisch erwarten, daß die Formel »es sese« jemals feierlich widerrufen wird, so wenig wie das »extra ecclesiam nulla salus« jemals feierlich widerrufen wurde. Es wurde einfach das Gegenteil gesagt. Wir sollten vielleicht aus realistischen Gründen die Dinge in dieser Perspektive weiter überlegen.

J. May: Eine Frage zum Problem der Machtumverteilung: Was soll eigentlich eingeführt werden? Soll die Kirche die Gremien vervielfältigen? Ich möchte P. Bläsers Ruf nach mehr Konziliarität in der Kirche nicht abwerten, aber es besteht dann doch die Gefahr einer kirchlichen Möchtegern- oder Schaufensterdemokratie. Alle diese Gremien sind ja nur Vertretungen, wie alle Parlamente nur Vertretungen sind. Die entscheidende Frage ist, ob Vertretungen heute genügen, um die notwendige Konsensbildung zu ermöglichen. Die Kirchen stehen nicht vor der Aufgabe, demokratische Strukturen nachzuholen, sondern vor der Frage, welche Strukturen überhaupt geeignet sind, in den Kirchen die nötige Konsensbildung von unten und ihr entsprechende Entscheidungsprozesse von oben in Gang zu bringen. Es klingt utopisch, aber ist vielleicht doch realisierbar, was die Konferenz über Kirche und Gesellschaft in Genf 1966 sagte: Wenn die Kirchen sich überlegten, welche Konsensbildungsprozesse für sie als christliche Gemeinschaften in Frage kämen, würden sie für die ganze Gesellschaft experimentieren.

P. Neuner: In einer rückblickenden Stellungnahme zu unserer Tagung kann man sich über viele Konvergenzen freuen: Die überraschendste Konvergenz sehe ich im Faktum, daß von evangelischen Teilnehmern verhältnismäßig breit ein Amt universaler Einheit als möglich, wünschenswert und notwendig angestrebt wird. Ein gewisser Konsens wurde erreicht in der Kritik des bestehenden und in der Idealvorstellung eines künftigen Papsttums und seiner Art der Ausübung. Am wenigsten sicher waren unsere Überlegungen insgesamt zur künftigen Entwicklung. Ich beziehe mich, H. Küng folgend, auf das Beispiel von Johannes XXIII., der tatsächlich so etwas wie ein Repräsentant der Christenheit gewesen war, über die Grenzen des römischen Katholizismus hinaus. In dieser Richtung liegt mehr Hoffnung als in der Utopie des papa angelico, die die Jahrhunderte durchzieht. Wenn man die Unruhe betrachtet, in der sich Kirche und Papsttum jetzt befinden, bedingt durch die Schwerpunktverlagerung in die Dritte Welt, besteht eine reale Hoffnung, daß eine Situation eintreten kann, in der sich die Gestalt des Papsttums ändern muß. Die Geschichte zeigt, daß sich das Papsttum immer erst anschließend an faktisch neue Gestalten und neue Praktiken eine entsprechende theologische und kanonistische Interpretation und Rechtfertigung gegeben hat. So eröffnet sich hier durchaus eine realistische und hoffnungsvolle Perspektive.

W. Pannenberg: Wenn ich mich zum Gesamtbild unserer Beratung äußern will, treten für mich zwei Ergebnisse aus unseren Verhandlungen heraus:

Das erste, daß wir in der Frage des Verhältnisses des Papsttums zum Neuen Testament einen wichtigen Schritt in der Klärung weiter gekommen sind, über das bedeutende amerikanische Dokument »Peter in the New Testament« hinaus. Dort war von Ansätzen einer Entwicklung die Rede, die dann später zum Primat geführt hätten, wenn auch nicht in dem Sinne, daß die Vollgestalt vom Neuen Testament her zu finden wäre. In den seitherigen Diskussionen, nicht nur auf dieser Tagung, zeichnet sich ab: Man sollte besser davon sprechen, was im Rückblick – nachdem sich aus anderen Gründen diese Institution entwickelt hatte – als legitime Anknüpfung und Rückgriff auf die Petrusgestalt des Neuen Testaments möglich war. Der kritische Maßstab unserer Diskussion liegt in diesem Rückgriff auf die Petrusgestalt des Neuen Testaments, die das Anliegen einer universalen Einheit der Kirche verkörpert. Auf evangelischer Seite müßten wir größeres Verständnis für diese Orientierung an der Petrusgestalt, wie sie sich in der Kirchengeschichte ergeben hat, aufbringen. Es bedeutet einen wichtigen Fortschritt, daß wir hier nicht mehr versuchen, das Papsttum vom Neuen Testament herzuleiten oder nach evolutiven Ansätzen Ausschau zu halten, sondern uns für den Rückgriff von der später entwickelten Gestalt eines Einheitsamtes auf das Vorbild des Petrus entschlossen haben. Darin ist auch die kritische Funktion des Neuen Testamentes implizit anerkannt, die ja in der Geschichte des Papsttums zweifellos zu wenig wirksam gewesen war. Petrus, der versagt, der sein eigenes Versagen auch bekannt hat; Petrus, der sich zurechtweisen lassen muß vom Evangelium her und solche Zurechtweisung auch akzeptiert, die Kritik nicht niederschlägt; Petrus, der sogar nicht immer die Leitung der ersten Gemeinde der Christenheit inne hatte und doch die erste Autorität blieb. Das sind Züge des Petrusbildes, die auch in unserer Situation eine solche kritische Funktion haben können.

Ein zweites Ergebnis ist für mich der wachsende Konsens auch auf evangelischer Seite, daß ein Amt der Einheit nötig ist: als Zeichen und als Werkzeug für das Bleiben in der Wahrheit, das der Kirche verheißen ist. Eine Instanz also, auf die sich – wie Y. Congar sagt – im Falle eines status confessionis die Blicke richten können. Wichtig scheint mir dabei, daß der Zusammenhang zwischen einer kritischen Aufarbeitung der absolutistischen Fehlentwicklung des Papsttums durch die katholische Theologie selbst und der neuen Möglichkeit, auch außerhalb der römisch-katholischen Kirche das Thema Papsttum unbefangener aufzunehmen, stärker beachtet wird. Die kritische Aufarbeitung der absolutistischen Fehlentwicklung durch die katholische Theologie ist Voraussetzung dafür, daß außerhalb der römisch-katholischen Kirche das Thema überhaupt diskutierbar geworden ist. Das sollte man bei der Diskussion besonders um H. Küngs Positionen stärker berücksichtigen.

Einiges ist noch zu sagen zu den Grenzen, welche sich bei der Arbeit auf dieser Tagung herausstellten. – Auf die Notwendigkeit einer differenzierteren Beschäftigung mit den dogmatischen Texten des I. Vatikanums hat schon E. Schlink hingewiesen. – Die absolutistische Fehlentwicklung des Papsttums ist nur in ihren allerersten historischen Anfängen – durch das Referat von W. de Vries – sichtbar geworden. Mit ihrer Verfestigung im zweiten Jahrtausend der Kirche und den katastrophalen Folgen, die diese Verfestigung gehabt hat, ausgehend von der cluniazensischen Reform und zur Auswirkung kommend in den Spaltungen des 11. und 16. Jahrhunderts, haben wir uns nicht befaßt. Auch die reformatorische Papstkritik kam nicht zur Sprache.

Eine zweite wichtige Aufgabe haben wir nicht in Angriff genommen: Welche Folgen sind für das ekklesiologische Selbstverständnis der römisch-katholischen Kirche zu erwarten, wenn die Kommunion mit Altkatholiken und Orthodoxen aufgenommen wird, ohne daß auf vorheriger Anerkennung des Primats des römischen Bischofs und der Dogmen, insbesondere des I. Vatikanums, insistiert wird?

Es wäre eine Bestandsaufnahme nötig, wieweit das Papsttum in der Geschichte tatsächlich der Einheit gedient hat. Es ist jedenfalls in der Geschichte nicht die einzige Instanz der Einheit gewesen. Eine solche Fragestellung würde Gelegenheit geben, das Papsttum im Lichte seines eigenen Selbstverständnisses von der Aufgabe her, die diese Institution selber für sich in Anspruch nimmt, kritisch zu klären. Zu untersuchen bleibt, inwiefern die Last dieses Amtes der Einheit im Lauf der christlichen Geschichte größer geworden ist, welche Strukturveränderungen und Versuchungen die Übernahme der Funktion des byzantinischen und auch noch des mittelalterlichen Kaisertums zur Folge hatte. Dazu gehört die Aufgabe der Ausweitung eines Amtes der Einheit in der gegenwärtigen Phase der zunehmenden Einheit der Menschheit. Die Einheit der Menschheit stellt sich – wie P. Lengsfeld sagt – dar als eine Einheit in kultureller Pluralität. Das ist das eigentlich Neue unserer Situation.

Schließlich zum Problem, wie heute das Amt der Einheit wahrzunehmen wäre und zur Frage der kleinen Schritte auf künftige instituionelle Formen hin: Wir von Rom getrennten Christen sollten in erster Linie erwarten können, daß der Papst, der seine Funktion als Amt der Einheit in der Nachfolge des Petrus versteht, tatsächlich auch als Anwalt der Einheit aller

Christen handelt, nicht nur als Anwalt der Einheit einer partikularen konfessionellen Tradition. Es wäre viel gewonnen, wenn der Papst in seinen öffentlichen Äußerungen und in seinen Handlungen sich für den ökumenischen Prozeß über die Grenzen der römisch-katholischen Kirche hinaus verantwortlich darstellte. Meiner Meinung nach würde dazugehören, daß auch von Rom Initiativen zu Kontakten mit den von Rom getrennten Kirchen und zu Besuchen ihrer leitenden Amtsträger ausgehen.

BEFREIUNG UND ERLÖSUNG

Gustavo Gutiérrez
Theologie der Befreiung
Mit einem Vorwort von Johann Baptist Metz
Aus dem Spanischen von Horst Goldstein
GT/Syst. Beiträge: 3. Aufl. 1978. XII + 288 S. Kst. DM 34,–

Das Buch von Gutiérrez ist die beste und informativste Einführung in das Thema, das heute in aller Munde ist, der erste und gelungene Gesamtentwurf, der Theologie, Kirche, Politik und Kultur unter der biblischen Verheißung »Befreiung« verbindet. Es ist in seiner Breite fast eine Enzyklopädie christlichen Denkens im Prozeß der Befreiung. Lutherische Monatshefte
Diese »Theologie der Befreiung« und jene Christen in Lateinamerika, die sie hervorgebracht haben und zu praktizieren suchen, leben mit dem Blick auf die Leiden der Millionen Schweigenden – auf dem Lande, in den Gebirgstälern, in den Wüsten und am Rande der üppigen Großstädte. Südwestfunk

Karl Rennstich
Mission und wirtschaftliche Entwicklung
Biblische Theologie des Kulturwandels und christliche Ethik
GT/Syst. Beiträge: 344 S. Kst. DM 38,–

Bedeutet die Hinwendung der Ökumene zu Fragen der wirtschaftlichen Gerechtigkeit eine Preisgabe des missionarischen Anliegens? Rennstich ist mit dieser Problematik seit langem beschäftigt. Das Ergebnis seines Forschens gliedert sich in drei Hauptteile: Die wirtschaftliche Entwicklung – Theologien der wirtschaftlichen Entwicklung – Die Aufgabe der Mission heute.

Günter Paulo Süss
Volkskatholizismus in Brasilien
Zur Typologie und Strategie gelebter Religiosität
GT/Syst. Beiträge: 200 S. Kst. DM 25,–

Der Verfasser (nach achtjähriger Tätigkeit als Seelsorger im Amazonasgebiet) gibt nicht nur eine Standortbestimmung des von ihm selbst erfahrenen Volkskatholizismus, sondern nennt auch Schwerpunkte einer Volksseelsorge, die sich die ganzheitliche Befreiung des Menschen zum Ziel gesetzt hat. Adveniat

Fernando Castillo (Hg.)
Theologie aus der Praxis des Volkes
Neuere Studien zum lateinamerikanischen Christentum und zur Theologie
der Befreiung
GT/Syst. Beiträge: 220 S. Kst. DM 25,–

Die lateinamerikanischen Christen bemühen sich, den eigenen Glauben aus den neuen Erfahrungen der Solidarität mit dem Volk neu zu verstehen und zu artikulieren. Das Anliegen des Bandes ist, zu einer besseren Kenntnis dieses Ansatzes im deutschen Sprachraum beizutragen.

KAISER · GRÜNEWALD